KB183465

조선 중·후기의 정치제도와 정치

조선 중·후기의 정치제도와 정치

한충희 지음

혜안

서언

1981년 2월에 「朝鮮初期 議政府硏究」를 발표하면서[1] 연구자의 길로 들어섰고 이후 2005년까지 朝鮮初期 官階, 官職, 官衙의 정비와 운영, 이들과 政治制度와의 관계 등의 연구에 매진하여 2편의 저서와 30여 편의 논고를 발표하였다.[2]

2004년에 그간에 걸친 정치제도, 이와 관련된 운영과 연구 성과를 수렴하고 종합하면서 단행본으로의 간행을 모색하게 되었다. 그러던 중 계명대학교 韓國學硏究院의 연구총서에 『朝鮮初期의 政治制度와 政治』로 응모하여 총서로 선정되었고, 그 후 2년여의 정리와 수정·보완을 거쳐 2006년 6월에 계명대학교 한국학연구총서 13집으로 간행하였다.[3]

『朝鮮初期의 政治制度와 政治』가 간행된 직후부터 오·탈자를 고치고, 부족한 부분을 보충하여 개정증보판을 내기 위한 준비에 착수하였다. 그러나 막상 작업을 시작해 보니 문장을 고치거나 보충할 내용이 많지 않았다. 이에서 개정증보판을 간행하기 보다는 마지막 『經國大典』이 반포된 1485년(성종 16)으로부터 『大典會通』이 반포된 1865년(고종 2)까지 즉 '조선 중·후기 정치제도와 정치'를 정리하는 것이 더 의의가 있겠다고 생각되었다. 이 연구는

---

1) 한충희, 1980·1981, 『韓國史硏究』 31·32.

2) 저서와 논문은 뒤 서론 주 1)~27) 참조.

3) 이 책의 목차(장, 절)는 뒤 간행후기 참조.

그 결과이다. 시간이 많이 경과되었지만 대표 논저처럼 생각해 온 『조선초기의 정치제도와 정치』의 후속연구가 이처럼 간행되게 되어 기쁘기 한량없다.

2006년 이전에도 朝鮮 中·後期 政治制度와 운영을 주제로 한 2편의[4] 논문을 발표하였고, 2006년 이후에는 2011년에 발간된 『朝鮮前期의 議政府와 政治』(계명대학교출판부)와 관련되기도 하였지만 조선 중·후기 정치제도와 관련된 논저 10편을 발표하였다.[5] 2022년에는 이 중 조선 중·후기 정치제도·정치 운영과 관련된 7편의 논문을 모아 『朝鮮 中·後期 政治制度研究』(도서출판 혜안)를 간행하였다.[6]

---

4) 1991, 「朝鮮前期(태조 (선조 24)의 權力構造研究 - 議政府·六曹·承政院을 중심으로」, 『國史館論叢』 20, 1992, 「朝鮮 中宗 5~宣祖 24년(성립기)의 備邊司에 대하여」, 『西巖趙恒來教授華甲紀念 韓國史學論叢』, 논총간행위원회.

5) 2010, 「朝鮮中期 議政府政治活動研究」, 『大丘史學』 100 ; 2010, 朝鮮中期 議政府堂上官研究」, 『(계명대)韓國學論集』 41 ; 2011, 「朝鮮 中·後期 議政府制의 變遷研究」, 『한국학논집』 43 ; 2011, 『朝鮮前期의 議政府와 政治』, 계명대학교출판부 ; 2011, 「朝鮮 中·後期 郡縣의 變遷과 國防·地方統治」, 『(계명대)人文學研究』 45 ; 2012, 「朝鮮 中·後期 邊鎮 變遷研究」, 『朝鮮史研究』 21 ; 2020, 「朝鮮時代(1392, 太祖 1~1785, 正祖 9) 陵官制研究」, 『동서인문학』 59 ; 2020, 「朝鮮中·後期(성종 16~정조 9) 中央官衙變遷研究」, 『조선사연구』 29 ; 2020, 「朝鮮中·後期(성종 16~고종 2) 京官 文班職 變遷研究」, 『조선사연구』 30.

6) 동서의 목차는 다음과 같다

이 책은 2006년에 간행된 『조선초기의 정치제도와 정치』, 지금까지 발표한 조선 중·후기를 주제로 한 9편의 논저와 새로이 쓴 「朝鮮中·後期 官階의 變遷」(5장), 「朝鮮中·後期 官衙機能의 變遷」 I·II(14·15장), 「朝鮮後期 政治制度와 政治運營」(17장)과 『朝鮮 中·後期 政治制度硏究』를 토대로 하고, 『朝鮮王朝實錄』·『備邊司謄錄』·『承政院日記』·『日省錄』·『增補文獻備考』·『萬機要覽』·『8道 邑誌』 등 사료, 『大典續錄』·『續大典』·『典錄通考』 등 법전, 『國朝人物考』·『安東金氏族譜』 등 인물자료와 지금까지에 걸친 선후배 학자들의 조선 중·후기 중앙·군사기구, 정치세력. 정치운영 관련 연구 성과를[7] 수렴하면서 단행본의 체제에 맞추어 종합하면서 정리한 것이다.

이 책은 『조선초기의 정치제도와 정치』와 연속되면서 『朝鮮 中·後期 政治制度硏究』와 함께 1392년(태조 1, 조선 개국)으로부터 1865년(고종 2, 『대전회통』)까지, 즉 '조선 초·중·후기의 정치제도와 정치'를 一目瞭然하면서도 종합적으로 이해하는 토대가 될 것으로 생각한다. 동시에 1866년(고종 3)~1910년(순종 4), 즉 『대전회통』 반포로부터 조선 멸망에 이르기까지의 정치제도와 정치가 정리되어져 조선조의 정치제도 연구가 마무리되기를 바란다. 부록으로 중앙과 지방 관직·관아를 종합한 〈별표〉, 정치제도변천 관련 주요 연표를 첨부한다.

끝으로 오늘에 이르기까지 연구자의 길을 걷도록 學恩을 베풀어주신 崔承熙 은사님, 묵묵히 인내하면서 뒷바라지를 해 주고 격려해 준 반려 金貴玉여사, 영역을 해 준 한세정 선생, 또 상업성 없는 이 책의 간행을 흔쾌히 허락해

제13장 朝鮮 中·後期 外官衙의 變遷 2 - 營과 鎭·浦
제14장 朝鮮 中·後期 官衙機能의 變遷 1 - 直啓衙門과 軍營衙門
제15장 朝鮮 中·後期 官衙機能의 變遷 2 - 六曹 屬衙門·屬司와 外衙門
제3부 朝鮮 中·後期 政治制度와 政治
제16장 朝鮮中期 議政府의 政治活動硏究
제17장 朝鮮後期 政治制度의 變遷과 政治運營
결어 - 조선 중·후기 정치제도의 특징
부록 『議政府謄錄』解題

7) 연구 논저는 뒤 서장 참조.

준 도서출판 혜안 오일주 사장님과 편집과 교정에 수고해 준 김태규 부장님 이하 편집진과 20여 년에 걸쳐 늘 논저의 교정을 보아준 제자 김봉숙 교수(경운대)와 임삼조 강사(계명대), 필요한 자료를 신속하고도 편리하게 제공해 준 계명대학교도서관 최진순 열람팀장님께 재삼 감사의 말씀을 드린다.

2023년 5월 30일
대구 이곡동 明齋室에서
明齋 한충희 근서

목차

제1부 『經國大典』의 官階·官職·官衙·官衙機能

제2부 朝鮮 中·後期 官階·官職·官衙·官衙機能의 變遷

제3부 朝鮮 中·後期의 政治制度와 政治

표 목차

序論

제1절 旣存硏究의 檢討

조선시대의 官階, 官職, 政治機構(官衙), 政治構造, 이들과 관련된 國政運營 등 政治制度와 政治運營을 주제로 한 연구는 官階는 관직제수의 토대가 되고, 官職은 정치기구를 운영하는 주체가 되고, 政治機構는 국가를 운영하는 실체가 되며, 국정은 이들을 토대로 하여 국내외 정세와 관련되어 수시로 변화되면서 영위되었다.[1]

이러한 정치제도 및 그것이 토대가 된 국정운영 등과 관련된 기능·중요성에 대해 1954년 末松保和가 「朝鮮議政府考」(『朝鮮學報』 9)를 발표한 이래로 2022년 12월 현재까지 관직, 정치기구, 통치구조, 정치운영, 관인선발 등을 주제로 한 많은 연구가 있었다.

그 연구성과를 보면 朝鮮初期(태조 1~성종 16, 마지막 『經國大典』 반포)에 있어서는 議政府,[2] 六曹,[3] 承政院,[4] 集賢殿,[5] 成均館,[6] 등 관아,[7] 摠制와[8]

---

1) 韓忠熙, 2006, 『조선초기의 정치제도와 정치』, 15쪽.

2) 韓忠熙, 1980·1981, 「朝鮮初期 議政府硏究』 상·하, 『韓國史硏究』 31·32.

3) 한충희, 1981, 「朝鮮初期 六曹硏究-制度의 確立과 實際機能을 중심으로-」, 『大丘史學』 20·21 ; 1998, 『朝鮮初期 六曹와 統治體系』, 계명대학교출판부.

4) 金昌鉉, 1986, 「朝鮮初期 承政院에 관한 연구」, 『(한양대)韓國學論集』 10 ; 한충희, 1987, 「朝鮮初期 承政院硏究」, 『한국사연구』 59.

5) 崔承熙, 1967·1968, 「集賢殿硏究」 상·하, 『歷史學報』 32·33.

6) 李成茂, 1967, 「鮮初의 成均館 硏究」, 『역사학보』 25·26.

7) 그 외의 주요 연구는 다음과 같다.

議政府 堂上官[9] 등 관직,[10] 官職構造,[11] 國政運營體系,[12] 權力構造[13] 등을 주제로 한 많은 연구가 있고, 또 모든 관아·관직의 변천과 이들과 국정운영과의 관계가 체계적이고도 종합적으로 정리되었다.[14]

朝鮮 中·後期(성종 16~고종 2)에 있어서도 정치제도와 운영을 주제로 하거

金成俊, 1964, 「宗親府考」, 『史學硏究』 18 ; 南智大, 1980, 「朝鮮初期 經筵制度」, 「(서울대)韓國史論』 6 ; 元永煥, 1990, 『漢城府硏究』, 강원대학교출판부 ; 李相寔, 1975, 「義禁府考」, 『(전남대)歷史學硏究』 6 ; 車文燮, 1960, 「鮮初의 內禁衛에 대하여」, 『사학연구』 18 ; 1973, 『朝鮮時代 軍事制度硏究』, 단국대학교출판부 ; 千寬宇, 1962, 「朝鮮初期 五衛의 形成」, 『역사학보』 17·18 ; 崔承熙, 1970, 「弘文館의 成立經緯」, 『한국사연구』 5 ; 韓忠熙, 1984, 「朝鮮初(太祖 2년~太宗 1년) 義興三軍府硏究」, 『啓明史學』 5 ; 2007, 『朝鮮初期 官衙硏究』. 國學資料院.

8) 한충희, 2000, 「朝鮮 世宗代(세종 5~14년) 摠制硏究」, 『조선사연구』 9 ; 2000, 「朝鮮 太宗代(정종 2년~세종 4년) 摠制硏究」, 『李樹健敎授停年紀念 韓國中世史論叢』, 논총간행위원회.

9) 한충희, 2007, 「朝鮮初期 議政府堂上官硏究」, 『대구사학』 87.

10) 한충희, 1985, 「朝鮮初期 判吏·兵曹事硏究」, 『(계명대)韓國學論集』 11 ; 1990, 「朝鮮初期 議政府 舍人·檢詳의 官人的 地位-舍人·檢詳의 歷官과 그 機能의 分析을 중심으로-」, 『(경북대)歷史敎育論集』 13·14집 ; 1990, 「朝鮮初期 六曹 正郞·佐郞의 官人的 地位-그 歷官과 機能의 分析을 중심으로-」, 『한국학논집』 17 ; 1996, 「朝鮮初期 六曹參議硏究」, 『한국학논집』 23 ; 2002, 「朝鮮 成宗代 三司官員의 性分·官歷과 官職的 地位 1-堂上官과 正品職을 중심으로-」, 『朝鮮의 政治와 社會』, 集文堂 ; 2002, 「朝鮮 成宗代 三司官員의 性分·官歷과 官職的 地位 2-從品職을 중심으로-」, 『조선사연구』 11 ; 2004, 「朝鮮初期 正3~從6品 淸要職硏究」, 『조선사연구』 13 ; 2005, 「朝鮮初期 承政院注書 小考」, 『대구사학』 78 ; 2007, 「朝鮮初期 集賢殿官硏究」, 『조선사연구』 16.

11) 한충희, 2004, 「朝鮮初期 官職構造硏究」, 『대구사학』 75.

12) 한충희, 1983, 「朝鮮初期 六曹屬衙門의 行政體系에 대하여」, 『한국학논집』 10 ; 1987, 「朝鮮初期 六曹硏究 添補-六曹와 統治機構와의 關係를 중심으로-」, 『대구사학』 33 ; 2005, 「朝鮮初期 國政運營體系와 國政運營」, 『조선사연구』 14.

13) 한충희, 1991, 「朝鮮前期(태조~선조 24) 權力構造硏究-議政府·六曹·承政院을 중심으로-」, 『國史館論叢』 30.

14) 한충희, 1998, 『朝鮮初期 六曹와 統治體系』, 계명대학교출판부 ; 2006, 『朝鮮初期의 政治制度와 政治』, 계명대학교출판부 ; 1994, 「중앙 정치구조」, 『한국사』 23, 국사편찬위원회 ; 2001, 「중앙 정치기구의 정비」, 『세종문화사대계』 3, 세종대왕기념사업회 ; 2008, 『朝鮮初期 官職과 政治』, 계명대학교출판부. 이들 논저의 연구사적 의의와 그외 관련 논저의 연구사적 의의는 졸저, 『朝鮮初期의 政治制度와 政治』, 17~23쪽 참조.

나 논급한 연구성과가 조선초기에 비하여는 적지만 韓忠熙, 李在喆, 潘允洪, 車文燮, 李泰鎭, 崔孝軾, 吳宗祿, 崔姃姬, 李仁復, 정호훈·김용흠 등에 의하여 국정운영의 중추가 된 정치, 군사기구인 議政府, 備邊司, 5軍營, 宣惠廳 등과 18~19세기 정치운영을 논급한 많은 연구가 있었고, 그 결과 그 각각의 성립, 구성, 변천, 기능 등이 실증을 통하여 구체적이고도 체계적으로 규명되었다.

이들 연구를 주제별로 보면 의정부에 있어서는 韓忠熙가 1489(성종 10)~1879년(고종 16)를 대상으로 4편의 논문과 1권의 저서를 통하여 1489~1879년까지 운영된 의정부의 직제·기능의 변천, 관원의 성분·정치활동, 의정부 당상관과 국정운영·의정부 기능, 의정부와 통치기구 등을 구체적이고도 체계적으로 정리하였다.[15]

비변사에 있어서는 潘允洪과 李在喆이 각각 비변사의 설립, 직제, 기능, 비변사와 통치구조와의 관계 등을 주제로 한 수편의 논고를 발표하였고,[16] 이를 토대로 각각 『朝鮮時代 備邊司研究』(2003, 景仁文化社), 『朝鮮後期 備邊司研究』(2001, 集文堂)로 간행하여 비변사의 성립과정, 직제, 운영, 기능, 통치구조와의 관련 등을 구체적이고도 종합적으로 규명하였다. 吳宗祿은 두 편의 논문을 발표하여 비변사의 조직·직임과 정치적인 기능을 구체적이고도 체계적으로 정리하였다.[17] 또 한충희는 「朝鮮 中宗 5~宣祖 24년(成立期)의 備邊司」를 발표하여 왜란 이전 비변사의 성립·변천, 조직, 기능, 비변사와 의정부·육조와의 관계를 규명하였다.[18]

---

15) 2009, 「朝鮮 成宗代 議政府研究」, 『啓明史學』 20 ; 2010, 「朝鮮中期 議政府政治活動研究」, 『대구사학』 100 ; 2010, 「朝鮮中期 議政府 堂上官研究」, 『한국학논집』 41 ; 2011, 「朝鮮中·後期 議政府制의 變遷研究」, 『한국학논집』 43 ; 2011, 『朝鮮前期의 議政府와 政治』, 계명대학교출판부.

16) 반윤홍, 2003, 『朝鮮時代 備邊司研究』, 景仁文化社 ; 李在喆, 2001, 『朝鮮後期 備邊司研究』, 集文堂 말미 참고문헌 참조.

17) 오종록, 1990, 「비변사의 조직과 직임」, 『조선정치사(1800~1863)』(제10장), 청년사 ; 「비변사의 정치적 기능」, 위 책(11장).

18) 한충희, 1992, 「조선 중종 5년~선조 24년(성립기)의 비변사에 대하여」, 『西巖趙恒來教

訓練都監·御營廳·禁衛營·摠戎廳·守禦廳의 5軍營과 壯勇營 등 중앙군영에 있어서 李泰鎭은 『조선후기의 정치와 군영제 변천』(1985, 한국연구원)에서 조선후기 정치와 관련시켜 모든 군영아문의 설치·직제·기능을 종합적으로 정리하였고, 崔孝軾은 군영을 주제로 한 수편의 논고를 발표하고[19] 이를 토대로 『朝鮮後期軍制史硏究』(1995, 신서원)를 간행하여 5군영의 설치, 조직, 기능, 재정 등, 車文燮은 宣祖代 訓練都監과 守禦廳의 설치·기능·재정·조련 등,[20] 朴範·방범석과 許善道·徐台源은 각각 壯勇營의 설치·직제·기능·재정 등과 營將制,[21] 이민웅, 송양섭, 이겸주는 지방군제 전반의 개편을[22] 각각 실증적이고도 체계적으로 규명하였다.

備邊司·5軍營 등과 정치세력·정치운영과의 관계를 주제로 한 연구에 있어서는 홍순민의 「붕당정치의 동요와 환국의 빈발」(2003, 『한국사』 30-조선중기의 정치와 경제), 오수창의 「세도정치의 성립과 운영 구조」(1997, 『한국사』 32)·「세도정치의 전개」(2003, 『한국사』 30)·「정국의 추이」(같은 책), 정호훈, 「19세기 전반 蕩平政治의 추진과 『續大典』의 편찬」(2005, 『朝鮮後期 체제변동과 속대전』, 혜안), 김용흠, 「19세기 전반 勢道政治의 형성과 政治運營」(2007, 『세도정치기 조선사회와 대전회통』, 혜안) 등이 있다.

또 留守府를 주제로 한 李存熙의 「朝鮮王朝의 留守府 經營」(1984, 『한국사연

授華甲紀念 韓國史學論叢』, 논총간행위원회.

19) 연구 년, 주제, 게재 학회지는 최효식, 1995, 『朝鮮後期軍制史硏究』, 신서원의 참고문헌 참조.

20) 1973, 「선조조의 훈련도감」, 『조선시대군제사』, 단국대학교출판부 ; 1976·1979, 「수어청연구」 상·하, 『(단국대)동양학연구』 6·9.

21) 박범, 2019, 「정조중반 장용영의 군영화과정」, 『史林』 70 ; 방범석, 2016, 「장용영의 편제와 재정운영」, 『한국사론』 62 ; 허선도, 1991, 「朝鮮時代의 營將制」, 『韓國學論叢』 14 ; 서태원, 1999, 『朝鮮後期 地方軍制硏究-營將制를 중심으로-』, 혜안.

22) 송양섭, 2013, 「지방군의 개편과 정비」, 『韓國軍事史』, 경인문화사 ; 이민웅, 2013, 「통제·통어영체제와 수군 재정비」, 『韓國軍事史』 ; 이겸주, 2003, 「지방군제의 개편」, 『한국사』 30, 국사편찬위원회.

구』 47), 宣惠廳을 주제로 한 崔姓姬의 「조선후기 宣惠廳의 운영과 中央財政構造의 변화」(2014, 고려대학교대학원 박사학위논문), 遞兒職을 주제로 한 申幼兒의 「朝鮮前期 遞兒職 研究」(2013, 서울대학교대학원 박사학위논문), 한충희의 모든 中央官衙·郡縣·邊鎭, 京官職·陵官의 변천배경·변천을 종합적으로 규명한 연구[23] 등이 있다. 그 외에도 본서의 서술과 관련한 人事制度·人事行政, 權力集團, 政局運營 등에 관한 연구로는 車長燮의 文科及第者,[24] 鄭海恩의 武科及第者,[25] 任敏赫의 蔭官,[26] 崔異敦의 「천거제의 시행과 관료충원방식의 변화」(2003, 『한국사』 30 조선중기의 정치와 경제), 김우기의 「朝鮮前期 士林의 銓郞職 進出과 그 役割」(1986, 『대구사학』 29), 崔承熙의 「朝鮮後期 原從功臣錄勳과 身分制 동요」(『韓國文化』 22), 오수창의 「권력집단의 정국운영」(1990, 『조선정치사(1800~1863)』, 청년사), 남지대의 「중앙정치세력의 성격」(같은 책), 홍순민의 「정치집단의 구성」·「정치집단의 성격」(같은 책) 등이 있다.

그러나 조선 중·후기 정치제도 전반을 종합적으로 정리한 연구를 보면 중앙·지방관아, 경관직, 조선전기의 통치구조와 운영, 군영아문 등이 정리되기도 하나[27] 이 시기의 官階, 인사제와 관직제의 관련, 국정운영체계는 이를 주제로 하거나 논급한 연구가 없다. 여기에서 연구된 정치제도는 종합하고 연구되지 않은 정치제도와 운영은 추가하면서 조선 중·후기의 모든 정치제도 ―관계, 관직, 관아변천과 관아기능의 변천, 인사제도―, 이것들이 실제

23) 2020, 「朝鮮中·後期(성종 16~정조 9) 中央官衙變遷研究」, 『조선사연구』 29 ; 2011, 「朝鮮中·後期 郡縣의 變遷과 國防·地方統治」, 『(계명대)人文學研究』 45 ; 2012, 「朝鮮 中·後期 邊鎭 變遷研究」, 『朝鮮史研究』 21 ; 2020, 「朝鮮中·後期(성종 16~고종 2) 京官職 變遷研究」, 『조선사연구』 30 ; 2020, 「朝鮮時代(1392, 太祖 1~1785, 正祖 9) 陵官制研究」, 『동서인문학』 59 ; 2022, 『朝鮮 中·後期 政治制度研究』, 도서출판 혜안.

24) 1994, 「朝鮮後期 文科及第者의 成分」, 『朝鮮史研究』 3, 조선사연구회.

25) 2002, 「朝鮮後期 武科及第者의 成分」, 한국정신문화연구원 한국학대학원 박사학위논문.

26) 1999, 「朝鮮後期 蔭官 研究」, 한국정신문화연구원 한국학대학원 박사학위논문.

27) 한충희, 위 『朝鮮前期의 議政府와 政治』, 331~370쪽.

정치와 어떻게 연관되면서 운영되었는가를 구체적이고도 종합적으로 규명하고 정리하는 데 본 연구의 필요성이 있다.

본서는 조선 중·후기의 정치제도와 정치운영을 주제로 하거나 논급한 연구성과를 수렴하고 『朝鮮王朝實錄』, 『備邊司謄錄』, 『承政院日記』, 『日省錄』, 『新增東國輿地勝覽』, 『萬機要覽』, 『增補文獻備考』(職官考), 『邑誌』, 『續大典』, 『大典通編』, 『大典會通』, 『燃藜室記述』 등을 검토하고 연구되지 않은 분야는 보충하면서 『經國大典』에 규정된 중앙관아를 기점으로 하여 이후 1865년(고종 2)에 편찬된 『대전회통』에 법제화되기까지의 관계, 관직, 정치기구, 정치구조, 이들을 토대로 영위된 국정운영 등을 구체적이고도 종합적으로 고찰하고자 한다.

이 연구를 통하여 조선 중·후기(1485, 성종 16, 마지막 『경국대전』 반포~1865, 고종 2, 『대전회통』 반포) 관계, 관직, 정치기구, 정치구조, 정치운영상이 구체적으로 규명되면서 통시대적으로 정리되고, 나아가 이 시기의 정치제도와 정치운영을 천착하고, 또 이 이후의 조선시대—1866년(고종 3)~1910년(순종 4)의 정치제도와 정치운영을 연구하는 계기와 토대가 될 것으로 생각한다.

제2절 研究의 課題

본서는 필자가 2006년에 간행한 『朝鮮初期의 政治制度와 政治』(계명대학교 출판부)의 후속편이다. 이와 관련하여 본서에서 규명할 내용을 『경국대전』의 정치제도, 조선 중·후기의 관계, 관직, 관아, 관아기능의 변천, 정치제도와 국정운영의 6주제로 대별하고, 다시 각 주제의 서술 분량과 내용을 참작하여 관직, 관아, 관아기능의 변천은 각각 Ⅰ, Ⅱ, Ⅲ부로 구분하면서 고찰한다.

본서는 필자가 1991년 이후 발표한 논저 10편과 새로이 쓴 「『經國大典』의 官階·官職·官衙·官衙機能」(1~4장), 「朝鮮中·後期 官階의 變遷」(5장), 「朝鮮中·

後期 京官職의 變遷」Ⅱ(7장, 武班職과 雜職·散職), 「朝鮮中·後期 官衙機能의 變遷」Ⅰ, Ⅱ(14~15장), 「朝鮮後期 政治制度의 變遷·政治勢力과 政治運營」(17장)을 토대로 하고, 『朝鮮王朝實錄』·『備邊司謄錄』·『承政院日記』·『日省錄』·『萬機要覽』 등 사료와 지금까지 선후배 학자들의 조선 중·후기 중앙·군사기구와 정치운영 관련 연구성과를 검토하고 보충하면서 서론, 본론 17장, 결론의 총 3부 19장으로 구분하면서 정리한다. 본서에 활용한 필자의 논저 11편은 다음과 같다.

① 1991, 「朝鮮前期(태조 (선조 24)의 權力構造研究－議政府·六曹·承政院을 중심으로」(『國史館論叢』 20).
② 1992, 「朝鮮 中宗 5~宣祖 24년(성립기)의 備邊司에 대하여」(『西巖趙恒來教授華甲紀念 韓國史學論叢』, 논총간행위원회).
③ 2006, 『朝鮮初期의 政治制度와 政治』(계명대학교출판부).
④ 2010, 「朝鮮中期 議政府 政治活動研究」(『大丘史學』 100).
⑤ 2011, 『朝鮮前期의 議政府와 政治』(계명대학교출판부).
⑥ 2011, 「朝鮮 中·後期 郡縣의 變遷과 國防·地方統治」(『(계명대)人文學研究』 45).
⑦ 2012, 「朝鮮 中·後期 邊鎭 變遷研究」(『朝鮮史研究』 21).
⑧ 2020, 「朝鮮時代(1392, 太祖 1~1785, 正祖 9) 陵官制研究」(『동서인문학』 59).
⑨ 2020, 「朝鮮 中·後期(성종 16~정조 9) 中央官衙 變遷研究」(『조선사연구』 29).
⑩ 2021, 「朝鮮 中·後期(성종 16~고종 2) 京官 文班職 變遷研究」(『조선사연구』 30).
⑪ 2022. 『朝鮮 中·後期 政治制度研究』(도서출판 혜안).

序論에서는 본서의 주제와 관련된 연구성과, 연구의 과제와 본서의 서술방향을 제시한다.

제1장~제4장 「『經國大典』의 官階·官職·官衙·官衙機能」에서는 각각 졸저 『朝鮮初期의 政治制度와 政治』 3~8장을 토대로 1485년(성종 16) 마지막 반포된

『經國大典』에 법제화된 官階, 官職, 官衙, 官衙機能을 성립, 변천배경과 변천상을 간명하게 정리할 것이다.[28)]

제5장 「朝鮮 中·後期 官階의 變遷」에서는 『朝鮮王朝實錄』, 『續大典』, 『大典會通』 등을 검토하면서 『經國大典』으로부터 『大典會通』에 이르기까지의 文散階, 武散階, 宗親階, 儀賓階, 雜職階, 土官階, 外命婦가[29)] 변천되게 된 배경과 그 내용을 정리할 것이다.

제6장 「朝鮮 中·後期 京官職의 變遷Ⅰ-文班職」에서는 문반 경관직을 관직구성에서 제일 중요시된 正職과 遞兒職, 無祿職, 兼職으로[30)] 대별하고 이를 다시 直啓衙門, 6曹屬衙門 官職으로[31)] 구분하면서 졸고 「朝鮮 中·後期(성종 16~고종 2) 京官 文班職 變遷硏究」(위 ⑩)를 토대로 하고, 기존연구와 관계자료를 검토하면서 『경국대전』이 반포된 1485년(성종 16)으로부터 『대전회통』이 반포된 1865년(고종 2)에 이르기까지의 그 각각의 변천배경과 내용을 정리할 것이다.

제7장 「朝鮮 中·後期 京官職의 변천Ⅱ-武班職과 雜職」에서는 무반직을 직계

28) 3~8장의 주제와 목차는 뒤 간행 후기 참조.

29) 외명부의 경우는 엄밀히 볼 때 관계인가 관직인가가 명확하지 못하지만 관계에 포함하여 파악한다.

30) 직계아문은 정1~정3품 당상 아문으로 그 관장사를 국왕에게 직접 보고하고 지시를 받으면서 집행하는 국정 중심기관이고, 6조 속아문은 정3품 당하~종6품 아문으로 관장사를 그 업무와 관련된 6조 중의 한 조(屬曹, 仰曹)에 소속되어 그의 지시를 받으면서 업무를 집행하는 군소 아문이며, 묘·전·원·능은 행정체계상으로는 예조 속아문이고 역대 왕·왕비 등의 제사·묘를 관리하는 종5~종8품 아문이다. 직계아문에는 의정부·비변사·육조 등 20여 아문이 있고, 6조 속아문에는 종부시·상서원 등 70여 관아가 있었다(직계아문과 육조 속아문은 뒤 〈표 5-1, 3〉, 묘·전·원·능은 뒤 〈표 3-3, 4〉 참조).

31) 정직은 매일 출근하는 常勤職으로 1년에 4차례 녹봉을 받는 관직이고, 체아직은 1년에 3~12개월을 근무하고 근무기간에만 녹봉을 받는 관직이고, 무록직은 녹봉이 없는 관직이며, 겸직은 정직자가 겸하는 관직이다. 문반은 대부분이 정직이고 일부가 체아직과 무록직이다(정직, 체아직, 무록직, 겸직은 뒤 〈표 3-1, 2, 6, 7, 8〉 참조). 무반은 대부분이 체아직이고 일부가 정직이며, 잡직은 모두가 체아직이다.

아문·병조 속아문과 군영아문 관직, 잡직은 문반·무반직으로 각각 구분하면서 군영아문을 주제로 한 연구와 관련 자료를 검토하면서 『경국대전』부터 『대전회통』에 이르기까지 그 각각의 변천배경과 내용을 정리할 것이다.

제8장 「朝鮮 中·後期 京官職의 변천Ⅲ-女官職, 廟·殿·陵·園官職, 臨時官職」에서는 國王과 世子를 侍寢하거나 그 궁의 실무를 관장한 女官·宮官,[32] 역대 국왕과 影幀이 안치된 廟·殿·陵·園의 관직과 國葬·實錄編纂 등 때에 임시로 설치되어 그 일을 담당한 관직 등을 졸고 「朝鮮時代(1392, 太祖 1~1785, 正祖 9) 陵官制研究」(위 ⑧)을 토대로 하고, 기존연구와 관계 자료를 검토하면서 『경국대전』으로부터 『대전회통』에 이르기까지 그 각각의 변천배경과 내용을 정리할 것이다.

제9장 「朝鮮 中·後期 外官職의 변천」에서는 외관직을 文班職, 武班職, 土官職으로 대별하고 다시 그 각각을 觀察使·守令·驛官과 正職·兼職, 文班·武班職으로 구분하면서 졸고 「朝鮮 中·後期 郡縣의 變遷과 國防·地方統治」(위 ⑥)와 「朝鮮 中·後期 邊鎭 變遷研究」(위 ⑦)를 참고하고 기존연구와 관계자료를 검토하면서 『경국대전』으로부터 『대전회통』에 이르기까지 그 각각의 변천배경과 내용을 정리할 것이다.

제10장 「朝鮮 中·後期 京衙門의 변천Ⅰ-直啓衙門과 軍營衙門」[33]에서는 조선후기의 정치주도 관아였던 備邊司 등 直啓衙門, 5軍營 등을 설치시기와 군영별로 구분하면서 졸고 「朝鮮中·後期(성종 16~고종 2) 中央官衙變遷研究」(위 ⑨)를 토대로 하고, 기존연구와 관계자료를 검토하면서 『경국대전』으로부터 『대전회통』에 이르기까지 각각의 변천배경과 내용을 정리할 것이다.

---

32) 여관직은 『경국대전』 등 법전에는 내명부로 명기되었고, 또 관계적 성격도 있지만 본서에서는 관직에 포함시키고 여관직으로 상정하여 파악한다.

33) 군영아문은 군사를 거느리고 왕성, 도성, 수도외곽을 방어하고 치안을 관장하는 군사기구이고, 조선 중·후기를 통하여 운영되면서 중심이 된 訓鍊都監 등 5軍營·捕盜廳 등과 치·폐되면서 운영된 壯勇營 등 10여 아문이다(관아명과 운영기간은 뒤 〈표 5-2〉 참조).

제11장 「朝鮮 中·後期 京衙門의 변천Ⅱ-六曹屬衙門·屬司와 臨時衙門」에서는 六曹의 지휘를 받거나 六曹屬司로서 그 각각에 부여된 직무를 수행하고, 國葬·嘉禮 등 긴급한 일이 발생할 때 임시로 운영되면서 그 일을 집중적으로 처리한 都監 등 임시아문을 좇고 「朝鮮 中·後期(성종 16~고종 2) 中央官衙變遷研究」(위 ⑨)를 토대로 하고, 기존연구와 관계자료를 검토하면서 『경국대전』으로부터 『대전회통』에 이르기까지의 그 각각의 변천배경과 내용을 정리할 것이다.

제12장 「朝鮮 中·後期 外官衙의 變遷Ⅰ-道·郡縣과 驛·殿·陵」에서는 지방행정기구인 도·군현과 교통·목마를 관장한 역·목장을 좇고 「朝鮮 中·後期 郡縣의 變遷과 國防·地方統治」(위 ⑥)를 토대로 하고 기존연구와 관계 자료를 검토하면서 『경국대전』으로부터 『대전회통』에 이르기까지 그 각각의 변천배경과 내용을 정리할 것이다.

제13장 「朝鮮 中·後期 外官衙의 變遷Ⅱ-營과 鎭·浦, 牧場·渡, 堡·山城」에서는 수륙군을 지휘하면서 국경을 방어한 병영·수영 등 영과 동첨절제사진·만호진(포) 등을 좇고 「朝鮮 中·後期 邊鎭 變遷研究」(위 ⑦)를 토대로 하고, 營將營 등 연구와 관계자료를 검토하면서 『經國大典』으로부터 『大典會通』에 이르기까지 그 각각의 변천배경과 내용을 정리할 것이다.

제14장 「朝鮮 中·後期 官衙機能의 변천Ⅰ-直啓衙門과 軍營衙門」에서는 조선후기의 정치·군사 주도 관아였던 備邊司 등과 5軍營 등의 기능을 좇고 「朝鮮 中·後期(성종 16~고종2) 中央官衙變遷研究」(위 ⑨)를 토대로 하고, 기존연구와 관계자료를 검토하면서 『경국대전』으로부터 『대전회통』에 이르기까지 그 각각의 변천배경과 내용을 정리할 것이다.

제15장 「朝鮮 中·後期 官衙機能의 변천Ⅱ-六曹屬衙門·六曹屬司와 外衙門」에서는 육조의 지휘를 받으면서 소관사를 집행한 육조 속아문, 외방 백성통치의 중심이 된 道·郡縣, 외방과 변경 방어의 중심이 된 營·鎭, 郵驛을 담당한 驛의 기능을 좇고 「朝鮮中·後期(성종 16~고종2) 中央官衙變遷研究」(위

⑨), 「朝鮮 中·後期 郡縣의 變遷과 國防·地方統治」(위 ⑥)와 「朝鮮 中·後期 邊鎭 變遷研究」(위 ⑦)를 참조하고, 기존연구와 관계자료를 검토하면서 『경국대전』으로부터 『대전회통』에 이르기까지 그 각각의 변천배경과 내용을 정리할 것이다.

제16장 「朝鮮 中期 議政府와 政治運營」에서는 의정부의 정치활동을 살펴보고 이를 토대로 의정부가 六曹·院相·備邊司 등의 정치기구와 勳臣·權臣·外戚·黨派 등 정치세력과 어떻게 연관되면서 정치를 주도하였는가를 졸저 『朝鮮前期의 議政府와 政治』 제3부·제4부(위 ⑤)와 「朝鮮 中宗 5~宣祖 24년(성립기)의 備邊司에 대하여」(위 ②)를 토대로 하고 정치기구·정치세력을 관련시킨 연구와 『朝鮮王朝實錄』 등 사료를 검토하면서 재정리할 것이다.

제17장 「朝鮮後期 政治制度의 變遷 및 政治勢力의 擡頭와 政治運營」에서는 본서 5~15장, 조선후기 정치세력·정치운영과 관련된 기존연구와 『朝鮮王朝實錄』 등 자료를 검토하면서 『경국대전』으로부터 『대전회통』에 이르기까지 정치제도와 정치세력이 정치운영과 어떻게 관련되었는가를 규명하면서 정치제도와 정치운영의 특징을 제시할 것이다.

결론에서는 1~17장의 서술을 요약하고, 이를 토대로 『경국대전』으로부터 『대전회통』에 이르기까지, 즉 조선 중·후기 정치제도와 그 운영을 체계화하고 특징지을 것이다.

이러한 연구를 통하여 조선 중·후기(1485, 성종 16, 『경국대전』 반포~1865, 고종 2, 『대전회통』 반포)의 관계, 관직, 관아, 관아기능, 통치구조, 국정운영의 변천과 그 운영상이 구체적이면서도 체계적이고 통괄적으로 정리, 규명될 것이다. 나아가 조선 중·후기 정치제도와 정치운영은 물론 본서에서 다루지 못한 조선말기(1866, 고종 3~1910, 순종 융희 4)의 정치제도와 정치운영을 천착하고 연구하는 한 토대가 될 것으로 생각한다.

제1부

『經國大典』의 官階 · 官職 · 官衙 · 官衙機能

제1장 『經國大典』의 官階

제1절 文散·武散階와 宗親·儀賓階

1. 文散階와 武散階

1) 文散階

조선의 문산계는 문관제수의 토대가 되는 문관의 관계인데 개국과 함께 역대 중국과 고려의 문산계를 참작하여 정1품 상 特進輔國崇祿大夫로부터 종9품 將仕郞까지의 30階를 두면서 성립되었다.[1] 이후 이것이 1401년(태종 1) 議政府制의 정비 등 대대적인 官衙·官職 정비 때에 정1품 상계인 특진보국숭록대부와 정1품 하계인 輔國崇政大夫가 각각 大匡輔國崇祿大夫와 輔國崇祿大夫로 개정되면서(종1품 상계인 숭록대부로부터 종9품계인 장사랑까지의 28계는 그대로 계승)[2] 정1품 상계인 대광보국숭록대부로부터 종9품계인 장사랑에 이르는 30계로 정립되었고, 1485년(성종 16)에 반포된 마지막 『경국대전』에 법제화되었다(『경국대전』에 규정된 문산계는 뒤 〈표 5-1〉 참조).

2) 武散階

무산계는 무관제수의 토대가 되는 무관의 관계인데 개국과 함께 역대

1) 졸저, 2006, 『朝鮮初期의 政治制度와 政治』, 계명대학교출판부, 29~44쪽, 50~51쪽 〈표 2-5〉.

2) 위 책, 83~87쪽.

중국의 무산계와 고려 말에 편찬된 『周官六翼』·『新律』을[3] 참작하여 정1품 상 特進輔國崇祿大夫로부터 종8품 修義副尉까지의 28階(정9품과 종9품계는 설치되지 않음)를 두면서 성립되었다.[4] 이후 1436년(세종 18) 문무양반제의 정착과 관련된 무산계와 문산계의 균형도모를 위해 새로이 정9품계와 종9품계로 進武副尉와 進義副尉를 설치하면서 정비되었고,[5] 1466년(세조 12)에 『경국대전』의 편찬과 관련된 대대적인 관제정비시에 정3품 하계~종9품계 21계 중 정3품 果毅將軍 등 13계가 禦侮將軍 등으로 개정되면서(종3품 하계인 保功將軍 등 8계는 그대로 계승) 정립되었다가[6] 『경국대전』에 정1품 상계인 대광보국숭록대부~종9품 展力副尉의 30계로 법제화되었다(『경국대전』에 규정된 무산계는 뒤 〈표 5-2〉 참조).

2. 宗親階와 儀賓階

1) 宗親階

조선의 종친에게 적용된 종친계는 1443년(세종 25)에 당시까지에 걸친 관제정비, 1400년(정종 2) 이래의 '宗親不仕'의 원칙천명과 관련되어[7] 정1품 상계인 顯祿大夫로부터 정6품 하계인 從順郎까지의 22계를 설치하면서 비롯되었다.[8] 이 관계가 후대로 계승되다가 『경국대전』에 그대로 법제화되었다(『경국대

3) 『周官六翼』과 『新律』은 각각 고려 말에 金祉와 鄭夢周가 저술한 법전인데 두 책 모두 그 내용이 전하지 않는다. 그런데 조선 개국과 함께 반포된 관계가 고려 말의 관계와는 현격한 차이가 있고, 또 조선왕조의 개창이 추진된 시기로부터 태조 1년의 관제가 반포되기까지의 기간이 3년 미만이고 관아와 관직 등이 고려 말의 그것을 그대로 계승한 등에서 관계는 새로이 제정하였다기보다는 당시에 존재하였던 두 법전을 참고하여 제정하였을 것이라고 추정하여 파악한다(위 책, 50쪽).

4) 위 책, 44~50쪽, 52쪽 〈표 2-7〉.

5) 『세종실록』 권73, 18년 윤6월 계미.

6) 앞 책, 88~91쪽.

7) 『정종실록』 권4, 2년 5월 ; 『세종실록』 권37, 9년 8월 기사 외.

전』에 규정된 종친계는 뒤 〈표 5-3〉 참조).

2) 儀賓階

의빈에게 적용된 의빈계는 1444년(세종 26)에 당시까지에 걸친 관제정비, 1400년(정종 2) 이래의 '宗親不仕'의 원칙천명과 관련되어[9] 정1품 상계인 綏祿大夫로부터 종3품 하계인 敦信大夫까지의 12계를 설치하면서 비롯되었다.[10] 이 관계가 후대로 계승되다가 『경국대전』에 그대로 법제화되었다(『경국대전』에 규정된 의빈계는 뒤 〈표 5-4〉 참조).

제2절 雜職階와 土官階

1. 雜職階

조선의 잡직계는 內豎·樂工의 流外職,[11] 工商賤隷·皂隷·所由·羅將·仗首 등의 雜職(雜類)자에게 적용된 관계인데, 개국~세종 전반기에는 독자적인 관계가 없었기에 문·무산계를 받았다.[12] 그러다가 1444년(세종 26)에 1430년 이래로 잡류와 문·무반이 朝班에 혼잡된 문제를 시정하기 위한 서반 잡직의 설정을 뒷받침하기 위하여 우선 정5품 상계인 奉事校尉로부터 종8품 尙功副尉에 이르는 서반 12 잡직계를 두면서 비롯되었다.[13] 이 서반 잡직계는 이후

---

8) 『세종실록』 권102, 25년 12월 을축. 종친계가 설치되기 이전인 1392~1442년까지의 종친은 문반에 포괄되면서 문산계를 받았다(한충희, 앞 책, 91쪽).

9) 『정종실록』 권4, 2년 5월 ; 『세종실록』 권37, 9년 8월 기사 외.

10) 『세종실록』 권105, 26년 7월 무신.

11) 유외직은 정식의 관직인 유내직과 구별되는 품외의 관직이다.

12) 『세종실록』 권49, 12년 9월 을사.

13) 『세종실록』 권105, 26년 윤7월 임오.

『경국대전』의 편찬이 거의 마무리된 1468년(세조 14)까지[14] 파진군·팽배·대졸 등의 제수와 관련된 관제정비에 따라 정5·종5품계가 삭제되고 관계명이 전면적으로 개정되면서 정6품 상계인 奉任校尉로부터 종9품 勳力副尉까지의 10계로 개정되었고, 동시에 동반 잡직자인 典樂(정6)으로부터 副典丞(종9)까지의 제수를 위한 정6품 상계인 供職郎으로부터 종9품계인 展勤郎까지의 동반 잡직 10계를 설정하면서[15] 정립되었다. 세조말에 정립된 이 동·서반 잡직계가 이후 그대로 계승되다가 『경국대전』에 법제화되었다.

2. 土官階

조선의 토관계는 함경·평안도의 영흥·평양부윤부 등의 관아에 소속되어 국경을 방어하고 행정에 종사하는 토착인에게 수여된 관계이다. 조선개국으로부터 1433년까지는 관계가 없었고, 1434년(세종 16)에 고려 말로부터 당시까지에 걸쳐 변경지방에서 영향력을 행사하던 유력층을 포섭하여 국방과 지방통치를 강화하기 위하여[16] 평안·함길도 요충인 평양·함흥부 등 8관아에 설치한 토관직을[17] 뒷받침하기 위하여 정5품 상계인 通議郎(동반)·建忠隊尉(서반)로부터 종9품 試仕郎(동반)·종8품 效勇徒尉(서반)까지의 동반 10계와 서반 8계를 설치하면서 비롯되었다.[18] 이후 1436년(세종 18)에 서반토관관계도 서반직을 동반직의 예에 따라 정·종 9품직을 둠에 따라 정9품 勵力徒尉

---

14) 잡직계가 정립된 정확한 시기는 알 수 없다. 그런데 『경국대전』의 편찬이 세조 14년까지 거의 마무리되었고, 세조 14년 이후의 관제와 마지막 『경국대전』이 반포된 성종 16년에 수록된 관제는 차이가 없다. 이에서 잡직이 정립된 시기를 세조 14년으로 추정하여 파악한다.

15) 앞 책, 95쪽.

16) 李載龒, 1966, 「朝鮮初期의 土官에 대하여」, 『진단학보』 29·30합호, 120쪽.

17) 이 지역에 설치한 토관직은 뒤 제4장 제3절 3 토관직 참조.

18) 『세종실록』 권64, 16년 4월 정묘·무진.

와 종9품 彈力徒尉를 설치하면서 정5품 상계인 건충대위로부터 탄력도위의 10계로 정착되면서 동반·서반 토관계 모두 10계로 정립되었다.[19] 세종대의 이 관계가 그대로 계승되다가 『경국대전』에 정5품 상계인 통의랑(동반)·건충대위로부터 종9품 시사랑(동반)·탄력도위(서반)의 각10계로 법제화되었다.

1485년(성종 16) 마지막 반포된 『경국대전』에 법제화된 잡직계와 토관계를 표로 정리하여 제시하면 다음과 같다.

〈표 1-1〉『경국대전』 잡직계와 토관계

		잡직계		토관계	
		문반	무반	문반	무반
정5				通議郎	建忠隊尉
종5				奉議郎	勵忠隊尉
정6	상	供職郎	奉任校尉	宣職郎	健信隊尉
	하	勵職郎	修任校尉		
종6	상	謹任郎	顯功校尉	奉直郎	勵信隊尉
	하	效任郎	迪功校尉		
정7		奉務郎	騰勇副尉	熙功郎	敦義徒尉
종7		承務郎	宣勇副尉	注功郎	守義徒尉
정8		勉功郎	猛健副尉	供務郎	奮勇徒尉
종8		赴功郎	壯健副尉	職務郎	效勇徒尉
정9		服勤郎	致力副尉	啓仕郎	勵力徒尉
종9		展勤郎	勤力副尉	試仕郎	彈力徒尉
계		10계	10	10	10

제3절 外命婦

조선시대의 외명부는 대전유모, 왕비모, 왕녀, 왕세자녀, 종친 처, 문·무관 처에게 수여한 관계이다.[20] 여기에서는 이를 대전유모 등, 종친 처, 문·무관

19) 앞 책, 94쪽 주19).

20) 외명부는 『경국대전』 권1, 이전 외명부조에 "대전유모, 왕비모, 왕녀, 왕세자녀, 문·무관 처에게 내린 爵號였다"고 하였듯이 관직적 성격을 띠었다. 그러나 대전유모, 왕비모, 왕녀, 왕세자녀는 왕과의 관계로 인해 상례로 봉작되었고, 종친·문관·무관의

처로 구분하여 살펴본다.

1. 大殿乳母·王妃母·王女·王世子女

대전유모는 왕에게 젖을 먹인 유모인데, 대전유모에게 수여된 관계는 1435년(세종 17)에 漢·唐·宋의 제도를 참작하여 세종이 유모 李氏에게 종2품 奉保夫人에 제수하면서 비롯되었고,[21] 이것이 후대로 계승되다가 1468년(예종 즉위)에 그 관계가 종2품에서 종1품으로 승격되었다가[22] 『경국대전』에 종1품 奉保夫人으로 법제화되었다.

왕비의 모에게 수여된 봉작은 개국과 함께 송제를 참작하여 운영하였던 고려 말의 제도를 계승하여 神德王后 姜氏의 모에게 三韓國大夫人을 追贈하면서 비롯되었고,[23] 1401년(태종 1)에 元敬王后 閔氏의 모에게 정1품 삼한국대부인을 봉작하면서[24] 정비되었다. 이어 1432년(세종 14)에 詳定所의 건의에 따라 그 명호를 당시까지 宗室의 大君·府院君·諸君과 功臣·議政인 府院君의 妻에게 수여하던 某韓國大夫人의 봉작을 府夫人으로 개칭하면서[25] 정립되었

처는 그 남편이 받은 품계에 따라 차별되면서 수여받았고 또 정수가 없었다. 이점에서 외명부는 관직인가 관계인가가 명확하지 않지만 職任이 있고, 定員이 있는 여관인 내명부와는 달리 관계적인 성격이 강하다고 생각되어 관계로 파악한다.

21) 『세종실록』 권68, 17년 6월 을묘.

22) 구체적인 시기는 불명하나 戶曹가 왕명을 받아 봉보부인의 歲賜物을 "米豆는 舊禮에 따라 정하고, 儀典과 膳飯은 嬪(정1)과 貴人(종1)의 예에 따라 지급한다"(『예종실록』 권2, 즉위년 12월 신묘)고 정한 것에서 이때 귀인과 같은 종1품계가 된 것으로 추정하여 파악한다.

23) 이 내용은 『태조실록』에 기재되어 있지 않다. 그러나 태조 즉위 당일에 태조 4대 부모가 왕·비에 追上되고 태종비 민씨가 왕비에 책봉될 때 모 宋氏가 三韓國大夫人에 책봉되었으며, 태조 1년 8월에 딸인 강씨가 顯妃에 책봉되었음에서(『태조실록』 권1, 1년 7월 정미·8월 병진, 『國朝人物考』 권1, 相臣 閔霽墓誌銘) 강씨가 왕비에 책봉될 때 추증된 것으로 추측된다.

24) 『國朝人物考』 권1, 相臣 閔霽墓誌銘.

25) 『세종실록』 권55, 14년 1월 병자. '某府夫人'과 '某府'에는 당시의 외관이던 都護府의

다가 『경국대전』에 정1품 府夫人으로 법제화되었다.

왕녀에게 수여한 봉작은 조선 개국과 함께 당·송제를 참작하여 운영하던 고려 말의 관제를 계승하여 後宮과 함께 宮主에 제수하면서[26] 비롯되었다. 그 후 1422년(세종 4)에 이조의 上啓에 의해 중국 고제에 의거하여 왕녀를 후궁과 구분하여 公主로 개칭하고[27] 다시 1432년(세종 14) 이전에 후궁의 소생은 王妃의 소생과 구분하여 翁主로 칭하고 공주와 옹주 모두를 無品(정1품의 상위)직으로 규정하면서[28] 정립되었다가 『경국대전』에 법제화되었다.

왕세자녀에 대한 봉작은 1400년(정종 2)에 王弟인 靖安君 芳遠을 世子에 책봉한 후 그 딸들을 郡主에 봉작하면서 비롯되었다.[29] 이어 1440년(세종 22)에 한·당제를 참작하여 世子嬪의 딸은 정2품 군주, 후궁의 딸은 정3품 縣主로 구분하여 규정하면서[30] 정립되었다가 『경국대전』에 법제화되었다.

邑號가 명기되었다. 예컨대 韓明澮의 부인이고 성종비 恭惠王后의 모인 閔氏가 받은 봉작 '黃驪府夫人'의 황려가 그것이다(『淸州韓氏 제6교 대동족보』 忠成公派).

26) 『세종실록』 권15, 4년 2월 계묘.

27) 동상조.

28) 『세종실록』 권54, 13년 10월 무신. 공주·옹주가 무품직이 된 시기는 불명하나 세종 14년 內命婦가 왕비가 중국으로부터 책봉 받은 것을 하례하는 의식 때에 公主·翁主·府夫人이 世子嬪의 뒤에 선 것을 두고 세종이 "公主翁主於世子嬪 有尊長 又婦人無爵 從夫之爵 則大君府夫人在公主翁主 族長之上 甚爲未便"이라고 하면서 이를 儀禮詳定所提調에게 옛 제도를 상고하여 상정할 것을 지시한 것(『세종실록』 권56, 14년 6월 임진)에서 이 직후에 공주·옹주가 정1품 大君의 부인보다 상위 즉, 무품으로 승격된 것으로 보인다.

29) 군주에 봉작된 시기는 불명하나 세종 13년 大君·君의 딸에 대한 봉작제가 제정될 때 왕세자녀가 제외되어 있는데 이것은 이미 명호가 있었기 때문이라고 추측되고, 또 태조대의 왕세자인 芳碩은 딸이 없었다. 이점에서 정종 2년 4월 정안군 방원이 왕세자에 책봉될 때 그 명호가 정해진 것으로 보인다.

30) 『세종실록』 권89, 22년 4월 병신. 군주와 현주의 품계는 불명이나 세종대에 관제 등 제도가 크게 정비되었음에서 이때에 정2품과 정3품으로 상정된 것으로 보인다(세종대의 제도정비는 졸고, 2001. 「중앙 정치 기구의 정비」, 『세종문화사대계』 3, 세종대왕기념사업회 참조).

2. 宗親 妻와 文·武官 妻

1) 宗親 妻

종친 처의 봉작은 개국과 함께 고려 말의 제도를 계승하여 大君의 처를 翁主에 책봉하면서 비롯되었다.[31] 이어 1417년(태종 17)에 정1품 大匡輔國崇祿大夫 大君의 처 三韓國大夫人으로부터 종4품 朝散大夫 副正尹의 처 惠人에 책봉하도록 규정하고,[32] 다시 1432년(세종 18)에 신하의 처에게 '國'자가 포함된 명호가 부당하다는 지적에 따라 정1품과 종1품 부인의 명호를 某府夫人과 某郡夫人으로 개칭하고 2품관의 부인도 某縣夫人으로 개정하면서[33] 정비되었다. 그 후 1443년(세종 25)에 정3품계를 堂上官階와 堂下官階로 구분하고 종친·의빈계의 개정과 함께 5품관과 정6품 관계의 溫人과 順人이 증치되면서[34] 정립되었다가『경국대전』에 법제화되었다.

2) 文·武官 妻

문·무관 처의 봉작은 개국과 함께 고려 말의 관제를 계승하여 小國夫人(정1품관 처) 이하에 봉작하면서[35] 비롯되었다. 이어 1396년(태조 5)에 明制를 참작하여 1품관 처 郡夫人으로부터 참외관 처 孺人까지를 제수하도록 규정되고,[36] 1432년(세종 14)에 郡夫人과 縣夫人(2품관 처)을 貞淑夫人과 貞夫人으로 개칭하며,[37] 1439년(세종 21)에 '貞淑'의 명칭이 태조의 증조모인 翼祖妃

---

31)『태조실록』권14, 7년 윤5월 병술 ;『태종실록』권26, 13년 8월 병인.

32)『태종실록』권34, 17년 9월 갑자.

33)『세종실록』권55, 14년 1월 병자.

34)『세종실록』권102, 25년 11월 을축.

35) 태조 1년 7월 관제반포시에 문·무관 처에 대한 봉작은 언급되지 않았다. 그러나 개국초의 관제가 고려 말의 그것이 거의 그대로 계승되었고, 1391년(공양왕 3)에 小國夫人 이하의 외명부가 정비되었음에서 1391년의 외명부가 계승된 것으로 보인다.

36)『태조실록』권9, 5년 5월 병자.

37)『세종실록』권55, 14년 1월 병자.

貞淑王后의 명호에 저촉된다는 지적에 따라 정숙부인이 正卿夫人으로 개칭되었다.[38] 이어 1443년(세종 25)에 정3품관인 처 淑人의 명호를 정3품 당상관 처는 淑夫人 정3품 당하·종3품관 처는 淑人, 3품관 처 令人 이하가 4품관 처 令人 등으로 강칭되고 8품관계 端人을 신치하고 참외관계 孺人이 9품관계로 규정되면서[39] 정립되었다가 『경국대전』에 법제화되었다. 1485년(성종 16) 마지막 반포된 『경국대전』에 법제화된 외명부를 표로 정리하여 제시하면 다음과 같다.

〈표 1-2〉『경국대전』 외명부

	대전유모	왕비모	왕녀	왕세자녀	종친처	문·무관처	비고
무품			公主*1 翁主*2				*1 모 왕비 *2 모 후궁
정1		府夫人			府夫人 郡夫人	正卿夫人	
종1	奉保夫人				郡夫人	正卿夫人	
정2				郡主*3	縣夫人	貞夫人	*3 모 세자빈
종2					縣夫人	貞夫人	
정3				縣主*4	愼夫人	淑夫人	*4 모 세자 후궁
					愼人	淑人	
종3					愼人	淑人	
4품					惠人	令人	
5					溫仁	恭人	
6					順人(정6)	宜人	
7						安人	
8						端人	
9						孺人	
계	1계	1	2	2	7	10	

38) 『세종실록』 권84, 21년 윤2월 경진.

39) 한충희, 앞 책, 101쪽.

제2장 『經國大典』의 官職

조선의 관직은 그 근무지, 출신, 조회시의 반열, 국정운영체계, 職秩, 專任 여부, 職事 유무, 祿俸 유무, 수행정사, 운영시기 등과 관련되어 京·外官職, 文班·武班·雜職, 東班·西班職, 直啓衙門·六曹屬衙門 官職, 堂上·堂下·參上·參下 官職, 正·兼職, 實·虛職, 祿·無祿職, 政務·侍從·軍事·禮遇職, 常設·臨時職 등으로 구분된다.[1] 이중 중심이 되는 것은 경·외 관직, 문반·무반·잡직, 녹직(정직)·무록직의 구분이다. 이에 따라 여기에서는 크게 경관·외관직과 여관·궁관(내명부)으로 구분하고 이를 다시 문반·무반·잡직과 녹직·무록직 등으로 구분하면서 살피기로 한다.

제1절 京官職

1. 文班·武班 正職과 雜職

1) 文班 正職

조선의 경관 문반 정직은 태조 1년 개국과 함께 고려 말의 관제를 계승하여 정직으로 정1품직에 門下府 領事·左侍中·右侍中(각1직)과 三司 領事 1직의 4직으로부터 종9품직에 成均館 直學 2직과 濟用庫·解典庫·書籍院 錄事(각

1) 한충희, 2004, 「朝鮮初期 官職構造研究」, 『大丘史學』 75, 1~62쪽.

2직) 등 28직에 이르기까지의 543직, 겸직으로 정1품직에 都評議使司 判事 2직(문하부 좌·우시중 겸)·藝文春秋館 監事(1, 시중)·尙瑞司 判事(4, 兩府)의 7직으로부터 정8품직에 世子侍直(좌·우 각1)·錄事(尙瑞司 2, 閤門 6, 訓練館 6) 16직에 이르기까지의 103직을 두면서[2] 비롯되었다.

태조 1년의 경관 문반직은 이후 세조대(1455~1468)까지 왕권의 강화, 통치체제의 정비와 관련된 관제 개정, 경비절감 등과 관련되어 여러 번에 걸쳐 新置, 加置, 削減, 革去되면서 정1품직에 議政府 領·左·右議政(각1), 敦寧府 領事(1)의 4직으로부터 종9품직에 學諭 3(成均館), 副正字 4(承文院·校書館 각2), 參奉 35(敦寧府·奉常寺 등 3寺·軍資監 등 4監·司饔院·5部·昭格署 등 4署·文昭殿 등 2殿·健元陵 등 11陵 등 29관아 각 3~1)직까지의 599직으로[3] 정비되었다가 『경국대전』에 법제화되었다.

1485년(성종 16) 마지막 반포된 『경국대전』에 법제화된 경관 문반 정직을 표로 정리하여 제시하면 다음과 같다.

〈표 2-1〉『경국대전』 경관 문반 정직(체아·무록직[4] 제외)

관아	정1품	종1	정2	종2	정3 (당상)	정3 (당하)	종3	정4	종4	정5
宗親府								典籤		典簿1
議政府	領·左·右議政 각1	左·右贊成 각1	左·右參贊 각1					舍人2		檢詳1
忠勳府									經歷1	
儀賓府									經歷1	
敦寧府	領事1	判事1	知事1	同知事1	都正1	正1	副正1		僉正2	
義禁府									經歷5	
6曹			判書 각1	參判 각1	參議 각1 · 參知 1(병조)					正郎3(이·호·예·공) 4(병·형)

2) 『태조실록』 권1, 1년 7월 정미조에서 종합.

3) 한충희, 앞 책, 107~116쪽. 관직변천의 배경, 시기, 내용은 본서의 주제와 관련하여 생략한다(그 내용은 졸저, 2006, 『朝鮮初期의 政治制度와 政治』, 계명대학교출판부, 107~113쪽 참조).

漢城府			判尹1	左·右尹 각1					庶尹1	
司憲府			大司憲1				執義1	掌令2		持平2
開城府			留守1						經歷1	
承政院					承旨6[*1]					
掌隷院					判決事1				司議3	
司諫院					大司諫1		司諫1			獻納1
弘文館					副提學1	直提學1	典翰1	應教1	副應教1	校理2
成均館					大司成1		司成2	司藝3		直講4
承文院						判校1	參校2		校勘1	
通禮院						左·右通禮 각1	相禮1	奉禮1		贊儀1
奉常寺						正1	副正1		僉正2	
宗簿寺						정1			첨정1	
司饔院						정1			첨정1	
尙衣院						정1			첨정1	
司僕寺						정1	부정1		첨정1	
軍器寺						정1	부정1		첨정2	
內資寺						정1	부정1		첨정1	
內贍寺						정1	부정1		첨정1	
司䆃寺						정1	부정1		첨정1	
禮賓寺						정1	부정1		첨정1	
司贍寺						정1	부정1		첨정1	
軍資監						정1	부정1		첨정1	
繕工監						정1	부정1		첨정1	
濟用監						정1	부정1		첨정1	
司宰監						정1	부정1		첨정1	
掌樂院						정1			첨정1	
世子侍講院							輔德1	弼善1		文學1
典設司								守1		
豊儲倉								수1		
廣興倉								수1		
內需司										典需1
소계	4	3	12	9	18	21	22	13	34	34
內侍府				尙膳2	尙醞1	尙茶1	尙藥2	尙傳2	尙冊3	尙弧4
합계	4	3	12	11	19	22	24	16	37	38

	종5	정6	종6	정7	종7	정8	종8	정9	종9	계
宗親府										2
議政府						司錄2				12
忠勳府	도사1									2

儀賓府	도사1									2
敦寧府	判官2		主簿2		直長2		奉事2		參奉2	19
義禁府	도사5									10
6曹		佐郎3(이·호·예·공조), 4(병·형조)								53
漢城府	판관2			參軍2						8
司憲府		監察24								30
開城府	都事1		敎授1							4
忠翊府	도사2									2
承政院				注書2						8
掌隷院		司評4								8
司諫院		正言2								5
弘文館	副校理2	修撰2	副修撰2	博士1		著作1		正字2		17
藝文館				奉敎2		待敎2		檢閱4		8
成均館		典籍13		박사3		學正3		學錄3	學諭3	35
尙瑞院	판관1				직장1	副直長2				4
承文院	校理1	校檢1		박사2		저작2		정자2	副正字2	14
通禮院			引儀8							13
奉常寺	판관2		주부2		직장1		봉사1	副奉事1	참봉1	12
宗簿寺			주부1		직장1					4
校書館	교리1			박사2		저작2		정자2	부정자2	9
司饔院	판관1		주부1		직장2		봉사3		참봉2	11
尙衣院	판관1		주부1		직장2					6
司僕寺	판관1		주부2							6
軍器寺	판관2		주부2		직장1		봉사1	부봉사1	참봉1	12
內資寺	판관1		주부1		직장1		봉사1			7
內贍寺	판관1		주부1		직장1		봉사1			7
司䆃寺			주부1		직장1					5
禮賓寺	판관1		주부1		직장1		봉사1		참봉1	8
司贍寺			주부1		직장1					5
軍資監	판관3		주부3		직장1		봉사1	부봉사1	참봉1	13
濟用監	판관1		주부1		직장1		봉사1	부봉사1	참봉1	9
繕工監	판관1		주부1		직장1		봉사1	부봉사1	참봉1	9
司宰監			주부1		직장1				참봉1	5
掌樂院			주부1		직장1					4
觀象監	판관2		天文·地理學敎授 각1					천문·지리학훈도 각1, 命課學訓導2		9

典醫監	판관1		醫學敎授2					의학훈도1		4
司譯院			한학교수2					漢學訓導4, 蒙學·倭學·女眞學訓導 각2		12
世子侍講院		司書1		說書1						5
典設司										1
豊儲倉			주부1		직장1		봉사1	부봉사1		5
廣興倉			주부1				봉사1	부봉사1		4
典涓司					직장2		봉사2		참봉6	10
內需司			副典需1							2
昭格署	令1								참봉2	3
宗廟署	영1				직장1		봉사1	부봉사1		4
社稷署	영1								참봉2	3
平市署	영1				직장1		봉사1			3
司醞署	영1		주부1		직장1		봉사1			4
義盈庫	영1		주부1		직장1		봉사1			4
長興庫	영1		주부1		직장1		봉사1			4
掌苑署		掌苑1								1
司圃署		司圃1								1
典牲署			주부1		직장1		봉사1		참봉2	5
司畜署			司畜1							1
造紙署			司紙1							1
惠民署			주부1·의학교수1*3		직장1*3					3
典獄署			주부1				봉사1		참봉1	3
5部*3			주부각1						참봉각2	15
文昭殿									참봉2	2
20陵殿*4									참봉각2	40
延恩殿									참봉2	2
소계	43	69	64	15	30	14	23	39	65	540
내시부*5	尙帑4	尙洗4	尙燭4	尙煊4	尙設6	尙除6	尙門5	尙更6	尙苑5	59
합계	47	73	68	19	36	20	28	45	70	599

*1 都·左·右·左副·右副·同副承旨 각1.

4) 체아직은 『경국대전』에 체아직이라고 명기된 관직이고, 무록직은 提擧·提檢·別坐·別提이다(체아직과 무록직이 소속된 관아와 관직은 뒤 〈표 2-4, 5〉 참조).

*2 주부 1, 의학교수 1, 직장 1직의 3직 중 1직만 정직이고 2직은 체아직이다.
*3 東·西·中·南·北部.
*4 德·安·智·淑·義·純·定·和·健元·齊·貞·厚·獻·英·顯·光·敬·昌·恭·順陵.
*5 종2품아문이나 종6품아문 다음에 기재되어 있어 정직이 있는 문반아문과는 차별되기는 하나 吏典에 기재되었기에 문반아문에 포함하여 파악한다.

2) 武班 正職

경관 무반 정직은 개국과 함께 고려 말의 관제를 계승하여 정3품 上將軍 10(10衛 각1)직으로부터 종9품 正 2,080(10위 각 200, 都府外 80)직의 4,392직을 두면서[5] 비롯되었다.

이 무반직이 이후 세조대까지 통치체제의 개편, 군제정비, 경비절감과 관련되어 관아별로 여러 차례에 걸쳐 신치·증치·감원·혁거되고, 직질이 승강 및 직명이 개칭되고, 겸직이 정직으로 전환되고, 군사직이 소수의 正品職을 제외한 대다수의 從品職이 체아직이 되었다.[6] 또 동반아문과 서반아문의 조정에 따라 그 관아에 속한 관직의 소속이 변경되었다.[7] 이러한 변천에 따라 무반직은 정1품 中樞府 領事 1직으로부터 종9품 副司勇 232직까지의 805직의 정직과 정3품 당하관 3(선전관·겸사복·내금위 각1)직으로부터 종9품 3,380직의[8] 체아직으로 정립되었다가 『경국대전』에 그대로 규정되었다.

1485년(성종 16) 마지막 반포된 『경국대전』에 법제화된 경관 무반직을 표로 정리하여 제시하면 다음과 같다(체아직은 뒤 55~56쪽 참조).

---

5) 『태조실록』 권1, 1년 7월 정미. 10衛는 義興親軍左·右衛, 鷹揚·金吾·左右·神虎·興威·備巡·千牛·監門衛이다.

6) 체아직은 뒤 55쪽 참조.

7) 1405년(태종 5)에 육조 속아문제의 실시와 함께 동반 아문인 훈련원이 서반 아문이 되고, 1430년(세종 12)에 신치된 종친부·중추원이 서반 관아가 되고 동반아문인 돈령부가 서반 아문이 되면서 각 아문에 속한 모든 관직이 서반 관직이 되었으며, 이후 1484년(성종 15)까지 서반 아문인 종친부·돈령부가 동반 아문이 되면서 그에 속한 관직이 다시 동반 관직이 되었다(한충희, 앞 책, 138~139쪽).

8) 앞 책, 136~141쪽.

〈표 2-2〉『경국대전』 경관 무반 정직[9)]

관아	정1	종1	정2	종2	정3 당상	정3 당하	종3	정4	종4	정5	종5
中樞府	領事 1	判事 2	知事 6	同知事 7	僉知事 8				經歷1		都事1
5衛都摠府									경력4		도사4
訓練院					都正1	正1	副正2		僉正2		判官2
5衛						上護軍 10	大護軍 14	護軍 12	副護軍 43	司直 14	副司直 15
世子翊衛司										左·右翊衛 각1	左·右司禦 각1
합계	1	2	6	7	9	11	16	12	50	16	24

3) 雜職(遞兒職[10)])

(1) 文班 雜職

문반 잡직은 개국과 함께 고려 말의 관제를 계승하여 掖庭署·典樂署·雅樂署의 관직에 宦官·內豎·樂工을 제수하고 雜類로 칭한 것에서 비롯되었다.[11)] 이후 이것이 1485년(성종 16)까지 기술자와 賤隷人 勇力者를 武器·官需品 제작과 군사력 강화를 위해 工商賤隷·皂隷·所由·羅將·近仗과 司饔·司幕·尙衣院·上林園·圖畵院의 관직이 추가되고, 이 관직 중 사옹 등 流品外의 관직을 신설된 서반 관직에 소속시키고, 서반 관직을 뒷받침하기 위한 동반 잡직계가 제정되면서 정착된 후 동반 잡직은 掌樂院 등 5관아에 종6품 樂 이하 141 체아직으로[12)] 정립되면서 『경국대전』에 법제화되었다.

(2) 武班 雜職

무반 잡직은 위에서 언급되었음과 같이 1430년(세종 12)에 동반 잡직인

---

9) 5衛 소속관직인 정3품 上護軍~종9품 副司勇까지의 각급 軍職은 『경국대전』 권4, 병전 5위조에 규정된 관직에서 번차도목조에 체아직으로 규정된 관직수를 제외한 것이다.

10) 『경국대전』 권1, 이전 경관직 잡직 皆四都目.

11) 『태조실록』 권1, 1년 7월 정미.

12) 한충희, 앞 책, 161~164쪽(『세종실록』 권49, 12년 9월 을사, 외).

司饔 등을 流品職과 구별할 때 破陣軍·隊卒·彭排에 관직이 설치되면서 비롯되었고,[13] 그 후 破陣軍 등 3개 부대에 近事 이하 1,607 체아직으로 정립되었다가[14] 『경국대전』에 규정되었다. 『경국대전』에 법제화된 문·무반 잡직을 표로 정리하여 제시하면 다음과 같다.

〈표 2-3〉『경국대전』 문·무반 잡직(체아직)

반	관아	정6품	종6	정7	종7	정8	종8	정9	종9	계
동반	工曹						工造1		工作2	3
	校書館						司准1		司勘1	2
	교서관·司贍寺·造紙署*						공조4		공작2	6
	司饔院		宰夫1		膳夫1		調夫2	飪夫2	烹夫7	13
	尙衣院				工製4		공조1		공작3	8
	司僕寺		安驥1		調驥1		理驥1		保驥1	4
	軍器寺				공제5		공조2		공작2	9
	繕工監						공조4		공작4	8
	掌樂院	典樂1	副典樂2	典律2	부전률2	典音2	부전음4	典聲10	부전성20	43
	昭格署						尙道1		志道1	2
	掌苑署		愼花1		愼果1	愼禽1	부신금1	愼獸3	부신수3	10
	掖庭署	司謁1 司鑰1	부사약1	司案2	부사안3	司鋪2	부사포3	司掃6	부사소9	28
	圖畵署		善畵1		善繪1		畵史1		繪史2	5
	소계	3	7	4	18	5	26	21	57	141
서반	破陣軍				勤事2		從事2		趨事3	7
	隊卒							隊長46	隊副554	600
	彭排							대장80	대부920	1,000
	소계				2		2	126	1,477	1,607
합계		3	7	4	20	5	28	147	1,534	1,748

*서로 협의하여 직을 바꿔준다.

13) 『세종실록』 권49, 12년 9월 을사. 이때 설치된 관직은 자료의 미비로 확인되지 않는다. 그러나 동반 잡직의 예에 미루어 이때 破陣軍 등에 무반직이 설치된 것으로 추측하여 파악한다.

14) 한충희, 앞 책, 162~164쪽.

2. 遞兒·無祿·兼職과 臨時職

1) 遞兒職

체아직은 정직이 매일 근무하면서 1년에 4번 녹봉을 받았음과는 달리 근무기간에 따라 1년에 1~4번의 녹을 받는 관직인데, 문반 체아직과 무반 체아직이 있다. 경관 문반직은 대부분이 정직이고 소수가 체아직이었고, 경관 무반직은 소수가 정직이고 대다수가 체아직이었으며, 잡직은 문반직과 무반직 모두가 체아직이었다.

(1) 文班 遞兒職

조선의 문반 체아직은 1422년(세종 4) 이전에 濟用監錄事 등에게 관직종사의 기회를 늘리고 녹봉을 절약하기 위한 관직을 두면서 비롯되었다.[15] 이 체아직이 이후 1484년(성종 15)까지 관제·신분제 정비, 1443년(세종 25) 이전에 기술관을 문반 정직과 구별한 조치 등과 관련되어 정3품 내의원 정·관상감 정·전의감 정·사역원 정(각1직)의 4직으로부터 종9품 내의원 참봉 1직·호조 會士 2직 등 29직의 98직으로 정립되었다가[16] 1485년(성종 16) 마지막 반포된 『경국대전』에 법제화되었다. 『경국대전』에 법제화된 문반 체아직을 표로 정리하여 제시하면 다음과 같다.

〈표 2-4〉『경국대전』 문반 체아직

관아	정3당하	종3	종4	종5	종6	종7	종8	정9	종9	합계
內醫院	正1		僉正1	判官1	主簿1	直長3	奉事2	副奉事2	參奉1	12
觀象監	정1	副正1	첨정1	판관2	주부2	직장2	봉사2	부봉사3	참봉3	16*1
典醫監	정1	부정1	첨정1	판관1	주부1	직장2	봉사2	부봉사4	참봉5	17*2
司譯院	정1	부정1	첨정1	판관2	주부1	직장2	봉사3	부봉사2	참봉2	15
內需司						典會1	典穀1		典貨2	4

15) 『세종실록』 권18, 4년 11월 갑술.

16) 한충희, 앞 책, 117~119쪽 ; 『세종실록』 권100, 25년 5월 임술 외.

惠民署					주부1	직장1	봉사1	訓導1	참봉4	7[*3]
戶曹					算學教授1	算士1	計士2	훈도1	會士2	7
刑曹					律學教授1	明律1	審律2	훈도1	檢律2	7
典涓司						직장2	봉사2		참봉6	10
活人署									참봉2	2
합계	4	3	4	6	8	15	17	14	29	97[*4]

*1 판관 이상 1직 正職 제외, *2 판관 이상 1직 정직 제외, *3 직장 이상 1직 정직 제외, *4 정직 3직 제외.

(2) 武班 遞兒職

武班 遞兒職에는 京職과 外職이 있었다. 그런데 그 실시시기와 관직수를 보면 경직은 지속적으로 운영되고 그 관직의 대부분을 점하였지만, 외직은 일시적으로 운영되고 그나마 그 수가 극소수에 불과하였다.[17]

西班 京官 遞兒職은 세종 5년 이전에 三軍 錄事와 大淸館 錄事 2직 등을 두면서 비롯되었다.[18] 이후 1484년(성종 15)까지 녹봉을 절약하고 각종 군사에게 관직 획득의 기회를 확대하면서 군사력을 확보할 의도 하에 新置되는 각종 군사기구의 관직을 체아직으로 설정하고, 기존의 무반직도 대부분을 체아직으로 전환하는 등 그 수를 크게 확대하고, 1466년(세조 12) 경 체아직 중 가장 우대되고 長番職인 겸사복·내금위·선전관직을 제외한 別侍衛 등 모든 兵種의 관직을 從品職으로 규정하는[19] 등 그 수가 크게 확대되면서[20] 정3품 宣傳官·兼司僕·內禁衛 각1직의 3직으로부터 종9품 갑사 1,515직 등 1,926직의 3,004(양계 赴防甲士 200 포함)직으로 정립되었다가 『경국대전』에

---

17) 그 설치 시기, 설치 관직수와 변천 등은 『조선왕조실록』의 편찬방침과 관련되어 구체적으로 알 수 없다. 그런데 세종 27년에 "강계 등 7官에 설치한 25직(강계-3, 여연·자성·벽당·이산·의주·창성 각2)을 13직(강계·이산 각1 감소)으로 줄이면서 위원·삭주에 각1직을 신치하였다(『세종실록』 권107, 27년 2월 갑인)"고 하였음에서 세종 27년 이전에 서북·동북경에 수십직 이상이 설치된 것으로 추측된다.

18) 『세종실록』 권19, 5년 1월 신묘.

19) 한충희, 앞 책, 156쪽.

20) 한충희, 앞 책, 145~155쪽. 제 兵種의 군직이 체아직이 된 시기는 다음과 같다.

법제화되었다. 『경국대전』에 법제화된 경직 무반 체아직을 표로 정리하여 제시하면 다음과 같다.

〈표 2-5〉『경국대전』 무반 체아직(番次都目條( )는 兩界 赴防갑사)

관아	정3당하	종3	종4	종5	종6	종7	종8	종9	합계
宣傳官	1	1	1	1	1	1	1	1	8
兼司僕	1	2	5	6	9	6	9	14	52
內禁衛	1	4	7	18	28	40	39	44	181
功臣嫡長		2	4	7	10	17	38	63	141
親軍衛			1	2	3	4	4	6	20
別侍衛			4	22	22	30	80	143	301
族親衛			0	3	3	4	6	8	24
忠義衛			1	8	8	10	13	18	58
甲士			5 (2)	59 (20)	65 (20)	134 (50)	222 (100)	1,515 (208)	2,000 (400)
忠贊衛					3	4	6	7	20
習讀官					1	4	9	14	28
醫員							7	2	9
吹螺赤					2	3	7	20	32
太平簫					2	3	7	20	32
弓匠						2	6	6	14
諸員						10	20	32	62
濟州子弟					1	1	2	2	6
壯勇衛					1	2	2	10	15
童蒙訓導								1	1
합계	3	9	28 (2)	126 (20)	159 (20)	275 (50)	478 (100)	1,926 (208)	3,004 (400)

2) 無祿職

無祿職은 관리의 勤勉을 장려하고, 녹봉을 절약하기 위하여 근무성적이

別侍衛 : 세종 11년 이전
鷹坊 : 세종 12년 이전 (성종 12~15년 혁)
內禁衛 : 세종초
甲士 : 세종 10년 경
兼司僕 : 세조 9년 이전
內侍衛 : 세종초(세종6년 혁)
親軍衛 : 세종 16년 경
忠義衛 : 세종 16 이전
諸員 : 세종 13년 이전
濟州子弟 : 세종 18
功臣嫡長 : 세종19~세조 12
忠順衛 : 22
忠贊衛 : 세조 2
宣傳官 : 세조 2
族親衛 : 세조 14년 이전
壯勇衛 : 세조 5
破敵衛 : 세조5(성종 16이전 혁)
習讀官 : 세조 6년 이전

나쁘거나 輕罪를 범한 正職의 祿官이 左遷되면서나 散官(散階者, 散職者)이 정직에 제수되기 전에 제수되는 관직이다.

무록직은 1404년(태종 4) 이전에 司圃署에 提擧·別坐·向上別監 등을 설치하면서 비롯되었고,[21] 이후 1484년(성종 15)까지 考課·褒貶制[22] 등 인사 등 관제정비, 경비절감 등과 관련되어 禮賓寺 등 20여 관아의 3품 제거 2직으로부터 8품 별검 5직의 93직으로 정립되었다가[23] 『경국대전』에 법제화되었다. 『경국대전』에 법제화된 문반 무록직을 표로 정리하여 제시하면 다음과 같다.

〈표 2-6〉『경국대전』 문반 무록직

	提擧(3품)	提檢(4품)	別坐(5품)	別提(6품)	別檢(8품)	계		제거	제검	별좌	별제	별검	계
司饔院	2	2				4	造紙署				4		4
修城禁火司		4	6	3		13	活人署				4		4
禮賓寺		2	2	2		6	掌苑署				1		1
典設司		1	2	2		5	司圃署				3	4	7
典涓司		1	2	2		5	瓦署				3		3
典艦司		1	2	2		5	戶曹				2		2
校書館			2	2		4	刑曹				2		2
尙衣院			2	2		4	昭格署				2		2
軍器寺			2	2		4	司畜署				2		2
內需司			2	2		4	圖書署				2		2
氷庫			1	2	1	4	합계	2	11	23	52	5	93
歸厚署				6		6							

3) 兼職

(1) 文班職

경관 문반 겸직은 개국과 함께 고려 말의 관제를 계승하여 정1품 7직(都評議使司 判事 2·藝文春秋館監事 1·尙瑞司判事 4)으로부터 정8품 6직(訓練觀錄事)까지의 101직을 두면서[24] 비롯되었다. 이후 이것이 1484년(성종 15)까지 1423년

21) 『태종실록』 권8, 4년 8월 기축.

22) 『경국대전』 권1, 이전 경관직 褒貶·考課條.

23) 한충희, 앞 책, 121~124쪽.

(세종 5)에 議政府·六曹와 소수의 堂上官이 중심이 된 효율적인 국정운영을 위한 提調制의 제정·정비, 재정과 관련된 겸직제의 확충과 녹직의 겸직화25) 등에 따라 여러 차례에 걸쳐 신치·증치·감원·혁거되면서26) 정1품 27직(승문원 등 도제조, 경연 등 영사, 춘추관감사 1, 세자시강원 사·부 각1)으로부터 정9품 8직(4학 훈도 각2)까지의 154직으로 정립되었다가 그대로 『경국대전』에 규정되었다. 『경국대전』에 법제화된 잡직을 표로 정리하여 제시하면 다음과 같다.

〈표 2-7〉 『경국대전』 경관 문반 겸직(*는 무정수, ↑은 이상)

관아	정1	종1	종1~종2	정2	종2	정3 당상
奉常寺 등 8관아*1	都提調 각1					
義禁府		判事1		知事1	同知事1	
奉常寺 등 34관아			提調44*2			
經筵	領事3			지사3	동지사3	參贊官7
弘文館	영사1			大提學1	提學1	
藝文館	영사1			대제학1	제학1	
成均館				지사1	동지사2	
春秋館	영사1, 監事1			지사2	동지사2	修撰官*
承文院	도제조3		제조*			副提調*
宗簿寺	도제조2		제조2			
校書館			제조2			
司饔院	도제조1		제조4			부제조5
內醫院	도제조1		제조1			부제조1
尙衣院			제조2			부제조1
觀象監	영사1					
世子侍講院	師1, 傅1	貳師1		賓客2	副賓客2	
典獄署						부제조1
文昭·延恩殿	도제조 2 (문소전)		제조 각2			
합계	27(도제조17, 영사7, 감사·사·부 각1	2(판사1, 이사1)	제조 59 이상	11(빈객2, 대제학2, 지사7)	12(동지사8, 부빈객2, 제학2)	15이상(부제조8, 참찬관7, 수찬관*)

---

24) 『태조실록』 권1, 1년 7월 정미.

25) 金松姬, 1987, 「朝鮮初期의 提調制에 關한 硏究」, 『(한양대)韓國學論集』 12, 40~51쪽.

26) 한충희, 앞 책, 153쪽.

관아	정3 당하	정4	정5	정6	종6	정7	종7	정8	종8	정9	계
奉常寺등 8관아											8직
義禁府											3
奉常寺등 34관아											44
漢城府						參軍1					1
經筵											16
弘文館											3
藝文館	直提學1	應敎1									5
成均館								博士1			4
尙瑞院	正1										1
春秋館	編修官(~종4)*		記注官(5품)*	記事官(~정9)*							6 ↑
承文院											3 ↑
宗簿寺											4
校書館	判校1										3
司饔院											10
內醫院											3
尙衣院											3
觀象監											1
世子侍講院											7
宗學		導善1	典訓1	司誨1							3
養賢庫					主簿1		直長1		奉事1		3
典獄署											1
4學					敎授8					訓導8	16
文昭·延恩殿											6
합계	3(직제학·정·판교 각1)↑	2(응교·도선 각1)↑	1↑	1↑	9(주1, 교수8)↑	1↑	1↑	1↑	1↑	8↑	154↑

*1 봉상·군기시, 군자감, 사역원, 수성금화사, 전함사, 종묘·사직서 각1.
*2 봉상·내자·내섬·사도·예빈·사섬시,군자 제용·사재감, 전설·전함·전연사, 소격·종묘·사직·전생·평시·장원·사포·사축·도화·전옥·활인·와·귀후서·빙고 각1, 사복·군기시, 선공, 전의감, 장악·사역원, 수성금화사, 조시·혜민서 각2.

(2) 武班職

무반 겸직은 개국과 함께 8衛·義興親軍衛에 判事(종1)·都節制使(종1~정2) 이하 10여 직을 두면서 비롯되었다.27) 이후 이것이 1466년(세조 12) 까지

27) 『태조실록』 권1, 1년 8월 정미. 각 관직의 정원은 불명하나 태조 1년 7월의 인사에 都節制使 1명, 節制使 2명, 同知節制事 4명, 判8衛事 1명, 8衛 上將軍 1명이 확인됨에서

여러 차례에 걸쳐 군제 등 관제정비, 문반의 무반 당상관직 겸대에 따라 정2품 五衛都摠府 都摠管(종2품 副總管과 합해 10직)으로부터 정3품 당상관 訓練院 都正 1직의 18직으로 정립되었다가[28] 『경국대전』에 법제화되었다. 『경국대전』에 법제화된 경관 무반 겸직을 표로 정리하여 제시하면 다음과 같다.

〈표 2-8〉 『경국대전』 경관 무반 겸직

관아	정2품	종2	정3 당상	합계	비고
5衛都摠府	都摠管5*	副摠管5*		10	* 도총관과 부총관을 합해 10직
兼司僕		將3		3	
內禁衛		將3		3	
訓練院	知事1		都正1	2	
합계	6	11	1	18	

4) 臨時職

임시직은 겸직이 녹이 없는 無祿職이나 正職者가 겸하여 직무를 보는 관직인데 비하여 정직자가 겸직하거나 散官이 임시로 규정에 없는 관직에 제수되어 직무를 보고, 소관사의 종료와 함께 혁거된 관직이다.

임시로 운영된 관직은 1392년(태조 1)에 개국공신의 책록을 관장할 功臣都監에 判事 이하의 관직을 두면서 비롯되었고,[29] 이후 조선초기(1392, 태조 1~1494, 성종 25)를 통하여 국상, 왕비·왕세자·왕세자 책봉, 각종 건축공사, 명사영접, 국혼, 제도상정, 공신책봉, 실록편찬 등과 관련되어 도감, 소, 색, 청 등에 정1품직이 겸하는 都提調·監事·判事 이하 겸직과 정3품 이하 산관이 제수된 使 이하 여러 관직이 있었다.[30] 조선초기를 통하여 운영된 임시직의 소속된 관아와 관직을 표로 정리하여 제시하면 다음과 같다.

추정하였다.

28) 한충희, 앞 책, 156~161쪽.

29) 『태조실록』 권1, 1년 8월 신유. 이때 설치된 관직은 기록되지 않았지만 여타 도감에 미루어 당상관이 겸대한 判事·使와 당하관 이하가 겸한 郎廳이 있었을 것이라고 추정하여 파악한다.

30) 한충희, 앞 책, 315~323쪽.

〈표 2-9〉 조선초기 주요 임시직

관아	정1	종1~종2	정3~종6	종7~종9	비고
國葬都監 등*	都提調	提調, 判事	使, 副使, 判官	錄事	* 功臣都監, 冊封都監 외
嘉禮色 등*	도제조	제조	사, 부사, 판관	녹사	* 貢賦詳定色, 六典修撰色 외
田制詳定所 등*	도제조	제조	사, 부사, 판관	녹사	* 儀禮詳定所, 貢法詳定所 외
實錄廳등*	監館事	知館事, 同知館事	修撰官, 編修官, 記注官, 記事官	기사관, 녹사	* 諺文廳 외

제2절 外官職

1. 文班職

1) 正職

외관 문반 정직에는 道의 장관인 觀察使, 郡縣의 牧民官인 府尹 이하의 수령, 道와 大邑(府尹附·大都護府·牧)의 장관을 보좌하는 首領官인 都事와 庶尹·判官이 있었다.

(1) 觀察使

외관 종2품직인 관찰사는 조선 개국과 함께 고려 말의 외관제를 계승하여 京畿左·京畿右·西海·交州江陵·慶尙道·全羅道에 按廉使 각1직, 東北面·西北面에 都巡問使 각1직을 두면서 비롯되었다.[31] 이후 1470년(성종 1)까지 경기좌·우도가 통합되고 서해·교주강릉·양광도와 동북·서북면이 황해·강원·충

31) 1392년(태조 1) 7월 정미의 관제반포시에는 언급되지 않았지만 이때 반포된 관제가 거의 고려의 관제를 답습한 것이었고, 이후 태조 2년에 도 장관의 명칭이 都觀察黜陟使兼監倉安集轉輸勸農管學事提調刑獄兵馬公事로 변경되고, 1413년(태종 13)에 도명이 경기·충청·경상·전라·강원·황해·평안·영길도*의 8도로 정착되기까지 안렴사와 경기좌·우도 등의 도명이 『조선왕조실록』 태조 1~태종 13년조에서 산견됨에서 추측하여 파악한다(*영길도는 계수관의 변경에 따라 함길도(태종16), 영안도(성종1)로 개정된 후 『경국대전』에 계승되었다).

청도와 영안·평안도(충청·경상·전라도는 그대로 계승)의 8도로 통합·개칭되고, 장관인 안렴사·도순문사가 여러 번에 걸쳐 개정된 후 1466년(세조 12) 관찰사로 정착된 후 각도 1직의 8직으로 정립되었다가[32] 1485년(성종 16) 마지막 반포된 『경국대전』에 그대로 법제화되었다.

(2) 府尹·大都護府使·都護府使·郡守·縣令·縣監

부윤부의 수령인 府尹 이하 수령은 조선 개국과 함께 고려 말의 외관제를 계승하여 府尹府 이하 300여 군현에 부윤(2, 종2), 목사(16, 정3), 부사(24, 종3), 知郡事(82, 종4), 현령(37, 종5), 監務(124, 종6)를 두면서 비롯되었다.[33] 이 부윤 등이 1466년(세조 12)까지 외관제 정비·군현의 昇降 등과 관련되어 지군사와 감무가 군수와 현감으로 개칭되고 군현수가 증감되는 변천에 수반되어 부윤 4·대도호부사 4·목사 20·부사 44·군수 82·현령 35·현감 142직의 331직으로 정립되었다가[34] 『경국대전』에 그대로 법제화되었다.

(3) 首領官 : 都事·庶尹·判官

종5품직인 都事(8도 각1직)는 관찰사의 行政, 醫政, 刑政을 보좌하는 僚屬(首領官)이다. 도사는 조선 개국과 함께 1389년(고려 공양왕 1) 이래의 經歷司 經歷(4품 이상)·都事(5품 이하, 각1직)를[35] 계승하여 7道·2面에 경력·도사 각1직을 둔

---

32) 한충희, 앞 책, 165~166쪽. 태조 1~세종 5년까지 변개된 관직명은 다음과 같다.
태조2 : 都觀察黜陟使兼監倉安集轉輸勸農管學事提調刑獄兵馬公事(남방6도)
태종1 : 按廉使(6도)
태종17 : 도관찰출척사겸감창안집전수권농관학사제조형옥병마공사(북방양도)
세종2 : 동상(5도)
세종5 : 관찰사(6도, 양계)
세종16 : 도관찰출척사겸감창안집전수권농관학사제조형옥병마공사(6도, 양계)
세조12 : 관찰사(8도)

33) 한충희, 2002, 「朝鮮初期 道制와 郡縣制 整備研究」, 『啓明史學』 15, 175~176쪽 ; 앞 책, 2006, 166쪽(『태조실록』 권1, 1년 8월 병진 仍授各道守令 儒學敎授官 驛丞職).

34) 위 논문, 189~204쪽 ; 위 책, 169~173쪽.

것에서 비롯되었다. 이 경력·도사가 이후 1466년(세조 12)까지 도제, 관제정비 등과 관련되어 경력이 정3품으로 陞秩·정4품으로 降格되었다가 혁거되고 도사가 종5품직으로 상정되면서 정립되었다가[36] 『경국대전』에 법제화되었다.

종4품직인 庶尹, 종5품직인 判官과 兵馬判官은 平壤府尹, 대읍인 府尹·大都護府使·牧使와 種城都護府使의 행정을 보좌한 요속이다. 서윤은 1392년(태조 1)에 고려 말의 관제를 계승하여 평양부에 설치된 少尹에서 비롯되었고,[37] 이후 1470년(성종 1)까지 관제개정에 따른 영흥·함흥부윤부의 증치, 관직명 개칭으로 소윤이 판관과 서윤으로 개칭되면서 평양부 서윤 1직으로 고착된[38] 후 『경국대전』에 법제화되었다. 판관은 조선 개국과 함께 고려 말의 관제를 계승하여 鷄林府尹府 이하 20여 대읍에 각1직을 설치하면서 비롯되었고,[39] 이후 1466년(세조 12)까지 관제정비, 남북의 요해처 도호부사의 보좌와 관련되어 34직(무록직인 경기 좌도·우도 수운판관 각1직 제외[40])으로 증가되었다가[41] 『경국대전』에 법제화되었다. 병마판관은 1441년(세종 23)에 種城郡이 도호부로 승격될 때 부사의 겸직으로 1직이 설치된 것에서 비롯되었고,[42] 1466년(세조 12)까지 관제개변에 따라 정직이 된 후 『경국대전』에 법제화되었다.

---

35) 『고려사』 권77, 백관지2, 외직 절제사조 ; 『세종실록』 권148, 지리지 경기도조 외.

36) 한충희, 앞 책, 173쪽 주 36), 『태종실록』 권8, 4년 8월 을묘 ; 張炳仁, 1978, 「朝鮮初期의 觀察使」, 『韓國史論』 4, 141쪽 ; 李存熙. 1990, 『朝鮮初期 地方行政制度 硏究』, 一志社, 109쪽.

37) 한충희, 앞 책, 175쪽 주 46).

38) 위 책, 175~176쪽. 『조선왕실록』 태조 2~단종 1년 ; 『단종실록』 권12, 2년 8월 기묘 ; 『세조실록』 권38, 12년 1월 무로 ; 『성종실록』 권10, 2년 5월 정유(영흥·함흥의 읍호 승강은 뒤 〈표 12-1〉 참조).

39) 위 책, 176쪽 주 49).

40) 『경국대전』 권1, 이전 외관직 경기도 판관조.

41) 『조선왕조실록』 태종 8~예종 1년 ; 『세종실록』 권148~155 ; 8도지리지(설치 군현은 뒤 〈표 12-1〉 부윤·대도호부·목 참조).

42) 『세종실록』 권155, 지리지 함길도 경성도호부.

그 외의 외관으로 고려 태조 이하 네 왕의[43] 신위를 관리하고 봉사하는 종4품 이하직의 崇義殿官이 있었다. 숭의전관은 1452년(단종 즉위)에 왕씨의 후예인 王循禮를 종4품직 崇義殿副使에 제수하면서 비롯되었고,[44] 그 후 1484년까지 관제개변 등과 관련되어 副使가 守로 개칭되고 종5품직 令과 종6품직 監이 가치되어 제수되는 자(1인)의 관계에 따라 제수하도록 규정된 후[45] 『경국대전』에 법제화되었다.

2) 無祿職

무록직에는 관찰사의 醫政, 刑政을 보좌하는 僚屬(首領官)인 審藥(종9, 8도 각1), 檢律(종9, 8도 각1)과 군현의 교육을 관장한 教授·訓導, 경기도의 수운을 관장한 水運判官, 驛政을 관장한 察訪·驛丞, 경기의 요충 津을 관장한 渡丞이 있었다.[46]

(1) 審藥·審律

심약은 1421년(세종 3) 이전에 고려의 醫學教諭를 계승하여 8도에 각1직을 둔 것에서 비롯되었고,[47] 1466년(세조 12) 경에 심약으로 개칭되었다가[48] 『경국대전』에 무록관으로 법제화되었다.[49]

---

43) 네 왕은 고려왕조에 공이 큰 太祖, 顯宗, 文宗, 忠定王이다(『단종실록』 권1, 즉위년 5월 경술).

44) 『단종실록』 권1, 즉위년 5월 경술·권2, 즉위년 7월 계사.

45) 한충희, 앞 책, 186쪽, 『세조실록』 권38, 12년 1월 무오 외.

46) 이들의 관직적 성격은 국초에는 불명하나 『경국대전』 권1, 이전 경관직 경기도조에 "判官五員 左道水運·右道水運-並無祿官, 察訪·教授·訓導·審藥·檢律·驛丞同-廣州·驪州·水原"이라고 즉, 무록관으로 규정되어 있다. 이들이 무록관이 된 시기는 불명하나 무록관제의 정비, 세조대의 『경국대전』 편찬 등과 관련시켜 볼 때 녹직에서 체아직으로 전환된 것으로 추측된다.

47) 『세종실록』 권12, 3년 6월 임자.

48) 『세조실록』 권42, 13년 6월 기해·갑진.

49) 『경국대전』 권1, 이전 외관직 경기도 판관조.

檢律은 1419년(세종 1) 이전에 고려에서 운영된 法曹를 계승하여 8도에 각1직을 둔 것에서 비롯되었고,[50] 1466년(세조 12) 경에 검률로 개칭되었다가[51] 『경국대전』에 무록관으로 법제화되었다.[52]

(2) 敎授·訓導, 察訪·驛丞, 渡丞, 기타

종6품직인 敎授와 종9품직인 訓導는 부윤부·대도호부·목·도호부와 군·현의 자제교육을 관장한 敎官이고, 종6품직인 察訪과 종9품직인 驛丞은 도역을 관장하는 驛官이고, 종9품직인 渡丞은 한성에 인접한 要衝津을 관장하는 津官이다. 그 모두는 『경국대전』에 무록관으로 규정되었다.[53]

敎授와 訓導는 조선 개국과 함께 고려 말의 관제를 계승하여 都護府 이상 군현에 儒學敎授官 각1직과 군·현에 品外의 學長 각1직을 두면서 비롯되었고,[54] 이후 1484년(성종 15)까지 군현제 정비, 교관의 출신·직질 등과 관련되어 도호부 이상 대읍에 敎授(문과 출신, 참상), 500호 이상 군 이하에 訓導(문과 출신, 참외)·敎導(비문과 출신, 참외), 500호 미만 군 이하에 學長(품외) 각1직으로 관직명이 개칭·구분되었다가[55] 1463년(세조 9)에 호구 수에 관계없이 都護府 이상 대읍에는 종6품 교수, 郡·縣에는 종9품 훈도 각1직, 총 285직(교수 72, 훈도 213)으로[56] 정립된 후 『경국대전』에 법제화되었다.

그 외에도 對明, 對倭 외교와 관계되어 1434년(세종 16) 이전과 1469년(예종 1) 이전에 의주·평양·황주에 종9품직 譯學訓導 각1직과 부산포·제포에 종9품

---

50) 『태종실록』 권8, 4년 10월 병신 ; 『세종실록』 권3, 1년 4월 을류.
51) 한충희, 앞 책, 174쪽.
52) 『경국대전』 권1, 이전 외관직 경기도 판관조.
53) 『경국대전』 권1, 이전 외관직 경기도 판관조.
54) 『태조실록』 권1, 1년 8월 병진.
55) 한충희, 앞 책, 177~178쪽.
56) 『세조실록』 권30, 9년 3월 신묘(교수가 설치된 부윤부·대도호부·목·도호부, 훈도가 설치된 군·현은 뒤 〈표 12-1〉 참조).

직 倭學訓導 각1직이 설치되었고,[57] 이것이 그대로 『경국대전』에 법제화되었다.

종6품직인 察訪은 조선 개국과 함께 고려 말의 역제를 계승하여 驛丞·程驛察訪을 두면서 비롯되었고,[58] 이후 관직명은 정역찰방이 군현에 파견되어 수령의 불법사를 審察하거나[59] 역을 관리하는 察訪과[60] 함께 운영되다가 1466년(세조 12)경에 그 모두가 역관인 찰방으로 통칭되면서[61] 정착되었다. 찰방의 운영은 종9품직인 역승의 운영과 관련되어 1456년(세조 2)까지는 정역찰방·역승이 함께 운영되었고,[62] 그 후 찰방, 역승, 찰방·역승이 교대로 운영되다가[63] 『경국대전』에 찰방·역승으로 규정되었다. 관직 수는 1457년(세조 3)에 경기·충청·경상·전라·황해도 18도역에 각1직이 설치되었고,[64] 1460년(세조 6)에 역로의 원근을 고려하여 경기와 하삼도의 도를 증설하고

57) 『세종실록』 권64, 16년 6월 임진 ; 『예종실록』 권7, 1년 8월 갑진.

58) 『태조실록』 권1, 1년 8월 병진.

59) 『세종실록』 권22, 5년 10월 경술·권27, 7년 3월 갑오.

60) 『세종실록』 권53, 13년 8월 입자.

61) 명확한 시기는 알 수 없다. 그러나 이때에 『경국대전』의 편찬과 관련하여 육조 속아문의 관직이 관계가 같은 관직 모두가 정(정3)~참봉(종9)으로 통일되는 등 직계아문과 육조 속아문의 관제가 대대적으로 정비되었기에 이때에 정역찰방도 찰방으로 개정된 것으로 추측하여 파악한다(문한관 제외, 『세조실록』 권38, 12년 1월 무오).

62) 『세종실록』 권77, 19년 6월 경신 ; 『세조실록』 권4, 2년 7월 정해.

63) 『세조실록』 권9, 3년 9월 계유 吏曹擧兵曹受敎關啓 (중략) 舊革驛丞置程驛察訪 ; 권27, 8년 1월 兵曹啓 (중략) 請自今每一察訪道 加設驛丞一人 (중략) 從之 ; 『예종실록』 권2, 즉위년 12월 병신 近者革驛丞置察訪 別無利益 請自今復置驛丞 ; 『성종실록』 권4, 1년 3월 계미 (전략) 摘奸守令萬戶察訪驛丞不法 (하략) ; 권8, 1년 11월 임인 今革諸道察訪而置驛丞 ; 권13, 2년 12월 임신 命罷驛丞 置察訪 외.

64) 『세조실록』 권9, 3년 9월 계유. 각도별 역도는 다음과 같다.

경기·충청·강원도 : 경기좌도수운판관겸정역찰방, 경기충청도정역찰방, 경기충청좌도정역찰방, 경기강원도정역찰방, 경기우도정역찰방, 경기충청우도정역찰방, 경기충청좌도정역찰방

충청도 : 이인·증약도,

경상도 : 안기·장수·사근·황산·소촌도,

전라도 : 오수·삼례·영보도,

황해도 : 청단도.

찰방 1명이 1~3도를 관장하게 하다가 1466년(세조 12) 『경국대전』의 편찬과 관련된 관제정비 시에 8도에 2~5도 총 23도역 23찰방으로 조정되었다.[65] 이때의 찰방이 이후 역승과 교체되면서 운영되다가 1475년(성종 6) 이전에 찰방으로 고정된 후[66] 마지막 『경국대전』에 법제화되었다. 驛丞은 개국과 함께 고려 말의 역승을 계승하여 운영하면서 비롯되었고,[67] 1462년(세조 8) 도역의 효율적인 운영을 위하여 찰방도역에 각1직의 역승을 두면서 18직으로 상정되었고,[68] 이후 찰방과 교차되다가 1471년(성종 2) 이후에 고정된 후[69] 『경국대전』에 법제화되었다. 渡丞은 1450년(세종 32) 碧瀾渡·廣津渡에 각1직이 설치되었고,[70] 이후 조세곡·물류의 수송 등과 관련되어 신치·혁거되면서 7직으로 정착되었다가[71] 『경국대전』에 법제화되었다.

그 외의 외관으로 남도에서 한성으로 수송되는 세미곡의 운송을 관장하는 종5품직인 水運判官과 고려 태조 이하 네 왕의[72] 신위를 관리하고 봉사하는 종4품 이하직의 崇義殿官이 있었다. 수운판관은 1414년(태종 14) 이전에 운영된 京畿左·右道水站轉運判官에서 비롯되었고,[73] 이후 1484년까지 稅穀의 원활한 수송과 관리, 외관제 정비 등과 관련되어 전라·충청도에 신치되었다가 혁거되면서 경기 좌·우도 각1직으로 정착된 후[74] 『경국대전』에 법제화되었다.

---

65) 도별 도역은 〈표 3-4〉 참조.

66) 『성종실록』 권12, 6년 12월 기묘 ; 권139, 13년 3월 무인. 찰방과 역승의 교차는 앞 주63) 참조.

67) 『태조실록』 권1, 1년 8월 병진.

68) 『세조실록』 권27, 8년 1월 계축.

69) 『성종실록』 권13, 2년 12월 임술, 찰방과의 교차는 앞 주63) 참조.

70) 『조선왕조실록』의 사료적 한계에서 始置시기는 알 수 없다. 그러나 渡의 성격에 미루어 세종 32년 이전부터 운영된 것으로 추측된다(『세종실록』 권155, 지리지 경기도).

71) 한충희, 앞 책, 182쪽.

72) 네 왕은 고려왕조에 공이 큰 太祖, 顯宗, 文宗, 忠定王이다(『단종실록』 권1, 즉위년 5월 경술).

73) 『태종실록』 권28, 14년 12월 임신.

74) 『세종실록』 권67, 17년 3월 무술 ; 권93, 23년 6월 무인.

숭의전관은 1452년(단종 즉위)에 왕씨의 후예인 王循禮를 종4품직 崇義殿副使에 제수하면서 비롯되었고,[75] 그 후 1484년까지 관제개변 등과 관련되어 副使가 守로 개칭되고 종5품직 令과 종6품직 監이 가치되어 제수되는 자(1인)의 관계에 따라 제수하도록 규정된 후[76] 『경국대전』에 법제화되었다.

1485년(성종 16) 마지막 반포된 『경국대전』에 법제화된 외관 문반직을 표로 정리하여 제시하면 다음과 같다(외관의 명호는 뒤 〈표 6-1〉 참조).

〈표 2-10〉 『경국대전』 외관 문반 정직(목사 이하의 재직 군현은 뒤 〈별표 7〉 참조)

		경기	충청	경상	전라	황해	강원	영안	평안	계	비고
종2품	관찰사	1	1	1	1	1	1	1	1	8	방백
	부윤			1	1			1	1	4	수령(이하 동), 경주, 전주, 영흥, 평양
정3	대도호부사			1			1	1	1	4	안동, 강릉, 안변, 영변
	목사	4	4	3	3	2	1	0	3	20	
종3	도호부사	7	0	7	4	4	5	11	6	44	
종4	군수	7	12	14	12	7	7	5	18	82	
종5	현령	5	4	5	5	2	2	6	6	35	
종6	현감	14	37	34	32	7	9	4	5	142	
계		38	58	66	58	23	26	29	41	339	
종4	서윤								1	1	평양
	崇義殿守*	1								1	*종5 令·종6 監과 합해 1직
종5	도사	1	1	1	1	1	1	1	1	8	
	판관	5	1	7	6	4	3	0	8	34	
	병마판관								1	1	종성도호부
	수운판관	2								2	
	계	8	2	8	7	5	4	1	10	45	
종6	찰방	3	3	5	3	2	2	3	2	23	역관
	교수	11	4	12	8	6	7	13	11	72	도호부 이상 학관
종9	훈도	26	15	55	40	18	19	9	31	213	군 이하 학관
	역학훈도					1		1	1	3	황주, 평양, 의주
	왜학훈도			2						2	부산, 제포
	심약	1	*2	*3	*3	1	1	*3	*2	16	*1외 병마절도사 요속
	검률	1	1	1	*2	1	1	1	1	9	*1 제주목
	역승	3	3	6	3	1	2	0	0	18	역관

75) 『단종실록』 권1, 즉위년 5월 경술 ; 권2, 즉위년 7월 계사.

76) 한충희, 앞 책, 186쪽(『세조실록』 권38, 12년 1월 무오 외).

종9	도승	3	3	6	3	1	2	0	0	18	도관
	계	34	24	73	51	23	25	14	35	279	
합계		95	91	164	127	59	64	60	100	760	

2. 武班職

외관 무반직은 정직에는 소속도의 육군과 수군을 지휘한 兵馬節度使와 水軍節度使, 소속진의 육군을 지휘한 兵馬萬戶와 수군을 지휘한 水軍節制使·水軍萬戶, 병마절도사와 수군절도사를 보좌한 兵馬虞候·兵馬評事·兵馬判官과 水軍虞候가 있고, 겸직에는 관찰사와 부윤 이하 수령이 例兼하는[77] 병마절도사·수군절도사와 兵馬水軍節制使·兵馬節制使·兵馬僉節制使·兵馬同僉節制使·兵馬節制都尉 및 監牧이 있었다. 이와 관련하여 외관 무반을 정직과 겸직으로 구분하여 살펴본다.

1) 正職

(1) 兵馬節度使와 水軍節度使

종2품직인 병마절도사는 조선 개국과 함께 고려 말의 관제를 계승하여 8도에 각1직의 兵馬都節制使를 설치하면서 비롯되었다.[78] 이 도절제사가 이후 1479년(성종 10)까지 효율적인 군정운영을 위한 군사도 편제·鎭管體制의 실시에 따른 경상·전라·영안도의 分道,[79] 관찰사의 병마절도사·수군절도사 겸직[80] 등과 관련되어 여러 차례에 걸쳐 개변되면서 관직명이 병마절도사

---

77) 진관체제에 따른 지역방어와 관련하여 관찰사는 도의 병마절도사·수군절도사를 당연직으로 겸하였고, 수령의 경우 부윤은 兵馬節制使, 대도호부사·목사·도호부사는 兵馬僉節制使나 兵馬同僉節制使, 군수는 병마동첨절제사, 현령·현감은 兵馬節制都尉를 당연직으로 겸하였다(『경국대전』 권4, 병전 외관직).

78) 1392년(태조1) 7월 정미의 관제반포 시에는 언급되지 않았지만 이때 반포된 관제가 거의 고려의 관제를 답습한 것이었고, 개국 초부터 병마도절제사의 제수가 확인됨에서 추정한 것이다.

79) 『세조실록』 권43, 13년 2월 병인 ; 『예종실록』 권3, 1년 1월 무인.

로 개칭되고 8도에 각1~3직 총 15직－정직 7직과 겸직 8직(관찰사겸)으로[81] 정립되었다가 『경국대전』에 법제화되었다.

정3품 당상관인 수군절도사는 1393년(태조 2)에 1389년(고려 공양왕 1) 이래로 楊廣左·右道에 각1직을 설치한 水軍都萬戶를 馬步兵及騎船軍水軍都節制使로 개칭하면서 비롯되었다.[82] 이 수군도절제사가 이후 1479년(성종 10)까지 왜구방어·관제정비 등과 관련되어 여러 차례에 걸쳐 개변되면서 관직명이 水軍節度使로 개칭되고 8도에 각1~3직 총 17직(8은 관찰사겸)으로[83] 정립되었다가 『경국대전』에 법제화되었다.

(2) 兵馬僉節制使·兵馬萬戶, 水軍僉節制使·水軍萬戶

종3품직 무관수령인 병마첨절제사는 1397년(태조 6)에 연안요해의 방어와 관련되어 각도의 병마도절제사를 혁거하고 황해도 옹진진 등 황해·강원·충

---

80) 『성종실록』 권14, 3년 1월 임자.

81) 장병인, 1984, 「朝鮮初期의 兵馬節度使」, 『韓國史論』 34, 164~175쪽 ; 한충희, 앞 책, 166~158쪽. 관직의 명칭 변천과 수는 다음과 같다.

태조 6 : 폐
태조 7 : 복치(兵馬都節制使 8 8도 각1)
태종 8 : 9(경상2, 그 외 1)
태종12 :
태종13 : 9
세종 8 : 8
세종18 : 9
문종즉 : 10
단종 1 : 9
세조12 : 병마절도사 9
세조13 : 10
세조14 : 12
예종 1 : 14
성종 1 : 10
성종 3 : 12
성종10 : 15(정직 7 충청도, 경상좌·우도, 전라도, 영안남·북도, 평안도 각1, 겸직 8-8도 각1,관찰사 겸)

82) 『태조실록』 권3, 2년 4월 갑진.

83) 한충희, 앞 책, 168~169쪽. 관직의 명칭변천과 수는 다음과 같다.

태조 6 : 폐
태조 7 : 복치(水軍都節制使 8 8도 각1)
태종 8 : 9(경상2, 그외 1)
태종12 : 8
태종13 : 9
태종17 : 8
세종 2 : 수군도안무처치사 8
세종 5 : 9
세종 8 : 8
세종18 : 9
세조12 : 수군절도사, 8
세조13 : 10
성종 3 : 12
성종10 : 15(정직 9 - 경기·충청·평안도 각1, 경상좌·우도, 전라좌·우도, 평안남·북도 각1, 겸직 8관찰사 겸).

청·경상·전라도에 15직을 두면서 비롯되었다.[84] 이 첨절제사가 이후 1484년(성종 15)까지 국방·관제정비와 관련되어 17직으로 증가되었다가 그 모두가 都護府 이하의 군현으로 개편되면서 소멸되었다.[85]

종4품 무반수령인 병마만호는 조선 개국과 함께 1369년(고려 공민왕 18) 이래로 東·西北面의 요해처에 설치한 만호를[86] 계승하여 新昌·義州 등 7진에 만호를 설치한 것에서[87] 비롯되었다. 이 만호가 이후 1484년(성종 15)까지 관제의 정비 東北·西北境의 개척과 관련되어 군현으로 개편되거나 신치되는 등 여러 차례에 걸쳐 개변되면서 18직으로 정립되었다가[88] 『경국대전』에 법제화되었다.

종3품 무반 수령인 수군첨절제사는 조선 개국과 함께 고려 말 이래로 연안요해지 수처에 설치한 水軍都萬戶를 계승하여[89] 1395년(태조 4) 이전에 수군첨절제사를 설치한 것에서 비롯되었다.[90] 이것이 이후 1484년(성종 15)까지 그 직명이 수군도만호, 수군첨절제사로 개칭되고, 소멸, 신치, 증감되면서 11직으로 정립되었다가[91] 『경국대전』에 법제화되었다.

종4품직인 수군만호는 조선 개국과 함께 고려 말 이래로 水軍都萬戶의 지휘하에 연안을 방어하던 수군만호를 계승하여 長淵 등에 수군만호를 설치하면서 비롯되었다.[92] 이것이 이후 1484년(성종 15)까지 외관제정비, 연안방

---

84) 『태조실록』 권11, 6년 5월 임신.

85) 『조선왕조실록』 문종 1~성종 15년조(태조 6년~성종 15년까지의 변개상은 한충희, 앞 책, 335~350쪽 〈표 8-2〉 참조).

86) 『고려사』 권41, 세가 41, 공양왕 18년 11월 신미.

87) 한충희, 앞 책, 171쪽.

88) 『조선왕조실록』 태조 1~성종 15년조(구체적인 변천은 뒤 〈표 2-11〉 참조).

89) 閔賢九, 1983, 『朝鮮初期의 軍事制度와 政治』, 韓國硏究院, 177쪽 ; 方相鉉, 1991, 『朝鮮初期의 水軍制度』, 民族文化社, 70쪽.

90) 『태조실록』 권8, 4년 7월 기해.

91) 한충희, 앞 책, 172쪽 ; 『조선왕조실록』 태종 14~성종 15년조.

92) 민현구, 앞 책, 213~222쪽 ; 『세종실록』 권152, 지리지 황해도 장연현.

어와 관련되어 여러 차례에 걸쳐 혁거, 복치, 증치되면서 47직으로[93] 정립되었다가 『경국대전』에 법제화되었다.

(3) 兵馬虞候·兵馬評事·兵馬判官·審藥·檢律, 水軍虞候

종3품직인 병마우후·정6품직인 병마평사·종9품직인 심약과 검률, 정4품직인 수군우후는 병마절도사와 수군절도사를 보좌하는 병영과 수영의 요속이고, 종5품직인 병마판관은 함경도의 최요충지인 鍾城府使를 보좌하는 요속이다. 병마우후는 1433년(세종 15) 이전에 양계에 정3품 上護軍 이상자를 兵馬都節制使를 보좌하는 都鎭撫 각1직을 설치하면서 비롯되었고,[94] 1466년(세조 12) 병마절도사제 정립시에 도진무를 병마우후로 개칭하면서[95] 정립되었다가 『경국대전』에 법제화되었다.

병마평사는 개국초에 설치된 掌務錄事에서 비롯되었고,[96] 이후 이 장무녹사가 都節制使制의 운영과 관련되어 경력, 도사와 교대로 운영되다가 1433년에 양계를 제외한 남방 5도에 수령관을 폐지함에 따라 兩界(평안·함길도)에만 존치되었다가[97] 1466년(세조 12) 양계 兵馬節度使營에 경력·도사를 혁거하고 정6품직 평사 각1직을 두면서[98] 정립되었다가 『경국대전』에 법제화되었다.

심약과 검률은 관찰사의 요속인 심약·검률과 같이 세종대에 설치되고 1466년(세조 12)에 문반직의 심약·검률로 정착된 후[99] 『경국대전』에 무록관으로 법제화되었다.[100]

---

93) 『조선왕조실록』 태종 4~성종 15년조.
94) 『세종실록』 권59, 15년 1월 을축 ; 『세조실록』 권6, 3년 1월 신사.
95) 『세조실록』 권38, 12년 1월 무오.
96) 『태조실록』 권1, 1년 7월 정미.
97) 吳宗祿, 1985, 「朝鮮初期 兵馬節度使의 成立과 運用」, 『震壇學報』 59, 109쪽 ; 『세종실록』 권59, 15년 1월 을축 ; 『세조실록』 권6, 3년 1월 신사.
98) 『세조실록』 권38, 12년 1월 무오.
99) 『세조실록』 권42, 13년 6월 기해·갑진.
100) 『경국대전』 권1, 이전 외관직 경기도 판관조.

수군우후는 1420년(세종 2) 이전에 水軍都節制使를 보좌하는 도진무를 설치하면서 비롯되었고,[101] 이후 水軍都按撫處置使都鎭撫로 개칭되었다가[102] 1466년 수군도절제사 정착시에 수군우후로 개칭되면서[103] 정립되어 『경국대전』에 법제화되었다. 『경국대전』에 법제화된 무반 정직은 다음의 표와 같다.

〈표 2-11〉 『경국대전』 외관 무반 정직

		경기	충청	경상	전라	황해	강원	영안	평안	계
종2품	병마절도사	0	1	2	1	0	0	2	1	7
정3 당상	수군절도사	1	1	2	2	0	0	2	1	9
종3	수군첨절제사	1	0	2	2	1	1	0	3	10
	병마우후	0	1	2	1	0	0	1	1	6
정4	수군우후	0	1	2	2	0	0	0	0	5
종5	병마만호	0	0	0	0	0	0	14	4	18
	수군만호	5	3	19	15	6	4	3	0	55
정6	병마평사	0	0	0	0	0	0	1	1	2
합계		7	7	29	23	7	5	23	11	112

2) 兼職

(1) 兵馬節度使·水軍節度使

관찰사가 겸하는 병마절도사와 수군절도사는 1472년(성종 3) 진관제의 실시와 관련되어 각도의 병마수군절도사·수군절도사 각1직을 겸하면서 관찰사가 1도의 군정을 총괄하면서 정착되었고,[104] 이것이 그대로 『경국대전』에 법제화되었다.

---

101) 한충희, 앞 책, 175쪽.

102) 『세종실록』 권10, 2년 10월 임술.

103) 『세조실록』 권38, 12년 1월 무오.

104) 『성종실록』 권14, 3년 1월 임자.

(2) 兵馬水軍節制使·兵馬節制使·兵馬僉節制使·兵馬同僉節制使·兵馬節制都尉

군현의 문관 수령인 府尹 이하 縣令·縣監이 병마수군절제사 이하 병마절제도위까지의 모든 군직을 겸하는 수령의 軍職例兼은 1466년(세조 12) 수령이 중심이 된 지역방어를 강화하기 위하여 실시된 鎭管制의 실시와 함께 병마수군절제사 1·병마절제사 2직으로부터 병마절제도위 207직의 380직을 두고 이들 군직을 慶州府尹 이하 380명의 수령이 병마수군절제사·병마절제사~병마절제도위를 겸직하면서 시작되었다.[105] 이것이 이후 1484년(성종 15)까지 외관제 정비에 따른 군현개변, 국방강화 등과 관련되어 소폭으로 증감되면서 병마수군절제사·병마절제사로부터 병마절제도위까지의 380직으로 정립되었다가[106] 『경국대전』에 법제화되었다.

1485년(성종 16) 마지막 반포된 『경국대전』에 법제화된 외관 무반 겸직을 표로 정리하여 제시하면 다음과 같다(외관의 명호는 뒤 〈별표 7〉 참조).

〈표 2-12〉『경국대전』 외관 무반 겸직(병마첨절제사 이하 설치 진은 뒤 〈별표 8〉 참조)

		경기	충청	경상	전라	황해	강원	영안	평안	계	비고
종2품	兵馬節度使	1	1	1	1	1	1	1	1	8	
정3 당상	水軍節度使	1	1	1	1	1	1	1	1	8	
	兵馬水軍節制使	0	0	0	1*	0	0	0	0	1	*제주진
	兵馬節制使	0	0	1*	1*	0	0	0	0	2	*경주진, 전주진
종3	兵馬僉節制使	4	4	5	4	2	3	15	16	53	
종4	兵馬同僉節制使	10	12	20	14	11	11	6	17	101	
종6	兵馬節制都尉	20	42	46	42	13	14	11	19	207	
	監牧*										
합계		36	60	74	64	28	30	34	54	380	

105) 이때 존치된 군현과 『경국대전』(권4, 병전 외관조)에 규정된 군직을 볼 때 군직은 각각 병마수군절제사 1직, 병마절제사 2직, 병마첨절제사 53직, 병마동첨절제사 101직, 병마절제도위 207직이었을 것이라고 추정된다(군현수는 한충희, 앞 책, 335~350쪽 〈표 8-2〉에서 종합).

106) 『경국대전』 권4, 병전 외관조에서 종합.

3. 土官職

1) 文班職

土官 文班職은 개국과 함께 1290년(고려 충렬왕 16) 이래로 고려 말까지 平壤·和州·濟州에 운영된 토관제를 계승하여 平壤府尹府·和寧府·濟州都官에 토관을 설치하면서 비롯되었다.[107] 이 토관직이 1484년(성종 15)까지 두만·압록강변의 개척과 방어, 외관제의 정비 등과 관련되어 여러 번에 걸쳐 제주목의 토관이 폐지되고, 회령·경원·온성·경성·경흥·종성도호부와 함흥부윤부·강계·부령도호부·의주목에 토관이 설치되었다. 또 삭주도호부와 경주·전주·개성부윤부에도 토관이 설치되었다가 혁거되며, 그와 함께 관직 수가 증감되면서 함경도와 평안도의 변경요충이고 대읍인 영흥·평양부 등 12읍에 정5품 都務 4직으로부터 종9품 攝事 83직의 196직으로 정립되었다.[108] 그 후 이것이 1485년(성종 16) 마지막 반포된 『경국대전』에 계승되면서 그대로 법제화되었다.

〈표 2-13〉『경국대전』 토관 문반직(*은 위 관직명과 동일)

		정5품	종5	정6	종6	정7	종7	정8	종8	정9	종9	계
영흥부	都務司	都務1			勘簿1			管事1				3
	典禮署		掌簿1			典事1			給事1		攝事1	4
	諸學·戎器·司倉·營作署				*각1			*각1			*각1	12
	收支局						掌事1					1
	典酒局								*1		*1	2
	司獄局										*2	2
	4部*1										*각2	8
	계	1	1		5	1	1	5	2		16	32
평양부	도무사	*1	*1	校簿1		*2						5
	전례서		*1		*1	*1			*1		*1	5
	제학·융기·사창·영작서				*각1			*각1			*각1	12
	수지국						*1		*1		*1	3

107) 李載龒, 1966,「朝鮮初期의 土官에 對하여」,『진단학보』29·30, 119~120쪽.

108) 한충희, 앞 책, 183~191쪽.

	전주국								*1	參事1	*1	3
	사옥국										*2	2
	4부										*각2	8
	계	1	2	1	5	3	1	4	3	1	17	38
영변대도호부·경성부	도무사	*각1		*각1		*각1						6
	전례서		*각1			*각1			*각1		*각1	8
	융기·사창·영작서				*각1			*각1				6
	수지국						*각1				*각1	2
	전주국								*각1		*각1	4
	사옥국										*각2	4
	계	2	2	2	2	4	2	2	4		10	30
의*주목 등 8읍	都割司				都割 각1	*각1						16
	전례서				勘簿 각1				*각1		*각1	24
	융기·사창서						*각1				*각1	32
	전주국								*각1		*각1	16
	사옥국										*각1	8
	계				16	8	16		16		40	96
합계		4	5	3	28	16	20	11	25	1	83	196

*1 仁興, 禮安, 義興, 知安部(여타 군현 同)

*2 義州牧, 會寧·慶源·鍾城·溫城·富寧·慶興·江界都護府

2) 武班職

토관 무반직은 문반직과 같이 조선 개국 때에 1290년(고려 충렬왕 16) 이래로 고려말까지 平壤·和州·濟州에 운영된 토관제를 계승하여 平壤府尹府·和寧府·濟州都官에 토관을 설치하면서 비롯되었다. 이 토관직이 1484년(성종 15)까지 두만·압록강변의 개척과 방어, 외관제의 정비 등과 관련되어 여러 번에 걸쳐 제주목의 토관이 폐지되고, 회령·경원·온성·경성·경흥·종성도호부와 함흥부윤부·강계·부령도호부·의주목에 토관이 설치되고, 삭주도호부와 경주·전주·개성부윤부에 토관이 설치되었다가 혁거되며, 그와 함께 관직수가 증감되면서 함경도와 평안도의 변경요충이고 대읍인 영흥·평양부 등 12읍에 정5품 勵直 4직으로부터 종9품 副司勇 59직의 238직으로 정립되었다. 그 후 이것이 1485년(성종 16) 마지막 반포된 『경국대전』에 계승되면서 그대로 법제화되었다.

〈표 2-14〉『경국대전』 토관 무반직

	永興府 鎭北衛	平壤府 鎭西衛	寧邊大 都護府 鎭邊衛	鏡城 都護府 鎭封衛	義州牧 鎭江衛	會寧· 慶源府 懷遠衛	種城·穩城· 會寧·敬興府 柔遠衛	江界府 鎭浦衛	계
정5 勵直	1	1	1	1	0	0	0	0	4
종5 副勵直	1	1	1	1	0	0	0	0	4
정6 勵果	2	2	2	2	1	각1	각1	1	16
종6 副勵果	2	2	2	2	1	각1	각1	1	16
정7 勵正	2	3	2	2	1	각1	각1	1	17
종7 副勵正	2	3	2	2	1	각1	각1	1	17
정8 勵猛	1	4	3	3	2	각2	각2	2	29
종8 副勵猛	3	4	3	3	3	각3	각2	3	33
정9 勵勇	3	5	4	4	4	각4	각3	3	43
종9 副勵勇	4	5	5	5	5	각5	각5	5	59
합계	23	30	25	25	18	36	64	17	238

이상에서 조선초기의 외관직은 개국과 함께 고려 말의 관제를 계승하여 관찰사·병마도절제사·수군도절제사 이하의 각급 수령, 경력·도사 이하의 각급 요속, 유학교수 등 교관, 역승 등 역관, 도무·여직 이하 토관직을 두면서 성립되었다. 그 관직 수는 개국 초에는 각각 관찰사·병마도절제사·수군도절제사 이하 수령직이 300여직, 경력·도사 이하 首領이 30여직, 유학교수가 40여직, 찰방·도승 10여직, 토관직 1,000여직 이상이 있었다. 이후 태종, 세종, 세조대 등에 걸쳐 개변되면서 관찰사 8직·병마절도사 15직·수군절도사 17직, 부윤 4직·대도호부사 4직·목사 20직·도호부사 44직·군수 82직·현령 35직·현감 142직과 수군첨절제사 10직·병마만호 18직·수군만호 55직, 찰방 23직·역승 18직·도승 18직, 교수 72직·훈도 213직, 토관 434직 등으로 정립되었다가 마지막 반포된 『경국대전』에 그대로 법제화되었다.

제3절 女官과 宮官職(內命婦)

1. 王·王妃 女官과 宮官

조선시대 왕의 侍寢과 왕·왕비 등의 지대를 위한 女官制와 宮官制는 1397년(태조 6)에 判尙瑞司事 趙浚·鄭道傳 등의 건의에 따라 唐·宋制를 참작하여 정1품 賢儀(1직) 이하 종4품 順成(2)에 이르는 10女官職과 정5품 尙宮(1) 이하 종9품 司飾(2)에 이르는 18宮官職의 총 28직을 두면서 성립되었다.[109] 이것이 이후 여관은 1466년(세조 12)까지 왕권, 관제의 정비 등과 관련되어 여러 차례 개변되면서 정1품 嬪 1직이하 종4품 淑媛 1직의 8직으로 정립되었다가[110] 『경국대전』에 법제화되었다.

궁관도 여관과 같이 1398년(태조 7)에 설치되었고, 이후 1466년(세조 12)까지 여러 차례에 걸쳐 개변되면서 정5품 尙宮·尙儀 2직 이하 종9품 奏變徵·奏徵·奏羽·奏變宮 4직의 27직으로[111] 정립되었다가 『경국대전』에 법제화되었다.

2. 世子·世子嬪 女官과 宮官

세자의 시침을 든 여관은 1430년(세종 12) 12월 당제를 참작하여 정3품 良娣 2직·정4품 良媛 6직·정5품 承徽 10직의 총 18여관직을 두면서 성립되었고,[112] 이후 1466년까지 여러 차례에 걸쳐 개변되면서 종2품 양제 1직 이하 종5품 소훈 1직의 4직으로 정립되었다가 『경국대전』에 법제화되었다.

세자·세자빈의 궁관은 1430년 윤12월에 종6품 司閨·司則·司饌 각1직과

109) 『태조실록』 권11, 6년 3월 무진. 그 구체적인 관직과 직질·직수는 뒤 〈표 2-15〉 참조.
110) 한충희, 앞 책, 197~198쪽.
111) 위 책, 198~199쪽.
112) 『세종실록』 권50, 12년 12월 경진.

종8품 掌正·掌書·掌縫·掌藏·掌食·掌醫 각1직이 설치되면서 정착되었다.113) 이후 1466년(세조 12)까지 여러 차례 개변되면서 종6품 수규·수칙 2직 이하 종9품 장장·장식·장의 3직의 9직으로 정립되었다가 『경국대전』에 법제화되었다. 『경국대전』에 법제화된 왕·세자의 여관과 왕·왕비와 세자·세자빈의 궁관은 다음의 표와 같다.

〈표 2-15〉 『경국대전』 국왕·세자 여관·궁관

	국왕(왕비)		세자(세자빈)	
	여관	궁관	여관	궁관
정1	嬪1			
종1	貴人1			
정2	昭儀1			
종2	淑儀1		良娣1	
정3	昭容1			
종3	淑容1		良媛1	
정4	昭媛1			
종4	淑媛1		承徽1	
정5		尙宮·尙儀2		
종5		尙服·尙食2	昭訓1	
정6		尙寢·尙功2		
종6		尙正·尙記2		守閨·守則2
정7		典賓·典衣·典膳3		
종7		典設·典製·典言3		掌饌·掌正2
정8		典贊·典飾·典樂3		
종8		典燈·典彩·典正3		掌書·掌縫2
정9		奏宮·奏商·奏角3		
종9		奏變徵·奏徵·奏羽·奏變宮4		掌藏·掌食·掌醫3
합계	8	27	4	9

지금까지 조선 개국과 함께 성립되었다가 이후 세조대(1455~1468)까지 왕권강화, 제도정비, 재정절감 등과 관련되어 정비되었다가 『경국대전』에 법제화된 경·외 문반·무반·잡직, 체아·무록·겸직을 종합하여 제시하면 다음의 표와 같다.

113) 『세종실록』 권50, 12년 윤12월 무신.

〈표 2-16〉『경국대전』 경관직과 외관직(위 〈표 2-1～12〉에서 종합, ↑은 이상)

			정1	종1	종1 ~종2	정2	종2	정3 당상	정3	종3	정4	종4	정5	종5	정6	종6
경관	文班	正職	4	3		12	11	19	22	24	15	37	36	47	73	68
		遞兒職							4	3		4		6		8
		無祿職							2-	→	11-	→	23-	→	52-	→
		소계	4	3		12	11	19	28	27	26	41	59	53	125	74
		兼職	27	2	59↑	11	12	15↑	3		2		1		1	9
		합계	31	5	59↑	23	23	34↑	31	27	28	41	60	53	126	83
	武班	정직	1	2		6	7	9	11	16	12	50	16	24	17	100
		체아직							3	9		28		126		159
		소계	1	2		6	7	9	14	25	12	78	16	150	17	259
		겸직				6	11	1								
		합계	1	2		12	18	10	14	25	12	78	16	150	17	259
	雜職	문반													3	7
		무반													0	0
		소계													3	7
	계	정직	5	5	0	18	18	28	33	40	27	87	96	71	90	168
		체아직							7	12	0	32	0	132	0	167
		무록직							2	0	11	0	23	0	52	0
		소계	5	5	0	18	18	28	42	52	38	119	119	203	142	335
		겸직	27	2	59	17	23	16	3	0	2	0	1	0	1	9
		잡직													3	7
		합계	32	7	59	35	41	41	45	52	40	119	120	203	146	351
외관	문반	正職					12		24	44		84		80		142
		無祿職												2		95
		土官職											4	5	3	28
		계					12		24	44		84	4	85	3	267
	무반	정직					7	9		16	5			73	2	
		토관직											4	4	16	16
		겸직					8	11		53		101				207
		계					15	20		69	5	101	4	77	18	223
	계	정직					19	9	24	60	5	84		153	2	142
		무록직												2		95
		토관직											8	9	19	44
		겸직					8	11		53		101				207
		계					27	20	24	113	5	185	8	164	21	488
총계		정직	5	5	0	18	37	37	57	100	32	171	96	224	92	310
		체아직							7	12	0	32	0	132	0	167
		무록직							2	0	11	0	23	2	52	95
		토관직											8	9	19	44
		겸직	27	2	59	17	31	27	3	53	2	101	1		1	216
		잡직													3	7
		총계	32	7	59	35	68	64	69	165	45	304	128	367	167	839

			정7	종7	정8	종8	정9	종9	합계	비고
경관	문반	정직	19	36	20	28	45	89	598*	* 내시부 포함
		체아직		15		17	14	29	97*	* 정직 3 제외
		무록직			5~	→			93	
		소계	19	51	72	45	59	114	758	
		겸직	1	1	1	1	8	0	154	
		합계	20	52	73	46	67	114	912	
	무반	정직	9	114	18	119	42	232	805	
		체아직	0	275	0	478	0	1,926	3,004	
		소계	9	389	18	597	42	2,158	3,809	
		겸직							18	
		합계	9	389	18	597	42	2,157	3,827	
	잡직	문반	4	18	5	26	21	57	141	
		무반		2	0	2	126	1,477	1,607	
		소계	4	20	5	28	147	1,534	1,748	
	계	정직	28	50	38	147	87	221	1,402	
		체아직	0	290	0	495	14	1,955	3,101	
		무록직	0	0	52	0	0	0	93	
		소계	28	340	90	641	101	2,176	4,596	
		겸직	1	1	1	1	8	0	172	
		잡직	4	20	5	28	147	1,534	1,748	
		합계	33	361	96	670	256	3,710	6,516	
외관	문반	정직							386	
		무록직						279	376	
		토관직	16	20	11	25	1	83	196	
		계	16	20	11	25	1	362	958	
	무반	정직							112	
		토관직	17	17	29	33	43	59	238	
		겸직							380	
		계	17	17	29	33	43	59	730	
	계	정직						53	551	
		무록직						279	376	
		토관직	33	37	40	58	44	142	434	
		겸직							380	
		계	33	37	40	58	44	474	1,741	
총계		정직	28	50	38	147	87	274	1,953	
		체아직	0	290	0	494	14	1,955	3,102	
		무록직	0	9	52	0	0	279	469	
		토관직	33	37	40	58	44	142	434	
		겸직	1	1	1	1	8	0	552	
		잡직	4	20	15	28	147	1,534	1,748	
		총계	66	398	136	728	300	4,184	8,258	

제3장 『經國大典』의 官衙

조선의 관아는 소재지, 국정수행체계, 소속관원의 출신, 長官의 지위, 職掌, 운영시기와 관련되어 中央·地方 官衙, 直啓·六曹 屬衙門, 東班·西班·雜職 衙門, 堂上·堂下·參上·參下 衙門, 政務·侍從·軍事·禮遇 衙門, 常設·臨時 衙門 등으로 구분된다.[1)] 이중 중심이 되는 것은 중앙·지방관아와 직계·육조 속아문이다. 이에 따라 여기에서는 크게 중앙관아와 지방관아로 구분하고 이를 다시 직계·육조 속아문과 도·군현 등으로 구분하면서 살피기로 한다.

제1절 中央官衙

1. 直啓衙門

직계아문은 국왕에게 직접으로 정무를 보고하고 지시를 받으면서 관장사를 수행하는 관아이다. 조선 개국 초의 국정운영을 보면 중추 관아인 都評議使司, 門下府, 三司, 司憲府 등이 국왕에게 그 管掌事나 懸案事를 직접으로 上啓(啓聞)하고 있다. 이에서 조선 개국 초부터 직계아문이 存置되었다고 하겠다. 그러나 제도적으로는 1405년(태종 5)에 태종이 왕권을 강화하고 효율적으로

---

1) 한충희, 2007, 「官衙의 構造」, 『朝鮮初期 官衙硏究』, 國學資料院, 29~87쪽. 정무 아문은 의정부·육조·사헌부 등이고, 시종 아문은 승정원·홍문관 등이고, 군사 아문은 오위도총부·오위·내금위 등이고, 예우 아문은 종친부·돈령부·충훈부·의빈부이다.

국정을 총람하기 위하여 六曹를 정3품 아문에서 정2품 아문으로 격상시키고 庶務(國政)를 분장하게 하고[2] 곧이어 당시까지 존속된 정1품 아문인 議政府 이하 110여 아문을 그 관아의 지위·기능과 관련하여 의정부 등 10여 당상아문은 그 소관 사무를 국왕에게 직접 보고하고 지시를 받으면서 처리하는 直啓衙門으로 하고, 정3품 堂下衙門인 宗簿寺 이하 100여 아문은 그 소관사를 관아 기능과 관련된 6曹(屬曹)에 보고하고 지시를 받으면서 처리하게 한 六曹屬衙門制의 실시에 따라[3] 정착되었다.

이 직계아문이 이후 1485년(성종 16)까지 왕권강화, 통치체제의 정비, 경비절감 등과 관련되어 敦寧府(태종 14)·宗親府(세종 12)·儀賓府(세종 12)·中樞府(세종 14)·忠勳府(단종 2)·義禁府(태종 14)·開城府(세종 20)·5衛都摠府(세조 5)·兼司僕(세조 3)·內禁衛(세조 3)·經筵(세종 2) 등이 편입되고, 3軍都摠制府가 中樞院으로 개편되면서 혁거되며, 신치된 義興府(태종 9~12)·集賢殿(세종 2~세조 2)·詹事院(세종 27~문종 즉위)이 혁거되는 등으로 개변되면서 20여 관아로 정립되었다가[4] 『경국대전』에 법제화되었다.

2. 六曹屬衙門

육조 속아문은 소속된 6曹(屬曹, 仰曹)의 지휘를 받으면서 관장사를 수행하는 관아이다. 육조 속아문제는 1405년 태종이 왕권을 강화하고 육조를 중심으로 국정을 효율적으로 총람하기 위하여 당시까지 존속된 110여 아문 중 議政府 등 10여 직계아문을 제외한 100여 정3품 이하 아문을 그 관아 기능과 관련된 6조에 소속시키고 그 소관사는 소속된 曹에 보고하고 지시를 받으면서

2) 『태종실록』 권9, 5년 1월 임자.

3) 『태종실록』 권9, 5년 3월 병신. 10여 아문은 議政府, 六曹, 漢城府, 3軍都摠制府, 司憲府, 承政院, 司諫院이다. 성립시 육조 속아문은 뒤 84쪽 참조.

4) 한충희, 앞 책, 207, 216~227, 254~255쪽 〈표 6-10〉.

처리하게 한 육조 속아문제의 실시에서[5] 비롯되었다.

육조 속아문제 성립 때에는 다음과 같이 이조에 承寧府 등 11아문, 병조에 中·左·右軍 등 13아문, 호조에 典農寺 등 18아문, 형조에 刑曹分都官 등 4아문, 예조에 藝文春秋館 등 35아문, 공조에 繕工監 등 11아문이 소속되었다.[6]

이조 속아문 : 승령부, 공안부, 종부시, 상서사, 사선서, 내시부, 공신도감, 내시원, 약방, 사옹방.

병조 속아문 : 중군, 좌군, 우군, 10사,[7] 훈련관, 의용순금사, 충순호위사, 별시위, 응양위, 인가방, 각전 행수견룡.

호조 속아문 : 전농시, 내자시, 사섬시, 군자감, 풍저창, 광흥창, 공정고, 제용고, 경시서, 의영고, 장흥고, 양현고, 각도 창고, 한성부 동부, 남부, 서부, 북부, 중부.

형조 속아문 : 형조분도관, 전옥서, 율학, 각도 형옥.

예조 속아문 : 예문춘추관, 경연, 서연, 성균관, 통례문, 봉상시, 예빈시, 전의감, 사역원, 서운관, 교서관, 문서응봉사, 종묘서, 사온서, 제생원, 혜민국, 아악서, 전악서, 사련소, 선관서, 도류방, 동서대비원, 빙고, 종약색, 대청관, 소격전, 도화원, 가각고, 전구서, 사직서, 관습도감, 승록사, 각도 학교, 의학.

공조 속아문 : 선공감, 사재감, 공조서, 도염서, 침장고, 별안색, 상의원, 상림원, 동서요, 각도 염장, 둔전.

---

5) 『태종실록』 권9, 5년 1월 임자.

6) 『태종실록』 권9, 5년 3월 병신 ; 한충희, 앞 책, 1998, 46~47쪽. 6조의 서열은 조선개국과 함께 고려제가 답습되면서 이, 병, 호, 형, 예, 공조가 되었다가 세종 즉위년에 당제를 참고하여 이, 호, 예, 병, 형, 공조로 개정된 후 한말까지 계승되었다(위 책, 55~56쪽).

7) 10司는 중, 좌, 우군에 소속된 단위부대인데 義興·忠佐·雄武·神武侍衛司(중), 龍陽·龍騎·龍武巡衛司(좌), 虎賁·虎勇·虎翼巡衛司(우)이다(千寬宇, 1962, 「朝鮮初期 五衛의 形成」, 『歷史學報』 17·18합호, 64~65쪽, 〈표 C〉 ; 한충희, 앞 책, 2006, 295쪽, 〈표 7-6〉).

이것이 이후 1484년(성종15)까지 육조기능, 통치구조, 관제정비, 경비절감, 효율적인 국정운영 등과 관련된 관아의 新置·革去, 관아의 改稱·昇降, 屬曹의 변경 등과 관련되어 수십 차에 걸쳐 변천되면서 이조에 忠翊府 등 7아문, 호조에 內資寺 등 17아문, 예조에 弘文館 등 30아문, 병조에 5衛 등 6아문, 형조에 장예원·전옥서, 공조에 상의원 등 7아문이 소속되면서[8] 정립되었다가 그대로 『경국대전』에 법제화되었다. 1485년(성종 16) 마지막 반포된 『경국대전』에 법제화된 직계아문과 육조 속아문을 표로 정리하여 제시하면 다음과 같다.

---

8) 한충희, 앞 책, 1998, 256~308쪽. 신치, 혁거, 명칭 개칭, 지위 승강, 소속변경이 된 대표적인 관아는 다음과 같다( )는 변천시기와 내용, 명칭이 개칭되면서 지위가 승강된 아문은 지위 승강에 적기, 적기된 이외의 변천은 같은 책, 256~308쪽 참조].

신치 : 충익사(세조2), 충훈사(세종16), 내수소(세종12), 전함사(성종1), 홍문관(성종9), 와서(성종1).

혁거 : 아악서(세조4, 병장악서), 환구서(성종9, 병소격서), 가각고(세조14), 관습도감(세조12), 중·좌·우군(세조3, 3군진무소).

명칭개칭 : 내의원(내약방, 세종25), 도관서(사선서, 세조13), 내자시(내부시, 태종1), 사섬시(전농시, 세조6), 평시서(경시서, 세조12), 통례원(각문→통례문〈태종5〉, 세조12), 봉상시(전농시, 세종2), 교서관(교서감, 태종1), 관상감(서운관, 세조12), 세자시강원(서연, 세조12), 혜민서(혜민국, 세조12), 5사(10위, 문종1 → 세조12 5위), 군기시(군기감, 세조12), 전설사(사막, 충순호위사, 세조12), 장예원(형조도관, 변정원, 세조13), 전연사(경복궁제거사, 세조12), 장원서(동산색, 상림원, 세조12).

지위승강 : 충익부(충익사, 세조12), 충훈부(충훈사, 단종2 직계아문), 내수사(내수소, 세조12), 사도시(도관서, 성종9), 제용감(제용고, 태종9), 승문원(문서응봉사, 태종11), 장악원(장악서, 세조12), 사축서(사축소, 세조6).

소속변경 : 충훈부(단종1, 속→ 직계아문), 도관사(세조13, 이→호), 사재감(세조12, 공→호), 사온서(세조12, 예→호), 사포서(세조12, 공→호), 경연(세종2, 속→직계), 내의원(세종25, 이→예), 5위도총부(세조12, 속→직), 의금부(의용순금사, 태종14 속→직).

〈표 3-1〉『경국대전』 직계아문과 육조 속아문

아문		정1품아문	종1	정2	종2	정3당상	정3
直啓衙門		宗親府, 議政府, 忠勳府, 儀賓府, 敦寧府, 中樞府	義禁府	6曹, 漢城府, 5衛都摠府	司憲府, 開城府, 兼司僕, 內禁衛	承政院, 司諫院, 經筵	
六曹屬衙門	吏曹				忠翊府, 內侍府		尙瑞院, 宗簿寺, 司饔院
	戶曹						內資寺, 內贍寺, 司䆃寺, 司贍寺, 軍資監, 濟用監, 司宰監
	禮曹					弘文館, 藝文館, 成均館	春秋館, 承文院, 通禮院, 奉常寺, 校書館, 內醫院, 禮賓寺, 掌樂院, 觀象監, 典醫監, 司譯院
	兵曹				5衛*		訓練院, 司僕寺
	刑曹					掌隷院	
	工曹						尙衣院, 繕工監
	계	6	1	8	11	7	25
합계		6	1	8	11	7	25

* 義興衛, 龍驤衛, 虎賁衛, 忠佐衛, 忠武衛

아문		종3품 아문	정4	종4	정5	종5	정6	종6	기타	계
直啓衙門										
六曹屬衙門	吏曹				內需司		掖庭署			
	戶曹		豊儲倉, 廣興倉	典艦司		平市署, 司醞署, 義盈庫, 長興庫	司圃署	養賢庫, 5部		
	禮曹	世子侍講院	宗學			昭格署, 宗廟署, 社稷署, 氷庫,		典牲署, 司畜署, 惠民署, 圖畫署, 活人署, 歸厚署, 4學	文昭殿, 延恩殿, 健元陵 등 20陵	
	兵曹		典設司		世子翊衛司					
	刑曹							典獄署		
	工曹		修城禁火司	典涓司			掌苑署	造紙署, 瓦署		
	소계	1	5	2	2	8	3	19	22	98
합계		1	5	2	2	8	33	19		120

3. 六曹屬司

육조속사는 육조에 소속되어 육조의 사무를 분장한 관아이다. 육조속사제는 개국과 함께 고려 말의 관제를 계승하여 이조에 考功司를 둔데서[9] 비롯되었고, 1405년(태종 5)에 태종의 왕권강화, 육조 중심의 국정운영을 위해 육조를 정2품 아문으로 승격시키고 이를 받치기 위해 六曹屬衙門제와 함께 六曹屬司를 정비한 조치에 따라 각조의 기능과 관련시켜 이조에 文選·考勳·考功司 등 호, 예, 병, 형, 공조에 각각 3속사의 18속사를 두면서[10] 정착되었다. 이 속사제가 후대로 계승되다가 1430년(세종 12)에 형조에 정랑·좌랑 각1명이 加置되어 詳覆司에 소속되면서[11] 19속사가 되었고, 다시 1466년(세조 12)경에[12] 호조의 給田司가 經費司, 형조의 都官司가 掌隷司로 각각 개칭되면서 다음과 같이 정립되었다가 『경국대전』에 그대로 법제화되었다.

吏曹屬司 : 文選司, 考勳司, 考功司	兵曹 : 武選司, 乘輿司, 武備司
戶曹 : 版籍司, 會計司, 經費司	刑曹 : 詳覆司, 考律司, 掌禁司, 掌隷司
禮曹 : 稽制司, 典享司, 典客司	工曹 : 營造司, 攻冶司, 山澤司

9) 『태조실록』 권1, 1년 7월 정미.
10) 『태종실록』 권9, 5년 1월 임자, 3월 병신.
11) 『세종실록』 권50, 12년 12월 정묘.
12) 구체적인 시기는 불명하다. 그러나 『경국대전』에 규정된 관제가 세조 12년까지 거의 마무리되었음에서 이때로 추정하여 파악한다(『경국대전』의 편찬경위는 朴秉濠. 1995, 「『경국대전』의 편찬과 계승」, 『한국사』 22, 207~210쪽 참조).

제2절 地方官衙

1. 道와 郡縣

道는 국왕의 위임을 받아 관내의 모든 정치·군사를 전장하고 군현 수령의 정사를 규찰하는 행정기구이고, 郡縣은 국왕의 위임을 받아 관내 백성을 다스리는 행정기구이다.

도는 조선 개국과 함께 고려 말의 도제를 계승하여 京畿左道, 京畿右道, 楊廣道, 慶尙道, 全羅道, 西海道, 交州江陵道, 東北面, 西北面의 7道 2面을 편제하면서 비롯되었다.[13] 이것이 이후 1470년(성종 1)까지 1413년(태종 13)에 경기좌, 우도가 통합되고 동북면과 서북면이 永吉道와 平安道로 개칭되면서[14] 8도체제로 정착된 후 8도는 변함이 없었지만 그 명칭은 반역으로 인한 界首官의 강격에 따른 개정에 따라 수차에 걸쳐 변천되면서 京畿, 忠淸, 慶尙, 全羅, 江原, 黃海, 永安, 平安道의 8도로 정립되었다가[15] 『경국대전』에 그대로 법제화되었다.

조선의 군현제는 개국과 함께 고려 말의 군현제를 계승하여 2府尹府(鷄林·平壤), 2大都護府(安東·江陵), 16牧, 24府, 82知郡, 161縣(縣令縣 37, 監務縣 124)의 총 297군현을 두면서 비롯되었다.[16] 이 군현이 이후 1471년(성종 2)까지 반역으로 인한 강격, 왕비의 본향으로 인한 승격, 군현 통폐합 등과 관련되어 여러 차례에 걸쳐 변천되면서 4부윤부(경주·전주·영흥평양) 이하 175현(현령현 34, 현감현 141)의 336군현으로 정립되었다가[17] 『경국대전』에

---

13) 태조 1년 7월의 관제반포 시에 도명은 언급되지 않았으나 관제가 거의 고려 말의 그것을 답습하였으므로 이때로 추정하여 파악한다(앞 주 2) 참조).

14) 『태종실록』 권26, 13년 10월 신유.

15) 한충희, 2004, 「朝鮮初期 道制와 郡縣制 整備硏究」, 『啓明史學』 15, 181~183쪽.

16) 한충희, 앞 책, 2006, 529쪽(牧官 이하의 읍호는 같은 책, 335~350쪽 〈표 37〉 ; 위 논문, 206~221쪽 〈표 5〉 참조).

법제화되었다.

『경국대전』에 법제화된 8도와 336군현을 도별과 관아의 지위별로 정리하면 다음 표와 같다(『경국대전』에 법제화된 도와 군현명칭은 뒤 〈별표 7〉 참조).

〈표 3-2〉『경국대전』도와 도별 군현

		경기	충청	경상	전라	황해	강원	영안	평안	계
종2품 아문	監營	1	1	1	1	1	1	1	1	8
	府尹府			1	1			1	1	4
정3	大都護府			1			1	1	1	4
	牧	4	4	3	3	2	1	0	3	20
종3	都護府	7	0	6	4	4	5	11	18	55
종4	郡	7	12	14	12	7	7	5	6	70
종5	縣令官	5	1	7	6	4	3	0	8	34
종6	縣監官	14	37	34	31	7	9	4	5	141
합계		38	55	69	58	25	27	23	43	336

2. 營과 鎭

營과 鎭은 節度使 이하 무반 정직자가 근무하는 관아(군진)이다. 영에는 兵營과 水營이 있는데 병영은 兵馬節度使가 주재하는 관아이고, 수영은 水軍節度使가 주재하는 관아이며, 진은 兵馬僉節制使·兵馬萬戶와 水軍僉節制使·水軍萬戶가 주재하는 獨鎭이다.

병영과 수영은 그 장관인 병마절도사와 수군절도사가 개국 초의 兵馬都節制

17) 위 책, 329~350쪽 ; 앞 논문, 206~221쪽 〈표 5〉. 대대적인 군현변동은 태종대에 있었는데, 그 대표적인 변개는 다음과 같다.
태종3년 : 부윤부·대도호부·목 외에 '州' 字를 띤 60여 군현의 명호를 '山'(36읍)·'川'(25)·'陽'(1)·'原'(1) 字로 개정.
태종13~14 : 완산부윤부가 전주부윤부, 부관과 감무관이 도호부관과 현감관으로 각각 개칭.
태종1~18 : 함주목이 부윤부, 성주·화주도호부가 목으로 승격.
태종2~18 : 니성과 창주가 창주군이 되는 등 40여 군현이 20여 군현으로 통합.
태종3~18 : 제주목·대정현·정의현을 설치하는 등 20여 군현 설치.

使와 馬步騎船水軍都節制使·水軍都萬戶에서 기원되기는 하나[18] 1466년(세조 12)경에 병마절도사와 수군절도사의 명호가 정착되면서[19] 정비되었다. 이것이 이후 1479년(성종 10)까지 남북 연변지역 방어강화, 관제정비 등과 관련된 경상, 전라, 영안, 평안도의 左·右道 分道와 함께 7병영과 9수영으로 정립(관찰사가 겸한 병영·수영제외)되었다가[20] 『경국대전』에 법제화되었다.

병마첨절제사진은 1397년(태조 6)에 왜구방어를 위해 황해·강원·충청·경상·전라도 연안 요해처에 15진을 설치하면서 비롯되었고,[21] 이후 1469년(예종 1)까지 연변방어체제·관제정비와 관련된 군현으로의 개편 등과 관련되어 삭감·신치되면서 15~20진으로 운영되다가[22] 모두 폐지되었다.[23] 병마만호진은 개국과 함께 고려 말의 관제를 계승하여 義州萬戶鎭 등 10여 진을 설치하면서 비롯되었고,[24] 이것이 이후 1475년(성종 6)까지 관제정비·서북과 동북경의 개척 등과 관련되어 군현으로 개편되거나 신치·혁거되면서 0~18진으로 운영되다가[25] 『경국대전』에 12진으로 법제화되었다.

수군첨절제사진은 1397년(태조 6) 이전에 경기 좌·우도에 각1진 등을 설치하면서 비롯되었고,[26] 이후 1479년(성종 10)경까지 연안방어를 강화하기 위하여 여러 차례에 걸쳐 증치, 혁거되면서 4~12진으로 운영되다가[27] 『경국대전』에 12진으로 법제화되었다. 수군만호진은 1393년(태조 2) 이전에

---

18) 졸저, 앞 책, 2006, 167~168쪽(『태조실록』 권3, 2년 3월 갑자).

19) 『세조실록』 권38, 12년 1월 무오.

20) 앞 책, 167~169쪽. 전임의 7병영과 9수영은 다음과 같다.
병영 : 충청도, 경상좌도·우도, 전라, 영안남도·북도, 평안도 각1.
수영 : 경기도, 충청도, 경상좌도·우도, 전라좌도·우도, 영안북도·남도, 평안도 각1.

21) 『태조실록』 권11, 6년 3월 임신.

22) 한충희, 앞 책, 2006, 351쪽.

23) 『신증동국여지승람』 권43, 풍천도호부조, 외.

24) 『태조실록』 권1~2, 1년조.

25) 한충희, 앞 책, 171, 353쪽(『조선왕조실록』 태조 1년~성종 15년조).

26) 『태조실록』 권11, 6년 6월 정미 ; 권12, 6년 7월 경술.

27) 한충희, 앞 책, 352~353쪽.

고려 말의 관제를 계승하여 高灣梁 등지에 수군만호진을 설치하면서 비롯되었고,[28] 이후 1484년(성종 15)까지 여진·왜구방어 등과 관련되어 영안도를 제외한 7도-특히 경상·전라도-에 대대적으로 증치하면서 14~55진으로 운영되다가[29] 『경국대전』에 55진으로 법제화되었다.

『경국대전』에 법제화된 영·진을 도별과 아문지위별로 정리하면 다음의 표와 같다(병마만호진과 수군첨절제사·만호진의 명칭은 뒤 〈별표 8〉 참조).

〈표 3-3〉『경국대전』 도별 영과 진

		경기	충청	경상	전라	황해	강원	영안	평안	계
종2품아문	兵營	0	1	2	1	0	0	2	1	7
정3 당상	水營	1	1	2	2	0	0	2	1	9
종3	水軍僉節制使鎭	1	2	2	2	1	1	0	3	12
종4	兵馬萬戶鎭	0	0	0	0	0	0	14	4	18
	水軍萬戶鎭	5	3	19	15	6	4	3	0	55
합계		7	7	25	20	7	5	21	9	101

3. 驛과 渡

驛은 내륙 교통의 요지에 설치되어 비치된 馬匹을 경외에 공무로 내왕하는 관원에게 교통편의를 위해 제공하는 관아이다. 역에는 1도의 역을 관장하는 察訪道驛, 요충지의 역을 관할하는 丞驛, 도역과 丞道驛에 소속된 屬驛이 있다. 역제는 조선개국과 함께 고려 말의 역제를 계승하면서 비롯되었고, 이후 성종대까지 연안방어, 변경개척 등과 관련되어 수차에 걸쳐 개폐되면서 8도에 23찰방도역, 18승도역, 496속역으로 정비되었다가 『경국대전』에 법제화되었다.

渡는 서해에서 도성으로 진입하는 임진강과 한강의 요충지에 설치하고 선박을 비치하여 공사로 도성과 외방으로 출입하는 물화와 사람이 江·津을

28) 『태조실록』 권3, 2년 4월 갑자.
29) 한충희, 앞 책, 354쪽.

건널 때에 편의를 제공하는 관아이다. 渡制는 조선개국과 함께 고려 말의 도제를 계승하면서 비롯되었고, 이후 성종대까지 임진강과 한강의 수로정비와 관련되어 개변되면서 임진강에 2도, 한강에 5도로 정비되었다가 『경국대전』에 법제화되었다. 『경국대전』에 법제화된 역과 도는 다음의 표와 같다.

〈표 3-4〉 『경국대전』 도별 驛과 渡

	驛			渡	계 道驛
	察訪道	丞道	屬驛(무관원)		
경기	3(영서, 양재, 평구)	3(重林, 慶安, 桃源)	47(벽제, 마산, 동파, 청구, 준예, 중련, 악생, 구흥, 금령, 좌찬, 분행, 무극, 강복, 가천, 청호, 장족, 동화, 해문, 녹양, 안기, 양문, 봉안, 오빈, 쌍주, 전곡, 백동, 구곡, 감천, 연동/경신, 반유, 석곡, 금륜, 종생, 남산, 덕풍, 양화, 신진, 안평, 이천, 오천, 유춘, 구지, 백령, 옥계, 단조, 상수)	7(벽란, 한강, 임진, 노량, 낙하, 삼전, 양화)	13
충청	3(율봉, 연원, 성환)	3(利仁, 金井, 時興)	59(장양, 태랑, 쌍주, 저산, 시화, 덕역, 증약, 가화, 土坡, 순양, 화인, 회동, 신흥, 원암, 함린, 전민, 단월, 인산, 감원, 신풍, 안부, 가흥, 용안, 황강, 수산, 장림, 영천, 오사, 천남, 안음, 신은, 김제, 광정, 월신, 경천, 평천, 단평, 유구, 금사, 장명, 연춘/용전, 은산, 유양, 숙홍, 남전, 청화, 두곡, 신곡, 영유, 광시, 해문, 청연, 세천, 용곡, 몽웅, 하천, 풍전, 창덕, 일흥, 급천, 순성, 홍세, 장시, 화천)		6
경상	5(유곡, 김천, 안기, 장수, 성현)	6(松蘿, 昌樂, 沙近, 自如, 召村, 黃山)	148(류성, 덕통, 수산, 낙양, 낙동, 구미, 쌍계, 안계, 대은, 지보, 소계, 연향, 낙원, 상림, 낙서, 장림 낙평, 안곡, 추풍, 답계, 안언, 무개, 안림, 금양, 부쌍, 동안, 팔진, 무림, 고평, 양원, 권빈, 성기, 양천, 금천, 문산, 작내, 장곡, 성초, 철파, 청로, 운산, 금소, 송제, 청운, 문거, 화목, 각산, 영양, 청통, 아화, 모량, 사리, 압량, 우곡, 부평, 청경, 구어, 화양, 의곡, 인비, 경역, 조역, 용가, 쌍산, 내야, 일문, 범어, 유천, 설화, 금동, 양동, 수안, 옹전, 어서, 무흘, 유산, 매전, 서지/병곡, 대송, 망창, 주등, 봉산, 육역, 남역, 평원, 창보, 옹천, 유동, 통명, 안교, 도심, 죽동, 선안, 유린, 안간, 임수, 재한, 정곡, 신안, 신흥, 정수, 황포, 마전, 율원, 벽계, 소남, 평사, 근주, 창인, 대산, 신풍, 파수, 춘곡, 영포, 금곡, 덕산, 성법, 적정, 안민, 보평, 남역, 상령, 평거, 부다, 지남, 배둔, 송도, 구허, 관율, 문화, 영창, 동계, 양포, 완사, 오양, 덕시느 잉포, 노곡, 윤산, 위천, 덕천, 굴화, 간곡, 하월, 소산, 휴산, 신명)		11

전라	3(삼례, 번주, 청암)	3(景陽, 碧沙, 濟原)	53(반석, 오원, 갈담, 소안, 임곡, 양재, 앵곡, 거산, 천원, 영원, 부흥, 내재, 창활, 동도, 응령, 인월, 부수, 지신, 양율, 낙수, 덕양, 익중, 섬거, 단암, 영중, 선암, 신안, 녹사, 가리, 영보, 경신, 광리, 오림, 청송/덕기, 가림, 인물, 검부, 창신, 대부, 가신, 파청, 양강, 낙승, 진원, 통로, 녹산, 별진, 남리, 소천, 달계, 단령, 옥포)		6
황해	2(금교, 청단)	1(麒麟)	30(흥의, 금암, 보산, 안성, 용천, 검수, 동선, 소곶, 경천, 단림, 금곡, 심동, 망정, 금강, 문라, 금동, 신행, 유안, 남산/다만, 원산, 정양, 진목, 박산, 문라, 안산, 위라, 소곶, 소평, 신흥)		3
강원	2(은계, 보안)	2(平陸, 祥雲)	78(풍전, 생창, 직목, 창도, 신안, 용담, 임단, 옥동, 건천, 서운, 산양, 원천, 방천, 함춘, 영인, 마노, 부림, 풍교, 임천, 안보, 천감, 인풍, 원창, 부창, 연봉, 창봉, 갈풍, 오원, 안흥, 단구, 유원, 안창, 신림, 신흥, 양연, 연평, 약수, 평안, 벽탄, 호선, 여량, 임계, 고단, 계진, 진부, 태화, 방림, 운교/동덕, 대창, 구산, 목계, 안인, 낙풍, 신흥, 사직, 교가, 용화, 옥원, 흥부, 수산, 덕신, 달효, 연창, 오색, 강선, 인구, 죽포, 청간, 운근, 문파, 대강, 고잠, 양진, 조진, 등로, 거풍, 정덕)		4
영안	3(고산, 거산, 수성)		49(남산, 삭안, 천등, 봉룡, 철관, 양기, 통달, 애수, 화원, 주천, 봉대, 평원, 덕산, 함원, 신풍, 평포, 오천, 제인, 시리, 곡구, 기원, 마곡, 영동, 임명, 웅평, 명원, 고참, 종포, 웅이, 허천, 적생, 오촌, 주촌, 요참, 석보, 회수, 영안, 풍산, 역산, 종경, 무안, 녹야, 무령, 덕명, 마유, 연기, 아산, 강양, 웅무)		3
평안	2(대동, 어천)		32(생양, 안정, 숙령, 안흥, 가평, 신안, 운흥, 임반, 양책, 소곶, 의순, 소고, 개평, 장동, 평전, 가막, 추여, 입석, 성간, 종포, 만포, 북동, 앙토, 고리, 우장, 고연, 벽단, 창주, 대삭, 소삭, 방산, 초주)		2
계	23	18	496	7	48

지금까지 살핀 경외 각급 관아의 변천 중 『경국대전』에 법제화된 관아를 아문의 성격별과 지위별로 종합하여 제시하면 다음의 표와 같다.

〈표 3-5〉 『경국대전』 관아구성 종합(겸직한 영·진 제외)[30)]

		정1품 아문	종1	정2	종2	정3 당상	정3	종3	정4	종4	정5	종5	정6	종6	종9	합계
경아문	直啓衙門	6	1	8	11	4										30
	六曹屬衙門					7	25	1	5	2	2	8	3	10	22	85
	계	6	1	8	11	11	25	1	5	2	2	8	3	10	22	115

외아문	道				8											8
	郡縣				4		24	55		70		34		141		336
	營				7	9										16
	鎭							12		73						85
	驛													23	18	41
	渡														7	7
	계				19	9	24	67		143		34		164	25	*493
합계		6	1	8	30	20	49	68	5	145	2	42	3	174	47	*608

*종9품아문(전·능)제외

30) 앞 〈표 3-1〉에서 종합.

제4장 『經國大典』의 官衙機能

제1절 京衙門

1. 直啓衙門

『경국대전』에 명기된 직계아문은 議政府·六曹 등 30여 아문이었다. 직계아문은 1405년(태종 5)에 태종의 왕권강화 도모, '의정부-6조' 중심의 국정운영 체제 정비에 따른 20여 당상아문을 그 아문의 정사를 직접으로 국왕에게 보고하고 지시를 받으면서 정무를 처리하는 직계아문으로 삼고 그 외의 80여 정3품 이하 아문을 그 관아의 기능과 관련하여 육조의 지휘를 받으면서 정사를 처리하게 하는 육조 속아문으로 구분함에 따라 비롯되었다.[1] 그러나 조선 개국과 함께 고려 말의 관제가 계승되면서 국정의 중추가 된 都評議使司, 門下府, 三司, 義興三軍府 등은 그 정무를 국왕에게 직접 보고하고 지시를 받으면서 처리하였으니[2] 1405년 이후에 정착된 직계아문과 다름이 없었다.

都評議使司 등의 기능은 도평의사사는 태조 1년 7월의 관제에서는 언급되지 않았지만 고려 말의 '최고 국정 논의·의결·통령기관'이 그대로 계승되었다.[3] 그러나 문하부 이하 관아의 경우에는 명칭이 그대로 계승되었음과는 달리

---

1) 『태종실록』 권9, 5년 3월 병신.

2) 『조선왕조실록』 태조 1~2년조.

3) 한충희, 2011, 『朝鮮前期의 議政府와 政治』, 계명대학교출판부, 38~39쪽 ; 『태조실록』 권1, 1년 7월 정미.

기능은 다음의 설명과 같이 일부는 그대로 계승되었지만(ⓐ) 대부분은 고려 말의 기능을 토대로 하여 보다 구체적이고 雅化된 문장으로 부연하면서(ⓑ) 규정하였다.

ⓐ 門下府 등 관아의 경우 문하부(재신)의 기능으로 규정된 "掌百揆庶務"는 『고려사』 백관지에 문하부의 기능으로 규정된 것과 같았다.

ⓑ 三司 등 관아의 경우 "掌授廩俸計支用等事"는 『고려사』 백관지의 "掌總中外錢穀出納會計之務"가 雅化되면서 간명하게 정리된 것이었고, 中樞院의 "掌啓復出納及兵器軍政宿衛警備差攝等事"는 『고려사』 백관지의 "掌出納宿衛軍機之政"이 부연되면서 雅化된 것이었고, 이조의 "掌銓選流品考功殿最等事"는 『고려사』 백관지의 "掌文選勳封之政"이 부연된 것이었으며, 사헌부의 "掌論執時政得失矯正風俗考察功過褒擧彈劾等事"는 『고려사』 백관지의 "掌論執時政矯正風俗糾察彈劾之任"이 부분적으로 부연된 것이었다.

태조 1년의 관제반포 시에 규정된 관아의 기능이 그 후 1468년(세조 14)경까지 왕권, 議政府·集賢殿 등의 설치와 都評議使司·門下府의 혁거, 6조의 정책·서정·분장기관으로의 정착, 集賢殿이 중심이 된 유학의 심화[4] 등과 관련되어 다음과 같이 新置 관아의 기능이 상정되고(ⓒ), 字句가 부연·수정되고 雅化되면서(ⓓ), 대부분의 관아 기능이 의정부, 이조·사헌부 등의 예와 같이 정립되었다가 『경국대전』에 법제화되었다(『경국대전』에 법제화된 직계아문의 기능은 뒤 〈표 14-1〉 참조).

ⓒ 1400년(정종 2)에 신치되어 국정통령기관이 된 議政府의 기능이 "總百官 平庶政 理陰陽 經邦國"으로 상정되었고,[5] 1401년(태종 1) 門下府 혁파로 독립된 司諫院의 기능이 "獻納諫諍 駁正差除"로, 1405년(태종 5) 承樞府가

4) 崔承熙, 1967, 「集賢殿研究」하, 『歷史學報』 33, 49~57쪽.

5) 졸고, 1980, 「朝鮮初期 議政府研究」 상, 『韓國史研究』 31, 107, 110쪽.

병조에 병합될 때 독립된 承政院의 기능이 "掌出納王命"으로 각각 상정되었다.[6)]

ⓓ 이조의 기능인 "掌銓選流品考功殿最等事"가 "掌文選勳封考課之政 以德行才用勞效 較其優劣 而定其留放 爲注擬等事"로, 사헌부의 기능인 "掌論執時政得失矯正風俗考察功過褒擧彈劾等事"가 "掌論執時政 糾察百官 正風俗 伸冤抑 禁濫僞等事"와 같이 각각 이전의 그것에 부연하거나 아화된 구절로 개정되었다.

2. 六曹屬衙門

육조 속아문은 제도적으로는 1405년(태종 5) 육조 중심의 국정운영을 위한 直啓衙門, 六曹屬衙門制의 실시에서[7)] 기인되었다. 그러나 이때에 육조 속아문이 된 대부분의 관아는 조선 개국과 함께 고려 말의 관제를 계승하면서 설치된 관아였다. 1405년 육조 속아문이 성립될 때에는 이조 속아문인 宗簿寺 등 80여 아문이 있었는데, 그 기능은 관아명이 그대로 계승되었음과는 달리[8)] 기능은 예컨대 軍資監의 경우 "掌軍需儲積"이[9)] "掌軍需糧餉之事"로[10)] 개정된 예와 같이 대다수 관아의 기능이 보다 구체적으로 규정되었다.

조선 개창 때에 규정된 육조 속아문 기능은 이후 1478년(성종 9)경까지 관제정비, 유학의 심화 등과 관련되어 여러 차례에 걸쳐 자구가 수정되고 아화되면서 신치된 관아인 弘文館 등은 기능이 상정되고(ⓐ), 후대로 계승된 이조 속아문인 忠翊府 등의 예와 같이(ⓑ) 정립되었다가 『경국대전』에 법제화되었다(『경국대전』에 법제화된 육조 속아문의 기능은 뒤 〈표 9-3〉 참조).

---

6) 『정종실록』 권4, 2년 4월 ; 『태종실록』 권1, 1년 7월 경자 ; 권9, 5년 1월 임자.
7) 『태종실록』 권9, 5년 1월 병신 ; 졸저, 앞 책, 2006, 385쪽(세종대).
8) 『태종실록』 권9, 5년 3월 병신.
9) 『태조실록』 권1, 1년 7월 정미.
10) 『태종실록』 권9, 5년 3월 병신.

ⓐ 1478년(성종 9)에 집현전의 후신으로 설치된 弘文館의 기능은 "掌內府經籍 治文翰 備顧問"으로 상정되었다.[11)]

ⓑ 이조 속아문인 殿中寺(宗簿寺)는 "掌親屬譜牒及殿內給事等事"에서 "掌撰錄璿源譜牒 糾察宗室愆違之任"으로, 尙瑞司(尙瑞院)는 "掌符印除拜等事"에서 "掌璽寶符牌節鉞"로, 호조 속아문인 內府寺(內資寺)는 "掌府臧貨財出納服飾鋪陳燈燭等事"에서 "掌內供米豆酒醬油蜜蔬果內宴織造等事"로, 軍資監은 "掌軍旅糧餉之事"에서 "掌軍需儲積"으로, 병조 속아문인 司僕寺는 "掌輿馬廐牧等事"에서 "掌輿馬廐牧"으로 각각 개정되면서 정립되었다.[12)]

3. 六曹屬司

육조 속사의 기능은 1405년(태종 5) 3월에 6조가 정3품 아문에서 정2품 아문으로 승격됨과 동시에 국정분장관아로 정립될 때 이를 뒷받침하기 위한 6조 속아문·6조 속사제가 정착될 때 각조에 3속사의 18속사가 설치됨과 동시에 기능이 규정되었다.

속사의 명칭은 이조의 경우 文選司, 考勳司, 考功司는 이조의 핵심 기능인 文選, 勳封, 考勳에서 기인되었고, 그 기능이 각각 "掌文官階品 告身, 祿賜之事", "掌宗親官吏勳封, 內外命婦告身, 及封贈之事", "掌內外文武官功過善惡告課, 及名謚, 碑碣之事"[13)]이었듯이 문선, 고훈, 고공에 관한 정사를 보다 구체적으로 규정한 것이었고, 호, 예, 형, 병, 공조 속사도 이조의 예와 같았다.[14)]

태종 5년에 제정된 육조 속사 기능은 이후 1430년(세종 12)경에 형조에 詳覆司가 加置되면서 위차가 考律司의 상위가 되고 그 기능이 '掌詳覆, 大辟之事'로 상정될 때[15)] 그 외 18속사의 기능도 6조의 포괄적인 기능과 대응되면서

11) 최승희, 1973, 「弘文館의 成立經緯」, 『한국사연구』 5, 98~110쪽.
12) 『태종실록』 권9, 5년 3월 병신.
13) 『태종실록』 권9, 5년 3월 병신.
14) 『세종실록』 권50, 12년 12월 정오.

『경국대전』에 규정된 기능 예컨대 이조 3속사의 기능이 다음과 같이 개정되었음과 같이 보다 구체적이고 세련된 용어로 정리되면서 정립되었다가[16] 『경국대전』에 법제화되었다(그 기능은 뒤 〈표 10-2〉 참조).

文選司 掌宗親文官雜職贈職除授, 告身, 祿牌, 文科生員進士賜牌, 差定, 取才, 改名及贓汚敗常人錄案等事

考勳司 掌宗宰功臣封贈諡號享官老職命婦爵帖, 鄕里給帖等事

考功司 掌文官功過勤慢, 休假, 諸司衙前仕日, 辨理鄕吏子孫等事.

제2절 外衙門

道 이하 외 아문의 법제적인 기능은 관제를 종합적이고도 구체적으로 적기하거나 정리하고 있는 『조선왕조실록』, 『경국대전』 등 법전, 『증보문헌비고』 등에 기록되어 있지 않다. 이는 아마도 도 이하 모두가 행정구역이고, 또 그 기능이 일반화되어 있었음에서 기인된 것 같다. 여기에서는 아문으로서 보다 道(관찰사) 이하 외 아문(장관, 수령)이 수행한 기능을 살펴본다.

1. 監營·兵營·水營

감영을 주재한 관찰사의 기능은 그 장관의 명칭이 1466년(세조 12) 관찰사로 정착되기까지 都觀察黜陟使兼監倉安集轉輸勸農管學事提調刑獄兵馬公事(남

15) 『세종실록』 권50, 12년 12월 정오.

16) 세종 12년에 형조에 상복사를 가치하면서 제정한 "장상복대벽지사"가 그대로 계승되다가 『경국대전』에 법제화되었고, 그 외에 『경국대전』에 규정된 속사 모두가 상복사의 문투와 같이 "掌某某之事"와 같았다. 이점에서 상복사 이외의 속사 기능도 이때에 『경국대전』과 같은 기능으로 정비된 것으로 추측한다.

방 6도), 都巡問使(양계), 按廉使(6도), 觀察使(8도)였고,[17] 1466년 이후에 관찰사가 兵馬節度使·水軍節度使를 例兼하면서 1도의 騎步軍과 水軍도 통령하였다. 이에서 관찰사는 도의 장관으로서 수령의 감찰 등 민정을 주로하면서 군정을 통령하였다고 하겠다.

병영을 주재한 兵馬節度使의 기능은 장관의 명칭이 1466년(세조 12) 병마절도사로 정착되기까지 兵馬都節制使였고,[18] 병영의 장관으로서 관찰사의 지휘를 받으면서 관내의 兵馬節制使 이하 諸鎭의 지휘관을 통령하고 겸하여 병영이 소재한 군현(治所)의 민정도 관장하였다. 이에서 병마절도사는 도의 騎步軍을 통령하면서 치소의 민정을 관장하였다고 하겠다.

수영을 주재한 水軍節度使의 기능은 장관의 명칭이 1466년(세조 12) 수군절도사로 정착되기까지 水軍都節制使와 水軍都按撫處置使였고,[19] 관찰사의 지휘를 받으면서 관내의 水軍節制使 이하 諸鎭의 지휘관을 통령하고 겸하여 수영이 소재한 군현의 민정도 관장하였다. 이에서 수군절도사는 도의 수군을 통령하면서 치소의 민정을 관장하였다고 하겠다.

2. 郡縣·鎭

郡縣에는 종2품관인 府尹府로부터 종6품관인 縣監縣이 망라되었다. 이들 군현은 그 아문의 격은 고하가 있었지만 그 기능은 모두가 같다. 군현의 기능은 수령을 '牧民官'이라 하고, 수령이 하는 일을 "農桑盛, 學校興, 詞訟簡,

17) 관찰사로 정착되기까지의 관직명 변개는 앞 주 32) 참조.

18) 관직명은 태조 2년에 설치된 병마도절제사가 태조 6년에 혁거되었다가 태조 7년에 복치된 후 그대로 계승되다가 세조 12년에 병마절도사로 개칭되면서 확정되었다(졸저, 앞 책, 2006, 168쪽).

19) 관직명은 태조 2년에 설치된 수군도절제사가 태조 6년에 혁거되었다가 태조 7년에 복치되었고, 세종 2년에 수군도안무처치사로 개정되어 계승되다가 세조 12년에 수군절도사로 개칭되면서 확정되었다(졸저, 앞 책, 2006, 169쪽).

奸猾息, 軍政修, 戶口增, 賦役均"의 7사로 적기하고 있고, 1466년(세조 12) 전국적인 鎭管體制의 실시에 따라 府尹 이하 수령 모두가 兵馬節制使 이하의 군직을 겸하면서 소속 진의 군사를 지휘하였다.[20] 이에서 군현의 수령은 군현의 민정을 총관하고 겸하여 군사도 지휘하였다고 하겠다.

鎭에는 종3품 관아인 水軍僉節制使鎭과 종4품 관아인 兵馬·水軍萬戶鎭이 있다. 첨절제사진과 만호진은 아문의 격은 고하가 있었지만 그 모두가 병마절도사와 수군절도사의 지휘를 받으면서 진내의 병마나 수군을 지휘하였고, 겸하여 진내의 민정(수령7사)도 관장하였다. 이에서 진의 절제사와 만호는 진의 군정을 총관하고 겸하여 민정을 관장하였다고 하겠다.

3. 驛·渡

驛에는 종6품관인 察訪과 종9품관인 丞이 주재하는 道驛과 관원이 없이 도역에 소속된 屬驛이 있었다. 察訪驛과 丞驛은 지위는 차이가 있었지만 관아명과 기능이 같았다. 도역·속역은 모두 마필을 비치하고 관리하여 공무로 관내를 경유하는 관인에게 마필을 제공하고, 변방의 긴급사와 경외 관아간에 오가는 문서를 송달하였다.

渡는 종9품관인 丞이 주재하는 관아이다. 도성의 관문인 임진강과 한강의 요해처에 설치되어 선박을 비치·관리하면서 공사로 도성과 외방으로 출입하는 사람과 물화수송을 관리하였다.

---

20) 閔賢九, 1983, 『朝鮮初期의 軍事制度와 政治』, 韓國硏究院, 236~258쪽.

제2부

朝鮮 中·後期 官階·官職·官衙·官衙機能의 變遷

제5장 朝鮮 中·後期 官階의 變遷

제1절 文散階와 武散階

1. 文散階

『경국대전』에 규정된 문산계는 정1품 상계 大匡輔國崇祿大夫로부터 종9품계 將仕郞까지의 18품 30계가 이후 그대로 계승되다가 1522년(중종 17)에 명 世宗이 즉위한 후 年號를 嘉靖으로 정함에 따라 避諱와 관련되어 종2품 상계인 嘉靖大夫를 嘉義大夫로 개정하였다.

가정대부가 가의대부로 개정된 정확한 시기는 『조선왕조실록』의 사료적 한계에서 명확히 알 수 없다. 당시 朝明은 외교관례에 따라 국왕·황제가 훙서·즉위하면 그 즉시로 사신을 보내 그 사실을 통보하거나 보고하였고, 매 사행에는 1~3개월이 소요되었다. 명 세종은 1521년(중종 16) 4월에, 전월에 훙서한 武宗 正德帝(1506~1521)의 뒤를 이어 즉위하였고, 다음해 1월 1일부터 '踰年稱元'에 따라 '嘉靖' 연호를 사용하였다.[1] 그런데 이를 전후한 시기의 관직제수를 보면 1521년(중종 16) 9월에 가정대부가 확인되었다.[2] 이를 볼 때 가의대부로 개정된 것은 빨라도 중종 16년 9월 이후라고 하겠다. 따라서 가정대부가 가의대부로 개정되어 사용된 시기는 위의 연호 사용 시기와 관직제수를 관련시킬 때 1521년 9월 이후에 개정이 결정되어 1522년

1) 『명사』 권17, 본기 17, 세종 즉위 (정덕)十六年三月武宗崩 夏四月卽位 明年爲嘉靖元年.

2) 『慶州先生案』 府尹先生案 嘉靖大夫長原君 黃孟憲(1521년 9월 15일~1524년 1월 29일).

(중종 17) 1월 1일부터 "嘉靖" 연호를 사용한 것으로 보인다.

1522년 개정된 문산계가 그후 조선후기까지 그대로 계승되었다. 그러다가 1864년(고종 1)경에 고종이 즉위한 후에 大王大妃(翼宗妃) 趙氏의 명에 따라 섭정한 高宗의 생부 興宣大院君 李昰應이 그간에 걸친 세도정치 하에서 위축된 종친과 의빈의 위상강화와 관련하여 당시까지 독자적으로 운영되던 종친계와 의빈계를 폐지하고 문산계를 準用하게 함과 동시에 정1품 輔國崇祿大夫에 제수한 國舅에게 정1품 상계인 大匡輔國崇祿大夫와 정1품 하계인 輔國崇祿大夫의 사이에 上輔國崇祿大夫를 신설하여 제수하도록 개정하였다.[3)]

그리하여 고종 1년 이후의 문산계는 문관뿐만 아니라 종친과 의빈도 적용되는 관계가 되었고, 또 정1품계가 2계에서 3계로 증가하면서 총 18품 30계에서 18품 31계로 증가되었고, 이것이 1865년(고종 2)에 반포된 『대전회통』에 법제화되면서 후대로 계승되었다. 『경국대전』으로부터 『대전회통』에 이르기까지에 걸친 문산계 변천을 표로 정리하여 제시하면 다음과 같다.

〈표 5-1〉 조선 중·후기 문산계 변천

		『경국대전』	성종16~고종1	『대전회통』(고종2)
정1품	상	大匡輔國崇祿大夫(議政)	→ 고종1년경 大匡輔國崇祿大夫(議政)	大匡輔國崇祿大夫(議政)
	중		고종1년경 上輔國崇祿大夫(國舅)	上輔國崇祿大夫(國舅)
	하	輔國崇祿大夫	→ 輔國崇祿大夫	輔國崇祿大夫
종1	상	崇祿大夫	→	崇祿大夫
	하	崇政大夫	→	崇政大夫

3) 상보국숭록대부가 제정된 시기는 명확하지 않다. 그런데 고종 즉위를 전후한 시기의 관직제수를 보면 순조 말까지는 상보국숭록대부에 제수된 인물이 없었고, 『고종실록』 2년 1월 20일조에 "국구와 資窮(輔國崇祿大夫)인 종친·의빈 모두를 상보국숭록대부에 陞資한다" 고 하였으며, 대원군이 섭정하기까지－특히 철종대의 종친은 세도정치와 왕권의 약화로 인해 크게 위축됨은 물론 안동김씨의 위해를 면하기에 급급하였다. 이점에서 종친의 위상이 회복되고 상보국숭록대부가 제정된 것은 고종 즉위 초이고 실제로도 제수된 것은 고종 2년 1월 20일부터라고 하겠다(종친의 기능강화는 정호훈, 2007, 「대원군 집정기 대전회통의 편찬」, 『세도정권기 조선사회와 대전회통』, 혜안, 375~379쪽 참조).

정2	상	正憲大夫	→	正憲大夫
	하	資憲大夫	→	資憲大夫
종2	상	嘉靖大夫	→ 중종17 嘉義大夫	嘉義大夫
	하	嘉善大夫	→	嘉善大夫
정3 당상		通政大夫	→	通政大夫
정3 당하		通訓大夫	→	通訓大夫
종3	상	中直大夫	→	中直大夫
	하	中訓大夫	→	中訓大夫
정4	상	奉正大夫	→	奉正大夫
	하	奉列大夫	→	奉列大夫
종4	상	朝散大夫	→	朝散大夫
	하	朝奉大夫	→	朝奉大夫
정5	상	通德郞	→	通德郞
	하	通善郞	→	通善郞
종6	상	奉直郞	→	奉直郞
	하	奉訓郞	→	奉訓郞
정6	상	承義郞	→	承義郞
	하	承訓郞	→	承訓郞
종6	상	宣教郞	→	宣教郞
	하	宣務郞	→	宣務郞
정7		務功郞	→	務功郞
종7		啓功郞	→	啓功郞
정8		通仕郞	→	通仕郞
종8		承仕郞	→	承仕郞
정9		從仕郞	→	從仕郞
종9		將仕郞	→	將仕郞
계		30계	31	31계

2. 武散階

무산계는 『경국대전』에 규정된 정1품 상계 大匡輔國崇祿大夫로부터 종9품계 展力副尉까지의 18품 30계가 후대로 계승되다가 1522년(중종 17)에 明世宗이 즉위한 후 開元한 '嘉靖'의 피휘로 종2품 상계인 嘉靖大夫를 嘉義大夫로 개정하였다.[4]

이때 개정된 무산계가 그후 조선후기까지 그대로 계승되었다가 1864년(고

4) 앞 105쪽, 문산계 참조.

종 1)경에 고종이 즉위한 후에 섭정한 고종의 생부 興宣大院君이 의도한 종친·의빈의 위상강화와 관련되어 당시까지 독자적으로 운영되던 종친계와 의빈계를 폐지하고 문산계를 준용하게 함과 동시에 정1품 輔國崇祿大夫를 수여받던 國舅를 정1품 上階인 大匡輔國崇祿大夫와 下階인 輔國崇祿大夫의 사이에 上輔國崇祿大夫를 신설하여 제수하도록 개정하였다.[5)]

그리하여 고종 1년 이후의 무산계는 정1품계가 2계에서 3계로 증가하면서 총 18품 30계에서 18품 31계로 증가되었고, 이것이 1865년(고종 2)에 반포된 『대전회통』에 법제화되면서 후대로 계승되었다. 『경국대전』으로부터 『대전회통』에 이르기까지 무산계 변천을 표로 정리하여 제시하면 다음과 같다.

〈표 5-2〉 조선 중·후기 무산계 변천

		『경국대전』	성종16~고종1	『대전회통』(고종2)	비고
정1품	상	大匡輔國崇祿大夫(議政)	→	大匡輔國崇祿大夫(議政)	
	중		고종1년경 上輔國崇祿大夫	上輔國崇祿大夫	
	하	輔國崇祿大夫	→ 輔國崇祿大夫	輔國崇祿大夫	
종1	상	崇祿大夫	→	崇祿大夫	
	하	崇政大夫	→	崇政大夫	
정2	상	正憲大夫	→	正憲大夫	
	하	資憲大夫	→	資憲大夫	
종2	상	嘉靖大夫	→ 중종 17 嘉義大夫	嘉義大夫	
	하	嘉善大夫	→	嘉善大夫	以上階 同東班
정3 당상		折衝將軍	→	折衝將軍	
정3 당하		禦侮將軍	→	禦侮將軍	
종3	상	建功將軍	→	建功將軍	
	하	保功將軍	→	保功將軍	
정4	상	振威將軍	→	振威將軍	
	하	昭威將軍	→	昭威將軍	
종4	상	定略將軍	→	定略將軍	
	하	宣略將軍	→	宣略將軍	
정5	상	果毅校尉	→	果毅校尉	
	하	忠毅校尉	→	忠毅校尉	
종6	상	顯信校尉	→	顯信校尉	

5) 앞 주 3).

종6	하	彰信校尉	→	彰信校尉	
정6	상	敦勇校尉	→	敦勇校尉	
	하	進勇校尉	→	進勇校尉	
종6	상	勵節校尉	→	勵節校尉	
	하	秉節校尉	→	秉節校尉	
정7		迪順副尉	→	迪順副尉	
종7		奮順副尉	→	奮順副尉	
정8		承義副尉	→	承義副尉	
종8		修義副尉	→	修義副尉	
정9		效力副尉	→	效力副尉	
종9		展力副尉	→	展力副尉	
계		30계	31	31계	

제2절 宗親階와 儀賓階

1. 宗親階

『경국대전』에 규정된 정1품 상계 顯祿大夫로부터 종6품 하계 從順郎까지의 12품 22계의 종친계는 조선후기까지 그대로 계승되었다. 그러다가 1864년(고종 1) 고종의 생부로 섭정한 興宣大院君이 종친과 의빈의 권위향상도모, 國舅를 위한 관계의 신설에 따라 당시까지 독자적으로 운용되던 종친·의빈계를 폐지하고 종친과 의빈에게 문산계를 적용하고, 국구의 관계로 정1품 상계와 하계의 중간에 상보국숭록대부를 신치함에[6] 따라 정1품 상계 大匡輔國崇祿大夫로부터 정6품 하계 承訓郎까지의 12품 23계로 정비되었다가 1865년에 반포된 『대전회통』에 법제화되어 후대로 계승되었다.

『경국대전』으로부터 『대전회통』에 이르기까지 종친계 변천을 표로 정리하여 제시하면 다음과 같다.

---

6) 동상조.

〈표 5-3〉 조선 중·후기 종친계 변천

		『경국대전』	고종 1년경	『대전회통』(고종2)
정1품	상	顯祿大夫	→ 大匡輔國崇祿大夫 →	大匡輔國崇祿大夫
	중		上輔國崇祿大夫 →	上輔國崇祿大夫
	하	興祿大夫	→ 輔國崇祿大夫 →	輔國崇祿大夫
종1	상	昭德大夫	→ 崇祿大夫 →	崇祿大夫
	하	嘉德大夫	→ 崇政大夫 →	崇政大夫
정2	상	崇憲大夫	→ 正憲大夫 →	正憲大夫
	하	承憲大夫	→ 資憲大夫 →	資憲大夫
종2	상	中義大夫	→ 嘉義大夫 →	嘉義大夫
	하	正義大夫	→ 嘉善大夫 →	嘉善大夫
정3 당상		明善大夫	→ 通政大夫 →	通政大夫
정3 당하		彰善大夫	→ 通訓大夫 →	通訓大夫
종3	상	保信大夫	→ 中直大夫 →	中直大夫
	하	資信大夫	→ 中訓大夫 →	中訓大夫
정4	상	宣徽大夫	→ 奉正大夫 →	奉正大夫
	하	廣徽大夫	→ 奉列大夫 →	奉列大夫
종4	상	奉成大夫	→ 朝散大夫 →	朝散大夫
	하	光成大夫	→ 朝奉大夫 →	朝奉大夫
정5	상	通直郎	→ 通德郎 →	通德郎
	하	秉直郎	→ 通善郎 →	通善郎
종6	상	謹節郎	→ 奉直郎 →	奉直郎
	하	愼節郎	→ 奉訓郎 →	奉訓郎
정6	상	執順郎	→ 承義郎 →	承義郎
	하	從順郎	→ 承訓郎 →	承訓郎
계		22계	23	23계

2. 儀賓階

의빈계는『경국대전』에 규정된 정1품 상계 綏祿大夫로부터 종3품 하계 敦信大夫까지의 6품 12계가 조선후기까지 그대로 계승되었다.

그러다가 1864년(고종 1) 고종의 생부로 섭정한 흥선대원군이 종친과 의빈의 권위향상 도모, 國舅를 위한 관계의 신설에 따라 당시까지 독자적으로 운용되던 종친·의빈계를 폐지하고 종친과 의빈에게 문산계를 적용하고, 國舅·宗親의 관계로 정1품 상계와 하계의 중간에 상보국숭록대부를 신치함에 따라 정1품 상계 大匡輔國崇祿大夫로부터 종3품 하계 中訓大夫까지의 6품

13계로 정비되었다가 1865년에 반포된 『대전회통』에 법제화되어 후대로 계승되었다. 『경국대전』으로부터 『대전회통』에 이르기까지 의빈계 변천을 표로 정리하여 제시하면 다음과 같다.

〈표 5-4〉 조선 중·후기 의빈계 변천

		『경국대전』	고종1년경	『대전회통』(고종2)
정1품	상	綏祿大夫	→ 大匡輔國崇祿大夫	大匡輔國崇祿大夫
	중		上輔國崇祿大夫	上輔國崇祿大夫
	하	成祿大夫	→ 輔國崇祿大夫	輔國崇祿大夫
종1	상	光德大夫	→ 崇祿大夫	崇祿大夫
	하	崇德大夫	→ 崇政大夫	崇政大夫
정2	상	奉憲大夫	→ 正憲大夫	正憲大夫
	하	通憲大夫	→ 資憲大夫	資憲大夫
종2	상	資義大夫	→ 嘉義大夫	嘉義大夫
	하	順義大夫	→ 嘉善大夫	嘉善大夫
정3 당상		奉順大夫	→ 通政大夫	通政大夫
정3 당하		貞順大夫	→ 通訓大夫	通訓大夫
종3	상	明信大夫	→ 中直大夫	中直大夫
	하	敦信大夫	→ 中訓大夫	中訓大夫
계		12계	13	13계

제3절 雜職·土官階와 外命婦

1. 雜職階와 土官階

잡직계와 토관계는 『경국대전』에 규정된 정6품 상계 供職郎(문반)·奉任校尉(서반)으로부터 종9품 展勤郎(문반)·勤力副尉(무반)까지의 8개품 10계와 정5품 상계 通議郎(문반)·建忠隊尉(무반)로부터 종9품계인 試仕郎(문반)·彈力徒尉(무반)의 8개품 10계가 후대로 계승되고 그대로 『속대전』·『대전통편』·『대전회통』에 전재되면서[7] 운용되었다(『경국대전』의 잡직계와 토관계는

7) 『대전통편』 권1, 이전 경관직 잡직·토관직, 외관직 잡직·토관직, 『대전회통』 권1,

앞 〈표 1-1〉 참조).

2. 外命婦

1) 大殿乳母·王妃母·王女·王世子女·王子女

대전유모·왕비모·왕녀·왕세자녀·왕자녀의 봉작은 『경국대전』에 규정된 그것, 즉 대전유모는 정2품 奉保夫人, 왕비모는 정1품 府夫人, 왕녀는 무품의 公主(왕비 소생)와 翁主(후궁 소생), 왕세자녀는 정2품 郡主(세자빈 소생)와 縣主(후궁 소생)가 그대로 후대에 편찬된 『속대전』·『대전통편』·『대전회통』에 재록되면서 계승되었다(『경국대전』의 대전유모 등 봉작은 앞 〈표 1-4〉 참조).

2) 宗親妻와 文·武官妻

종친 처와 문·무관 처의 封爵은 『경국대전』에 규정된 그것이, 즉 종친 처는 정1품 府夫人(대군 처)으로부터 정6품 順人의 13계, 문·무관 처는 정·종1품 貞敬夫人으로부터 정·종9품 孺人의 10계가 그대로 후대에 편찬된 『속대전』·『대전통편』·『대전회통』에 재록되면서 계승되었다(『경국대전』의 종친 처 등 봉작은 앞 〈표 1-2〉 참조).

이전 경관직 잡직·토관직, 외관직 잡직·토관직조.

제6장 朝鮮 中·後期 京官職의 변천Ⅰ－文班職

제1절 正職(祿職)[1]

1. 直啓衙門 官職

1) 議政府와 備邊司·宣惠廳·堤堰司·濬川司

(1) 議政府

議政府 관직은 『경국대전』에 領·左·右議政(각1직, 정1), 左·右贊成(각1, 종1), 左·右參贊(각1, 정2), 舍人(2, 정4), 檢詳(1, 정5), 司祿(2, 정7)으로 규정되어 있다. 이 관직이 조선후기까지 의정·찬성·참찬·사인·검상은 그대로 계승되었다.

그러나 司祿은 정원은 2직이었지만 備邊司가 중심이 된 국정운영에 따른 의정부기능의 약화와 관련되어 1746년(영조 22)까지 1직이나 2직으로 운영되다가 1747년(영조 23) 『속대전』의 편찬 때에 1직이 삭감되면서 1직으로 개정되었다.[2] 그 후 1865년(고종 2)에 비변사가 의정부에 통합되면서 혁거됨

1) 정직은 가장 격이 높은 관직인데 협의로는 職事가 있고 1년에 4회 녹봉을 받는 관직을 의미하고, 광의로는 전자와 직사가 있고 근무기간에만 녹을 받는 遞兒職과 직사는 있지만 녹이 없는 無祿職을 의미하며, 겸직과 대비되는 관직이다. 여기에서는 1년에 4회 녹을 받는 녹직, 근무기간에만 녹을 받는 체아직, 녹이 없는 무록직을 합해 정직으로 설정하고 파악한다(무반직도 같다. 관직의 구조는 졸고, 2004, 「朝鮮初期 官職構造研究」, 『대구사학』 75 참조).

2) 한충희, 2011, 『朝鮮前期의 議政府와 政治』, 계명대학교출판부, 71~73쪽.

에 따라 종6품 備邊司郎廳 11원이 公事官으로 개칭되면서 의정부에 移置되었다.[3] 이에 따라 1865년 이후의 의정부는 당시까지 존치되었던 의정부 관원에 公事官 11인이 新置되면서 당상관 7직, 참상관 14직, 참하관 1직의 22직으로 증가되었다.

그런데 의정·찬성·참찬·사인·검상에 있어서도 법제적으로는 변동 없이 계승되었지만[4] 1592년(선조 25) 비변사가 최고의 정치·군사기관이 됨에 따른 의정부 기능의 약화로 조선 중·후기를 통해 領·左·右議政은 상시로 제수되었지만 조선후기의 찬성·참찬은 관직의 중요도가 떨어지면서 闕職이나 1~2명이 제수되었고, 사인·검상도 궐직이 되거나 1~2명이 제수되면서 운영되었다.[5]

(2) 備邊司·宣惠廳·堤堰司·濬川司

備邊司는 정1품 아문이지만 정1~정3품 당상관이 都提調(정1)·提調(종1~종2)·副提調(정3 당상)를 겸대하면서 관아운영을 주도하였기에 녹직에는 단지 參上官(5~6품)인 郎廳이 있을 뿐이었다. 낭청은 1510년(중종 5) 創置時에[6] 5품직 1직 이상이 설치되었고,[7] 1555년(명종 10) 상설의 정1품 아문이 된 이후 1578년(선조 11)까지 참상직 1~5직 이상, 1579년에 참상직 4~5직으로

---

3) 『대전회통』 권1, 이전 경관직 의정부.

4) 『속대전』·『대전통편』·『대전회통』 권1, 이전 경관직 의정부.

5) 한충희, 위 책, 74~77쪽.

6) 창치시기는 연구자에 따라 차이가 있지만 여기서는 졸고, 1992, 「朝鮮 中宗 5年~宣祖 24年(成立期)의 備邊司에 대하여」, 『西巖趙恒來教授華甲紀念 韓國史學論叢』, 논총간행위원회, 195~205쪽에 의거하였다. 연구자 별 창치시기는 다음과 같다(관련연구는 한충희, 위 논문, 194쪽 참조.
중종 5년 : 重吉萬次, 痲生武龜, 鄭夏明, 李載浩, 吳宗祿, 洪奕基.
중종 12년 : 申奭鎬.
명종 10년 : 痲生武龜.

7) 한충희, 앞 논문, 208쪽.

운영되다가[8] 1592년(선조 25) 왜란을 기해 참상~참하직 11직(兵曹 武備司正郎이 겸한 1직 제외)으로[9] 증가된 후 후대로 계승되다가[10] 1865년(고종 2) 비변사가 의정부에 통합되면서 낭청 모두가 의정부에 이속되고 公事官으로 개칭되었다.[11]

宣惠廳의 정직에는 參上官(5~6품)인 郎廳이 있었다(당상관인 都提調〈정1〉, 提調〈종1~종2〉, 副提調〈정3당상〉는 겸직). 낭청은 1608년(광해군 즉위) 창치될 때 참상직 2직이 설치되었고,[12] 大同法의 실시에 따른 京畿, 湖西, 湖南大同廳 등의 설치와 관련되어 1608년(광해군 즉위)에 1직이 증치되었다가[13] 혁거(연도 불명), 1652년(효종 3)과 1657년(효종 7)에 각각 1직이 증치되면서 4직으로 정비(1직은 음관 4품 이상)되었다가[14] 『속대전』에 법제화되었다. 그후 1753년(영조 29)에 均役廳을 합병할 때 낭청 1직이 증치되면서 5직이[15] 되었고, 1760년(영조 36) 대동미의 총관과 관련되어 관아의 지위가 정1품 아문으로 승격된 후에도 그대로 계승되다가[16] 1865년 이전에 선혜청이 西班衙門으로 전환됨에 따라[17] 무반직이 되었다.

堤堰司는 1490년(성종 21)에 복치되어 치, 폐가 반복되면서 운영되었는데 그 관직인 都提調(정1), 提調(종1~종2), 郎廳(참상) 모두가 겸직이었다(관아연혁은 뒤 10장 제언사 참조).

濬川司는 1760년(영조 36) 정1품 아문으로 설치되었는데 그 관직인 都提調

8) 위 논문, 209~211쪽, 〈표 4, 5〉.
9) 위 논문, 210~211쪽, 〈표 5〉.
10) 『속대전』·『대전통편』 권1, 이전 경관직 비변사.
11) 『고종실록』 2년 3월 28일조.
12) 『광해군일기』 권4, 즉위년 5월 갑진.
13) 『증보문헌비고』 권222, 직관 29 선혜청.
14) 위 책, 권222, 직관 29 선혜청.
15) 위 책, 권222, 직관 29 선혜청.
16) 『증보문헌비고』 권222, 직관 29 선혜청.
17) 『대전회통』 권4, 병전 경관직 선혜청.

(정1), 提調(종1~종2), 郎廳(참상) 모두가 겸직이었고, 그마저도 1864년(고종 1) 이전에 준천사가 서반아문으로 전환됨에 따라[18] 무반직이 되었다(관아연혁은 뒤 10장 준천사 참조).

2) 宗親·忠勳·儀賓·敦寧府

宗親府의 관직은 『경국대전』에 규정된 그것이 변동 없이 그대로 『속대전』·『대전통편』에 전재되면서 계승되다가 1865년(고종 2)에 집정인 興宣大院君의 종친위상 강화와 관련되어 宗正卿(무품~종2)을 新置하면서 그 종친의 직질에 따라 추가로 領宗正卿(무품 대군·왕자 군 예겸, 무정수), 判宗正卿(정1, 대신), 知宗正卿(종1~정2, 무정수), 宗正卿(종2, 무정수)으로 구분되어 『대전회통』에 등재되었다.[19]

儀賓府의 관직은 『경국대전』에 규정된 그것이 후대로 계승되다가 1746년(영조 22) 이전에 經歷이 혁거되어 『속대전』·『대전통편』·『대전회통』에 등재되면서 조선후기까지 계승되었다(관직과 직질은 뒤 〈표 6-1〉 참조).

忠勳府의 관직은 『경국대전』에 규정된 經歷 1(종4), 都事 1직(종5)이 후대로 계승되다가 명종대(1545~1567)에 도사가 혁거된 후[20] 조선후기까지 계승되었다.

敦寧府의 관직은 『경국대전』에 규정된 領事 1(정1), 判事 1(종1), 知事 1(정2), 同知事 1(종2), 都正 1(정3당상), 正 1(정3), 副正 1(종3), 僉正 2(종4), 判官 2(종5), 主簿 2(종6), 直長 2(종7), 奉事 2(종8), 參奉 2직(종9)이 1506년(연산군 12)에 첨정·판관·주부·봉사·참봉 각1직이 삭감되었다가[21] 동년 중종 즉위와

18) 『대전회통』 권4, 병전 경관직 준천사.

19) 『고종실록』 권2, 2년 7월 21일·8월 5일, 『대전회통』 권1, 이전 경관직 종친부. 흥선대원군의 종친위상 강화는 정호훈, 2007, 「대원군 집정기 대전회통의 편찬」, 『세도정권기 조선사회와 대전회통』, 혜안, 375~379쪽 참조.

20) 『증보문헌비고』 권217, 직관 24 충훈부.

21) 『연산군일기』 권61, 12년 1월 병진.

함께 복구되었다. 이후 1583년(선조 16)에 주부 1직이 삭감되었다가[22] 1746년(영조 22) 이전에 복구되었고, 영조 22년 이전에 부정·첨정·직장·봉사가 혁거 및 판관·주부·참봉 각1직이 삭감되고 1785년(정조 9)에 정이 혁거되고 직장 1직이 복치되면서 영사·판사·지사·동지사·도정·판관·주부·직장·참봉 각1직으로 정비되어 후대로 계승되었다.

3) 六曹(吏·戶·禮·兵·刑·工曹)

(1) 禮·兵·工曹

禮·兵·工曹의 判書 이하 모든 관직은 『경국대전』에 규정된 그것이 변동 없이 그대로 『속대전』·『대전통편』·『대전회통』에 등재되면서 조선후기까지 계승되었다(『경국대전』에 규정된 관직과 직질은 뒤 〈표 6-1〉 참조).

(2) 吏·戶·刑曹

吏曹는 『경국대전』에 규정된 관직이 후대로 계승되다가 1777년(정조 즉위) 이전에 正郎·佐郎 각1직이 삭감된[23] 것이 『대전통편』에 법제화되었고, 이후 변동 없이 계승되었다.[24]

戶曹는 『경국대전』에 규정된 관직이 계승되다가 1506년(연산군 12)에 정랑·좌랑 각1직이 증치되었고,[25] 동년 중종 즉위와 함께 복구된 후[26] 변동

---

22) 『선조실록』 권17, 16년 6월 정미.

23) 삭감된 시기는 불명하나 『속대전』에는 관직 변동이 없고 『대전통편』(정조 9)에 정랑·좌랑 각1직이 삭감되어 각 2직으로 규정되었다. 그런데 『증보문헌비고』·『인조실록』·『정조실록』에 "인조 7년에 吏曹郎薦法이 혁거되었고, 영조 13년에 郎廳通淸法이 혁거되었다가 정조 즉위년에 吏曹郎官通淸制가 복구되었다" 고 하였음에서 1747년(영조 23)~정조 즉위년의 어느 시기에 삭감된 것으로 추측되기에 정조 즉위년 이전에 삭감된 것으로 파악한다.

24) 『대전회통』 권1, 이전 경관직 이조.

25) 『연산군일기』 권61, 12년 3월 신묘. 동조에서는 낭청 2직으로 적기되었지만 정랑·좌랑 각1직을 의미한다고 생각되어 추정하여 파악한다.

없이 조선후기까지 계승되었다.

刑曹는 『경국대전』에 규정된 관직이 계승되다가 1506년(연산군 12)에 낭청 2직이 증치되고 중종 즉위와 함께 증치된 낭청이 혁거되었으며,[27] 이것이 후대로 계승되다가 1746년(영조 22) 이전에 정랑·좌랑 각1직이 삭감된 후[28] 조선후기까지 계승되었다(이·호·형조의 『경국대전』에 규정된 관직과 직질은 뒤 〈표 6-1〉 참조).

4) 義禁府와 司憲府·司諫院

(1) 義禁府

義禁府는 『경국대전』에 규정된 經歷(종4)·都事(종5, 합해 10직, 당상관인 判事와 知事는 겸관)가 1490년(성종 21) 이전에 정직에서 무록직이 되었다가[29] 영조 22년 이전에 경력·도사가 혁거되고 녹직의 종6·종9 도사 각 5직이 설치되었으며, 1865년(고종 2) 이전에 종9 도사가 종8품으로 승질되면서[30] 종6·종8품 도사 각 5직으로 정비된 후 후대로 계승되었다.

(2) 司憲府·司諫院

司憲府는 『경국대전』에 규정된 관직이 후대로 계승되다가 1505년(연산군 11) 1월 이전에 持平 2직이 혁거되고[31] 1506년(연산군 12) 8월에 掌令 2직이 증치되었다가[32] 중종 즉위와 함께 복구되었으며,[33] 1746년(영조 22) 이전에

---

26) 『중종실록』 권1, 1년 9월 기묘.
27) 『연산군일기』 권61, 12년 3월 신묘 ; 『중종실록』 권1, 1년 9월 기묘.
28) 『속대전』 권1, 이전 경관직 형조.
29) 『성종실록』 권237, 21년 2월 무신.
30) 『대전회통』 권1, 이전 경관직 의금부.
31) 『연산군일기』 권57, 11년 1월 기해.
32) 『연산군일기』 권63, 12년 8월 정미.
33) 『증보문헌비고』 권219, 직관 6 사헌부.

監察 11직이 삭감되면서 대사헌(1, 종2), 집의(1, 종3), 장령(2, 정4), 지평(2, 정5), 감찰(13, 정6)로[34] 정비되어 『속대전』에 등재된 후 그대로 조선후기까지 계승되었다.

司諫院은 『경국대전』에 규정된 大司諫(1, 정3 당상), 司諫(1, 종3), 獻納(1, 정5), 正言(2, 정6)이 1505년(연산군 11) 연산군의 간관 탄압과 기피에 따라 정언 2직이 혁거 및 헌납 1직이 증치되고[35] 1506년(연산군 12)에 관아가 혁거됨에 따라 모든 관원이 혁거되었다가[36] 동년 중종 즉위와 함께 관아의 복치에 따라 개변된 관직이 모두 복치되었으며,[37] 이것이 이후 변동 없이 조선후기까지 계승되었다.

5) 漢城府와 水原·廣州·開城·江華府

(1) 漢城府

漢城府는 『경국대전』에 규정된 判尹(1, 정2), 左·右尹(각1, 종2), 庶尹(1, 종4), 判官(1, 종5), 參軍(3, 정7, 1은 通禮院引儀겸)이 후대로 계승되다가 1686년(숙종 12)에 판관 1직이 삭감되었다.[38] 그 후 1724년(영조 즉위)에 참군 1직이 종6품 主簿로 승질·개칭되고 다시 1768년(영조 44)에 참군 1직이 주부로 승질·개칭되었다가[39] 1865년(고종 2) 이전에 주부 1직이 삭감되면서 판윤(1, 정2), 좌·우윤(각1, 종2), 서윤(1, 종4), 판관(1, 종5), 주부(1, 종6)로 개변된 것이 『대전회통』에 등재되었다.

---

34) 『속대전』 권1, 이전 경관직 사헌부.

35) 『연산군일기』 권57, 11년 1월 기해.

36) 『연산군일기』 권62, 12년 5월 갑술.

37) 『증보문헌비고』 권219, 직관 6 사간원.

38) 『증보문헌비고』 권218, 직관 5 한성부. 한편 假官이 중종 6년 이전에 10직이 설치되어 중종 6년에 4직이 삭감되었다가 영조 22년 이전에 혁거되었는데(『중종실록』·『속대전』 권1, 이전 경관직 한성부) 그 관직적 성격이 임시직이라고 생각되어 생략한다.

39) 『증보문헌비고』 권213, 직관5, 한성부.

(2) 水原·廣州·開城·江華留守府

水原留守府는 1793년(정조 17) 관아가 정2품 아문으로 설치될 때 留守(2, 정2, 1 경기관찰사 겸), 判官(1, 종5), 檢律(1, 종9 1)이 두어졌고, 이후 이 관직이 그대로 계승되었다.

廣州留守府는 1795년(정조 19) 관아가 정2품 아문으로 설치될 때 留守(2, 정2, 1 경기관 겸), 判官(1, 종5), 檢律(1, 종9 1)이 두어졌고, 이후 이 관직이 그대로 계승되었다.

開城留守府는 『경국대전』에 규정된 留守(2, 종2, 1 경기관 겸), 經歷(1, 종4), 都事(1, 종5), 敎授(1, 종6)가 1746년(영조 22) 이전에 도사가 혁거되었고,[40] 1732년(영조 8)에 교수가 종9품 分敎官으로 강격·개정되었다가 1739년(영조 15)에 환원되었다.[41] 1785년(정조 9) 이전과 1865년(고종 2) 이전에 分敎官(1, 종9)과 檢律(1, 종9)이 新置되면서 留守(2, 정2, 1 경기관 겸)·經歷(1, 종4)·敎授(1, 종6)·分敎官(1, 종9)·檢律(1, 종9)로 정비된 후 『대전회통』에 법제화되었다.[42]

江華留守府는 1510년(인조 5) 강화부윤부에서 유수부로 승격되고 경아문이 될 때 留守(2, 정2, 1 경기관 겸), 經歷(1, 종4)이 두어졌고,[43] 1746년(영조 22) 이전과 1865년(고종 2) 이전에 分敎官(1, 종9)과 檢律(1, 종9)이 신치되면서 留守(2, 정2, 1 경기관 겸)·經歷(1, 종4)·分敎官(1, 종9)·檢律(1, 종9)로 정비된 후 『대전회통』에 법제화되었다.[44]

6) 奎章閣과 承政院

奎章閣은 1776년(정조 즉위)에 관아가 설치될 때 直閣(1, 정3~종6, 1),

---

40) 『숙종실록』 권55, 40년 8월 을유.

41) 이존희, 1984, 「朝鮮王朝의 留守府經營」, 『韓國史硏究』 47, 42쪽.

42) 『대전회통』 권1, 이전 경관직 개성부.

43) 『강화부읍지』 건치연혁, 『속대전』 권1, 이전 경관직.

44) 『속대전』·『대전회통』 권1, 이전 경관직 강화부.

待敎(1, 정7~종9, 1)~하), 校理(1, 종5, 1), 博士(2, 정7), 著作(2, 정8), 正字(2, 정9), 副正字(2, 종9)가 두어졌다(당상관인 제학·직제학은 겸직).[45] 그 후 1782년(정조 6)에 校書館이 屬司(外閣)가 되면서 교서관의 교리(1, 종5)·박사(2, 정7)·저작(2, 정9)·부정자(2, 종9)가 계승되어[46] 후대로 계승되었다.

承政院은 『경국대전』에 규정된 都·左·右·左副·右副·同副承旨(정3당상, 각 1), 注書(정7, 2)가 후대로 계승되었고, 1505년(연산군 11)에 주서 2직이 가치되었다가 1506년(중종 1)에 주서 2직이 삭감되었으며,[47] 1599년(선조 32)에 정7품직의 事變假注書 1직이 설치된[48] 후 변동 없이 조선후기까지 계승되었다.

이상에서 조선 중·후기 직계아문 문반 정직은 왜란 이전까지는 『경국대전』에 규정된 17아문 161직이[49] 큰 변동 없이 계승되었고, 왜란 이후에도 비변사 등의 설치에 따라 겸직이 크게 증가되었음과는 달리 각각 몇 직이 삭감·증치되면서 의정부·비변사 등 23아문 171직(성종 17~영조 22)→ 의정부·규장각 등 22아문 164직(영조 23~고종 2)으로 변천되면서 운영되었다. 지금까지 검토한 직계아문의 녹직 변천을 관아·관아별로 정리하면 다음의 표와 같다.

〈표 6-1〉 조선 중·후기 직계아문 녹직 변천[50]

	『경국대전』	치, 폐 관직(성종16~고종1)	『대전회통』	비고
宗親府	大君·君(무품), 君(정1~종2), 都正(정3당상), 正(정3), 副正(종3), 守(정4), 副守(종4), 令(정 5), 副令(종5), 監(정6, 이상 종친, 무정수), 典籤1(정4)·典簿(정5, 1(이상 조관)→	→ 고종2 신치 領宗正卿(무품 대군·왕자군 예겸, 무정수), 判宗正卿(정1, 대신), 知宗正卿(종1~정2, 무정수), 宗正卿(종2, 무정수)→	대군·군(무품), 영종정경(무품, 대군·왕자 군 예겸), 판종정경(정1, 대신), 지종정경(종1~정2), 군(정1~종2), 종정경(종2), 도정(정3당상), 정(정3), 부정(종3), 수(정4), 부수(종4), 령(정	직계아문 정1품아문

45) 『증보문헌비고』 권220, 직관 7 규장각.
46) 『증보문헌비고』 권220, 직관 7 규장외각.
47) 『연산군일기』 권58, 11년 6월 갑인 ; 『증보문헌비고』 권218, 직관 5, 승정원.
48) 『선조실록』 권113, 32년 5월 갑신 ; 『증보문헌비고』 권218, 직관5, 승정원.
49) 관아별 관직 수는 앞 〈표 2-1〉 참조.

宗親府				5), 부령(종5), 감(정6, 이상 종친, 무정수), 전첨(정4, 1)·전부(정5, 1, 이상 조관)	
議政府		領·左·右議政(정1, 각1), 左·右贊成(종1, 각1), 左·右參贊(정2, 각1), 舍人(정4, 2), 檢詳(정5, 1), 司祿(정8, 2)→	영조22 이전 감 사록1→	영·좌·우의정(정1, 각1), 좌·우찬성(종1, 각1), 좌·우참찬(정2, 각1), 사인(정4, 2), 검상(정5, 1), 公事官(종6, 11), 사록(정8, 1)	
備邊司			명종15 郎廳(11, 종6)→	혁(속의정부)	
宣惠廳			광해군즉위 낭청(종6, 2)→ ? 가 낭청 2→ 영조29 가 낭청 1→ 고종2 이전 이 서반		
忠勳府		君(정1~종2, 무정수), 經歷(종4, 1), 都事(종5, 1)→	영조22 이전 혁 경력→	군(정1~종2, 무정수), 도사(종5, 1)	
儀賓府		尉(정1~종2) 副尉(정3당상), 僉尉(정3)~종3)(이상 무정수), 경력(종4, 1), 도사(종5, 1)→	영조22 이전 혁 경력→	위(정1~종2) 부위(정3당상), 첨위(정3)~종3)(이상 무정수), 도사(종5, 1)	
敦寧府		領事(정1, 1), 判事(종1, 1), 知事(정2, 1), 同知事(종2, 1), 都正(정3당상, 1), 正(1, 정3), 副正(종3, 1), 僉正(종4, 2), 判官(종5, 2), 主簿(종6, 2), 直長(종7, 2), 奉事(종8, 2), 參奉(종9, 2)→	영조22 이전 혁 부정·첨정··직장·봉사, 감판관·주부·참봉 각1→ 정조9 혁 정, 치직장 1→	영사(정1, 1), 판사(종1, 1), 지사(정2, 1), 동지사(종2, 1), 도정(정3당상, 1), 판관(종5, 1), 주부(종6, 1), 직장(종7, 1), 참봉(종9, 1)	
義禁府		經歷(종4)·都事(종5)(총10)→	성종16~21 加 낭청4→ ? 감 낭청4→ 성종23 낭청10 개정 무록관, ? 減 낭청2→ 영조22 이전 革 경력·도사 置 녹직 종6·종9 도사 각5→고종2 이전 종9 도사 승 종8→	도사10(종6-5, 종8-5)	종1품
6曹	吏曹	判書(정2, 1), 參判(종2, 1), 參議(정3당상, 1), 正郎(정5, 3), 佐郎(정6, 3)→	정조9 이전 삭감 정랑·좌랑 각1→	판서(정2, 1), 참판(종2, 1), 참의(정3당상, 1), 정랑(정5, 2), 좌랑(정6, 2)	정2품
	戶曹	판서(정2, 1), 참판(종2, 1), 참의(정3당상, 1), 정랑(정5, 3), 좌랑(정6, 3)→	연산12 가 정랑·좌랑 각1→ 중종1 복→ 영조23 회계사 정랑·좌랑 久任→	판서(정2, 1), 참판(종2, 1), 참의(정3당상, 1), 정랑(정5, 3, 회계사 정랑 구임), 좌랑(정6, 3, 회계사좌랑구임)	
	禮曹	이조와 동→	→	판서(정2, 1), 참판(종2, 1), 참의(정3당상, 1), 정랑(정5, 3), 좌랑(정6, 3)	
	兵曹	판서(정2, 1), 참판(종2, 1), 참의(정3당상, 1), 參知(정3당상, 1), 정랑(정5, 4), 좌랑	→	판서(정2, 1), 참판(종2, 1), 참의(정3당상, 1), 참지(정3당상, 1), 정랑(정5, 4), 좌랑	

6曹		(정6, 4)→		(정6, 4)	
	刑曹	판서(정2, 1), 참판(종2, 1), 참의(정3당상, 1), 정랑(정5, 4), 좌랑(정6, 4)→	연산12 가 정랑·좌랑 각1→ 중종1 복구→ 영조22 이전 감 정랑·좌랑 각1→	판서(정2, 1), 참판(종2, 1), 참의(정3당상, 1), 정랑(정5, 3), 좌랑(정6, 3)	
	工曹	이조와 동→	→	형조와 동	
漢城府		判尹(정2, 1), 左·右尹(종2, 각1), 庶尹(종4, 1), 判官(종5, 2), 參軍(정7, 3, 1은 통례원인의겸)→	숙종12 감 판관1→ 영조즉위 치 주부(종6)1, 감 참군1 → 영조44 증 주부1, 혁 참군 →고종2 이전 감 주부 1→	판윤(정2, 1), 좌·우윤(종2, 각1), 서윤(종4, 1), 판관(종5, 1), 주부(종6, 1), 참군(정7, 1, 통례원인의겸)	
水原留守府			정조17 留守(정2, 2, 1경기관겸), 判官(종5, 1), 檢律(종9, 1)→	정조17 유수(정2, 2, 1경기관겸), 판관(종5, 1), 검률(종9, 1)	
廣州留守府			정조19 유수(정2, 2, 1경기관겸), 판관(종5, 1), 검률(종9, 1)→	유수(정2, 2, 1경기관겸), 판관(종5, 1), 검률(종9, 1)	
奎章閣			정조즉 直閣(정3~종6, 1), 待敎(정7~종9, 1), 校理(종5, 1), 博士(정7, 2), 著作(정8, 2), 正字(정9, 2), 副正字(종9, 2)→ 정조6 증 교리1, 박사2, 저작2, 부정자2(합속된 교서관관)→	직각(정3~종6, 1), 대교(정7~종9, 1), 교리(종5, 1), 박사(정7, 2), 저작(정8, 2), 정자(정9, 2), 부정자(종9, 2)	종2품
司憲府		大司憲(종2, 1), 執義(종3, 1), 掌令(정4, 2), 持平(정5, 2), 監察(정6, 24)→	연산12 혁 지평2·가장령2→ 중종1 복구→ 영조22 이전 감 감찰11→	대사헌(종2, 1), 집의(종3, 1), 장령(정4, 2), 지평(정5, 2), 감찰(정6, 13)	
開城府		留守(종2, 1, 1은 경기관찰사겸), 經歷(종4, 1), 都事(종5, 1), 敎授(종6, 1)→	숙종40 이전 치 分敎官(종9)2→ 숙종42 혁분교관 영조22 이전 혁 도사→ 고종1 이전 치 분교관(종9, 1)·검률(종9, 1)→	유수(종2, 1, 1은 경기관찰사겸), 경력(종4, 1), 교수(종6, 1), 분교관(종9, 1)·검률(종9, 1)	
江華留守府			인조5 유수(종2, 2, 1경기관찰사), 경력(종4, 1)→ 숙종40 이전 치 分敎官(종9) 2→ 숙종42 혁 분교관 영조22 이전 혁 도사→ 고종1이전 치, 분교관(종9, 1)·검률(종9, 1)→	유수(종2, 2, 1경기관찰사), 경력(종4, 1), 분교관(종9, 1), 검률(종9, 1)	
承政院		都·左·右·左副·右副·同副承旨(정3당상, 각1), 注書(정7, 2)→	연산11 치 가주서 2→ 중종1 복구→ 선조32 치 事變假注書(정7)1→	도·좌·우·좌부·우부·동부승지(정3당상, 각1), 주서(정7, 2), 사변가주서 1(정7)	정3품 당 상 아문
司諫院		大司諫(정3당상, 1), 司諫(종3, 1), 獻納(정5, 1), 正言(정6, 2)→	혁(연산12)→ 복구(중종1)→	대사간(정3당상, 1), 사간(종3, 1), 헌납(정5, 1), 정언(정6, 2)	
합계		161[*1]	171[*2]	164[*3]	

*1 당상관 43-정1 4·종1 3·정2 10·종2 11·정3 15, 참상관 106-정3 1·종3 3·정4 6·종4 11·정5 24·종5 12·정6 46·종6 3, 참하관 12-정7 4·종7 2·정8 2·종8 2·종9 2.
*2 당상관 46-정1 4·종1 3·정2 12·종2 12·정3 15, 참상관 97-정3 1·종3 2·정4 5·종4 3·정5 23·종5 7·정6 33·종6 23, 참하관 28-정7 6·종7 2·정8 3·정9 2·종9 15.
*3 당상관 46-동상, 참상관 90-정3 1·종3 2·정4 4·종4 3·정5 23·종5 7·정6 33·종6 17, 참하관 28-정7 6·종7 2·정8 3·종8 5·정9 2·종9 10.

2. 六曹(吏·戶·禮·兵·刑·工曹)屬衙門

관아의 관직 모두가 兼職인 春秋館(이조)·宗學(예)·養賢庫(호)·4學(예), 장관 이하가 無祿職(提擧·提檢·別坐·別檢)인 修城禁火司(형)·典艦司(호)·氷庫(예)·圖畵署(예)·瓦署(공)·歸厚署(예)와 遞兒職(정3품 正 이하)인 內醫院(예)은 뒤의 2) 체아·무록직과 겸직에서 서술되기에 부득이한 경우를 제외하고는 제외하여 파악한다.

1) 吏曹屬衙門 : 忠翊府·尙瑞院·司饔院, 內侍府·宗簿寺·內需司

(1) 忠翊府·尙瑞院·司饔院

忠翊府는 『경국대전』에 규정된 종5품 都事 2직이 1506년(연산 12) 도사 1직이 삭감되었다가 동년 중종 즉위 초에 복구되었고,[51] 이후 관아의 폐·치에 따라 관직이 1555년(명종 10) 혁거, 1616(광해군 8) 복치, 1680년(숙종 6) 이전에 혁거되었다가 복치된 후 1678년(숙종 4) 관아가 忠勳府에 병합되면서 소멸되었다.[52]

尙瑞院은 『경국대전』에 규정된 정(1, 정3, 도승지 겸), 判官(종5, 1), 直長(종7, 1), 副直長(정8, 2)이 1506년(연산 12)에 판관·부직장이 혁거되고[53] 直長·參奉

---

50) 『조선왕조실록』 성종 16~철종 14년조, 『증보문헌비고』 권216~권222, 『속대전』·『대전통편』·『대전회통』 권1, 이전 경관직 등에서 종합.

51) 『연산군일기』 권61, 12년 1월 병신.

52) 『숙종실록』 권7, 4년 9월 신해.

53) 『연산군일기』 권61, 12년 3월 신묘.

(종9) 각1직이 加置되었고,[54] 동년 중종의 즉위와 함께 판관·부직장이 復置되고 직장 1직이 삭감되고 참봉이 혁거되었다.[55] 이것이 1746년(영조 22) 이전에 판관 1직이 혁거되면서 정(1, 정3, 도승지겸), 직장(1, 종7), 부직장(1, 정8)으로 정비된[56] 후 후대로 계승되었다.

司饔院은 『경국대전』에 규정된 正(정3, 1) 僉正(종4, 1), 判官(종5, 1), 主簿(종6, 1), 直長(종7, 2), 奉事(종8, 3), 參奉(종9, 2)이 1506년(연산군 12)에 직장·봉사·참봉 각1직이 삭감되었다가 중종 즉위와 함께 직장 1직이 삭감되었다.[57] 1746년(영조 22) 이전에 주부·봉사 1직이 증치되고 참봉 1직이 삭감되고 1785년(정조 9) 이전에 다시 주부 1직이 증치되면서 정(1)·첨정(1)·주부(3)·직장(2)·봉사(3)·참봉(1)으로 정비된[58] 후 후대로 계승되었다.

(2) 內侍府·宗簿寺·內需司

內侍府는 『경국대전』에 규정된 尙膳(종2, 2직) 이하 모든 관직이 그대로 『속대전』·『대전통편』·『대전회통』에 轉載되면서 조선후기까지 계승되었다(관직과 직질은 뒤 〈표 6-2〉 참조).

宗簿寺는 정(정3, 1)·부정(종3, 1)·첨정(종4, 1)·주부(종6, 1)·직장(종7, 1)이 1506년(연산 12)에 직장 2직이 증치되고 참봉 2직(종9)이 新置되었다가[59] 중종 즉위초에 복구되었고, 1746년(영조 22) 이전에 첨정이 혁거되면서 정(1)·주부(1)·직장(1)으로 정비된 후 후대로 계승되었다.

---

54) 『연산군일기』 권60, 12년 6월 신유.

55) 『증보문헌비고』 권222, 직관고 9 상서원.

56) 『속대전』 권1, 이전, 경관직 상서원.

57) 『연산군일기』 권61, 12년 1월 갑인, 연산군 때에 변개된 관직의 대부분은 중종 즉위초에 복구되었지만 사옹원에 있어서는 『속대전』에 봉사는 1직이 증치되어 3직, 참봉은 1직이 삭감되어 1직으로 규정되었다. 이에서 봉사와 참봉은 연산군 때 개정된 각2직이 계승된 것으로 파악한다.

58) 『속대전』·『대전통편』 권1, 이전, 경관직 사옹원.

59) 『연산군일기』 권62, 12년 6월 신유, 『증보문헌비고』 권229, 직관고 9 종부시.

內需司는 『경국대전』에 규정된 典需(정5, 1)·副典需(종6, 1)이 그대로 『속대전』·『대전통편』·『대전회통』에 전재되면서 조선후기까지 계승되었다.

2) 戶曹屬衙門 : 內資·內贍·司䆃·司贍寺, 軍資·濟用·司宰監, 豐儲·廣興倉, 司醞署·義盈庫·長興庫·司圃署·養賢庫·五部, 平市署·典牲署

(1) 內資·內贍·司䆃·司贍寺

內資寺는 『경국대전』에 규정된 正(정3, 1), 副正(종3, 1), 僉正(종4, 1), 判官(종5, 1), 主簿(종6, 1), 直長(종7, 1), 奉事(종8, 1)가 1506년(연산군 12)에 부정 이하 주부 이상 1직이 군직 겸직으로 전환되었다가[60] 중종 즉위 초에 복구되었으며, 1555년(명종 10)에 판관이 혁거,[61] 1637년(인조 15) 관아가 內贍寺에 병합되면서 모든 관직이 혁거되었다.[62]

內贍寺는 『경국대전』에 규정된 정(정3, 1), 부정(종3, 1), 첨정(종4, 1), 판관(종5, 1), 주부(종6, 1), 직장(종7, 1), 봉사(종8, 1)가 1746년(영조 22) 이전에 정·부정·첨정·판관이 혁거되면서 주부 1·직장 1·봉사 1직으로 정비되어 『속대전』에 등재되면서 후대로 계승되었다.[63]

司䆃寺는 『경국대전』에 규정된 정(정3, 1), 부정(종3, 1), 첨정(종4, 1), 주부(종6, 1), 직장(종7, 1)이 1554년(명종 9)과 1573년(선조 6)에 부정과 첨정이 혁거되었고,[64] 1702년(숙종 28)에 정이 혁거되고 첨정이 복치되었다.[65] 이것이 1746년(영조 22) 이전에 판관이 혁거되고[66] 1865년(고종 2)

60) 『연산군일기』 권61, 12년 1월 병신.

61) 『명종실록』 권18, 10년 6월 정축.

62) 『인조실록』 권34, 15년 3월 정미.

63) 『속대전』·『대전회통』 권1, 이전 경관직 내섬시.

64) 『명종실록』 권17, 9년 11월 계축 ; 『선조실록』 권7, 6년 9월 신축 ; 『증보문헌비고』 권222, 직관고 29, 사도시.

65) 『증보문헌비고』 권222, 직관 29, 사도시.

66) 『속대전』·『대전통편』 권1, 이전 경관직 사도시.

이전에 종8품 봉사 1직이 신치되면서[67] 첨정(1)·주부(1)·직장(1)·봉사(1)로 정비된 후 후대로 계승되었다.

司贍寺는 『경국대전』에 규정된 정(정3, 1), 부정(종3, 1), 첨정(종4, 1), 주부(종6, 1), 직장(종7, 1)이 1555년(명종 10)에 부정이 혁거되고 봉사(종8)·참봉(종9) 각1직이 新置되었다.[68] 그 후 1637년(인조 15) 관아가 제용감에 합병되면서 모든 관직이 혁거되었고,[69] 1645년(인조 23) 관아가 復置될 때 주부·직장·봉사 등이 설치되었다가 1785년(정조 9) 이전에 관아의 혁거와 함께 소멸되었다.[70]

(2) 軍資·濟用·司宰監

軍資監은 『경국대전』에 규정된 정(정3, 1), 부정(종3, 1), 첨정(종4, 2), 판관(종5, 3), 주부(종6, 3), 직장(종7, 1), 봉사(종8, 1), 副奉事(종9, 1), 參奉(종9, 1)이 1506년(연산 12)에 부정 이하 주부 이상 1직이 군직 겸직으로 전환되고 직장·참봉 각1직 증치되었다가[71] 1506년(중종 1)에 복구되었다. 이어 1675년(숙종 1) 이전에 직장이 혁거되었다가 復置되고[72] 1746년(영조 22) 이전에 부정·부봉사·참봉 각1직이 혁거되고 첨정·판관·주부 각1직이 삭감되면서 정(정3, 1), 판관(종5, 1), 주부(종6, 1), 직장(종7, 1), 봉사(종8, 1)로 정비된[73] 후 후대로 계승되었다.

濟用監은 『경국대전』에 규정된 정(1), 부정(1), 첨정(1), 판관(1), 주부(1), 직장(1), 봉사(1), 부봉사(1), 참봉(1)이 1506년(연산 12) 부정 이하 주부

67) 『대전회통』 권1, 이전 경관직 사도시.
68) 『명종실록』 권18, 10년 6월 정축.
69) 『인조실록』 권34, 15년 3월 정미.
70) 『대전통편』 권1, 이전 경관직 사섬시.
71) 『연산군일기』 권61, 12년 1월 병신 ; 권62, 12년 6월 신유.
72) 『증보문헌비고』 권223, 직관고 10 군자감.
73) 『속대전』 권1, 이전, 경관직 군자감 ; 『증보문헌비고』 권223, 직관고 10 군자감.

이상 1직이 군직 겸직으로 전환되었다가[74] 중종 즉위 초에 복구되었다. 1555년(명종 10)에 판관이 혁거되었고,[75] 1746년(영조 22)까지 정·부정·첨정·참봉을 혁거하고 판관 1직이 복치되면서 판관 1, 주부 1, 직장 1, 봉사 1, 부봉사 1직으로 정비된[76] 후 후대로 계승되었다.

司宰監은 『경국대전』에 규정된 정(1), 부정(1), 첨정(1), 주부(1), 직장(1), 참봉(1)이 1555년(명종 10)에 부정이 혁거되었고,[77] 1675년(숙종 1)에 참봉이 혁거되고 봉사(종8, 1)가 신치되었으며,[78] 1746년(영조 22) 이전에 정이 혁거되었고, 1865년(고종 2) 이전에 봉사 1직(종8)이 新置되면서 첨정 1, 주부 1, 직장 1, 봉사 1직으로 정비된[79] 것이 후대로 계승되었다.

(3) 豊儲·廣興倉

豊儲倉은 『경국대전』에 규정된 守(정4, 1), 주부(1), 직장(1), 봉사(1), 부봉사(1)가 1637년(인조 15) 이전에 관아가 長興庫에 合屬되면서[80] 관직이 소멸되었다.

廣興倉은 『경국대전』에 규정된 守(정4, 1), 주부(1), 직장(1), 봉사(1), 부봉사(1)가 1506년(연산 12)에 부봉사·참봉 각1직이 증치되었다가[81] 1506년(중종 1)에 참봉이 혁거되고 부봉사 1직이 삭감되었고, 1865년(고종 2) 이전에 영(종5)·직장(종7) 각1직이 신치되면서[82] 수(1), 영(1), 주부(1), 직장(1), 봉사(1)로 정비된 후 후대로 계승되었다.

---

74) 『연산군일기』 권61, 12년 1월 병신.
75) 『명종실록』 권18, 10년 6월 정축.
76) 『속대전』 권1, 이전, 경관직 제용감.
77) 『명종실록』 권18, 10년 6월 정축.
78) 『증보문헌비고』 권22, 직관고 10 사재감.
79) 『속대전』·『대전회통』 권1, 이전, 경관직 사재감.
80) 『인조실록』 권34, 15년 3월 정미 ; 『속대전』 권1, 이전 경관직 풍저창.
81) 『연산군일기』 권62, 12년 6월 신유.
82) 『대전회통』 권1, 이전 경관직 광흥창.

(4) 司醞署·義盈庫·長興庫·司圃署·五部

司醞署는『경국대전』에 규정된 영(1), 주부(1), 직장(1), 봉사(1)가 1583년(선조 16)에 재정난으로 관아와 함께 혁거되었다.[83]

義盈庫는『경국대전』에 규정된 영(1), 주부(1), 직장(1), 봉사(1)가 1506년(연산 12)에 봉사 1직이 증치되고 참봉(종9) 1직이 신치되었다가[84] 1506년(중종 1)에 복구되었고, 1608년(광해 즉위)까지 관아의 폐·치와 함께 관직도 혁거·복치되었다가[85] 1746년(영조 22) 이전에 영이 혁거되면서 주부(1)·직장(1)·봉사(1)로 정비된[86] 후 후대로 계승되었다.

長興庫는『경국대전』에 규정된 영(1), 주부(1), 직장(1), 봉사(1)가 1746년(영조 22) 이전에 영이 혁거되면서 주부(1)·직장(1)·봉사(1)로 정비된[87] 후 후대로 계승되었다.

司圃署는『경국대전』에 규정된 司圃(정6, 1)가 1506년(연산 12)에 혁거되었다가,[88] 1506년(중종 1)에 복구, 1785년(정조 9) 이전에 사포를 혁거하고 직장(종7, 1)이 신치되면서[89] 후대로 계승되었다.

五部(동·서·남·북·중부)는『경국대전』에 규정된 주부(각1), 참봉(각2)이 1506년(연산 12)에 동부·북부의 주부 각1직과 참봉 각2직이 삭감되었다가 1506년(중종 1)에 복구되었고,[90] 1593년(선조 26)에 주부가 혁거되고 참봉 각1직이 삭감되었다.[91] 다시 1746년(영조 22) 이전에 주부·참봉이 혁거되고 종6품 도사와 종8품 봉사 각1직이 신치되었으며,[92] 1791년(정조 15)에 봉사가

---

83)『선조실록』 권17, 16년 5월 정미.

84)『연산군일기』 권62, 12년 6월 신유.

85)『광해군일기』 권1, 즉위년 8월 무오(혁거년 불명).

86)『속대전』 권1, 이전 경관직 의영고.

87)『속대전』 권1, 이전 경관직 장흥고.

88)『연산군일기』 권61, 12년 1월 병신.

89)『대전통편』 권1, 이전 경관직 사포서.

90)『연산군일기』 권61, 12년 1월 병신.

91)『선조실록』 권42, 26년 9월 계축.

혁거되고 종5품 영 각1직이 신치 및 도사가 종9품직으로 강격되면서[93] 영·도사 각1직으로 정비된 후 후대로 계승되었다.

(5) 平市署·典牲暑

平市署는 『경국대전』에 규정된 영(1)·직장(1)·봉사(1)가 후대로 계승되다가 1785년(정조 9) 이전에 종6품 주부 1직이 신치 되고 봉사가 혁거되면서 영(1)·주부(1)·직장(1)으로 정비 된[94] 후 후대로 계승되었다.

典牲暑는 『경국대전』에 규정된 주부(1)·직장(1)·봉사(1)·참봉(2)이 1506년(연산 12)에 정7품 副奉事 1직이 신치되고 참봉 1직이 증치되었다가[95] 종종 즉위와 함께 복구되었고, 1746년(영조 22) 이전에 참봉이 혁거되면서 주부(1)·직장(1)·봉사(1)로 정비된[96] 후 후대로 계승되었다.

3) 禮曹屬衙門 : 弘文館·奉常寺,藝文館·成均館·承文院·校書館·世子侍講院·世孫講書院, 通禮院·內醫院·禮賓寺·掌樂院·觀象監·典醫監·司譯院, 昭格·宗廟·社稷·典牲·司畜·惠民署, 景慕宮과 廟·殿·陵·園[97]

(1) 弘文館·奉常寺

弘文館은 『경국대전』에 규정된 副提學(정3당상, 1) 이하 正字(정9, 2)가 1505년(연산 11) 관아의 혁파로 모든 관직이 혁거되었다가[98] 중종 즉위

92) 『속대전』 권1, 이전 경관직 5부.
93) 『대전회통』 권1, 이전 경관직 5부.
94) 『대전회통』 권1, 이전 경관직 평시서.
95) 『연산군일기』 권62, 12년 6월 정유.
96) 『대전통편』 권1, 이전 경관직 전생서.
97) 이외에도 춘추관·종학·빙고·도화서·활인서·귀후서·사학 등의 관아가 있으나 각 관아에 편제된 모든 관직이 겸직, 체아직, 무록직이고 정직이 없기에 제외한다. 홍문관 등 관아의 관직에 있어서도 겸직, 체아직, 무록직은 제외하고 파악한다.

초에 관아와 함께 복치되었고, 이후 『속대전』과 『대전통편』에 등재되어 후대로 계승되었다. 그후 1865년(고종 2)에 직제학이 도승지의 겸직이 되면서[99] 부제학과 전한 이하 정자로 정비되어 『대전회통』에 등재된 후 조선후기까지 계승되었다(관직과 직질은 뒤 〈표 6-2〉 참조).

奉常寺는 『경국대전』에 규정된 정(정3, 1) 이하 참봉(종9, 1)이 1506년(연산군 12)에 첨정 1직이 삭감되고 직장·참봉 각2직이 증치되었다가[100] 중종 즉위 초에 복구되었고, 1746년(영조 22) 이전에 부정이 혁거되고 첨정·판관 각1직이 삭감되면서 정(1)·첨정(1)·판관(1)·주부(2)·직장(1)·봉사(1)·부봉사(1)·참봉(1)으로 정비된[101] 후 후대로 계승되었다(관직과 직질은 뒤 〈표 6-2〉 참조).

(2) 藝文館·成均館·承文院·校書館·世子侍講院·世孫講書院·宗學

藝文館은 『경국대전』에 규정된 奉敎(정7, 2), 待敎(정8, 2), 檢閱(정9, 4)이 1505년(연산 11)에 봉교 이하 4직이 증치되고 관아의 혁파와 함께 모든 관직이 혁거되었다가[102] 1506년(중종 1) 관아의 복치와 함께 복구되어 후대로 계승되었다. 그후 1865년(고종 2)에 도승지의 겸직이던 직제학이 녹직이 되면서[103] 직제학과 봉교 이하로 정비되어 『대전회통』에 등재된 후 조선후기까지 계승되었다.

成均館은 『경국대전』에 규정된 大司成(정3당상, 1), 司成(종3, 2), 司藝(정4, 3), 直講(정5, 4), 典籍(정6, 13), 博士(정7, 3), 學正(정8, 3), 學錄(정9, 3), 學諭(종9, 3)가 1505년(연산 11) 2차에 걸쳐 사예·직강 각1직과 전적 6직이

98) 『연산군일기』 권58, 11년 7월 경인.
99) 『고종실록』 2년 11월 4일.
100) 『연산군일기』 권61, 12년 1월 병신, 권62, 12년 6월 신유.
101) 『속대전』 권1, 이전 경관직 봉상시.
102) 『연산군일기』 권58, 11년 6월 갑인, 7월 임진.
103) 『고종실록』 2년 11월 4일.

삭감되고 박사·학정·학록·학유가 혁거되었다가[104] 1506년(중종 1)에 복구되었고, 곧이어 정4품 司業 2직이 설치되었으며,[105] 다시 1658년(효종 9)에 정3품 당상직인 祭酒 1직이 설치되었다.[106] 이것이 이후 1746년(영조 22) 이전에 사성·사예 각1직이 삭감되면서 대사성(정3당상, 1), 제주(정3당상, 1), 사성(종3, 2), 사예(정4, 3), 사업(1), 직강(정5, 4), 전적(정6, 13), 박사(정7, 3), 학정(정8, 3), 학록(정9, 3), 학유(종9, 3)로 정비된[107] 후 그대로 계승되었다.

承文院은 『경국대전』에 규정된 判校(정3, 1), 參校(종3, 2), 校勘(종4, 1), 校理(종5, 1), 校檢(정6, 1), 博士(정7, 2), 著作(정8, 2), 正字(정9, 2), 副正字(종9, 2)가 1506년(연산 12)에 2차에 걸쳐 교리·교검 각1직이 삭감되고 박사·저작·정자·부정자가 겸직으로 전환되었다가[108] 중종 즉위 초에 복구되었다. 그 후 1610년(광해군 2)에 실관 3직 외는 權知職으로 전환되었다가 복구되었고,[109] 1746년(영조 22) 이전에 참교·교검·교리가 혁거되고 교검 1직이 삭감되면서 정(1)·교검(1)·박사(2)·저작(2)·정자(2)·부정자(2)로 정비된[110] 후 조선후기까지 계승되었다.

校書館은 『경국대전』에 규정된 判校(정3, 1, 타관겸), 校理(종5, 1), 博士(정7, 2), 저작(정8, 2), 정자(정9, 2), 부정자(종9, 2)가 1506년(연산 12)에 박사, 저작, 정자, 부정자가 혁거되었다가[111] 1506년(중종 1)에 복치되었으며,

---

104) 『연산군일기』 권61, 12년 1월 갑인, 권62, 12년 6월 병오.

105) 『중종실록』 권28, 11년 7월 신사. 관직의 위차가 사예(정4)의 아래이고 직강(정5)의 위라고 적기되었는데 여기서는 사예에 비정하여 정4품직으로 파악한다.

106) 『증보문헌비고』 권221, 직관고 8, 성균관. 제주의 관직적 성격은 『증보문헌비고』에 "資級에 구되지 않는 관직이고, 宋時烈과 宋浚吉이 겸대하였다"고 하였지만 『속대전』에 "제주와 사업은 학행이 있고 사림의 명망이 있는 자를 擬差한다"고 하였고, 또 제주는 정3품 당상직에 적기하였음에서 정3품 당상 정직으로 파악한다.

107) 『속대전』 권1, 이전 경관직 성균관.

108) 『연산군일기』 권61, 12년 1월 병신 ; 권62, 12년 6월 병오.

109) 『연산군일기』 권4, 2년 1월 신사(복구년 불명).

110) 『속대전』 권1, 이전 경관직 승문원.

111) 『연산군일기』 권62, 12년 6월 병오.

1782년(정조 6)에 관아가 혁거되면서 奎章閣 屬司(外閣)가 될 때 그 관직 모두가 규장각 관직이 되면서[112] 조선후기로 계승되었다.

世子侍講院은『경국대전』에 규정된 輔德(종3, 1), 弼善(정4, 1), 文學(정5, 1), 司書(정6, 1), 說書(정7, 1)가 1506년(중종 1)에 관아와 함께 모두 혁거되었다가 1520년(중종 15)에 관아와 함께 복치되었다. 그 후 1646년(인조 24)에 贊善(정3당상)·翊善(정4)·諮議(정7) 각1직이 신치되었고,[113] 1659년(현종 즉위) 이전에 익선이 進善으로 개칭되면서[114] 찬선(1)·보덕(1)·필선(1)·문학(1)·진선(1)·사서(1)·설서(1)·자의(1)로 정비된 후 후대로 계승되었다.

世孫講書院은 1648년(인조 26) 관아의 신치 때에 左·右諭善(종2~정3, 각1), 左·右翊善(종4, 각1), 左·右勸讀(종5, 각1), 左·右贊讀(종6, 각1)이 설치되었고,[115] 1651년(효종 2)에 세손이 세자에 책봉될 때 관아와 함께 혁거되었다가 1751년(영조 27)에 복설되어[116]『대전통편』에 등재된 후 후대로 계승되었다.

(3) 通禮院·禮賓寺·掌樂院·觀象監·司譯院

通禮院은『경국대전』에 규정된 左·右通禮(정3, 각1), 相禮(종3, 1), 奉禮(정4, 1), 贊儀(정5, 1), 引儀(종6, 8)(이 중 겸관 6)이 1506년(연산 12)에 상례가 혁거 및 인의 2직이 삭감되었다가[117] 중종 즉위 초에 복구되었다. 그 후 1563년(명종 18)에 인의 2직이 삭감되고[118] 1785년(정조 9) 이전에 종4품 翊禮 1직이 신치되면서 좌·우통례(각1)·상례(1)·익례91)·봉례(1)·찬의(1)·인의(6)로 정비된 후 후대로 계승되었다.

---

112)『증보문헌비고』권220, 직관 7 규장외각.
113)『인조실록』권17, 24년 5월 전축,『증보문헌비고』권225, 직관고 12 세자시강원.
114)『현종실록』권1, 즉위년 6월 신묘.
115)『인조실록』권19, 26년 9월 신축.
116)『증보문헌비고』권225, 직관고 12 세손강서원.
117)『연산군일기』권61, 12년 1월 갑인.
118)『명종실록』권18, 10년 6월 정축.

禮賓寺는 『경국대전』에 규정된 정(1), 부정(1), 첨정(1), 판관(1), 주부(1), 직장(1), 봉사(1), 참봉(1)이 1506년(연산 12)에 참봉 1직과 부정·첨정·판관·주부 중 1직이 軍職 兼職으로 전환되고 정9품 副奉事 1직이 신치되었다가[119] 1506년(중종 1)에 복구되었다. 그 후 1746년(영조 22) 이전에 정·부정·첨정·판관이 혁거되고 주부 2직과 참봉 1직이 가치되었고[120] 1785년(정조 9)에 봉사가 혁거되면서 주부(1)·직장(1)·참봉(2)으로 정비되어 『대전통편』에 등재되면서 조선후기까지 계승되었다.

掌樂院은 『경국대전』에 규정된 정(1), 첨정(1), 주부(1), 직장(1)이 1505년(연산 11)에 부정 1직이 가치 및 종9품 참봉 1직이 신치되고 4직(관직불명)이 증치되었다가[121] 1506년(중종 1)에 복구되었다. 그 후 1746년(영조 22) 이전에 주부 1직이 가치되고 직장이 혁거되면서 정(1)·첨정(1)·주부(2)로 정비된 후 『속대전』에 등재되면서 조선후기까지 계승되었다.

觀象監은 『경국대전』에 규정된 정(1), 부정(1), 첨정(1), 판관(2), 주부(2), 천문·지리학교수(종6, 각1), 직장(2), 봉사(2), 부봉사(3), 天文·地理學訓導(정9, 각1), 命科學訓導(정9, 2), 참봉(3)이 1506년(연산 12)에 판관·주부·직장·봉사·참봉 각1직이 삭감되고 다시 정·부정·첨정이 혁거(관아도 강격되고 司曆署로 개칭)되었다가[122] 1506년(중종 1)에 복구되었다. 그 후 1634년(인조 12) 이후에 부정이 혁거되고 판관·주부·명과학훈도·참봉 각1직이 삭감되면서 정(1)·첨정(1)·판관(1)·주부(1)·천문·지리학교수(각1)·직장(2)·봉사(2)·부봉사(3)·천문·지리학훈도(각1)·명과학훈도(1)·참봉(1)으로 정비되어 『속대전』에 등재되면서 조선후기까지 계승되었다.

司譯院은 『경국대전』에 규정된 정(1)·부정(1)·첨정(1)·판관(2)·주부(1)·

---

119) 『연산군일기』 권61, 12년 1월 병신 ; 권62, 12년 6월 신유.
120) 『속대전』 권1, 이전 경관직 예빈시.
121) 『연산군일기』 권57, 11년 3월 정해 ; 권58, 11년 5월 경술.
122) 『연산군일기』 권61, 12년 1월 병신 ; 권63, 12년 7월 정유.

역학교수(종6, 4)·직장(2)·봉사(3)·부봉사(2)·역학훈도(정9, 8)·참봉(2)이 1506년(연산 12)에 판관·직장 각1직과 한학교수·훈도 각1직이 삭감되었다가[123] 중종 1년에 복구되었다. 그 후 1746년(영조 22) 이전에 부정이 혁거되고 판관·직장·봉사 각1직과 의학교수 1직이 삭감되면서 정(1)·첨정(1)·판관(1)·주부(1)·역학교수(4)·직장(1)·봉사(2)·부봉사(2)·역학훈도(8)·참봉(2)으로 정비되어 『속대전』에 등재된 후 후대로 계승되었다.

(4) 昭格署·宗廟署·社稷署·典牲暑·司畜署·惠民署

昭格署는 『경국대전』에 규정된 참봉(종9, 2)이 1506년(연산 12) 관아와 함께 혁거되었다가[124] 1506년(중종 1) 관아와 함께 복치되었다. 이후 관아의 변천과 함께 모든 관직이 1516년(중종 11) 혁거, 1522년(중종 17) 복치, 1555년(명종 10) 이전에 혁거, 1592년(선조 25) 이전에 복치, 1592년에 혁거, 1630년(인조 8) 이전에 복치되었다가 1746년(영조 22) 이전에 혁거되었다.[125]

宗廟署는 『경국대전』에 규정된 영(종5, 1), 직장(종7, 1), 봉사(종8, 1), 부봉사(정9, 1)가 1506년(연산 12)에 부봉사 1직이 증치되고 참봉(종9, 1)이 신치되었다가[126] 1506년(중종 1) 복구되었다. 그 후 1746년(영조 22)까지 영 1직이 증치되고 봉사가 혁거되면서[127] 영 2, 직장 1, 부봉사 1직으로 정비되어 『속대전』에 등재된 후 후대로 계승되었다.

社稷署는 『경국대전』에 규정된 영(종5, 1), 참봉(종9, 2)이 1555년(명종 10)에 영이 혁거,[128] 곧 영이 복치되었고, 1746년(영조 22) 이전에 영 1직이

---

123) 『연산군일기』 권61, 12년 1월 병신, 3월 신묘.

124) 『연산군일기』 권61, 12년 1월 병신.

125) 『연산군일기』 권61, 12년 1월 병신 ; 『중종실록』 권1, 1년 10월 무신 ; 권34, 13년 9월 경자 ; 권46, 17년 12월 을유·정해 ; 『명종실록』 권18, 10년 2월 정축 ; 『인조실록』 권23, 8년 3월 기유 ; 『증보문헌비고』 권223, 직관고 10, 소격서.

126) 『연산군일기』 권62, 12년 6월 신유.

127) 『속대전』 권1, 이전 경관직 종묘서.

증치되고 종7품 직장 1직이 신치·참봉이 혁거되면서 영(2)·직장 1직으로 정비되어[129] 『속대전』에 등재된 후 후대로 계승되었다.

典牲署는 『경국대전』에 규정된 주부(종6, 1), 직장(종7, 2), 봉사(종8, 1), 참봉(종9, 2)이 1506년(연산 12)에 정9품 부봉사 1직이 신치되고 참봉 1직이 증치되었다가[130] 1506년(중종 1)에 복구되었다. 그후 관아의 폐·치에 따라 1555년(명종 10) 혁거, 복치(연대 불명), 1575년(선조 8) 혁거, 복치(연대불명), 1651년(인조 34) 혁거되었다가[131] 1746년(영조 22) 이전에 참봉이 혁거되면서 주부(1)·직장(1)·봉사(1)로 정비되어 『속대전』에 등재된 후 후대로 계승되었다.

司畜署는 『경국대전』에 규정된 司畜(종6, 1))이 1506년(연산 12) 혁거되었다가[132] 1506년(중종 1)에 복구되었고, 1595년(선조 28) 관아가 전생서에 합병될 때 혁거,[133] 1636년(인조 14)에 관아와 함께 복치,[134] 1637년(인조 15) 혁거,[135] 1658년(효종 9) 복치,[136] 1761년(영조 43)에 관아와 함께 혁거되면서 소멸되었다.[137]

惠民署는 『경국대전』에 규정된 주부(종6, 1), 의학교수(종6, 2, 1은 겸직), 직장(종7, 2), 봉사(종8, 1), 의학훈도(정9, 1), 참봉(종9, 4)이 1506년(연산 12)에 참봉 2직이 삭감되었다가[138] 중종 즉위 초에 복구되었다. 그 후 1610년

---

128) 『명종실록』 권18, 10년 2월 정축.

129) 『속대전』 권1, 이전 경관직 사직서.

130) 『연산군일기』 권62, 12년 6월 신유.

131) 『명종실록』 권18, 10년 1월 정축 ; 『선조실록』 권62, 28년 4월 갑자 ; 『인조실록』 권34, 15년 3월 정미 ; 『증보문헌비고』 권223, 직관고 10, 전생서.

132) 『연산군일기』 권61, 12년 1월 병신.

133) 『선조실록』 권62, 28년 4월 갑자.

134) 『인조실록』 권34, 15년 3월 정미.

135) 『인조실록』 권34, 15년 3월 정미.

136) 『효종실록』 권20, 9년 12월 기묘.

137) 『증보문헌비고』 권223, 직관고 10, 사축서. 정직인 사축은 혁거되나 겸직인 제조와 무록직인 별제가 존치되었기에 관아로 존속되었다.

(광해 2)까지 관아의 혁거와 함께 모든 관직이 혁거되었다가 복치,[139] 1623년(광해 15) 관아가 典醫監에 합병되면서 관직이 혁거,[140] 곧 관아와 함께 관직이 복치되었다가(연대불명) 1746년(영조 22) 이전에 의학교수 1직이 삭감되면서 주부(1)·의학교수(1)·직장(1)·봉사(1)·의학훈도(1)·참봉(1)으로 정비되어『속대전』에 등재된 후 후대로 계승되었다.

(5) 景慕宮과 廟·殿·陵·園

景慕宮은 1779년(정조 3)에 관아설치와 함께 令(종5, 1), 直長(종7, 1), 奉事(종8, 1)가 설치되었고,[141] 이것이 1785년(정조 9) 이후에 영 2직이 증치되고 직장·봉사가 혁거되면서 영 3직으로 정비되었다가『대전회통』에 법제화되었다.

廟는 追尊王·王妃의 神位를 봉안한 전각이고, 殿은 선대왕의 影幀을 봉안한 전각이며, 陵과 園은 추존 왕과 왕비·선대왕과 왕비·역대왕 私親의 묘인데 그 각각에는 당상관이 겸하는 都提調·提調와 令(종5) 이하가 있었다.[142] 그 관직은『경국대전』에는 2전·20능에 參奉(종9) 각2직의 44직이 규정되었다.[143] 이 관직이 이후 1864년(고종 1)까지 왜란, 관제의 정비, 능·원의 조성, 왕통의 계승·왕친의 추숭 등과 관련되어 문소·연은전이 혁거되고 肇慶廟와 慶基殿 등 8전, 宣陵 등 27릉, 昭寧園 등 8원이 차례로 설치되면서 겸직인 도제조·제조, 녹관인 令(종5)·直長(종8)·奉事(종8), 무록직인 別檢(종8)이 설치되고 변천되면서 운영되었다.

---

138)『연산군일기』권61, 12년 1월 병신.
139)『광해군일기』권34, 15년 3월 정미.
140)『광해군일기』권34, 15년 3월 정미.
141)『정조실록』권8, 3년 8월 신사,『증보문헌비고』권 223, 직관고 10 경모궁.
142) 조선 중·후기에 운영된 묘·전·능·원과 각각의 조성시기, 봉안된 신위와 영정, 배릉자는 뒤 8장〈표 8-1〉참조).
143)『경국대전』권1, 이전 경관직 각전조.

廟인 肇慶廟는 1771년(영조 47) 준공과 함께 참봉 2직을 두면서 비롯되어 1776년(정조 즉위)에 참봉 1직이 종8품 무록직인 별검으로 승질·개정되었으며,[144] 1865년(고종 2) 이전에 令(종5) 1직이 신치되고 참봉이 혁거되면서 영·별검 각1직으로 정비된 후 『대전회통』에 등재되었다.

諸殿은 文昭殿과 延恩殿은 『경국대전』에 규정된 참봉 2직이 후대로 계승되다가 1592년(선조 25)에 왜군의 방화로 전각이 소실되었고, 1746년(영조 22) 이전에 관직이 혁거되었다.[145] 慶基殿은 『경국대전』에 등재된 참봉 2직이 후대로 계승되다가 1592년(선조 25)에 왜군의 방화로 전각의 소실과 함께 관직이 혁거되었다.[146] 그 후 1614년(광해군 6) 전각의 중건에 따라 참봉 2직이 복치되고 1776년(정조 즉위)에 참봉 1직이 무록직 종8품 別提로 승격되었으며, 1785년(정조 8)에 별제가 종5품 令으로 승격되면서 영(1)·참봉(1)으로 정비되어[147] 『대전통편』에 등재된 후 후대로 계승되었다. 長寧殿은 1695년(숙종 21) 전각의 조성과 함께 참봉 2직이 설치되었으며 1721년(경종 1)에 참봉 1직이 무록직 종8품 別檢으로 승격되고 1776년(정조 즉위)에 영이 신치되고 참봉이 소멸되면서 영(1)·별검(1)으로 정비되어[148] 후대로 계승되었다. 永禧殿은 1725년(영조 1) 이전에 참봉 2직이 설치되었다가 참봉 1직이 영으로 승격되고 1860년(철종 11)에 도제조·제조 각1직이 신치되었으며, 1865년(고종 2) 이전에 영 1직이 가치되면서 도제조(1)·제조(1)·영(2)·참봉(1)으로 정비되어[149] 『대전회통』에 등재되었다. 萬寧殿은 1745년(영조 1) 전각의 창건과 함께 별검·참봉 각1직이 설치되었다가 1776년(정조 즉위)에 영정이 장령전에 이봉되면서 소멸되었다.[150] 長生殿은 東園秘記를 보관하는

144) 『대전통편』 권1, 이전 경관직 각전 조경묘.
145) 『증보문헌비고』 권224, 직관고 11 문소전, 연은전.
146) 『증보문헌비고』 권224, 직관고 11 경기전.
147) 『증보문헌비고』 권224, 직관고 11 경기전.
148) 『증보문헌비고』 권224, 직관고 11 장령전.
149) 『증보문헌비고』 권224, 직관고 11 영희전.

전각이다. 1746년(영조 22) 이전에 겸직인 도제조(1)·제조(2)·낭청(2)이 설치되었다가 제조·낭청 각1직이 증치되어 도제조(1)·제조(3)·낭청(3)으로 정비되어[151] 후대로 계승되었다. 濬源殿은 태조의 영정을 봉안한 전각이다. 1746년(영조 22) 이전에 참봉 2직이 설치되었다가 1776년(영조 즉위)에 참봉 1직이 別檢(종8)으로 승격되었고,[152] 1785년(정조 9)에 별검이 영으로 승격되면서 영(1)·참봉(1)으로 정비되어[153] 후대로 계승되었다. 華寧殿은 1865년(고종 2) 이전에 겸직인 提調(수원유수)·令(수원판관) 각1직이 설치되어[154] 후대로 계승되었다.

諸陵은 『경국대전』에 규정된 덕릉 등 20릉에 각각 참봉 2직의 40직이 1865년(고종 2)까지 27릉이 조성되면서 참봉 등이 설치되고, 수십 차에 걸쳐 직질이 승·강격되고 개칭되면서 영·직장·봉사·별검 등으로 변천되면서 운영되었다. 1485년(성종 16) 이전에 조성되어 『경국대전』에 각각 참봉(종9) 2직이 규정된 德陵 등은 후대로 계승되다가 1694년(숙종 33)에 健元陵·齊陵·貞陵과 獻陵·英陵·光陵·順陵의 참봉 각1직이 종7품 직장과 종8품 봉사로 승격·개칭되었다,[155] 이후 1865년(고종 2)까지 수차에 걸쳐 개변되면서 참봉 2직이던 능관이 직장 1직(德陵), 참봉 1직(安·定·和陵), 참봉 2직(睿陵), 영·참봉 각1직(健元陵 등 29릉), 직장·참봉 각1직(智陵 등 8릉), 봉사·참봉 각1직(淑·義·純陵), 별검·참봉 각1직(穆·元陵)으로[156] 정비된 후 『대전회통』에 등재되었다.

諸園은 昭寧園은 영조의 생모인 숙종 후궁 淑嬪崔氏의 묘이다(이하 園

150) 『증보문헌비고』 권224, 직관고 11 만령전.
151) 『증보문헌비고』 권224, 직관고 11 만령전 ; 『속대전』 권1, 이전 경관직 제전 장생전.
152) 『속대전』 권1, 이전 경관직 준원전 ; 『증보문헌비고』 권224, 직관고 11 준원전.
153) 『증보문헌비고』 권224, 직관고 11 준원전.
154) 『대전회통』 권1, 이전 경관직 화령전.
155) 『숙종실록』 권43, 33년 3월 무진 ; 『증보문헌비고』 권224, 직관고 11, 건원릉 등조.
156) 그 변천과 능별 능관의 관직은 졸저, 2022, 『조선 중·후기 정치제도 연구』, 혜안, 322~324쪽 〈표 8-2〉 조선시대 능관변천 종합표 참조.

배장자는 뒤 216~217쪽 참조). 1753년(영조 29) 園의 조성과 함께 종9품 守奉官(종9, 무록관) 2직이 설치되어[157] 후대로 계승되었다. 順康園은 1755년(영조 31) 墓에서 원으로 승격되면서 참봉(종9) 2직이 두어졌다가 1785년(정조 9) 이전에 수봉관 2직으로 개정되어[158] 후대로 계승되었다. 仁明園은 1785년(정조 9) 이전에 수봉관 2직이 설치된 후[159] 후대로 계승되었다. 永祐園(顯隆園)은 1776년(정조 즉위)에 묘에서 永祐園으로 승격되면서 수봉관 2직이 설치되었다가 1779년(정조 3)에 수봉관이 별검·참봉으로 승격되었고, 1789년(정조 13)에 영우원이 顯隆園으로 개칭되면서 다시 영·참봉 각1직으로 개정된 후[160] 후대로 계승되었다. 綏吉園은 1778년(정조 2) 묘가 원으로 승격되면서 소령원관이 겸하는 수봉관 2직이 설치된 후[161] 후대로 계승되었다. 徽慶園은 1823년(순조 23)에 수봉관 2직이 설치되었고, 1865년(고종 2) 이전에 영·참봉 각1직으로 개정된 후[162] 『대전회통』에 등재되었다.

이처럼 묘·전·능의 정직은 20릉 참봉 40직(『경국대전』)→ 1묘·5전·42릉 82직(영 28·직장 6·봉사 3·참봉 45직, 성종 17~정조 8)→ 1묘·6전·47릉 97직(영 36·직장 9·봉사 3·참봉 49, 정조 7~고종 2, 이상 무록관과 겸직 제외)으로 그 수가 계속하여 증가하면서 운영되다가 『대전회통』에 법제화되었다.

4) 兵曹屬衙門 : 司僕寺·軍器寺·典設司, 五衛·訓練院·世子翊衛司·世孫衛從司, 宣傳官廳·守門將廳·各殿守門將

병조 속아문에는 문반직이 편제된 사복시·군기시·전설사와 무반직이 편제된 五衛·訓練院·世子翊衛司·世孫衛從司·宣傳官廳·守門將廳·各殿守門將이 있

157) 『증보문헌비고』 권224, 직관고 1 제원관.
158) 『증보문헌비고』 권224, 직관고 1 제원관.
159) 『대전회통』 권1, 이전 경관직 인명원.
160) 『증보문헌비고』 권224, 직관고 1 제원관.
161) 『증보문헌비고』 권224, 직관고 1 제원관.
162) 『대전회통』 권1, 이전 경관직 제전.

다. 여기에서는 문반아문의 관직에 한정하여 고찰한다(5위 등에 편제된 관직은 뒤 제7장 참조).

(1) 司僕寺

사복시는 『경국대전』에 규정된 정(1), 부정(1), 첨정(1), 판관(1), 주부(2)가 1506년(연산 12)에 첨정·판관·주부 각1직이 軍職으로 전환되었다가[163] 1506년(중종 1)에 복구되었고, 1555년(명종 10)에 부정이 혁거되면서[164] 정 1, 첨정 1, 판관 1, 주부 2직으로 정비되어 『속대전』에 등재된 후 후대로 계승되었다.

(2) 軍器寺

군기시는 『경국대전』에 규정된 정(1), 부정(1), 첨정(2), 판관(1), 주부(2), 직장(1), 봉사(1), 부봉사(1), 참봉(1)이 1505년과 1506년(연산 12)에 판관·주부 각2직과 부봉사·참봉 각1직이 증치되고 첨정(1)·판관(1)·주부(2)·직장(2)·봉사(2)가 軍職 겸직으로 전환되었다가[165] 1506년(중종 1)에 복구되었다. 그 후 1719년(숙종 45)에 정·부정이 혁거되면서[166] 첨정(2)·판관(2)·주부(2)·직장(1)·봉사(1)·부봉사(1)·참봉(1)으로 정비되어 『속대전』에 등재된 후 후대로 계승되었다.

(3) 典設司

전설사는 『경국대전』에 규정된 守(정4, 1)가 1506년(연산 12) 혁거되었다

---

163) 『연산군일기』 권61, 12년 1월 병신. 이와 동시에 직장·부직장(관직수 불명)과 봉사(2)·부봉사(2)·참봉(4)직이 군직 겸직으로 신치되었다.

164) 『명종실록』 권18, 10년 6월 정축.

165) 『연산군일기』 권58, 11년 6월 경진 ; 권62, 12년 6월 신유.

166) 『증보문헌비고』 권226, 직관고 13, 군기시.

가[167] 1506년(중종 1)에 복치되었고, 1576년(선조 9)에 다시 守가 혁거되었지만[168] 관아는 무록관인 별제(종6)가 있었기에 후대로 계승되었다.

5) 刑曹屬衙門 : 掌隷院·典獄署

掌隷院은 『경국대전』에 규정된 判決事(정3당상, 1), 司議(정5, 3), 司評(정6, 4)이 1746년(영조 22) 이전에 사의가 혁거되고 사평 2직이 삭감되면서 판결사와 사평 2직이 존치되었다가[169] 1764년(영조 40)에 관아가 형조에 합병될 때 소멸되었다.[170]

典獄署는 『경국대전』에 규정된 주부(1), 봉사(1), 참봉(1)이 1746년(영조 22) 이전에 봉사가 혁거되고 참봉 1직이 증치되면서[171] 주부(1)·참봉(2)으로 정비되어 『속대전』에 등재된 후 후대로 계승되었다.

6) 工曹屬衙門 : 尙衣院·繕工監, 典涓司·掌苑署·造紙署

(1) 尙衣院·繕工監

尙衣院은 『경국대전』에 규정된 정(1), 첨정(1), 판관(1), 주부(1), 직장(2)이 1505년(연산군 11)에 판관·주부 각1직이 증치되었다가[172] 1506년(중종 1)에 복구되었고, 1746년(영조 22)까지 판관이 혁거되고 직장 1직이 삭감되면서[173] 정(1)·첨정(1)·판관(2)·주부(2)·직장(1)으로 정비되어 『속대전』에 등재된 후 후대로 계승되었다.

繕工監은 『경국대전』에 규정된 정(1), 부정(1), 첨정(1), 판관(1), 주부(1),

---

167) 『연산군일기』 권61, 12년 1월 병신.
168) 『선조실록』 권17, 6년 5월 정미.
169) 『속대전』 권1, 이전 경관직.
170) 『증보문헌비고』 권222, 직관고 9 장예원.
171) 『속대전』 권1, 이전 경관직.
172) 『연산군일기』 권58, 11년 6월 경진.
173) 『속대전』 권1, 이전 경관직.

직장(1), 봉사(1), 부봉사(1), 참봉(1)이 1506년(연산 12)에 부정 이하 주부 중 1직이 軍職 겸직으로 전환되고 부정·판관이 혁거되었다가[174] 1506년(중종 10에 복구되었다. 그 후 1555년(명종 10)에 부정이 혁거되고,[175] 1746년(영조 22) 이전에 정·첨정·판관·직장·참봉이 혁거되고 부정 1직이 복치되면서[176] 부정(1)·주부(1)·봉사(1)·부봉사(1)로 정비되어 『속대전』에 등재된 후 후대로 계승되었다.

(2) 典涓司·掌苑署·造紙署

典涓司는 『경국대전』에 규정된 직장(종7, 2), 봉사(종8, 2), 참봉(종9, 6)이 1746년(영조 22) 이전에[177] 관아와 함께 혁거되었다.

掌苑署는 『경국대전』에 규정된 掌苑(정6, 1)이 1506년(연산 12)에 혁거되었다가 1506년(중종 1)에 복치되었고,[178] 1703년(숙종 29)에 무록직인 別檢(종8) 2직이 녹직인 직장(종8)·참봉(종9) 각1직으로 전환되면서[179] 장원·직장·참봉 각1직으로 조정되었다. 그 후 1746년(영조 22) 이전에 장원·직장·참봉이 혁거되고 종8품 봉사 1직이 설치된 후[180] 『속대전』에 등재되어 후대로 계승되었다.

造紙署는 『경국대전』에 규정된 司紙(종6, 1)가 1506년(연산 12)에 혁거되었다가[181] 1506년(중종 1에 복치되었고, 1583년(선조 16) 사지가 혁거되면서[182] 겸직과 무록직만 존치된 후 후대로 계승되었다.[183]

---

174) 『연산군일기』 권61, 12년 1월 병진, 3월 신묘.
175) 『명종실록』 권18, 10년 6월 정축.
176) 『속대전』 권1, 이전 경관직 선공감.
177) 『속대전』 권1, 이전 경관직 전연사.
178) 『연산군일기』 권16, 12년 1월 병신.
179) 『숙종실록』 권38하, 29년 7월 을묘.
180) 『속대전』 권1, 이전 경관직 장원서 ; 『속대전』 권1, 이전 경관직.
181) 『연산군일기』 권61, 12년 1월 병신.
182) 『명종실록』 권17, 16년 5월 정미.

이상에서 조선 중·후기 육조 속아문의 문반 정직(녹직)은 왜란 이전까지는 『경국대전』에 규정된 상서원 등 70아문 353직이[184] 큰 변동 없이 계승되었다. 그러나 왜란 이후에는 그 총 관직 수가 대폭으로 감소되면서 59아문 333직(성종 17~영조 22)→ 57아문 311직(영조 23~고종 2)으로 변천되면서 운영되었다. 그러나 왜란 이후에는 정무아문 관직은 속아문의 기능약화로 인한 관아 혁거·강격, 경비절감·관제정비로 인한 관직 삭감 등과 관련되어 핵심 속아문의 장관인 정(정3) 17직 중 9직이 혁거되는 등 70~90직이 혁거·삭감되었고, 그 반면에 왕실과 관련된 묘·전·능의 조성으로 인해 묘·전·능관은 40직에서 90직으로 50직이 증가하였다. 육조 속아문 관직의 변천을 종합하여 제시하면 다음의 표와 같다.

〈표 6-2〉 조선 중·후기 육조 속아문 문반 녹관 변천(◘ 녹관이 없는 아문)[185]

속조	관아	『경국대전』(성종16)	변개 관직(성종17~고종1)	『대전회통』(고종2)	비고[*1]
이조속아문	忠翊府	都事 2(종5)→	연산12 혁 도사→ 중종1 복구→명종10 혁→ 광해군8 복치→? 혁→ 숙종6 복→ 숙종27 혁(속충훈부)		정3품 아문
	內侍府	尙膳2(종2), 尙醞·尙茶 각1(정3), 尙藥2(종3), 尙傳2(4), 尙冊3(종4, 1 鷹坊 체아, 2大殿薛里), 尙弧4(정5, 尙帑4(종5), 尙洗4(정6), 尙燭4 (종6), 尙煊4 (정7), 6尙設(종7), 尙除6(정8), 尙門5 (종8), 尙更6(정9), 尙苑5 (종9)→	→	→	종2
	尙瑞院	判官1(종5), 直長1(종7), 副直長2(정8)(장관인 正은 都承旨 겸)→	연산12 혁 판관·부직장, 증 직장·참봉 각1→ 중종1 감 직장·참봉 각1, 복치 부직장2→	판관 1, 직장 1, 부직장 2	정3
	宗簿寺	正1(정3), 僉正 1 (종 4), 主簿 1 (종6), 直長1 (종7)→	연산12 가 직장2, 치 참봉2→ 중종1 복구→	→	정3
	司饔院	正 1(정3), 僉正 1(종4), 判官 1(종5), 主簿 1(종6), 直長 2	성종16 감 봉사·참봉 각1→ 연산12 감 직장·봉사·참봉 각1	정 1, 첨정 1, 주부 3, 직장 2, 봉	정3

183) 『속대전』·『대전통편』·『대전회통』 권1, 이전 경관직 조지서.

184) 관아별 관직 수는 앞 〈표 2-1〉 참조.

이조속아문		(종7), 奉事 3(종8), 參奉 2(종9)→	→ 중종1 증치 직장 1→ 영조22 이전 가 주부·봉사 각1, 혁 판관, 감 참봉 2→ 정조9 이전 가 주부1→	사 3, 참봉 1	
	內需司	典需(정5)·副典需(종6) 각1 →	→	→	정5
호조	內資寺	正(정3)·副正(종3)·僉正(종4)·判官(종5)·主簿(종6)·直長(종7)·奉事(종8) 각1→	명종10혁 판관→ 선조15 혁(속내섬시)→ 영조9 이전 복치→ 영조10 혁 정·부정·첨정·판관→	주부 1, 직장 1, 봉사 1	종6
	內贍寺	內資寺와 같음→	영조22 이전 혁 정, 부정, 첨정, 판관	주부 1, 직장 1, 봉사 1	종6
	司導寺	정(정3)·副正(종3)·첨정(종4)·주부(종6)·직장(종7) 각1→	영조22 이전 혁 정·부정→ 고종2 이전 치 奉事1(종8)→	첨정 1, 주부 1, 직장 1, 봉사 1	종4
	司贍寺	司導寺와 같음→	인조15 혁(속제용감)→ 인조23 복 → 명종10 혁 부정, 가 봉사·참봉 각1→ 영조22 치 부정, 혁 봉사·참봉→ 정조9 이전 혁		
	軍資監	정1(정3), 부정1(종3), 첨정2(종4), 판관3(종5), 주부3(종6), 직장1(종7), 봉사1(종8), 副奉事1(종9), 參奉1(종9)→	연산12 가 직장·참봉 각1→ 중종1 복구→ 영조22 이전 혁 부정·첨정·부봉사·참봉 각1, 감 판관·주부 각1→	정·판관·주부·직장·봉사각1	정3
	濟用監	정·부정·첨정·판관·주부·직장·봉사·부봉사·참봉 각1(생략된 관품은 앞 관아 참조, 이하도 같다)→	명종18 혁 판관→ 영조22 이전 혁 정·부정·첨정·참봉, 치 판관 1→	판관·주부·직장·봉사·부봉사 각1	종5
	司宰監	정·부정·첨정·주부·직장·참봉각1→	명종10 혁 부정→ 영조22 이전혁 정, 치 봉사 1→	첨정·주부·직장·봉사 각1	종4
	豊儲倉	守·주부·직장·봉사·부봉사 각1→	인조15 혁(속 장흥고)		
	廣興倉	수·주부·봉사·부봉사 각1 →	연산12 증 부봉사·참봉 각1→ 중종1 혁 참봉, 감 부봉사 1→	수·주부·봉사 각1	정4
	典艦司	來屬 水運判官 2(종5), 海運判官 1(종5)→	영조22 이전 혁		
	平市署	令(종5)·직장·봉사(1)→	→	→	종5
	司醞署	영·주부·직장·봉사 각1→	선조16 혁 영→ 영조22 이전 혁 주부·직장·봉사 각1◘		종5
	典牲暑	主簿 1, 직장 1, 봉사 1, 참봉 2→	→	→	종6
	義盈庫	영·주부·직장·봉사 각1→	연산12 가 봉사 2, 치 참봉 2→ 중종1 복구→ ? 혁→ 광해즉복→ 영조22 이전 혁 령→	주부·직장·봉사 각1	종6
	長興庫	義盈庫와 같음→	영조22 이전 혁 영→	주부·직장·봉사 각1	종6

호조	司圃署	司圃 1(정6)→	연산12 혁 사포, 치 별제 1→ 중종1 복구→ 영조22 이전 혁 사포·별제, 치 직장 1→	직장 1	종7
	養賢庫	주부·직장·봉사 각1·(성균관전적·박사·학정 겸)→	연산12 녹직→ 선조26 혁→ 영조22 이전 복구→	주부·직장·봉사 각1	종6
	五部(東·西·南·北·中部)	주부 각1, 참봉 각2→	연산12 삭감 동부·북부 주부 각1, 참봉 각2→ 중종1 복구→ 선조26 혁 주부, 감 각 참봉 1→ 영조22 이전 신치 도사(종6)·봉사(종8) 각1→	도사·봉사·참봉 각1	종6
예조	弘文館	副提學(정3당상)·直提學(정3)·典翰(종3)·應教(정4)·副應教(종4) 각1, 校理(정5)·副校理(종5)·修撰(정6)·副修撰(종6, 2) 각2, 博士 1(정7), 著作 1(정8), 正字 2(정9)→	→ 고종2 감 직제학→	부제학·전한·응교·부응교 각1, 교리·부교리·수찬·부수찬 각2, 박사·저작 각1, 정저 2	정3
	藝文館	奉敎 2(정7), 待敎 2(정8), 檢閱4(정9)→	연산11 혁→ 중종 1 복구→ 고종2 치 직제학1(정3당하)→	직제학 1, 봉교·대교·검열 각2	
	成均館	大司成 1(정3당상), 司成 2(종3), 司藝 3(정4), 直講 4(정5), 典籍 13(정6), 博士(정7)·學正(정8)·學錄(정9)·學諭(종9) 각 3→	연산11 혁 박사학정·학록·학유, 감 사예·직강 각1, 전적 6→ 중종1 복구→ 중종12 치 司業 2(정4)→ 효종9 치 祭酒1(정3당상)→	대사성 1, 제주 1, 사성 2, 사예 3, 사업 1, 직강 4), 전적 13, 박사·학정·학록·학유 각3	정3 당상
	春秋館	◘			
	承文院	判校 1(정3), 參校 2(종3), 校勘1(종4), 校理 1(종5), 校檢 1(정6), 博士(정7)·著作(정8)·正字(정9)·副正字(종9) 각2(직장 이하 1인 겸)→	연산12 혁→ 중종1 복구→	→	정3
	通禮院	左·右通禮 각1(정3), 相禮 1(종3), 奉禮 1(정4), 贊儀 1(정5), 引儀 8(종6)(겸관 6)→	연산12 혁 상례, 감 인의2→ 중종1 복구→ 명종10 이전 감 인의 2, 치 가인의 6 명종10→ 혁 가인의→	좌·우통례 각1, 상례 1, 봉례 1, 찬의 1, 인의 6(이 중 겸관6)	정3
	奉常寺	정 1, 부정 1, 첨정·판관·주부 각2, 직장·봉사·부봉사·참봉 각1(주부 이상 6원 구임)→	→	→	정3
	校書館	교리 1, 박사·저작·정자·부정자 각1(장관인 판교는 겸직)→	연산12 혁 박사·저작·정자·부정자→ 연산12 혁 교리→ 중종1 복구→ 정조6 혁(규장각 이속)		
	內醫院	◘			
	禮賓寺	정·부정·첨정·판관·주부·직장·봉사·참봉 각1→	연산12 치 부봉사 1, 가 참봉 1→ 중종1 복구→ 선조25이후	주부(1), 직장(1), 봉사(1), 참봉(2)	종6

예조			혁 정·부정·첨정·판관, 가 참봉 1→		
	掌樂院	정·첨정·주부·직장 각1→	연산12 가 당상·부정 각2, 치 참봉1)→ 중종1 복구→	정1, 첨정1, 주부2	정3
	觀象監	天文·地理學教授 각1(종6), 天文·地理學訓導 각1(정9), 命科學訓導 2(정9)(장관인정 이하 체아)→	인조12 이후 삭감 명과학훈도 1→	천문·지리학교수 각1, 천문·지리학훈도 각1, 명과학훈도1	장3
	典醫監	의학교수2(종6), 醫學訓導 1(정9)(정~봉사 체아)→	영조22 이전 감 의학교수1→	의학교수1, 의학훈도1	정3
	司譯院	정·부정·첨정·판관 중 1인, 한학교수 4(종6, 2 문신 겸), 漢學訓導 4(정9), 蒙學·女眞學訓導 각2(정9)→	연산12 감 한학교수·한학훈도 각1→ 중종1 복구→	한학교수4, 한학훈도4, 몽학·여진학훈도 각2	정3
	世子侍講院	輔德(종3)·弼善(정4)·文學(정5)·司書(정6)·說書(정7) 각1)→	중종1 혁→ 중종15 복구→ 인조24 치 贊善(정3)·翊善(정5)·諮議(정7) 각1→	찬선1, 보덕1, 필선1, 문학1, 익선1, 사서1, 설서1, 자의1	정3
	世孫講書院		인조26 치 左·右翊善 각1(종4), 左·右勸讀 각1(종5), 左·右贊讀 각1(종6)→	좌·우익선·좌·우권독 좌·우찬독 각1	종4
	宗學	導善 이하 모두 성균관관 겸◘			
	昭格署	영(1), 참봉(2)→	연산12 혁→ 중종1 복구→ 중종11 혁→ 중종20 복치→ 인조8 이전 혁→ 인조8 복치→ 명종10 이전 혁→ 선조25 이전 복치→ 선조25 혁(소멸)		
	宗廟署	영·직장·봉사·부봉사 각1 (직장 이하 1원 구임)→	연산1 가 부봉사 1, 치 참봉 1→ 중종1 복구→ 영조22 이전 가 영 1, 혁 봉사→	영 2, 직장 1, 부봉사 1,	종5
	社稷署	영(1), 참봉(2)→	명종10 혁 영→ 곧 치 영, 직장 1, 혁 참봉→	영 1, 직장 1	종5
	氷庫	◘			
	典牲署	주부·직장·봉사 각1, 참봉 2→	연산12 치 부봉사 1, 가 참봉 1→ 중종1 복구→ 영조22 이전 혁 참봉→	주부 1, 직장 1, 봉사 1	종6
	司畜署	司畜 1→	연산12 혁 사축, 가 별제 1→ 중종1 복구→ 선조28 혁(속 전생서→ 인조14 복→인조15 혁 → 효종9 혁 복→ 영조22 혁 사축◘		
	惠民署	주부·의학교수·직장 중 1	? 혁→ 광해군2 복치)→ 광해군15 혁(속 전의감)→ 곧 복치 →	주부·의학교수·직장 중 1	종6

예조	圖書署	◘			
	活人署	◘			
	歸厚署	◘			
	四學(東·西·南·北·中學)	◘			
	諸廟·殿	문소·연은전 각 참봉 2(종9)	선조25 혁 문소·연은전 각 참봉 2→	영 7(종5 5, 종6 2), 참봉 2[186]	
	諸陵	12릉-각 참봉 2[187]	32릉-영8, 직장 5, 별검 8, 참봉 49→	47릉-영 29, 직장 9, 봉사 3, 별검 2, 참봉 47	
	諸園		영조29~고종2 이전 치 영·참봉 각1(현륭원·휘경원), 수봉관 각2(무록관, 순강·소령원)→	-→	
병조	五衛(義興·龍驤·虎賁·忠佐·忠武衛)	上護軍(정3, 9), 護軍(정4, 12), 司直(정5, 14), 司直(정5, 11), 司果(정6, 15), 部長(종6, 25), 司正(정7, 5), 司猛(정8, 16), 司勇(정9, 42)(대호군, 부호군, 부사직, 부사과, 부사정, 부사맹, 부사용 634직은 체아직[188])	연산12 감 부장 10→ 중종1 복구→ 선조27 가 부장 5→ 영조22 이전 감 상호군 1·호군 8·사직 3·부장 5·사맹 1·사용 18, 가 사과 6·사정 15(모두 체아직으로 전환)→	상호군 8, 호군 4, 사직 11, 사과 21, 부장 25, 사정 20, 사맹 15, 사용 24	무관 정3 당상
	訓鍊院	都正 2(정3당상, 1 겸직), 正 1, 副正·僉正·判官·主簿·參軍(정7)·奉事 각2	연산12 감 부정·첨정 각1, 혁 참군·봉사→ 중종1 복구→ 중종5 가 습독관 10→ 영조22 이전 가 첨정 2, 판관 6, 주부 16→	도정 2(1겸), 정1, 부정 2, 첨정 4, 판관 8, 주부 18, 봉사 2, 참봉 2	무관 정3 당상 아문
	司僕寺	정·부정·첨정·판관 각1, 주부2)(판관이상 2 구임)	연산군12 치 직장·부직장 각1, 봉사·부봉사 각2, 참봉 4, 理馬(정6, 4), 馬醫 (정7, 3)(첨정~부직장 각1, 참봉 4 군직겸)→중종1 복구→ 명종10 혁 부정→	정 1, 첨정 1, 판관 1, 주부 2	정3
	軍器寺	정 1, 부정 1, 첨정 2, 판관, 주부 2, 직장·봉사·부봉사(정9)·참봉 각1(주부 이상 2 구임)	연산12 가 판관·주부 각2, 부봉사·참봉 각1→ 중종1 복구→ 영조22 이전 혁 정·부정·별좌·별제→	첨정 2, 판관 2, 직장 1, 봉사 1, 부봉사 1, 참봉 1	종4
	宣傳官廳	◘	영조22 이전 선전관 21(정3당상 1, 참상 3, 무정품 17)→ 정조9 이전 24(당상 3, 행수 1, 참상 6, 참하 14)→ 고종2 이전 가 참상 1→	25(당상 3, 행수 1, 참상 7, 참하 14)	무관
	典設司	守 1(정4)	연산12혁 수, 가 무록관 1→ 중종1 복구→ 선조6 혁 수(◘)		

병조	世子翊衛司	左·右翊衛(정5), 左·右司禦(종5), 左·右翊贊(정6), 左·右衛率(종6),左·右副率(정7), 左·右侍直(정8), 左·右洗馬(정9) 각1	연산11 혁→ 중종15 복구→	좌·우익위, 좌·우 사어, 좌·우익찬, 좌·우위솔), 좌·우부솔, 좌·우시직, 좌·우세마 각1	무관 정5
	世孫衛從司		인조27 신치 左·右長史(종6), 左·右從史(종7) 각1→	좌·우장사, 좌·우종사 각1	무관 종6
	守門將廳	守門將 8(4품 이상)→	명종16 이전 증치 15→ 선조25~영조22 이전 총 20~430~21→ 정조9 이전 증 3(당상관 3, 참상 7, 참하 14)→ 고종2 이전 증 5(종6 15, 종9 14)→	수문장 29(종6 15, 종9 14)	무관
	各殿守門將		정조9~고종2 치 肇慶廟, 慶基·璿源·華寧殿 종9품 각1→	-→	무관
형조	掌隷院	判決事 1(정3당상), 司議 3(정5), 司評 4(정6)(사의 이하 구임)→	영조22 이전 혁 사의, 감 사평 2→ 영조40 혁(속 형조)		
	典獄署	주부·봉사·참봉 각1→	영조22 이전 혁 봉사, 가 참봉 1→	주부 1, 참봉 2	종6
공조	尙衣院	정·첨정·판관·주부 각1, 직장2→	연산11 가 판관·주부 각1→ 중종1 복구→ 영조22 이전 혁 판관, 감 직장 1→	정 1, 첨정 1, 판관 2, 주부 2, 별제 1, 직장 1	정3
	膳工監	정·부정·첨정·판관·주부·직장·봉사·부봉사·참봉 각1(판관 이상 1 구임)→	연산12 혁 부정·판관, 치 가감역 2→ 중종1 복 부정·판관→ 중종 2 가 감역 8)→ 중종8 혁 감역→ 명종10 혁 부정→ 영조22 이전 혁 정·첨정·판관·직장·참봉, 복치 부정 1, 가 감역관 3, 가감역관3→	부정 1, 주부 1, 봉사 1, 부봉사 1, 감역관 3, 가감역관 3	종3
	修城禁火司	◘			
	典涓司	직장 2, 봉사 2, 참봉 6	영조22 이전 혁		
	掌苑署	掌苑 1(종6)→	연산12 혁 장원→ 중종 복치 장원→ 숙종29 치 직장1·참봉 1→ 영조22 이전 혁 장원·직장·참봉, 치 봉사 1(종8)→	봉사 1	종8
	造紙署	司紙 1(종6)→	연산12 혁 사지→ 중종1 복구 → 선조14 혁 사지◘		
	瓦署	◘			
합계[*1]		353(당상 3, 참상관 186, 참하164)	333(당상 2, 참상관 142, 참하 164, 영조22)	311(당상 2, 참상관 152, 참하 189, 고종2)	

*1 아문의 격은 『대전회통』에 의함.

*2 직질별 관직수는 뒤 〈별표 3〉 참조

제2절 遞兒職과 無祿職

1. 遞兒職

1) 直啓衙門

『경국대전』에 규정된 직계아문의 문반 체아직에는 戶曹 算士(종7, 1)·計士(종8, 2)·算學訓導(정9, 1)·會士(종9, 2)와 刑曹 明律(종7, 1)·審律(종8, 2)·律學訓導(정9, 1)·檢律(종9, 2)의 12직이 있었다. 이 관직이 경비절감과 관련되어 1506년(연산군 12)에 계사·회사·심률·검률 각1직이 삭감되었다가 동년 중종 즉위와 함께 복구되었다.[189] 그 후 1746년(영조 22) 이전에 계사·회사·심률·검률 각1직이 삭감되면서 호조 산사·계사·산학훈도·회사 각1직과 형조 명률·심률·율학훈도·검률 각1직의 총 8직으로 정비된 후 변동 없이 후대로 계승되었다.[190]

2) 六曹屬衙門

『경국대전』에 규정된 육조 속아문 문반 체아직에는 內醫院 등 8관아에 정3품 정 4직, 종3품 부정 3직, 종4품 첨정 4직, 종5품 판관 5직, 종6품

---

185) 『조선왕조실록』 성종 16~철종 14년조 ; 『증보문헌비고』 권220~권224 ; 『속대전』·『대전통편』·『대전회통』 권1, 이전 경관직 등에서 종합.

186) 영-조경묘·경기전·영령전 각1, 선원·영희전 각2, 참봉-경기·영희전 각1(『대전회통』 권1, 이전 경관직 제전).

187) 12릉은 건원릉(태조), 제릉(태조비 한씨), 정릉(태조계비 강씨), 후릉(정종, 정종비 김씨), 헌릉(태종, 태종비 민씨), 영릉(세종, 세종비 심씨), 현릉(문종, 문종비 권씨), 광릉(세조, 세조비 윤씨), 경릉(덕종), 창릉(예종, 예종비 한씨), 공릉(예종비 한씨), 순릉(성종비 한씨)이다.

188) 앞 졸저, 『조선초기 정치제도와 정치』, 160쪽 주209).

189) 『연산군일기』 권61, 12년 3월 신묘 ; 『중종실록』 권1, 1년 9월 계묘.

190) 『대전통편』·『대전회통』 권1, 이전 경관직 호조·형조.

주부 6·의학교수 2직, 종7품 직장 12·전회 1직, 종8품 봉사 12·전곡 1직, 정9품 부봉사 12직, 종9품 참봉 23·전화 2직의 83직이 있었다. 이 관직이 이후 1864년(고종 1)까지 경비절감·직제정비 등과 관련되어 내수사·활인서 관직은 그대로 계승되었지만 그 외의 내의원 등 6관아의 관직은 다음과 같이 변천되면서 정 4·부정 3·첨정 4·판관 5·주부 6·의학교수 1·직장 13·봉사 13·부봉사 12·참봉 25직의 76직(성종 16~중종 1), 1507년(중종 2)~1746년(영조 22)에 정 4·부정 2·첨정 4·판관 3·주부 5·직장 6·봉사 10·부봉사 10·참봉 15직의 59직으로 변천되었다가 『대전회통』에 법제화되었다(관아별 관직은 뒤 〈표 6-3〉 참조).

ⓐ 1506년(연산군 12)에 내의원 판관 1·직장 1·봉사 1·부봉사 1직, 관상감 판관 1·주부 1·직장 1·봉사 1·참봉 1직, 전의감 부정 1·봉사 1·부봉사 2·참봉 3직, 사역원 부정 1·판관 1·직장 1직이 각각 혁거·삭감되었다가[191] 동년 중종 즉위와 함께 복구되었다.

ⓑ 1507년(중종 2)~1746년(영조 22)에 내의원 직장 2, 관상감 부정 1·판관 1·주부 1·부봉사 2·참봉 1직, 전의감 직장 1·봉사 1·참봉 3직, 사역원 판관 1·직장 1직, 전연사 직장 2 봉사 2 참봉 6직, 혜민서 의학교수 1직이 각각 혁거·삭감되었다.[192]

ⓒ 1785년(정조 9) 이전에 관상감 지리학겸교수 1직이 혁거되었고, 1865년(고종 2) 이전에 다시 지리학교수 1직이 혁거되었다.[193]

〈표 6-3〉 조선 중·후기 경관 문반 체아직 변천[194]

		『경국대전』(성종16)	성종17~고종 2	『대전회통』(고종2)	비고
직계	호조	算士1(종7), 計士 2(종8), 算學訓導1(정9), 會士2(종9)	영조22 이전 감 계사1, 회사1→	산사1, 계사1, 산학훈도 1, 회사1	

191) 『연산군일기』 권61, 12년 1월 병신.

192) 『조선왕조실록』 중종 2년~영조 22년조, 『속대전』 권1, 이전 경관직 내의원·관상감·전의감·사역원·전연사·혜민서.

193) 『대전통편』·『대전회통』 권1, 이전 경관직 관상감.

아문	형조	明律1(종7), 審律 2(종8), 律學訓導1(정9), 檢律2(종9)	영조22 이전 감 심률1, 검률1→	명률1, 심률1, 율학훈도1, 검률1	
	계	12(종7 2, 종8 4, 정9 2, 종9 4)	8(종7 2, 종8 2, 정9 2, 종9 2)→	→	
육조속아문	내의원	正1(정3), 僉正1(종4), 判官1(종5), 主簿1(종6), 直長3(종7),奉事2(종8), 副奉事2(종9), 參奉1(종9)→	연산12 혁 판관, 감 직장·봉사·부봉사 각1→ 중종1 복구→	정1, 첨정1, 판관1, 주부1, 직장3, 봉사2, 부봉사2, 참봉1	
	관상감	正1(정3), 副正1(종3), 僉正1(종4), 判官2(종5), 主簿2(종6), 直長2(종7), 奉事2(종8), 副奉事4(종9), 參奉3(종9)*→	연산12 감 판관·주부·직장·봉사·참봉 각1→ 중종1 복구→ 인조12 이후 혁 부정, 감판관·주부·명과학훈도·참봉 각1→	정·첨정·판관·주부·천문·지히학교수 각1, 직장·봉사 각2, 부봉사3, 천문·지리·명과학훈도 각1, 참봉2	*판관이상1 녹직
	전의감	正1(정3), 副正1(종3), 主簿1(종6), 直長2(종7), 奉事2(종8), 副奉事4(종9), 參奉5(종9)*→	연산12 감 직장·봉사 각1, 참봉3→ 중종1 복→ 영조22 이전 혁 부정, 감 봉사1, 부봉사2, 참봉3, 치 馬醫2(종9)→	정·첨정·주부 각1, 직장1, 봉사 1, 부봉사 2, 참봉2, 마의 2	*동상
	사역원	正1(정3), 副正1(종3), 僉正1(종4), 判官1(종5), 主簿1(종6), 直長1(종7), 奉事3(종8), 副奉事2(종9), 參奉2(종9)→	연산12 감 판관·한학교수·직장·한학훈도 각1, → 중종1 복→ 영조22 이전 감 판관·봉사·직장 각1→	정·첨정·판관·주부 각1, 한학교수 4, 직장 1, 봉사·부봉사 각2, 한학훈도4, 몽학·여진학훈도 각2, 참봉 2	
	내수사	典會1(종7), 典穀1(종8), 典貨2(종9)→	→	→	
	혜민서	主簿1(종6), 直長1(종7), 奉事1(종8), 訓導1(정9), 參奉4(종9)*→	연산12 감 참봉 2→ ? 혁→ 광해군2 복→ 광해15 혁(속 전의감)→ 곧 복→ 영조22 이전 감 의학교수 1 →	주부·의학교수·직장·봉사·의학훈도·참봉 각1	* 직장이상1 녹직
	전연사	直長2(종7), 奉事2(종8), 副奉事2(종9), 參奉2(종9)→	영조22 이전 혁		
	활인서	參奉2(종9)→	선조26 혁(속 예조)→ 광해 4 복→	참봉 2	
	합계	83(정4, 부정3, 첨정4, 판관5, 주부6, 의학교수1, 직장12, 典會1, 봉사12, 典穀1, 부봉사11, 훈도1, 참봉23, 典貨2 녹직인 3직〈정~판관중 2, 주부~직장중 1〉 제외)	68(정4, 부정3, 첨정4, 판관3, 주부2, 의학교수1, 직장10, 전회1, 봉사10, 전곡1, 부봉사 9, 명과학훈도1, 참봉 18, 전화2, 마의2, 영조22)	51(정4, 부정3, 첨정4, 판관4, 주부7, 의학교수1, 직장5, 전회1, 봉사7, 전곡1, 부봉사13, 훈도1, 참봉7, 전화2, 마의2)	
합계		95(정3 4, 종3 3, 종4 4, 종5 5, 종6 7, 종7 15, 종8 17, 정9 14, 종9 7)	76(정3 2, 종3 3, 종4 4, 종5 3, 종6 3, 종7 13, 종8 13, 정9 12, 종9 24)	59(정3 4, 종3 3, 종4 4, 종5 4, 종6 6, 종7 8, 종8 10, 정9 16, 종9 13)	

2. 無祿職

1) 直啓衙門

『경국대전』에 규정된 직계아문의 무록직에는 戶曹와 刑曹에 別提(종6품) 각2직의 4직이 있었다. 이 관직이 1492년(성종 23)에 의금부 녹직인 經歷(종5)·都事(종6) 10직이 무록직으로 전환되었고,[195] 1746년(영조 22) 이전에 의금부 경력·도사가 도사로 합칭·강격되면서 녹직의 종6·종9품 각5직으로 조정되고 호조·형조 별제 각1직이 삭감되면서 호조·형조 별제 각1직으로 정비된 후 변동 없이 후대로 계승되었다.[196]

2) 六曹屬衙門

『경국대전』에 규정된 육조 속아문 문반 무록직에는 司饔院 등 22관아에 3품 提擧 2직, 4품 提檢 11직, 5품 別坐 23직, 6품 別提 52직, 8품 別檢 5직의 93직이 있었다(93직은 뒤 〈표 6-4〉 참조). 이 무록관이 이후 1864년(고종 1)까지 왕실의 廟·宮·殿·陵·園 조영, 제도정비, 관제변통 등과 관련되어 사옹원·형조는 변동 없이 계승되었다. 그러나 그 외의 관아 관직이 삭감·혁거되고 묘·궁·전·능·원관이 증치되고 다음과 같이 개변되면서 1592년(선조 25)~1746년(영조 22)에 제거 2, 제검3, 별좌 5, 별제 28, 별검 3, 監役官·假監役官 각3직의 47직, 1747년(영조 23)~1865년(고종 2)에 제거 2, 제검 2, 별좌 1, 별제 17, 별검 7, 감역관·가감역관 각3, 守奉官 4직의 41직으로 변천되었다가 『대전회통』에 법제화되었다(관아별 관직은 뒤 〈표 6-4〉 참조).

ⓐ 연산군대에는 1505년(11)에 상의원 별좌 12직이 가치되고[197] 장원서 별제

194) 『경국대전』·『속대전』·『대전통편』·『대전회통』 권1, 이전 경관직 제 관아에서 종합.
195) 『성종실록』 권237, 21년 2월 무신.
196) 『속대전』·『대전통편』·『대전회통』 권1, 이전 경관직 호조·형조.

1직이 증치되었고, 사축서 별제가 증치(관직수 불명)되었다.

ⓑ 중종대에는 1506년(1)에 연산조에 가치된 상의원·장원서·사축서관이 삭감되었고, 1511년(6)에 전함사 제검·별좌·별제 모두가 관아와 함께 혁거되었으며, 1516년(11)에 소격서의 혁파와 함께 별제 2직이 혁거되었다가 1525년(20)에 복구되었다.[198]

ⓒ 명종대에는 1555년(10) 이전에 소격서 별제가 혁거되었다.

ⓓ 선조대에는 1589년(22) 이전에 복치된 소격서 별제 2직이 혁거되었고, 1593년(26)에 귀후서 별제 2직이 삭감되었다.[199]

ⓔ 인조대에는 1657년(15)에 수성금화사의 제검·별좌·별제 모두가 관아의 함께 혁거되었다.

ⓕ 효종대에는 1658년(9)에 소격서 별제 2직이 복치되었다.

ⓖ 숙종대에는 1702년(37)에 명릉에 별검 1직이 설치되었다.

ⓗ 경종대에는 1720년(즉위) 원릉, 1721년(1)에 장령전에 각각 별검 1직이 설치되었다.

ⓘ 영조대에는 1725년(1)에 만령전, 1735년(11)에 혜릉, 1761년(37)에 효·강·목·숭·익릉에 각각 별검 1직이 설치되었고, 1746년(22) 이전에 예빈시 제검·별좌·별제가 모두 혁거되었고, 전설사 제검·별좌가 혁거되고 종8품 별검 1직이 신치되었으며, 전연사의 제검·별좌·별제 모두가 혁거되었다. 교서관 별좌·별제 모두가 혁거되었고, 상의원 별좌가 혁거되고 별제 1직이 삭감되었으며, 군기시 별좌·별제가 혁거되었다. 귀후서 별제가 혁거되었고, 조지서·활인서 별제 각2직이 삭감되었으며, 장원서 별제 1직이 삭감되었다. 사포서 별제 1직이 삭감되고 별검이 혁거되었으며, 와서 별제 1직이 삭감되었다. 영조 22년 이전에는 또 선공감에 종9품 감역관·가감역관[200] 각3직이 설치되었다. 1757년(33)에 명릉 별검이 혁거되었고, 1769년(45)에

---

197) 『연산군일기』 권58, 11년 5월 기해 加別坐二 ; 권60, 11년 12월 갑신 加十員.

198) 『중종실록』 1년~16년조.

199) 『선조실록』 권42, 26년 9월 계축.

200) 감역관과 가감역관은 긴급하거나 중대한 건축공사가 있을 때 원활한 공사 진행을 위해 설치된 임시직이기에 무록관에 포함하여 파악한다.

지릉에 별검 1직이 설치되었다.

ⓙ 정조대에는 1776년(즉위)에 조경묘·경기전과 명·제·후·광·장릉에 별검 각1직이 설치되고 만령전 별검이 혁거되었으며, 1783년(7)에 순강원·소령원에 守奉官 각2직이 설치되고[201] 제·광릉 별검이 혁거되었다. 1785년(9) 이전에 소격서별제와 빙고별좌가 혁거되고 호조 별제 1직이 삭감되었으며, 사축서·도화서 별제가 혁거되었고, 장·영릉에 별검 각1직이 설치되고 숭·명릉의 별검이 혁거되었다. 또 순강원에 수봉관 2직이 설치되었다. 1785년에 경기전과 익릉의 별검이 혁거되었고, 1796년(20)에 장·영릉의 별검이 혁거되었고, 1787년(11) 이전에 후·장·효·강·명릉의 별검이 혁거되었다.

ⓚ 순조대에는 1799년(즉위)에 건·인릉, 1832년(32)에 수릉에 별검 각1직이 설치되었다.

ⓛ 고종대에는 1865년(2) 이전에 지·혜·건·인·수릉 별검이 혁거되었다.

이상에서 조선 중·후기 육조 속아문 문반 무록직은 왜란 이전까지는『경국대전』에 규정된 93직이 큰 변동 없이 계승되었다. 그러나 왜란 이후에는 속아문의 기능약화로 인한 관아 혁거·강격, 경비절감·관제정비로 인한 관직 삭감 등과 관련되어 40여직과 50여직이 삭감되면서 50~40여직으로 변천되면서 운영되었다.『경국대전』이 반포된 1485년(성종 16)으로부터『대전회통』이 반포된 1865년(고종 2)까지에 걸친 문반 무록직의 변천을 시기별로 종합하여 제시하면 다음의 표와 같다.

〈표 6-4〉 조선 중·후기 경직 문반 무록직 변천[202]

		『경국대전』(성종16)	성종1~고종2	『대전회통』(고종2)
직계아문	義禁府		성종23 낭청10(종5 6, 종6 5)→ 영조22 이전 혁(치 녹직 10〈종6 도사 5, 종9 도사 5〉)	
	戶曹	別提2(종6)	영조22 이전 감1→	별제1

201)『증보문헌비고』권224, 직관고 11 제원관.

	刑曹	別提2(종6)	영조22 이전 감1→	별제1
	계	4	2	2
육조속아문	司饔院	提擧2(3품), 提檢2(4품)→	→	제거2, 제검2
	禮賓寺	제검2, 別坐(5품), 2, 別提2(6품)→	→영조22 이전 혁	
	繕工監		영조22 이전 치 감역·가감역 각3(종6)→	감역3, 가감역3
	修城禁火司	제검4, 별좌6, 별제3→	→인조15 혁	
	典設司	제검1, 별좌2, 별제2→	→영조22 이전 혁 제검·별좌, 신치 별검(종8) 1	별제2, 별검1
	典涓司	제검1, 별좌2, 별제1→	영조22 이전 혁	
	典艦司	제검1, 별좌2, 별제2→	중종6 혁	
	校書館	별좌2, 별제2→	영조22 이전 혁	
	尙衣院	별좌2, 별제2→	연산12 증 별좌·별제 12, 중종1 복구→영조22 이전 혁 별좌·감 별제1→	별제1
	軍器寺	별좌2, 별제2→	영조22 이전 혁	
	內需司	별좌2, 별제2→	→	별좌2, 별제2
	氷庫	별좌·별제·別檢(8품) 4→	→정조9 이전 혁 별좌→	별제2, 별검2
	歸厚署	별제6→	선조26 감2, 영조22 이전 혁	
	造紙署	별제4→	영조22 이전 감2→	별제2
	活人署	별제4→	영조22 이전 감2→	별제2
	掌苑署	별제3→	연산11 가1, 중종1 감1→영조22 이전 감1→	별제2
	司圃署	별제3, 별검4→	영조22 이전 감 별제1, 혁 별검→	별제2
	瓦署	별제3→	영조22 이전 감1→	별제2
	昭格署	별제2→	명종10 이전 혁→?복→선조22 이전 혁→효종9 복→영조 22 이전 혁	
	司畜署	별제2→	연산12 가치→중종1 복구→정조9 이전 혁	
	圖畫署	별제2→	→정조9 이전 혁	
	肇慶廟		정조즉 치 별검(종8) 1→	별검1
	各殿		별검(종8)-경종1 장령전 치1→영조21 만령전 치1→정조즉 만령전 혁, 경기전 치→정조9 경기전 혁→	장령전 별검1
	各陵		別檢-숙종38 치1, 경종즉 치1, 영조11 치1, 17 치5, 33 혁1, 45 치1, 정조즉 치5, 7 혁2, 9 이전 치2·혁2, 정조9 혁1, 20 혁2, 22 이전 혁5, 순조즉 치2, 32 치1, 고종2 이전 혁5[203]→	목·원릉 각 별검1

육조속아문	각원		정조7 치 守奉官 4(종9, 소령·순강원 각2)→	순강·소령원 수봉관 각2
	합계	91(제거 2, 제검 11, 별좌 23, 별제 52, 별검 5)	47(제거 2, 제검 3, 별좌 5, 별제 28, 별검 3, 기타 6, 영조22)	39(제거2, 제검2, 별좌1, 별제17, 별검7, 감역관3, 가감역관3, 수봉관4, 고종 2)
합계		97(종3 2, 종4 11, 종5 23, 종6 56, 종8 5)	52(종3 2, 종4 3, 종5 5, 종6 32, 종8 6, 종9 4)	41(종3 2, 종4 2, 종5 1, 종6 19, 종8 7, 종9 10)

제3절 兼職

1. 直啓衙門

문반 직계아문으로서 겸직이 설치된 아문은 1485년(성종 16, 『경국대전』)까지는 의금부·한성부·개성부·경연의 4아문에 불과하였다. 그러나 이후 1865년(고종 2)까지 정치·군사·사회·경제의 변동 및 제도정비와 관련된 備邊司·宣惠廳 등 10여 아문이 설치되고 이들 관아가 당상관 겸직을 중심으로 운영된 등과 관련되어 당상관 겸직이 크게 증가되는 변천을 겪으면서 운영되었다.

---

202) 『조선왕조실록』 성종 16~철종 14년조 ; 『증보문헌비고』 권216~권222, 직관고 3~9 ; 『속대전』·『대전통편』·『대전회통』 권1, 이전 경관직 등에서 종합.

203) 관직이 치폐된 능은 다음 표와 같다(뒤 〈별표 3〉).

시기	치	폐	능	시기	치	폐	능	시기	치	폐	능
숙종38	1		명릉	영조45	1		지릉	정조20		2	장·영릉
경종즉	1		원릉	정조즉	5		명·제·후·광·장릉	정조22		5	후·장·효·강·목릉
영조11	1		혜릉	정조7		2	제·광릉	순조즉	2		건·인릉
영조17	5		효·강·목·숭·익릉	정조9 이전	2	2	장·영릉, 숭·명릉	순조32	1		수릉
영조33		1	명릉	정조9		1	익릉	고종2 이전		5	지·혜·건·인·수릉

1) 義禁府·漢城府·經筵

義禁府는 『경국대전』에 규정된 判事(종1)·知事(정2)·同知事(종2, 합하여 4직)이 그대로 조선후기까지 계승되었다.

漢城府는 『경국대전』에 규정된 參軍(정7, 1직, 通禮院引儀 겸)이 그대로 조선후기까지 계승되었다.

經筵은 『경국대전』에 규정된 領事(정1, 3)·知事(정2, 3)·同知事(종2, 3)·參贊官(정3당상, 7, 6承旨·弘文館副提學 겸)과 무정수인 侍講官(정4)·試讀官(정5)·檢討官(정6)·寫經(정7)·說經(정8)·典經(정9)의 당상관 19직과 당하관 이하 20여직이 1504년(연산군 10) 연산군의 난정에 따른 경연혁파로[204] 모두 혁거되었다가 1506년(중종 1)에 복구된 후 조선후기까지 그대로 계승되었다.

2) 備邊司·宣惠廳·堤堰司·濬川司·奎章閣

備邊司는 1555년(명종10) 상설 정1품 아문이 될 때 都提調(정1, 현·전임의정 겸)·提調(종1~종2, 吏·戶·禮·兵曹判書兼)(郎廳〈종5, 5직 이상〉은 녹직)가 설치되었다.[205] 이것이 후대로 계승되다가 1592년(선조 25) 왜란을 기해 비변사가 議政府를 제치고 최고 정치·군사기구가 되면서 副提調(정3 당상겸) 1직과 제조가 겸하는 有司堂上 3직이 신치되었으며, 1593년(선조 26)에 例兼提調 1직(訓練都監 大將)이 증치되었다.[206]

이후 1795년(정조 19)까지 江華留守(인조 5), 大提學(인조 24), 刑曹判書(숙종 1), 開城留守(숙종 17), 御營大將(숙종 25), 禁衛大將(영조 30), 守禦使·摠戎使(~영조 22 이전), 水原留守(정조 17), 廣州留守(정조 19)가 연이어 例兼提調가 되었다. 또 유사당상 1직(제조 겸, 인조 2)이 증치되고 8道句管堂上(각1,

---

204) 『연산군일기』 권55, 10년 8월 ; 『중종실록』 권1, 1년 4월 무인.

205) 『증보문헌비고』 권216, 직관고 3 비변사.

206) 『증보문헌비고』 권216, 직관고 3 비변사 ; 『만기요람』 군정편 ; 반윤홍, 2003, 『조선시대 비변사연구』, 경인문화사, 70~72쪽에서 종합.

유사당상 각 겸2도, 숙종 39)이 신치되었다.[207] 이리하여 1795년 비변사 겸직은 都提調 무정수(정1, 시·원임 의정 겸), 例兼提調 15(종1~종2, 이·호·예·병·형판, 대제학, 훈련·어영·금위대장, 수어사, 총융사, 강화·개성·수원·광주유수), 그 외 啓差 提調[208] 무정수(종1~종2 겸), 副提調 1(정3품 당상 겸), 郎廳 12(종6), 유사당상 4(제조 겸), 8도구관당상 8(유사당상 각 구관2도)직으로 정비되었으며, 이것이 1865년(고종 2) 비변사가 의정부에 합병되면서 소멸될 때까지 계승되었다.

宣惠廳은 1608년(광해군 즉위) 관아 창치 시에 都提調 1(정1, 의정 겸)·제조 1(정2, 호판 겸)직이 설치되었고(郎廳〈종6, 2〉은 녹직), 1663년(현종 4)에 도제조 2(의정 겸)·제조 2·낭청 2직이 증치되었다.[209] 이것이 후대로 계승되다가 1753년(영조 29)에 낭청 2직이 증치되면서 도제조 3(3의정 겸)·제조 3(1은 호조판서 겸)·낭청(음직) 5직으로 정비된 후 1865년(고종 2) 이전에 관아가 서반관아로 전환되면서 서반관직이 될 때까지 계승되었다.[210]

堤堰司는 1490년(성종 21) 이전에 설치되어 1662년(현종 3) 이전에 혁거되었고(설치 관직 불명), 1662년 관아 복치 때에 都提調(3, 3의정 겸), 제조(3, 비변사당상 겸), 낭청(1, 5~6품, 비변사낭청 겸)이 설치되어 1865년(고종 2) 관아가 의정부에 합병되면서 혁거될 때까지 존속되었다.[211]

濬川司는 1760년(영조 36) 관아설치 때에 도제조(3, 3의정 겸), 제조(6, 비변사제조 1·병조판서·한성판윤, 3군문대장 겸), 都廳(1, 정3품당상, 御營廳千摠 겸), 낭청(3, 3道參軍 겸)이 설치되어 1865년(고종 2) 관아가 서반아문으로 전환될 때 서반겸직으로 계승되었다.[212]

---

207) 동상조.
208) 계차 제조는 왕이 비변사의 천거에 따라 수시로 제수하였다.
209) 『증보문헌비고』 권222, 직관고 9 선혜청.
210) 『증보문헌비고』 권222, 직관고 9 선혜청 ; 『대전회통』 권1, 이전 경관직 선혜청.
211) 『증보문헌비고』 권216, 직관고 3 제언사 ; 『대전회통』 권1, 이전 경관직 의정부.
212) 『증보문헌비고』 권216, 직관고 3 준천사 ; 『대전회통』 권1, 이전 경관직 준천사.

奎章閣은 1776년(정조 즉위) 관아가 설치될 때 提學(2, 종1~종2), 直提學(2, 종2~정3당상)이 설치되었다(교리 이하는 녹직).[213] 1782년(정조 6)에 校書館이 합병되면서 兼判校(1, 정3)와 兼校理(종5, 3)가 移置되었고, 1785년(정조 9) 이전에 겸판교가 혁거되고 겸교리 2직이 삭감되었다가 1865년(고종 2) 이전에 다시 겸판교가 복치되면서 提學(2)·直提學(2)·判校(1)·兼校理(1)로 정비된[214] 후 『대전회통』에 등재되었다.

3) 水原·廣州·開城·江華留守府

水原留守府는 1793년(정조 17) 都護府가 정2품 유수부로 승격하고 경관아가 될 때 留守(정2, 2, 1 경기관찰사 겸, 1 정직)가 설치되어(경력 이하는 녹직)[215] 조선후기까지 계승되었다.

廣州留守府는 1623년(인조 1) 府尹府에서 유수부로 승격하고 경관아가 될 때 留守(정2, 2, 1 경기관 겸, 1 정직)가 설치되었고(판관 이하는 녹직), 1630년(인조 8) 부윤부로 강격하면서 외관이 되었다가 1750년(영조 26) 다시 유수부로 승격되면서 유수(정2, 2, 1 경기관 겸, 1 정직)가 설치되어[216] 조선후기까지 계승되었다.

開城留守府는 『경국대전』에 규정된 유수(종2, 2, 1경기관겸, 경력 이하는 녹직)가 변동없이 조선후기까지 계승되었다.[217]

江華留守府는 1627년(인조 5) 부윤부에서 유수부로 승격하고 경관아가 될 때 留守(종2, 2직, 1 경기관 겸, 1 정직)가 설치되어(경력 이하는 녹관)[218] 조선후기까지 계승되었다.

---

213) 『증보문헌비고』 권220, 직관고 7 규장각.
214) 『증보문헌비고』 권229, 직관고 7 규장각.
215) 『수원부읍지』 건치연혁 ; 『대전회통』 권1, 이전 경관직 수원부.
216) 『광주부읍지』 건치연혁 ; 『대전회통』 권1, 이전 경관직 광주부.
217) 『속대전』·『대전통편』·『대전회통』 권1, 이전 경관직 개성부.
218) 『강화부읍지』 건치연혁 ; 『속대전』 권1, 이전 경관직 강화부.

이상에서 조선 중·후기 직계아문 文班 兼職은 왜란 이전까지는 『경국대전』에 규정된 25직이 큰 변동 없이 계승되었다. 그러나 왜란 이후에는 비변사·선혜청 등 직계아문과 훈련도감 등 5군영이 연이어 설치되고 이들 관아의 최고 관직이 정1~종2품 문반 겸직이 됨에 따라 정1~종2품 겸직이 크게 증가되면서 70~80여직(啓差提調 20~30여직 포함)이 되었고, 고종 2년에 비변사·선혜청이 의정부에 합속 되고 준천사가 서반아문이 됨에 따라 50~60여직이 삭감되면서 22직으로 감소되었다. 『경국대전』이 반포된 1485년(성종 16)으로부터 『대전회통』이 반포된 1865년(고종 2)까지에 걸친 문반 직계아문 체아직과 겸직 변천을 관아별과 시기별로 종합하여 제시하면 다음 표와 같다.

〈표 6-5〉 조선 중·후기 직계아문 문반 겸직 변천(*은 무정수, **은 관직수 불명)219)

	『경국대전』	성종17~고종2	『대전회통』(고종2)
備邊司		명종10 都提調 3직 이상(정1, 시원임의정겸), 提調 4직 이상(종1~종2, 例兼4, 啓差 무정수)→ 선조25 신치 副提調 1직(정3당상겸)·有司堂上 3직(제조겸)→ 선조26~정조19 증 例兼提調 11·유사당상 1, 신치 8도구관당상 8(유사당상겸)→	혁(속의정부)
宣惠廳		광해군즉위 도제조1(의정), 제조1(호판) → 현종4 증 도제조2(의정)·제조2→	이속 서반
堤堰司		성종21 이전 치**→ ? 혁거**→ 현종3 도제조3(의정), 제조3(비변사당상), 낭청1 (5~6품, 비변사낭청)→	혁(속의정부)
濬川司		영조36 도제조3(의정), 제조6(비변사당상·병판·한성판윤·3군문대장), 도청1(정3당상, 어영청천총), 낭청3(5~6품, 3도참군) →	이속 서반
義禁府	判事1(종1), 知事1(정2), 同知事2(종2)	→	判事1, 知事1, 同知事2
漢城府	參軍1(정7, 通禮門引儀)	→	參軍1
水原府		정조17 留守1(정2, 경기관)→	留守1
廣州府		인조1 留守1(정2, 경기관)→	留守1
奎章閣		정조즉위 提學2(종1~종2), 直提學2(종2~정3)→ 정조6 이속(교서관) 判校1(정3)·兼校理3(6품)→ 정조9 이전 혁 판교, 감 겸교리1→ 고종2 이전 복 판교, 혁 겸교리→	提學2, 直提學2, 판교1

開城府	留守1(종2, 경기관)	→	留守1
江華府		인조3 유수1(종2, 경기관)→	유수1
經筵	領事3(정1), 知事3(정2), 同知事3(종2), 參贊官7(정3당상), 侍講官*(정4), 試讀官*(정5), 檢討官*(정6), 寫經*(정7), 說經*(정8), 典經*(정9)	→	領事3, 知事3, 同知事3, 參贊官7, 侍講官*, 試讀官*, 檢討官*, 寫經*, 說經*, 典經*
계	22 이상*1	76 이상*2	28 이상*3

*1 당상 21-정1 3·종1 1·정2 4·종2 6·정3 7, 참하1(정7).
*2 당상 68-정1 15·종1 1·종1~종2 29·정2 6·종2 7·종2~정3 1·정3 9, 참상 7(5~6품), 참하 1(정7).
*3 당상 26-정1 3·종1 1·종1~종2 2·정2 6·종2 5·종2~정3 2·정3 7, 참상 1(정3), 참하 1(정7).

2. 六曹屬衙門

육조 속아문의 문반 겸직은 『경국대전』에 규정된 홍문관·승문원 등 50여 관아에 127직(정1~정3 당상 108, 정3~정9 19)이220) 이후 1865년(고종 2)까지 정치·군사·사회·경제의 변동, 제도정비, 왕실과 관련된 궁·전의 증치, 육조의 속아문사 관여 등과 관련되어 변개되면서 운영되었다.

『경국대전』에 겸직이 편제된 육조 속아문 50여 관아 중 상서원 등 30여 관아는 『경국대전』에 규정된 겸직이221) 그대로 조선후기까지 계승되었다.

---

219) 『조선왕조실록』 성종 16~철종 14년조, 『증보문헌비고』 권216~권222, 직관고 3~9, 『속대전』·『대전통편』·『대전회통』 권1, 이전 경관직 등에서 종합.

220) 『경국대전』 권1, 이전 경관직 각사조에서 종합.

221) 그 관아는 예문관, 성균관, 상서원, 춘추관, 승문원, 봉상시, 사옹원, 내의원, 상의원, 사복시, 군기시, 군자감, 전의감, 사역원, 선공감, 사도시, 사재감, 종묘서, 사직서, 제용감, 평시서, 전생서, 내섬시, 빙고, 장원서, 사포서, 도화서, 전옥서, 활인서, 와서이다(각 관아 겸직의 명칭, 직질, 수는 뒤 〈표 6-6〉 참조). 그러나 겸직 수는 변동이 없었지만 例兼職에 있어서 는 다음과 같이 변개되면서 운영되었다.
명종 11년 : 종부시 제조 2직이 종친·조관 각1인의 겸직으로 규정(『명종실록』 권20, 11년 3월 을축).
영조 22년 : 사복시 제조 1직이 의정의 겸직, 군기시 제조 2직이 병조판서·참판과 무장의 겸직, 예빈시 제조 1직이 호조판서의 겸직, 조지서 제조직이 총융사의 겸직으로 각각 규정(『속대전』 권1, 이전, 경관직 사복시·군기시·예빈시·조지

그러나 홍문관 등 20여 관아는 다음과 같이 여러 차례에 걸쳐 新置, 增置, 削減, 革去, 復置 되면서 운영되었다.[222)]

1) 新置

1776년(정조 즉위)에 景慕宮에 도제조·제조 각1직, 통례원에 兼引儀(종9, 6)가 설치되어[223)] 모두 후대로 계승되었다. 1850년(철종 1)에 永禧殿이 전각의 조영과 함께 도제조(1)·제조(1)가 설치되고[224)] 1865년(고종 2)에 녹직인 弘文館 直提學이 都承旨의 겸직으로 전환된 후[225)] 『대전회통』에 등재되었다.

2) 增置, 增置 후 削減

1746년(영조 22) 이전에 校書館은 교검(정6, 1)·박사(정7, 2)·저작(정8, 2)·정자(정9, 2)·부정자(종9, 2)가 정직에서 겸직으로 전환되었다.[226)] 1746년 이전 관상감은 천문학겸교수(종6, 2), 지리학·명과학교수(종6, 각1)이 증치되면서[227)] 영사(1)·제조(2)·천문학교수(2)·명과학교수(1)·지리학교수(1)로 정비된 후 『속대전』에 등재되어 후대로 계승되었다.

1505년(연산군 11)에 掌樂院은 당상관 4직(제조로 추정)이 증치되었다가[228)] 1506년(중종 1)에 혁거되었다. 1583년(선조 16) 이전에 禮賓寺는 兼正

서).

정조 9년 : 예빈시 제조의 겸직이 호조판서에서 호조판서나 참찬으로 개정(『대전회통』 권 이전 1, 이전, 경관직 예빈시).

222) 『조선왕조실록』 연산군 1년~정조 9년조 ; 『속대전』·『대전통편』·『대전회통』 권1, 이전 경관직 ; 『증보문헌비고』 권220~224, 직관고 7~11 등에서 종합.

223) 『증보문헌비고』 권223, 직관고 10 경모궁.

224) 『증보문헌비고』 권224, 직관고 11 제전관.

225) 『고종실록』 2년 11월 4일.

226) 『증보문헌비고』 권220, 직관고 7, 교서관.

227) 『속대전』 권1, 이전 경관직 관상감.

228) 『연산군일기』 권58, 11년 6월 갑인.

(정3, 1)이 설치되었다가 1746년(영조 22) 이전에 혁거되었다.[229] 1746년 이전에 惠民署는 『경국대전』에 규정된 제조(2) 중 1직이 삭감되었다가 1785년(정조 9) 이전에 1직이 증치되면서 제조 2직으로 정비되어[230] 『대전통편』에 등재된 후 후대로 계승되었다. 1792년(정조 16) 이전 華寧殿은 제조(1, 수원유수 겸)·영(종5, 1, 수원판관 겸)이 설치되어[231] 『대전회통』에 등재되었다. 1785년(정조 9) 長生殿은 도제조(1, 영의정 겸), 제조(3, 호·예·공판 겸)·낭청(5~6품, 3, 호·예·공조낭관 겸)이 설치되어 후대로 계승되다가 『대전통편』에 등재된 후 후대로 계승되었다.

3) 削減

1503년(연산군 9)에 4學은 『경국대전』에 규정된 교수(종6, 8)·훈도(정9, 8) 각4직이 삭감되었다가[232] 1506년(중종 1)에 복구되었고, 1746년(영조 22) 이전 교수·훈도 각4직이 삭감되면서 교수·훈도 각 4직으로 정비되어 『속대전』에 등재된 후 후대로 계승되었다. 그 후 1865년(고종 2)에 도승지의 겸직인 藝文館直提學이 녹직으로 전환된 후[233] 『대전회통』에 등재되었다.

4) 革去, 革去·復置 후 革去

1782년(정조 6)에 校書館은 『경국대전』에 규정된 제조(2)·판교(정1, 1)·박사(정7) 이하 2직이 관아가 奎章閣에 합병될 때 제조는 소멸되고 판교·박사 이하는 규장각에 이속되었다.[234] 1511년(중종 6) 전함사는 『경국대전』에 규정된 도제조(1)·제조(1)가 관아와 함께 혁거되었다.[235] 1746년(영조 22)

---

229) 『선조실록』 권17, 16년 윤2월 갑인 ; 『속대전』 권1, 이전 경관직 예빈시.
230) 『속대전』·『대전통편』 권1, 이전 경관직 혜민서.
231) 『대전통편』 권1, 이전 경관직 화령전.
232) 『연산군일기』 권19, 9년 3월 경진.
233) 『고종실록』 2년 11월 4일.
234) 『증보문헌비고』 권220, 직관고 7, 교서관.

이전에 典涓司는 『경국대전』에 규정된 제조(1)가 관아와 함께 혁거되면서[236] 소멸되었다. 1637년(인조 15)에 內資寺는 『경국대전』에 규정된 제조(1)가 관아가 內贍寺에 병합될 때 혁거되었다.[237] 1595년(선조 28)에 歸厚署는 『경국대전』에 규정된 제조(1)가 관아와 함께 혁거되었다.[238] 1592년(선조 25)에 문소전·연은전은 『경국대전』에 규정된 도제조(2)·제조(2)가 전각의 소실과 함께 혁거되었고, 그 후 복치되었다(연대 불명)가 1746년(영조 22) 이전에 혁거되었다.[239] 1865년(고종 2) 이전에 宗簿寺는 『경국대전』에 규정된 도제조(2, 尊屬 宗親)·제조(2)가 관아가 종친부에 합병될 때 혁거되었다.

1505년(연산군 11)에 宗學은 『경국대전』에 규정된 導善(1)·典訓(1)·司誨(2)가 관아와 함께 혁거되었다가[240] 1506년에 복구, 1511년(중종 6)에 혁거되었다가 복설,[241] 곧 혁거되었다가 1516년(중종 11)에 복설되어[242] 1746년(영조 22) 이전에 혁거되었다.[243] 1506년(연산군 12)에 昭格署는 『경국대전』에 규정된 제조(1)가 관아와 함께 혁거되었고,[244] 이후 1506년(중종 1)에 복치,[245] 1516년에 혁거되었다가 1525년(중종 20)에 복치,[246] 1555년(명종 10) 이전에 혁거,[247] 1630년(인조 8)에 복치되었다가[248] 1746년(영조 22)

---

235) 『중종실록』 권13, 6년 4월 계묘.
236) 『속대전』 권1, 이전 경관직 전연사.
237) 『인조실록』 권34, 15년 3월 정미.
238) 『선조실록』 권42, 26년 9월 계축 ; 권62, 28년 9월 갑자.
239) 『증보문헌비고』 권224, 직관고 11 문소전·연은전 ; 『속대전』 권1, 이전 경관직 각전 문소·연은전.
240) 『연산군일기』 권60, 11년 11월 병신.
241) 『중종실록』 권9, 6년 1월 무신 ; 권10, 6년 7월 신유.
242) 『중종실록』 권26, 11년 9월 갑진.
243) 『속대전』 권1, 이전 경관직 종학.
244) 『연산군일기』 권61, 12년 1월 병신.
245) 『중종실록』 권1, 1년 10월 무신.
246) 『증보문헌비고』 권223, 직관 10 소격서.

이전에 혁거되면서[249] 소멸되었다. 1595년(선조 28)에 사축서는 『경국대전』에 규정된 제조(1)가 혁거되고 1658년(효종 9)에 복치되었다가[250] 1785년(정조 9) 이전에 혁거되었다.

1505년(연산군 11)에 修城禁火司는 『경국대전』에 규정된 도제조(1)·제조(2)가 1637년(인조 15)에 혁거되었고,[251] 곧 복치되었다가 1746년(영조 22) 이전에 관아와 함께 혁거되면서 소멸되었다.

5) 新置·革去 후 復置

1648년(인조 26)에 世孫講書院은 관아설치와 함께 師(종1, 1)·傅(종1, 1)가 설치되었고,[252] 1649년(효종 즉위)에 혁거되었다가 1759년(영조 35)에 관아 복설과 함께 사·부가 복치되었고, 곧 翊善(종4)·贊讀(종6) 각1직이 증치되면서[253] 사(1)·부(1)·우익선(1)·우찬독(1)으로 정비되어 『대전통편』에 등재된 후 후대로 계승되었다.

1584년(선조 17)에 전설사는 『경국대전』에 규정된 제조(1)가 혁거되었다가 1746년 이전에 복설되어[254] 후대로 계승되었다.

6) 削減·革去 후 復置

1505년(연산군 11)에 弘文館은 『경국대전』에 규정된 영사(정1, 1)·대제학(정2, 1)·제학(종2, 1)이 관아와 함께 혁거되었다가 1506년(중종 1)에 관아와

---

247) 『명종실록』 권18, 10년 2월 정축.
248) 『인조실록』 권23, 8년 3월 기유.
249) 『속대전』 권1, 이전 경관직 소격서.
250) 『선조실록』 권62, 28년 4월 갑자 ; 『효종실록』 권20, 9년 12월 기묘.
251) 『증보문헌비고』 권224, 직관고 11 수성금화사 ; 『인조실록』 권34, 15년 3월 정미.
252) 『인조실록』 권19, 26년 9월 신유.
253) 『증보문헌비고』 권225, 직관 12 세손강서원.
254) 『선조실록』 권17, 6년 5월 정미 ; 『속대전』 권1, 이전 경관직 전설사.

함께 복치된[255] 후 후대로 계승되었다.

1505년(연산 11)에 世子侍講院은 『경국대전』에 규정된 사 1(정1, 영의정), 부 1(정1, 의정), 이사 1(종1, 찬성), 좌·우빈객(정2, 각1), 좌·우부빈객(종2, 각1)이 관아와 함께 혁거되었다가 1520년(중종 15) 관아와 함께 복치되었고,[256] 곧 당하관 4직(관직불명)이 증치되었다가 선조 즉위 후에 2직이 감소되었으며, 1646년(인조 24)에 겸보덕·겸필선·겸문학·겸사서·겸설서 각1직이 신치되면서[257] 사(1)·부(1)·이사(1)·좌·우빈객(각1)·좌·우부빈객(각1)·겸보덕(종3, 1)·겸필선(정4, 1)·겸문학(정5, 1)·겸사서(정6, 1)·겸설서(정7, 1)로 정비되어 『속대전』에 등재된 후 후대로 계승되었다.

1637년(인조 15)에 司贍寺는 『경국대전』에 규정된 제조(2)가 관아가 제용감에 병합될 때 혁거되었고, 1645년(인조 23)에 관아와 함께 복설되었다가[258] 1785년(정조 9) 이전에 관아와 함께 혁거되었다.[259]

이상에서 조선 중·후기 육조 속아문 문반 겸직은 1592년(선조 25) 왜란 이전까지는 『경국대전』에 규정된 127직이 큰 변동 없이 계승되었다. 그러나 왜란 이후에는 속아문의 기능약화로 인한 관아혁거 등으로 제조가 일부 삭감되기도 하나 종6품 이하 겸직이 다수 설치되었고, 묘·전에 도제조·제조가 신설되면서 143직(영조 23)~135직(고종 2)으로 증감되면서 운영되었다. 『경국대전』이 반포된 1485년(성종 16)으로부터 『대전회통』이 반포된 1865년(고종 2)까지에 걸친 문반 직계·육조 속아문 겸직 변천을 관아별과 시기별로 종합하여 제시하면 다음의 표와 같다.

---

255) 『연산군일기』 권58, 11년 7월 경신 ; 『중종실록』 권1, 1년 9월 기묘.
256) 『연산군일기』 권58, 11년 7월 경신 ; 『중종실록』 권1, 1년 9월 기묘.
257) 『증보문헌비고』 권225, 직관 12 세자시강원.
258) 『인조실록』 권34, 15년 3월 정미 ; 권46, 23년 1월 임진.
259) 『대전통편』 권1, 이전 경관직 사섬시.

〈표 6-6〉 조선 중·후기 육조 속아문 문반겸직 변천(*은 무정수)[260]

	『경국대전』	성종17~고종2	『대전회통』(고종2)
弘文館	領事1(정1, 의정), 大提學1(정2), 提學1(종2)→	→연산11 혁, 중종1 복→ 고종2 치 직제학1(정3당하)→	영사1, 대제학1, 제학1, 직제학1
藝文館	領事1(정1, 의정), 大提學1(정2), 提學1(종2), 直提學1(정3, 도승지), 應敎 정4, 홍문관)→	→ 고종2 혁 직제학1→	영사1, 대제학1, 제학1, 응교1
世子侍講院	師(정1, 영의정), 傅(정1, 의정), 貳師(종1, 찬성), 左·右賓客 각1(정2), 좌·우부빈객각1(종2)→	→연산11 혁, 중종15 복→인조24 치 兼輔德(종3)·兼弼善(정4)·兼文學(정5)·兼司書(정6)·兼說書(정7) 각1→	사1, 이사1, 좌·우빈객 각1, 좌·우부빈객 각1, 겸보덕·겸필선·겸문학·겸사서·겸설서 각1
世孫講書院		인조22 치 師 1(종1)·傅1(종1), 효종 즉위 혁, 영조35 복치→	사·부 각1(종1)
成均館	知事1(정2), 同知事2(종2)→	→	지사1, 동지사2
尙瑞院	正1(정3, 도승지)→	→	정1
春秋館	領事(정1, 영의정), 監事(정1, 좌·우의정), 知事2(정2), 同知事2(종2), 修撰官*(정3), 編修官*(정3~종4), 記注官*(정5품), 記事官*(정6~정9)→	→	영사1, 감사2, 지사2, 동지사2, 수찬관*, 편수관*, 기주관*, 기사관*
承文院	都提調3(의정), 提調*(종1~종2), 副提調*(정3당상)→	→	도제조3, 제조*, 부제조*
校書館	提調2, 判校1(정3), 博士(정7) 이하 2(의정부사록·奉常寺直長 이하겸)→	→영조22 이전 校檢1(정6), 박사(정7)·저작(정8)·정자(정9)·부정자(종9) 각2 겸직전환→ 정조6 혁(교검 이하 이속 규장각)	
通禮院		영조22 이전 兼引義6(隨品兼)→	겸인의6
奉常寺	도제조1, 제조1→	→	도제조1,제조1
宗簿寺	도제조2(尊屬宗親), 제조2→	고종2 이전 혁	
司饔院	도제조1, 제조4, 부제조5(1승지)→	→	도제조1, 제조4, 부제조5
內醫院	도제조1, 제조1, 부제조1(승지)→	→	도제조1, 제조1, 부제조1
尙衣院	제조2, 부제조1(승지)→	→	제조2, 부제조1
司僕寺	제조2→	→	제조2
軍器寺	도제조1, 제조2→	→	도제조1, 제조2
司贍寺	제조1→	인조15 혁, 인조23 복→ 정조9 이전 혁	
軍資監	도제조1, 제조1→	→	도제조1, 제조1
掌樂院	제조2, 첨정1·주부1·직장1 중2→	연산11 증치 당상관4, 중종1 삭감→ 영조22 이전 첨정1·주부2 중 2→	제조2, 첨정 이하 2
觀象監	영사1(정2, 영의정), 제조2	영조22 이전 天文學(2)·地理學(1)·	영사1, 제조2, 천문학겸

		命課學(1) 각 치 兼敎授→	교수2, 지리학겸교수1, 명과학겸교수1
典醫監	제조2→	→	제조2
司譯院	도제조1, 제조2→	→	도제조1, 제조2
濟用監	제조1→	→	제조1
膳工監	제조2→	→	제조2
宗學	導善(정4) 이하 4 성균사성 이하 전적이상겸)→	연산11 혁→ 중종1 복→ 중종6 혁→ 중종11 복→ 영조22 이전 혁	
修城禁火司	도제조1, 제조2→	인조15 혁→ 곧 복→ 영조22 이전 혁	
典設司	제조1→	선조17 혁→ 영조22 이전 복→	제조1
司導寺	제조1→	→	제조1
司宰監	제조1→	→	제조1
典艦司	도제조1, 제조1→	중종6 혁	
典涓司	제조1(繕工監提調)→	영조22 이전 혁	
昭格署	제조1→	연산12 혁→ 중종1 복→ 중종11 혁 →중종16 복→ 명종10 이전 혁→ 인조8 복→ 영조22 이전 혁	
宗廟署	도제조1, 제조1→	→	도제조1, 제조1
社稷署	도제조1, 제조1→	→	도제조1, 제조1
景慕宮		영조22 이전 제조1→	제조1
濟用監	제조1→	→	제조1
平市署	제조1→	→	제조1
典牲署	제조1→	→	제조1
內資寺	제조1→	인조15 혁	
內贍寺	제조1→	→	제조1
禮賓寺	제조1→	선조16 이전 치 兼正(정3)1→ 영조22 이전 삭감→	제조1
氷庫	제조1→	→	제조1
掌苑署	제조1→	→	제조1
司圃署	제조1→	→	제조1
養賢庫	주부1·직장1·봉사1((성균관관 겸)→	→	주부 이하 3
司畜署	제조1→	제조1(호판)→	제조1
造紙署	제조2→	제조2(1 총융사)→	제조2
惠民署	제조2→	영조22 이전 감 제조1→ 정조9 이전 증 제조1→	제조2
圖畵署	제조1→	→	제조1
典獄署	부제조1(승지)→	→	부제조1
活人署	제조1→	→	제조1
瓦署	제조1→	→	제조1

歸厚署	제조1→	선조28 혁	
4學	敎授(종6)·訓導(정9) 각2(성균관전적 이하 겸)→	연산11 감 교수·훈도 각4→ 중종1 복→ 영조22 이전 감 교수·훈도 각4 →	교수·훈도 각1
文昭殿	도제조2, 제조2→	선조25 혁→ ?복치→영조22 이전 혁	
延恩殿	제조2(문소전제조겸)→	선조25 혁→ ?복치→영조22 이전 혁	
永禧殿		철종1 도제조1, 제조1→	도제조1, 제조1
華寧殿		정조15 이전 치 제조1(水原留守), 令(종5) 1(水原判官)→	제조1, 영1
長生殿		정조9 이전 치 도제조1(영의정), 제조3(호·예·공판), 낭청3(호·예·공조낭관)→	도제조1, 제조3, 낭청3
합계[*1]	127(당상108, 참상12, 참하7)	127~135(당상113, 참상16, 참하6, 고종2)	135(당상113, 참상16, 참하6)

*1 직질별 관직수는 뒤 〈표 6-7〉 참조

덧붙여 『경국대전』, 『속대전』, 『대전회통』에 규정된 문반 경관 녹직·무록직·체아직·겸직을 직계·육조 속아문 별과 직질별로 정리하여 제시하면 다음의 표와 같다.

〈표 6-7〉 조선 중·후기 경관 문반 관직·직질별 변천 종합(↑은 이상, *은 무정수)261)

			당상관																	
			정1			종1			종1~종2			정2			종2			정3당상		
			경국대전	속대전	대전회통	경	속	회	경	속	회	경	속	회	경	속	회	경	속	회
본직	녹직	직계아문	4	4	4	3	3	3				10	12	12	11	12	12	15	15	15
		육조속아문	0	0	0	0	0	0				0	0	0	0	0	0	3	2	2
		계	4	4	4	3	3	3				10	12	12	11	12	12	18	17	17
겸직		직	7	16	3	1	1	1	0	25	2	4	4	4	5	6	5	7	7	7
		속	21	17	20	1	1	3	59	51	48	5	5	7	6	5	8	9	10	9
		계	28	33	23	2	2	4	59	76	50	9	9	11	11	11	13	16	17	16

260) 『조선왕조실록』 성종 16~철종 14년조 ; 『증보문헌비고』 권216~권222, 직관고 3~9 ; 『속대전』·『대전통편』·『대전회통』 권1, 이전 경관직 등에서 종합.

261) 졸저, 앞 『朝鮮初期 政治制度와 政治』, 113~116쪽 〈표 4-2〉, 120쪽 〈표 4-3〉, 124쪽 〈표 4-4〉, 133쪽 〈표 4-7〉, 134쪽 〈표 4-8〉, 『속대전』·『대전회통』 권1, 이전 경관직에서

			당상관			당하~참상														
			소계			정3			종3			정4			종4			정5		
			경	속	회	경	속	회	경	속	회	경	속	회	경	속	회	경	속	회
본직	녹직	직	43	46	46	1	1	1	3	2	3	5	5	5	11	3	4	24	24	23
		속	3	2	2	19	11	11	19	7	4	9	8	5	20	10	10	13	11	7
		계	46	48	48	20	12	12	22	9	7	14	13	10	31	13	14	37	35	30
	체아직	직				0	0	0	0	0	0	0	0	0	0	0	0			
		속				4	4	4	3	3	0	0	0	0	4	4	4			
		계				4	4	4	3	3	0	0	0	0	4	4	4			
	무록직	직							0	0	0				0	0	0			
		속*							2	2	0				11	1	0			
		계							2	2	0				11	1	0			
	합계	직	43	46	46	1	1	1	3	2	3	5	5	5	11	3	4	24	24	23
		속	3	2	2	23	15	15	24	12	4	9	8	5	35	15	14	13	11	7
		계	46	48	48	24	16	16	27	14	7	14	13	10	46	18	18	37	35	30
겸직		직	24	49	22	0	0	0	0	0	0	0	0	0	0	0	0	0	0	0
		속	101	89	95	4	4	4	0	0	1	2	3	3	0	0	1	1	1	3
		계	125	138	117	4	4	4	0	0	1	2	3	3	0	0	1	1	1	3

									참상						참하관								
			종5			정6			종6			소계			정7			종7			정8		
			경	속	회	경	속	회	경	속	회	경	속	회	경	속	회	경	속	회	경	속	회
본직	녹직	직	12	4	7	46	35	33	2	22	11	104	69	87	4	3	5	2	2	2	2	2	3
		속	30	29	60	23	23	15	53	43	40	186	137	152	10	11	9	26	26	26	12	11	8
		계	42	33	67	69	58	48	55	65	51	290	200	239	14	14	14	28	28	28	14	13	11
	체아직	직	0	0	0				0	0	0	0	0	0				2	2	0			
		속	5	3	4				6	3	8	22	14	20				13	11	6			
		계	5	3	4				6	3	8	22	14	20				15	13	6			
	무록직	직	0	0	0				4	3	0	4	3	0				0	0	0			
		속	23	5	0				50	25	16	86	33	16				0	0	1			
		계	23	5	0				54	28	16	90	36	16				0	0	1			
	합계	직	12	4	7	46	35	33	6	25	11	108	72	87	4	3	5	4	4	0	2	2	3
		속	58	37	64	23	23	15	109	71	64	294	184	188	10	11	9	39	37	7	12	11	8
		계	70	41	71	69	58	48	115	96	75	402	256	275	14	14	14	43	41	7	14	13	11
겸직		직	0	0	0	0	0	0	0	2	2	0	2	2	1	1	0	0	0	0	0	0	0
		속	0	0	2	1	0	3	9	5	14	16	15	31	0	1	4	1	0	1	1	1	3
		계	0	0	2	1	0	3	9	7	16	16	17	33	1	2	4	1	0	1	1	1	3

종합.

									참하관						기타			계		
			종8			정9			종9			소계			경	속	회	경	속	회
			경	속	회	경	속	회	경	속	회	경	속	회						
본직	녹직	직	2	0	5	0	5	2	2	1	10	12	44	58			3	161	153	162
		속	20	24	20	36	27	22	60	90	69	164	189	171			3	349	330	310
		계	22	24	25	36	32	24	62	91	79	176	233	229			6	510	483	472
	체아직	직	4	2	0	2	2	0	4	2	0	12	8	0				12	8	10
		속	13	11	8	12	10	14	25	22	11	63	54	31				84	67	46
		계	17	13	8	14	12	14	29	24	11	75	62	31				96	75	56
	무록직	직	0	0	0				0	0	0	0	0	0			0	4	3	3
		속*	5	5	5				0	12	12	5	17	18			6	91	49	40
		계	5	5	5				0	12	12	5	17	18			6	95	52	43
	합계	직	6	2	5	2	7	2	6	3	10	24	52	58			3	177	164	175
		속	38	35	28	48	37	36	85	112	92	232	260	220			9	524	446	396
		계	44	37	33	50	44	38	91	115	102	256	312	278			12	701	610	571
겸직		직	0	0	0	0	0	0	0	0	0	0	0	0			0	24	52	22
		속	1	1	1	8	5	9	0	5	6	8	13	24			2	138	143	121
		계	1	1	1	8	5	9	0	5	6	8	13	24			2	162↑	195↑	174↑

* 제거(3품)·제검(4)·별좌(5)·별제(6)·별검(8)는 모두 종품으로 분류함.

** 체아·무록직은 당상관이 없다.

제7장 朝鮮 中·後期 京官職의 變遷Ⅱ－武班·軍營衙門職과 雜職

제1절 武班職의 變遷

1. 正職

1) 直啓衙門：中樞府·宣惠廳·濬川司, 五衛都摠府

『경국대전』에 규정된 무반 직계아문의 정직에는 중추부·5위도총부에 당상관 24직과 참상관 10직이 있었다.[1] 이것이 이후 1865년(고종 2)까지 왜란·호란의 극복과 양난 이후에 요청된 국왕호위, 왕성·도성·근기지방의 방어 강화 등과 관련되어 훈련도감을 시작으로 10여의 군영아문이 차례로 설치되면서 대부분의 관직이 체아직과 무록직이 되고 각 군영의 효과적인 지휘·연계와 관련되어 정직도 상당수가 증치되면서 운영되었다.

(1) 中樞府와 宣惠廳·濬川司

가) 中樞府

중추부의 정직은 『경국대전』에 규정된 領事(정1, 1), 判事(종2, 2), 知事(정2, 6), 同知事(종2, 7), 僉知事(정3당상, 8), 經歷(종4, 1), 都事(종5, 1)가 1746년(영조 22) 이전에 동지사 1직이 衛將 遞兒職으로 가치되고 첨지사 3직이 위장

1) 관아별 관직과 직질은 앞 〈표 2-2〉 참조.

체아직으로 전환 및 도사 2직이 가치되면서[2] 영사 1·지사 2·동지사 7·첨지사 5·경력 1·도사 3직으로 정비되어 『속대전』에 등재된 후 후대로 계승되었다.

나) 宣惠廳·濬川司

선혜청은 1608년(광해 즉위)에 동반관아로 설치되었다가 1865년(고종 2)에 서반관아로 전환될 때 동반 정6품 정직이었던 낭청 5직이 그대로 무반정직으로 전환되면서[3] 『대전회통』에 법제화되었다.

준천사는 1727년(영조 3) 동반관아로 설치되었다가 1865년(고종 2)에 문반아문에서 무반아문으로 전환될 때 도제조 이하 모든 관직이 계승되었지만, 그 모두가 겸직이었고[4] 정직은 없었다.

(2) 五衛都摠府

五衛都摠府는 『경국대전』에 규정된 經歷(종4, 4), 都事(종5, 4)가 1506년(연산 12)에 경력·도사 각1직이 삭감되었다가 1506년(중종 1)에 복구되었고,[5] 이것이 변동 없이 『속대전』·『대전통편』·『대전회통』에 법제화되면서 조선후기까지 계승되었다.

2) 兵曹屬衙門 : 5衛·訓練院·世子翊衛司·世孫衛從司, 宣傳官廳·守門將廳·各殿守門將, 司僕寺·軍器寺·典設司

『경국대전』에 규정된 병조 속아문에는 5衛, 訓練院, 司僕寺, 軍器寺, 典設司, 世子翊衛司가 있지만 이중 사복시·군기시·전설사는 문반관아로 분류되고 그 관직과 함께 吏典에 등재되어 있고, 또 문반 정직에서 파악하였기에 제외하고

---

2) 『속대전』 권4. 병전 중추부.
3) 『대전회통』 권4. 병전 선혜청.
4) 『대전회통』 권4. 병전 준천사.
5) 『연산군일기』 권61, 12년 1월 병신 ; 『중종실록』 권1, 1년 9월 기묘.

여기에서는 5위·훈련원·세자익위사와 조선후기에 설치된 세손위종사에 국한하여 고찰한다. 또 병조 속아문은 아니지만 선전관청은 병조 속아문인 훈련원과 세자익위사의 수문장청·각전 수문장은 병조 속아문의 끝인 세손위종사와 군영아문의 중간에 각각 기재되어 있기에 겸하여 파악한다.

(1) 五衛·訓練院·世子翊衛司·世孫衛從司

五衛(義興·龍驤·虎賁·忠佐·忠武衛)는 『경국대전』에 규정된 將(종2겸, 12), 上護軍(정3, 9), 大護軍(종3, 14), 護軍(정4, 12), 副護軍(종4, 54), 司直(정5, 14), 副司直(종5, 123), 司果(정6, 15), 部長(종6, 25), 副司果(종6, 176), 司正(정7, 5), 副司正(종7, 309), 司猛(정8, 16), 副司猛(종8, 483), 司勇(정9, 42), 副司勇(종9, 1,939)(대호군, 부호군, 부사직, 부사과, 부사정, 부사맹, 부사용은 체아직[6])이 1506년(연산군 12)에 부장 10직이 삭감되었다가[7] 동년 중종 즉위와 함께 복구되었다. 이후 1592년(선조 25)에 부장 50직이 가설되었다가 1594년(선조 27)에 45직이 삭감되면서 30직으로 조정되었고,[8] 1746년(영조 22) 이전에 5衛制의 5軍營制로의 개편·5군영이 중심이 된 군사운영과 관련되어 職任이 없는 관아로 전환되고 관직이 크게 감소되면서 존속된[9] 모든 관직이 군직체아로 전환되었다.[10]

---

6) 졸저, 앞 『朝鮮初期의 政治制度와 政治』, 299쪽.

7) 『연산군일기』 권61, 12년 1월 병신.

8) 『선조실록』 권29, 25년 8월 계묘 ; 권53, 27년 7월 신사.

9) 將이 정3품 당상관으로 降秩되고 상호군 1·대호군 2·호군 8·사직 3·부사직 23·부장 5·부사정 60·사맹 1·부사맹 27·사용 18·부사용 1,358직이 삭감 및 부호군 22·사과 6·부사과 1·사정 15·부호군 22직이 증치되면서 장 15, 상호군 8, 대호군 12, 부호군 69, 사직 11, 부사직 102, 사과 21, 부장 25, 부사과 183, 사정 28, 부사정 250, 사맹 15, 부사맹 208, 사용 24, 부사용 460직으로 조정되었다(『속대전』 권4, 병전 경관직 오위).

10) 졸저, 『조선초기 정치제도와 정치』, 229쪽 ; 『속대전』 권4, 병전 경관직 5위조에서 종합.

訓練院은 『경국대전』에 규정된 知事(정2겸, 1), 都正(정3당상, 2, 1겸직), 正(1), 副正(2), 僉正(2), 判官(2), 主簿(2), 參軍(정7, 2), 奉事(2)이 1506년(연산군 12)에 부정·첨정 각1직이 삭감되고 참군·봉사가 혁거되었다가[11] 동년 중종의 즉위와 함께 복구되었다. 이후 1510년(중종 5)에 習讀官 10직이 가치되었고, 1746년(영조 22) 이전에 첨정 2·판관 6·주부 16직이 증치되면서 지사 1(겸), 도정 2(1겸), 정1, 부정 2, 첨정4, 판관8, 주부 18, 봉사 2, 참봉 2직으로 정비된 후 후대로 계승되었다.[12]

世子翊衛司는 『경국대전』에 규정된 左·右翊衛(정5, 각1), 左·右司禦(종5, 각1), 左·右翊贊(정6, 각1), 左·右衛率(종6, 각1), 左·右副率(정7, 각1), 左·右侍直(정8, 각1), 左·右洗馬(정9, 각1)가 1505년(연산군 11) 연산군의 난정·재정절감과 관련된 관아의 혁거에 따라 그 모두가 혁거되었다가 익년 중종의 즉위와 함께 복구된 후 변동 없이 후대로 계승되었다.[13]

世孫衛從司는 1649년(인조 27) 관아의 설치와 함께 左·右長史 각1(종6), 左·右從史 각1(종7)이 설치되었고, 이후 변동 없이 그대로 계승되었다.[14]

(2) 宣傳官廳·守門將廳·各殿 守門將

宣傳官廳은 『경국대전』에 규정된 선전관 8직(무반 체아직)이[15] 1746년(영조 22) 이전에 정직으로 전환되고 21직(정3당상 1·참상 3·無定品 17)으로 증가되었다.[16] 1785년(정조 9) 이전에 行首 1직이 신치·당상 2직이 증치되고 품계를 규정하지 않은(無定品) 17직이 참상 3직과 참하 14직으로 조정되었으며, 1865년(고종 2) 이전에 참상 1직이 증치되면서 정3당상 3·행수 1·참상

11) 『연산군일기』 권61, 12년 3월 신묘 ; 권63, 12년 7월 신사.
12) 『속대전』·『대전통편』·『대전회통』 권1, 이전 경관직 훈련원.
13) 『속대전』·『대전통편』·『대전회통』 권1, 이전 경관직 세자익위사.
14) 『속대전』·『대전통편』·『대전회통』 권1, 이전 세손위종사.
15) 『경국대전』 권4 병전 경관직 정3품·종3·종4·종5·종6·종7·종8·종9 각1.
16) 『속대전』 권4, 병전 경관직.

7·참하 14직으로 정비된 후 『대전회통』에 법제화되었다.[17]

守門將廳은 『경국대전』에 규정된 수문장 8직(무반 체아직 4품 이상)이[18] 명종 16년 이전에 정직으로 전환되고 16직으로 증가되었다.[19] 이어 1592년(선조 25)~1746년(영조 22) 이전에 20~430~21직으로 변천되었고,[20] 1785년(정조 9) 이전에 3직이 증치되면서 24직이 당상관 3·참상 7·참하 14직, 1865년(고종 2) 이전에 다시 5직이 증치되면서 29직이 종6품 15·종9품 14직으로 조정된 후[21] 『대전회통』에 법제화되었다.

各殿 守門將은 肇慶廟와 慶基·濬源·華寧殿에 설치되었다. 그 모두에는 1865년(고종 2) 이전에 종9품 1직이 설치되어 『대전회통』에 법제화되었다.[22]

이상에서 조선 중·후기 무반 경관 정직은 『경국대전』의 792직에서 5위제의 5군영제로의 개편에 따른 5위 정직의 삭감에 따라 792~116직으로 크게 감소되면서 운영되었다. 지금까지 고찰한 무반 직계아문·병조 속아문의 정직변천을 표로 정리하면 다음과 같다.

〈표 7-1〉 조선 중·후기 무반·경관 정직 변천

		『경국대전』(1485)	1486~1865	『대전회통』(1865)	비고
직계아문	중추부	영사(정1,1), 판사(종1,1),지사(정2,2), 첨지사(정3상,8), 경력(종4,1), 도사(종5,1)	고종2 이전 가 도사2→	영사1, 판사1, 지사2, 첨지사7, 경력1, 도사3	
	선혜청		고종2 낭청(종6, 5)→	낭청5	
	5위 도총부	경력(종4,4), 도사(종5,4)	영조22 이전 가 경력2·도사2→	경력6, 도사6	

17) 『대전통편』·『대전회통』 권4, 병전 경관직.

18) 『경국대전』 권4, 병전번차도목 ; 『속대전』 권4, 병전 수문장청에서 종합.

19) 『명종실록』 권27, 16년 10월 병술.

20) 『선조실록』 권45, 26년 12월 기사(30→ 200) ; 권51, 27년 1월 신사(50) ; 권52, 27년 6월 신미(20~430) ; 『속대전』 권4, 병전 경관직 수문장청.

21) 『속대전』·『대전통편』 권4, 병전 경관직 수문장청.

22) 『대전회통』 권4, 병전 경관직 각전 수문장. 설치시기는 불명하나 『대전통편』에 이들 묘·전을 관리하는 관직으로 令(종5)·別檢(종8) 등이 등재되었음에서 정조 9년~고종 2년이라고 추정된다.

	계	22(정1 1, 종1 1, 정2 2, 정3상 8, 종4 5, 종5 5)	28(정1 1, 종1 1, 정2 2, 정3상 8, 종4 7, 종5 9)→	→	
병조속아문	5위	상호군(정3)~사용(정9) 128직[*1], 부장(종6, 25)	→ 영조22 이전 체아직(상호군~부사용 1,511직[*2])→ 부장(종6, 10, 종7이하, 15)→	부장(종6, 10, 종7 이하 15)	
	훈련원	정(정3, 1), 부정(종3, 2), 첨정(종4, 2), 판관(종5, 2), 주부(종6, 2), 참군(정7, 2), 봉사(종8, 2)	연산, 중종1 복구→	→	
	사복시				문반아문
	군기시				문반아문
	전설사				문반아문
	세자익위사	좌·우익위(정5, 각1), 좌·우사어(종5, 각1), 좌·우익찬(정6, 각1), 좌·우위솔(종6,각1), 좌·우부솔(정7, 각1), 좌·우시직(정8, 각1), 좌·우세마(종8, 각1)	연산11 혁, 중종15 복치→	→	
	세손위종사		인조27 치 좌·우장사(종6, 각1), 좌·우종사(종7,각1), 효종2 혁, 영조27복→	→	
	계	770(정3 11, 종3 16, 정4 12, 종4 44, 정5 16, 종5 19, 정6 17, 종6 84, 정7 9, 종7 114, 정8 18, 종8 120, 정9 42, 종9 232)	29(종6 12, 종7 17)→	→	
기타아문	선전관청	선전관 8(체아직)	영조22이전 선전관21(정3당상1, 정3~종6 3, 종9 17), 정조 9이전 당상4, 참상6, 참하14, 고종2이전가 참상1→	25(정3당상4, 정3~종6 7, 종9 14)	
	수문장청	수문장(無定官)	영조22이전 수문장23(종6 5, 종9 18), 고종2 이전 29(참상15, 참하14)→	→	
	각전수문장		고종2이전 종9 5(조경묘·경기·선원전 각1, 화령전 2)→	→	
	계	0	59(정3상 4, 정3~종6 12, 정7~종9 33, 종9 5)	→	

합계	792(정1 1, 종1 1, 정2 2, 정3상 8, 정3 11, 종3 16, 정4 12, 종4 44, 정5 16, 종5 24, 정6 17, 종6 89, 정7 9, 종7 114, 정8 18, 종8 120, 정9 42, 종9 232)	116(정1 1, 종1 1, 정2 2, 정3상 12, 정3~종6 12, 종4 7, 종5 9, 종6 12, 정7~종9 33, 종7 17, 종9 5)	→	

*1 상호군(정3, 10), 대호군(종3, 14), 호군(정4, 12), 사직(정5, 14), 사과(정6, 15), 사정(정7, 5), 사맹(정8, 16), 사용(정9, 42).

*2 상호군(정3, 8), 대호군(종3, 12), 호군(정4, 4), 부호군(종4, 76), 사직(정5, 11), 부사직(종5, 100), 사과(정6, 21), 부사과(종6, 177), 사정(정7, 20), 부사정(종7, 249), 사맹(정8, 15), 부사맹(종8, 213), 사용(정9, 24), 부사용(종9, 581).

2. 遞兒職

무반체아직은 직계아문에는 설치되지 않았고, 병조 속아문인 5衛와 각종 衛屬 등에 광범하게 설치되었다. 왜란 이후에 5衛體制의 5軍營體制로의 개편, 제도정비 등과 관련되어 여러 차례에 걸쳐 甲士·親軍衛·別侍衛 체아가 관아와 함께 혁거되고, 5위 체아가 크게 감소하면서 운영되었다. 이에 따라 여기에서는 5위와 군직체아로 구분하여 살펴본다.

1) 5衛

5衛 遞兒職은 『경국대전』에 종4품 副護軍 11직으로부터 종9품 副司勇 1,707직까지의 2,464직이 규정되어 있었다.23) 이 관직이 후대로 계승되다가 1592년(선조 25) 임진왜란 이후에 왜란의 극복, 중앙·지방군제의 전면적 개편, 재정절감 등과 관련되어 5위제가 5군영체제로 개편됨에 따라 정직이던 정3품 상호군으로부터 정9품 사용직이 체아직으로 전환되고 부호군 이하 체아직이 크게 삭감되면서 운영되었다.

1746년(영조 22) 이전에 다음의 표와 같이 정직이던 정3품 상호군 8직~정9품 사용 24직의 326직이 체아직으로 전환되고 종4품 부호군 20직이 증치되며

23) 졸저, 2006, 『조선초기 정치제도와 정치』, 160쪽 주209).

종5품 부사직 23직이 삭감되는 등 1,279직이 삭감되면서 1,511직이 되었다. 그후 1865년(고종 2) 이전까지 다시 부호군 7직이 삭감되고 부사직 2직이 증치되는 등 9직이 증치되고 132직이 삭감되면서 1,388직으로 조정된 후 『대전회통』에 등재되었다.

〈표 7-2〉 조선 중·후기 5위 체아직 변천[24]

		『경국대전』	1486~1746	1747~1865	『대전회통』
상호군	정3품	0	증8	→	8
대호군	종3	0	증12	→	12
호군	정4	0	증4	→	4
부호군	종4	11	76(증65)	69(감7)→	69
사직	정5	0	증11	→	11
부사직	종5	78	100(증12)	102(가2)→	102
사과	정6	0	증21	→	21
부사과	종6	105	177(증72)	183(가6)→	183
사정	정7	0	증20	→	20
부사정	종7	197	249(증52)	250(가1)→	250
사맹	정8	0	증15	→	15
부사맹	종8	366	213(감153)	208(감5)→	208
사용	정9	0	증24	→	24
부사용	종9	1,707	581(감1,126)	460(감121)→	460
합계		2,464	1,511(증 326, 감1,279)	1,388(증 9, 감132)	1,388

2) 衛屬·기타 衙門

각종 위속과 기타 아문의 체아직은 『경국대전』에 규정된 겸사복·내금위·친군위·갑사 등 정3품 8직으로부터 종9품 3,172직(부방갑사 208직 제외)에 이르는 39관아 4,614직(부방갑사 400직 제외)이 1592년(선조 25) 이후 5위제의 5군영제로의 개편, 관제정비, 기능약화 등에 따라 여러 차례에 걸쳐 개변되면서 정3품 당상4직으로부터 종9품 2,003직에 이르는 30여 관아 2,979 관직으로 정비된 후 『대전회통』에 등재되었다.

24) 동상조, 『속대전』·『대전통편』·『대전회통』 권4, 병전 경관직 5위조에서 종합.

(1) 衛屬 : 宣傳官·兼司僕·內禁衛·甲士·親軍衛·別侍衛·族親衛·忠義衛·忠贊衛, 禁軍廳·壯勇衛

宣傳官은 『경국대전』에 규정된 8직(정3·종3·종4·종5·종6·종7·종8 각1)이 1746년(영조 22) 이전에 정직으로 전환되었다.[25]

兼司僕은 『경국대전』에 규정된 52직(정3 1, 종3 2, 종4 5, 종5 6, 종6 9, 종7 6, 종8 9, 종9 14)이 1505년(연산군 11)에 54직(2직은 문관), 1530년(중종 23) 이전에 50직, 1530년에 68직, 1594년(선조 27)에 500여직, 1664년(현종 5)에 157직(實差 78, 預差 79)으로 각각 변천되면서[26] 운영되다가 1666년(현종 7) 겸사복장과 함께 신설된 禁軍廳에 이속되었다.[27]

內禁衛는 『경국대전』에 규정된 181직(정3 1, 종3 4, 종4 7, 종5 18, 종6 28, 종7 40, 종8 39, 종9 44)이 1496년(연산 2)에 200직, 1528년(중종 23)에 190직에서 300직, 1594년(선조 27) 440직(실·예차), 1664년(현종 5) 402직(실차 203, 예차 199)으로 각각 개변되면서 운영되다가[28] 1666년(현종 7) 겸사복장과 함께 신설된 禁軍廳에 이속되었다.[29]

羽林衛는 1492년(성종 23) 관아 설치 시에 25직(종3 1, 종4 1, 종5 1, 종6 3, 종7 3, 종8 5, 종9 10)을 두었고,[30] 이후 1504년(연산군 10)에 혁거되었다가 1506년(중종 즉위)에 복치되었다.[31] 이어 1528년(중종 23)에 50직, 1664년(현종 5)에 122직(실차 74, 預差 48)으로 개변되면서 운영되다가 1666년(현종 7)에 겸사복·내금위와 함께 금군청에 이속되었다.[32]

---

25) 『속대전』 권4, 병전 경관직 선전관.

26) 『연산군일기』 권58, 11년 5월 정유 ; 『중종실록』 권60, 23년 2월 병오 ; 『선조실록』 권52, 27년 6월 신미 ; 『현종개수실록』 권11, 5년 8월 계미.

27) 『현종개수실록』 권11, 5년 8월 계미.

28) 『연산군일기』 권14, 2년 3월 임신 ; 『중종실록』 권60, 23년 2월 병오 ; 『선조실록』 권53, 27년 7월 신사 ; 『현종개수실록』 권11, 5년 8월 계미.

29) 『현종개수실록』 권11, 5년 8월 계미.

30) 『성종실록』 권266, 23년 6월 정묘.

31) 『연산군일기』 권55, 10년 8월 계묘 ; 『중종실록』 권1. 1년 9월 경자.

禁軍廳은 1666년(현종 7) 관아설치 때 겸사복·내금위·우림위 체아직 355직(실차 29, 예차는 326)이 두어졌고,[33] 1746년(영조 22) 이전에 700직(정3 3, 종4 13, 종5 31, 종6 82, 종7 115, 종8 132, 종9 224), 1865년(고종 2) 이전에 600직(정3 3, 종4 13, 종5 31, 종6 82, 종7 115, 종8 132, 종9 324)으로 조정되어[34] 후대로 계승되었다.

甲士는 『경국대전』에 규정된 2,000직(종4 5, 종5 59, 종6 65, 종7 134, 종8 222, 종9 1,515)이 후대로 계승되다가 1746년(영조 22) 이전에 5위제의 5군영제로의 개편에 따라 군영아문의 관직으로 용해되면서 혁거되었다.[35]

親軍衛와 別侍衛는 각각 『경국대전』에 규정된 52직(종4 1, 종5 2, 종6 3, 종7 4, 종8 4, 종9 6)과 301직(종4 4, 종5 22, 종6 22, 종7 30, 종8 80, 종9 143)이 후대로 계승되다가 1746년(영조 22) 이전에 5위제의 5군영제로의 개편에 따라 군영아문의 관직으로 용해되면서 혁거되었다.[36]

族親衛, 忠義衛, 忠贊衛, 壯勇衛는 각각 『경국대전』에 규정된 24직(종5 2, 종6 3, 종7 4, 종8 6, 종9 8), 58직(종4 1종5 8, 종6 8, 종7 10, 종8 13, 종9 18), 20직(종6 3, 종7 4, 종8 6, 종9 7), 15직(종6 1, 종7 2, 종8 2, 종9 10)이 변동없이 후대로 계승되었다.[37]

(2) 軍營衙門將官 : 訓練都監·禁衛營·御營廳·摠戎廳·守禦廳將官, 捕盜廳軍官

訓練都監, 禁衛營, 摠戎廳은 1746년(영조 22) 이전에 각각 14직(종4 8, 종5 6), 11직(종4 6, 종5 5), 3직(종4 3)이 설치되어 변동 없이 후대로 계승되었다.[38]

---

32) 『현종개수실록』 권11, 5년 8월 계미.
33) 『현종개수실록』 권11, 5년 8월 계미.
34) 『속대전』·『대전회통』 권4, 병전 번차도목.
35) 『속대전』 권4, 병전 번차도목.
36) 『속대전』 권4, 병전 번차도목.
37) 『속대전』·『대전통편』·『대전회통』 권4, 병전 번차도목.

捕盜廳軍官은 1746년(영조 22) 이전에 47직(종4 5, 종5 12, 종6 18, 종7 12)이 설치되어 변동 없이 후대로 계승되었다.[39]

御營廳은 1746년(영조 22) 이전에 종4품 8직이 설치되었다가 1865년(고종 2) 이전에 1직이 삭감되어 후대로 계승되었고,[40] 守禦廳은 1746년(영조 22) 이전에 종4품 5직이 설치되었다가 1795년(정조 19) 관아와 함께 혁거되었다.[41]

(3) 기타 : 功臣嫡長·習讀官·醫員, 內宮房·司鑰, 吹螺赤·太平簫, 弓匠·矢人, 諸員, 濟州子弟, 隊卒·彭排, 童蒙訓導, 守門將, 訓練院權知, 兼假引儀, 吏文學官, 寫字官, 製述官, 畵員, 補字官, 校書館.

功臣嫡長은 『경국대전』에 규정된 141직(종3 2, 종4 4, 종5 7, 종6 10, 종7 17, 종8 38, 종9 63)이 1746년(영조 22) 이전에 185직(종3 4, 종4 6, 종5 14, 종6 17, 종7 23, 종8 38, 종9 83)이 되었다가 1785년(정조 9) 이전에 161직 내외(종3 2, 종4 4, 종5 7, 종6 10, 종7 17, 종8 38, 종9 63)로 조정되어 후대로 계승되었다.[42]

習讀官은 『경국대전』에 규정된 20직(종6 3, 종7 4, 종8 6, 종9 7)이 1746년(영조 22) 이전에 74직(종5 5, 종6 9, 종7 7, 종8 11, 종9 43)이 되었다가 1785년(정조 9) 이전에 28직(종6 1, 종7 4, 종8 11, 종9 14)으로 조정되어 후대로 계승되었다.[43]

醫員은 『경국대전』에 규정된 12직(종8 7, 종9 5)이 1746년(영조 22) 이전에 22직(종4 4, 종5 5, 종6 3, 종7 2, 종8 6, 종9 2)이 되었다가 1865년(고종

---

38) 『속대전』·『대전통편』·『대전회통』 권4, 병전 번차도목.
39) 『속대전』·『대전통편』·『대전회통』 권4, 병전 번차도목.
40) 『속대전』·『대전통편』·『대전회통』 권4, 병전 번차도목.
41) 『속대전』 권4, 병전 번차도목 ; 『정조실록』 권43, 19년 8월 병신.
42) 『속대전』·『대전통편』·『대전회통』 권4, 병전 번차도목.
43) 『속대전』·『대전통편』·『대전회통』 권4, 병전 번차도목.

2) 이전에 25직(종4 4, 종5 6, 종6 4, 종7 2, 종8 7, 종9 2)으로 조정되어 후대로 계승되었다.[44)]

內弓房司鑰, 吹螺赤, 太平簫, 弓匠, 矢人, 諸員, 濟州子弟, 隊卒, 彭排, 童蒙訓導는 각각 『경국대전』에 규정된 종6~종9품직 3~1,020직이 변동없이 후대로 계승되었다(직질별 관직수는 뒤 〈표 7-3〉 참조).[45)]

守門將은 1746년(영조 22) 이전[46)] 守門將廳이 설치될 때 23직(종6 1, 종7 3, 종9 19)이 두어졌고, 1865년(고종 2) 이전에 11직(종6 1, 종7 3, 종9 7)으로 조정되어 후대로 계승되었다.[47)] 訓練院 權知는 1746년(영조 22) 이전에 46직(종7 40, 종8 2, 종9 4)이 두어졌고, 1865년(고종 2) 이전에 32직(종7 26, 종8 2, 종9 4)으로 조정되어 후대로 계승되었다.[48)] 吏文學官은 1746년(영조 22) 이전에 4직(종4 1, 종6 1, 종7 1, 종8 1)이 두어졌고, 1865년(고종 2) 이전에 3직(종6 1, 종7 1, 종8 1)으로 조정되어 후대로 계승되었다.[49)] 製述官은 1746년(영조 22) 이전에 설치된 정3품 1직과 종8품 2직이 1865년(고종 2) 이전에 종8품 1직이 삭감되면서 후대로 계승되었다.[50)] 校書館 唱準은 1746년(영조 22) 이전에 설치된 정9품 1직과 종9품 4직이 1865년(고종 2) 이전에 종9품 7직이 증치되면서 후대로 계승되었다.[51)]

兼假引儀, 寫字官, 畵員, 補字官은 1746년(영조 22) 이전에 정3~종9품직 1~12직이 설치되어 변동 없이 후대로 계승되었다(직질별 관직수는 뒤 〈표 7-3〉 참조).[52)]

---

44) 『속대전』·『대전통편』·『대전회통』 권4, 병전 번차도목.

45) 『속대전』·『대전회통』 권4, 병전 번차도목.

46) 명종 16년에 "수문장의 수가 곱절로 상정되었다"고 하였음에서 명종 16년 이전에 관아가 설치된 것으로 추측되기도 한다(『명종실록』 권27, 16년 10월 병술).

47) 『속대전』·『대전통편』·『대전회통』 권4, 병전 번차도목.

48) 『속대전』·『대전통편』·『대전회통』 권4, 병전 번차도목.

49) 『속대전』·『대전통편』·『대전회통』 권4, 병전 번차도목.

50) 『속대전』·『대전통편』·『대전회통』 권4, 병전 번차도목.

51) 『속대전』·『대전통편』·『대전회통』 권4, 병전 번차도목.

이상에서 무반 경관 체아직은 군제가 5위체제에서 5군영체제로 개편되는 대대적인 변화에 수반되어 5위체제에서 중심이 된 갑사체아직이 혁거되어 대부분이 군영아문의 체아직으로 용해되는 등 4,614직에서 3,000여직으로 대폭 감소되었다. 지금까지 살펴 본 조선중기 무반, 위속, 군영아문과 기타 체아직 변천을 표로 정리하면 다음과 같다.

〈표 7-3〉 조선 중·후기 무반 체아직 변천(앞 179~184쪽과 『대전회통』에서 종합)

		『경국대전』	1486~1746	1747~1865	『대전회통』	비고
선전관·겸 선전관	정3품	1(당하)	1(당상)	4(당상)	4(당상)	
	종3	1	1	→	1	
	종4	1	1	→	1	
	종5	1	1	→	1	
	종6	1	1	4*1→	4	*겸2
	종7	1	14*	→	14	*겸13
	종8	1	16*	→	16	*겸10
	종9	1	36*	→	36	*겸27
	계	8	71	74	77*	*선전관25, 겸선전관52
겸사복[53]	정4~종9*	52	현종7 속 금군청			*정3 1, 종3 2, 종4 5, 종5 6, 종6 9, 종7 6, 종8 9, 종9 14
내금위[54]	정3~종9*	181	현종7 속 금군청			*정3 1, 종3 4, 종4 7, 종5 18, 종6 28, 종7 40, 종8 39, 종9 44
우림위	정3~종9*		성종23 25*→ 중종23 50→ 현종5 74→ 현종7 속 금군청			*종3 1, 종4 1, 종6 1, 종7 3 종8 5 종9 10
금군청	정3		3*	→	3	*내금위3, 우림위1, 겸사복1
	종4		13*	→	13	*내4, 우5, 겸4
	종5		31*	→	31	*내12, 우10, 겸9
	종6		82*	→	82	*내36, 우24, 겸25
	종7		115*	→	115	*내66, 우24, 겸25
	종8		132*	→	132	*내59, 우37, 겸36
	종9		324*	→	224	*내66, 우78, 겸80

52) 『속대전』·『대전회통』 권4, 병전 번차도목.

금군청	계		700*	고종2이전 감100	600**	*내300, 우200, 겸200, *2 내200, 우200, 겸200
공신 적장	종3	2	4	2내외	2내외*	*
	종4	4	6	4내외	4내외	
	종5	7	14	7내외	7내외	
	종6	10	17	10내외	10내외	
	종7	17	23	17내외	17내외	
	종8	38	38	38내외	38내외	
	종9	63	83	83내외	83내외	
	소계	141	185	161내외	161내외	
친군위	종4~종9*	20	영조22 이전 혁			*종4 1, 종5 2, 종6 3, 종7 4, 종8 4, 종9 6
별시위	종4~종9	301	영조22 이전 혁			*종4 4, 종5 22, 종6 22, 종7 30, 종8 80, 종9 143
족친위	종5~종9*	24	→	→	24	*종5 3, 종6 3, 종7 -4, 종8 6 종9 8
충의위	종4	1	→	→	1	
	종5	3	→	→	3	
	종6	8	2	→	2	
	종7	10	→	→	10	
	종8	13	3	→	3	
	종9	18	→	→	18	
	계	53	37	→	37	
갑사	종4~종9	2,000*	영조22 이전 혁			*종4-5, 종5-59, 종6-65, 종7-134, 종8-222, 종9-1,515
충찬위	종6	3	→	→	3	
	종7	4	→	→	4	
	종8	6	→	→	6	
	종9	7	→	→	7	
	계	20	→	→	20	
습독관	종5		5*1	→	5	*1사역원4, 관상감1
	종6	3	9*1	1*2	1	*1훈련원7, 전의감1, 관상감1, *2사역원1
	종7	4	7*1	4*	4	*1사역2, 관상3, 훈련원1, 전의1, *2 훈1, 사1, 관1, 전1
	종8	6	11*1	9*	9	*1사역7, 관상4, *2 훈3, 사2, 관1, 전3
	종9	7	43*1	14*	14	*1사역17, 관상4, 훈련22, *2 훈4, 사5, 관1, 전4,
	계	20	74*1	28*	28	*1 사역30, 관상13, 훈련30, 전의 2, *2 사9, 훈8, 관3, 전8

의원	종4		4[*1]	→	4	*1내국
	종5		5[*1]	→	5	*1내국
	종6		3[*1]	→	3	*1내국1, 혜민서2
	종7		2[*1]	→	2	*1내국
	종8	7	6[*1]	→	6	*1종친부·의정부·육조·충훈부·기로소·중추부 각1
	종9	5[55)]	2[*1]	→	2	*1혜민서1, 종친부1
	계	12	22[*1]	→	22	*내국12, 그 외 10
내궁방 사약	종9		2	→	2	
內吹螺赤	종6	1	→	→	1	
	종7	1	→	→	1	
	종8	1	→	→	1	
	종9	1	→	→	1	
	계	4	→	→	4	
태평소	종6	1	→	→	1	
	종7	2	→	→	2	
	종8	6	→	→	6	
	종9	19	→	→	19	
	계	28	→	→	28	
궁장·시인	종7	2[*]	→	→	2	* 궁인1, 시인1
	종8	6[*]	→	→	6	* 내궁인2, 내시인2, 궁인1, 시인1
	종9	6[*]	→	→	6	*궁인3, 시인3
	계	14[*]	→	→	14	*궁인5, 시인5, 내궁인2, 네시인2
제원	종7	10[*]	→	→	10	* 상의원1, 사옹원1, 사복시7, 전설사1
	종8	20[*]	→	→	20	* 승문원1, 상1, 사옹2, 사복15, 전1
	종9	32[*]	→	→	32	* 상1, 사옹2, 사복28, 전1
	계	62[*]	→	→	62	* 상3, 사옹5, 사복50, 전3, 승1
제주 자제	종6	1	→	→	1	
	종7	1	→	→	1	
	종8	2	→	→	2	
	종9	2	→	→	2	
	계	6	→	→	6	
장용위	종6	1	→	→	1	
	종7	2	→	→	2	

장용위	종8	2	→	→	2	
	종9	10	→	→	10	
	계	15	→	→	15	
대졸	종8	11	→	→	11	
	정9	46	→	→	46	
	종9	554	→	→	554	
	계	611	→	→	611	
팽배	종8	20*	→	→	20	* 잡직
	정9	80	→	→	80	
	종9	920	→	→	920	
	계	1,020	→	→	1,020	
동몽훈도	종9	1	→	→	1	
훈련도감	종4		8	→	8	
	종5		6	→	6	
	계		14	→	14	
금위영	종4		6	→	6	
	종5		5	→	5	
	계		11	→	11	
어영청	종4		8	고종2 이전 감1→	7	
총융청	종4		3	→	3	
수어청	종4		5	정조19 혁		
捕盜廳	종4		5	→	5	
	종5		12	→	12	
	종6		18	→	18	
	종7		12	→	12	
	계		47	→	47	
수문장	종6		1	→	1	
	종7		3	→	3	
	종9		19	고종2 이전 감12→	7	
	계		23	→	11	
훈련원 권지	종7		40	고종2 이전 감14→	26	
	종8		2	→	2	
	종9		4	→	4	
	계		46	→	32	
兼 가인의	종7		6	→	6	
	종8		6	→	6	
	계		12	→	12	
이문	종4		1	고종2 이전 혁		

학관	종6		1	→	1	
	종7		1	→	1	
	종8		1	→	1	
	계		4	→	3	
사자관	정3		1	→	1	
	종3		1	→	1	
	종4		1	→	1	
	종5		1	→	1	
	종6		1	→	1	
	계		5	→	5	
제술관	정3		1	→	1	
	종8		2	고종2 이전 감1→	1	
	계		3	고종2 이전 감1→	2	
화원	종6		2	→	2	
	종7		1	→	1	
	종8		1	→	1	
	계		4	→	4	
보자관	종9		1	→	1	
校書館 唱準	종9		4	고종2 이전 가7→	11	
계	정3 당상		1	4	4	
	정3	2	5	5	5	
	종3	8	6	6	6	
	종4	24	62	56	56	
	종5	115	86	86	86	
	종6	151	147	150	150	
	종7	269	260	246	246	
	종8	495	298	297	297	
	정9	126	126	126	126	
	종9	3,372	2,096	2,003	2,003	
	계	4,614	3,087	2,979	2,979	

53) 『대전통편』·『대전회통』 권4, 병전 번차도목조에는 정3~종9품의 56직이 적기되고 있지만 현종 2년에 당시까지 시위를 전담한 내금위·겸사복·우림위를 합쳐 금군청으로 개편되었고, 금군청 정3품~종9품에 이르는 체아직 700직과 600직이 내금위·겸사복·우림위의 체아직이다. 이에서 내금위·겸사복의 체아직은 금군청으로 통합될 때 이속된 것으로 간주하여 파악한다.

54) 동상조.

55) 『경국대전』 권4 병전 의원조에 의정부·육조 각3원, 종친부·충훈부·도총부 각2인 총 12명이라고 하였는데, 체아조에는 종8품 7-1 종친부, 2 의정부, 2 육조, 1 충훈부,

3. 兼職

1) 直啓衙門 : 宣惠廳, 濬川司, 5衛都摠府, 兼司僕, 內禁衛, 羽林衛

(1) 宣惠廳, 濬川司

宣惠廳은 1608년(광해 즉위)에 동반관아로 설치되었다가 1865년(고종 2)에 서반관아로 전환될 때[56] 편제된 도제조(정1, 3, 3의정 겸)와 제조(종1~종2, 3, 1 호판 겸)가 그대로 『대전회통』에 법제화되었다.

濬川司는 1727년(영조 3) 동반관아로 설치되었다가 1865년(고종 2)에 서반관아로 전환될 때 도제조(정1, 3), 제조(종1~종2, 6), 都廳(정3당상, 1)이 이속되고 도청은 어영청 천총의 예겸직에서 훈련도감·금위영·어영청의 별장이나 천총의 겸직으로 개정되면서 『대전회통』에 법제화되었다.[57]

(2) 5衛都摠府

5衛都摠府는 『경국대전』에 규정된 도총관(정2, 5), 부총관(종2, 5)이 그대로 『속대전』·『대전통편』·『대전회통』에 법제화되면서 조선후기까지 계승되었다.

(3) 兼司僕·內禁衛·羽林衛

兼司僕·內禁衛는 각각 『경국대전』에 규정된 將(종2, 3)이 1666년(현종 7) 관아가 禁軍廳에 합병될 때 금군청 정3품직인 禁軍將을 겸하는 5관직(겸사복장 2, 내금위장 3)으로 계승되었다.[58]

羽林衛는 1492년(성종 23) 관아의 설치와 함께 장(종2, 2)이 편제되었고,[59]

---

1 도총부, 종9품 2-1 종친부, 1 충훈부의 9명이 적기되어 3직 즉 의정부·육조·도총부 각1직이 부족하다. 이에서 부족한 3직을 종9품직에 추가시켜 파악한다.

56) 『대전회통』 권4, 병전 선혜청 〈補〉 原係東班衙門 當宁乙丑移錄.

57) 동상조.

58) 『현종개수실록』 권11, 5년 8월 계미.

59) 『성종실록』 권264, 23년 4월 을사. 이때 설치된 장의 직질과 관직 수는 불명하나

1666년(현종 7) 관아가 禁軍廳에 합병될 때 금군청 정3품직인 禁軍將을 겸하는 7관직(겸사복장 2, 내금위장 3, 우림위장 2)으로 계승되었다.[60]

2) 兵曹屬衙門 : 5衛, 訓練院, 宣傳官廳, 世子翊衛司, 世孫衛從司, 守門將廳, 各殿守門將

(1) 5衛 : 義興·龍驤·虎賁·忠佐·忠武衛

5위의 겸직은 『경국대전』에 규정된 將(종2겸, 12)이 1592년(선조 25) 왜란 이후에 5위체제가 5군영체제로 개편되면서 5위가 유명무실한 기관이 되었음에도 불구하고 그대로 계승되다가 1746년(영조 22)이전에 직질이 종2품에서 정3품으로 강격되고 2직은 曹司로 개칭되었으며,[61] 1785년(정조 9) 이전에 조사 2직이 문신겸직이 되고[62] 1865년(고종 2) 이전에 3직이 증치되면서 정3품 장 15직(13장, 2 조사)으로[63] 정비된 후 『대전회통』에 등재되었다.

(2) 訓練院, 世子翊衛司, 世孫衛從司

훈련원은 『경국대전』에 규정된 知事(정2겸, 1), 都正(정3당상, 2, 1겸직)이 그대로 조선후기까지 계승되었다. 세자익위사와 세손위종사는 겸직이 없었다.

(3) 宣傳官廳, 守門將廳, 各殿 守門將

선전관청은 1746년(영조 22) 이전 설치될 때 정직 이외에 문신과 무신이 겸하는 선전관을 설치할 때 종6품 38직과 종9품 12직의 武臣兼宣傳官 50직이 설치되었고,[64] 1865년(고종 2) 이전에 참상관 2직이 증치되고 참하관 2직이

현종 7년 겸사복장·내금위장과 함께 금군장(2직)을 겸라는 관직이 되었음에서 종2품직의 장 2직이 설치된 것으로 추정하여 파악한다.

60) 『현종개수실록』 권11, 5년 8월 계미.

61) 『속대전』 권4, 병전 경관직 5위.

62) 『대전통편』 권4, 병전 경관직 5위.

63) 『대전회통』 권4, 병전 경관직 5위.

감소되면서[65] 참상관 40직 참하관 10직으로 정비된 후 『대전회통』에 등재되었다. 수문장청과 각전수문장은 겸직이 없었다.

이상에서 조선 중·후기 무반 경관 겸직은 『경국대전』에 규정된 30직 모두가 당상관이다가 5위장이 당하관으로 강격되고 겸사복·내금위·우림위장이 금군청으로 이속되며 당하 선전관이 대거 증가되면서 당상관 12명과 당하관 55명의 77명으로 변천되면서 운영되었다. 지금까지 고찰한 무반 직계아문과 병조 속아문의 겸직 변천을 종합하면 다음의 표와 같다.

〈표 7-4〉 조선 중·후기 경관 무반 겸직 변천

		『경국대전』	1486~1746	1747~1865	『대전회통』	비고
5위 도총부	정2품	도총관5*	→	→	5	*부총관과 합해 10
	종2	부총관5*	→	→	5	*도총관과 합해 10
	계	10	→	→	10	
5위	종2	將12	영조22 이전 降 정3			
	정3		영조22 이전 將10, 曹司 2	고종2 이전 장 13, 조사 2*	장13, 조사 2**	*문신 겸, **1 문신, 1 문·음·무
겸사복	종2	장3	현종7 이금군청*			*降 정3품, 감 2직
내금위	종2	장3	현종7 이금군청*			*강 정3품, 감 2직
우림위	종2		성종17 이후 장2, 현종7 이금군청*			*강 정3품
훈련원	정2	지사1	1	→	1	
	정3상	도정1	1	→	1	
	계	2	2	→	2	
선전관청	종6		영조22 이전 선전관 38	고종2 이전 가2	40	
	종9		영조22 이전 선전관 12	고종2 이전 감2	10	
	계		50	→	50	
합계		30(정2 6, 종2 23, 정3상 1)	80~74(정2 6, 종2 5, 정3상 1, 정3 18~12, 종6 38, 종9 12)	77(정2 6, 종2 5, 정3상 1, 정3 15, 종6 40, 종9 10)	77(좌동)	

64) 『속대전』 권4, 병전 경관직 선전관.

65) 『대전회통』 권4, 병전 경관직 선전관.

제2절 軍營衙門 官職의 變遷[66)]

군영아문의 관직은 아래에 제시된 군영의 編制와 관련되어 최상층에는 겸직의 都提調(정1)·提調(정2)가 있고, 그 아래로 장관인 大將(또는 使, 종2)을 중심으로 지휘부관인 中軍(종2)·從事官(종6)과 각급 지휘관인 別將(정3)·千摠(정3)·把摠(종4)·哨官(종9) 등, 그리고 군영의 운영에 종사한 종9품직인 地穀官·旗牌官과 각종 武士·軍官 등이 설치되었다.[67)]

〈표 7-5〉 조선후기 5군영 부대편성과 관직[68)]

				都監·營	部·營	司	哨	旗	隊	비고
훈련도감	편제			1도감	2부	6사	33초			
	관직	지휘관		大將, 中軍	別將, 千摠	把摠	哨官	旗總*	隊長*	*품외(이하 동)
		요속		從事官(郎廳), 敎鍊官 등						
금위영	편제			1영	5부	20사	105초			
	관직	지휘관		대장, 중군	별장, 천총	파총	초관	기총	대장	
		요속		낭청 등	천총	파총	초관	기총	대장	
어영청	편제			1영	5부	25사	41초			
	관직	지휘관		대장, 중군	천총	파총	초관	기총	대장	
		요속		낭청 등						
총융청	편제	본(내)영		1영	2부	6사	26초			
		외영		3영	6부	24사	72초			
	관직	본영	지휘관	사, 중군	천총	파총	초관			
			요속	낭청 등						
		별영*	지휘관	영장	별장	파총	초관			*겸관
			요속							*겸관

66) 군영아문은 訓練都監, 禁衛營, 御營廳, 守禦廳, 摠戎廳, 經理廳, 扈衛廳, 禁軍廳, 捕盜廳, 管理營, 鎭撫營이다(『속대전』·『대전통편』 권4 병전 군영아문). 『경국대전』에는 모든 중앙관아가 그 행정체계와 관련되어 직계아문과 육조 속아문으로 적기되었지만 『속대전』부터는 왜란 이후에 설치된 훈련도감 등을 병전에 기재하기는 하나 병조 속아문인 五衛 등과는 별도로 군영아문으로 분류하여 기재하였다. 이에 따라 훈련도감 등을 군영아문으로 분류하여 파악한다. 그러나 그 관아의 기능·관직과 행정체계를 볼 때 5군영 등은 직계아문으로 보아도 좋을 듯하다.

67) 『속대전』·『대전통편』·『대전회통』 권4, 병전 경관직 군영아문. 그 외의 관직은 뒤 〈표 7-6〉 참조.

수어청	편제	본영(경청)		1영	2부	4사	19초			
		외청(남한산성)		3영	?	25사	131초			
	관직	본영	지휘관	사, 중군	별장, 천총	파총	초관			
			요속							
		외청*	지휘관	영장	별장	파총	초관			
			요속							

이들의 관직적 성격은 겸직은 겸직임이 명기되고 금군청의 관직과 5군영의 일부 장관은 체아직이 명기되었기에 그 성격이 분명하다.69) 그 외의 관직은 군영편제·직장·인사규정·임기 등을 볼 때 대장·중군·종사관·별장·천총·파총·초관은 정직으로 추정되지만70) 그 외의 관직은 예컨대 군관은 일부가 급료를 받기도 하지만(훈련도감은 모두가 급료 관직)71) 대부분의 관직은

---

68) 각 군영의 편제는 군제의 변천과 관련되어 시기별로 차이가 있지만 여기서는 편제가 정비된 때의 그것을 중심으로 파악하였다. 차문섭, 1976, 「수어청 연구」상, 『동양학연구』 6, 단국대 동양학연구소 ; 1973, 「금위영 연구」, 『조선시대군제사』, 단국대학교출판부 ; 1981, 「조선후기 중앙군제의 개편」, 『한국사론』 9, 국사편찬위원회 ; 최효식, 1996, 「총융청 연구」, 『논문집』 4, 동국대 경주캠퍼스 ; 1983, 「어영청 연구」, 『한국사연구』 40 ; 이겸주, 2003, 「중앙 군영제도의 발달」, 『한국사』 30, 국사편찬위원회에서 종합.

69) 『속대전』·『대전통편』·『대전회통』 권4, 병전 번차도목 훈련도감·금위영·어영청·총융청·수어청 장관, 금군.

70) 군영아문의 편제를 보면 군영별로 다소의 차이는 있지만 효종초 어영청의 경우 지휘부에 대장·중군·종사관이 있고, 그 아래로 5部(매부 군사 3,385명)-25司(1사 675명)-141哨(1초 134명)-423旗(1기 45명)-1,269隊(1대 15명)의 각급 부대가 편제되었는데 별장·천총과 파총, 초관은 각각 군 편제의 핵심인 부, 사, 초의 지휘관이다. 어영청 군관의 급료지급처가 263명(도제조·제조·대장 제외)의 관직자 중 중군·별장·천총·파총·영관초관·교련관·기패관·별초군관 등 84명은 호조였고, 외방겸파총·낭청·초관·군관·별군관 등 170명은 어영청이었다(최효식, 1983, 「총융청 연구」, 『한국사연구』 40, 88·105쪽). 또 군영의 把摠 이하는 당하 3품관이 제수되어 정기인사 때 마다 遷轉되고, 哨官·地殼官·旗牌官은 600일의 근무기간이 만료되면 6품에 승진되었으며, 별장·천총·기사장·호위별장은 1년 파총은 2년 기간으로 교체되었다(『속대전』·『대전회통』 권4, 병전 경관직 군영아문·훈련도감).

71) 총융청 別付料軍官(종9), 북한산성 付料軍官 20, 호위청 堂上別付料軍官 1, 용호영 별부료군관 120(『대전회통』 권4, 병전 경관직 총융청·호위청·용호영).

정직, 체아직, 급료직, 무록직 인가를 구분하기가 어렵다.

또 군영아문이 창치될 때에 설치된 관직은 자료의 한계에서 전모를 파악하기 어렵지만 그 후에 편찬된 법전인 『속대전』(1747)·『대전통편』(1785)·『대전회통』(1865), 군정 등이 포함된 제도사를 종합적으로 편찬한 『續兵將圖說』(1749), 『重增南漢志』(1795), 『萬機要覽』 군정편(1809)에 상세히 기재되어 있다. 그런데 위 자료들은 편찬(간행)시기는 차이가 있지만 뒤 3) 어영청의 예에서와 같이 기록된 관직은 큰 차이가 없다. 따라서 여기에서는 그 모든 군영아문 관직을 『속대전』 등 법전을 중심으로 살펴본다.

1. 5軍營 : 訓練都監·禁衛營·御營廳·守禦廳·摠戎廳

1) 訓練都監

訓練都監 官職은 왜란 중인 1593년(선조 26)에 관아가 설치될 때 『萬機要覽』 군정편2 훈련도감조에

> 선조 甲午년(27)에 (훈련도감을) 설치하였다. 왕이 도감의 설치를 명하였다. 대신(영의정) 尹斗壽에게 그 일을 총령하게 하였다. 곧 (좌의정) 柳成龍으로 하여금 윤두수를 대신하여 총령하게 하였다. 유성룡이 명령을 내려 "모집에 자원하는 자로서 거석을 들고 담장을 뛰어넘을 수 있을 경우 부대원으로 받아들인다."고 하였다. 얼마 지나지 않아 수천 명이 모집되니 把摠과 哨官을 두어 이들을 지휘하게 하였다. … 유성룡이 (왕에게) 청하여 일만 명의 병사를 더 모집하고 5營을 설치하여 (좌의정) 李德馨을 判兵曹事로서 (訓練)都監事를 겸하여 관장하고, 무신 (都城西都捕盜大將) 趙儆을 대장으로, 문신 (도체찰사 유성룡 종사관) 辛慶晉과 (병조좌랑) 李弘胄를 낭관으로 제수하였다[( )는 필자 보].[72]

72) 宣祖甲午置 上命設都監 以大臣(領議政)尹斗壽領其事 尋命柳成龍代領 成龍令 願募者 能擧巨石超墻將許 始許入 未幾得數千人 立把摠哨官領之 … 成龍請 益募兵一萬 置五營 以李德馨

라고 한 것에서 所任堂上(2, 영의정·병판)·大將(1, 종2)·낭청(2, 참상문신)과 把摠·哨官(직질과 관직수 불명)이 있었음을 알 수 있다.[73] 곧이어 都提調 1(정1, 의정), 提調 5(종1~종2, 2 호·병판), 大將·中軍(종2, 각1), 別將·千摠(정3, 각2), 局別將(정3, 3), 把摠·郎廳(종4, 각6), 哨官 34인 등 359직(종9)으로 정비되었고,[74] 곧 제조 3직(鳥銃·火藥·軍色 각1)이 설치되었다가 1597년(선조 31)경에 삭감되고[75] 다시 1865년(고종 2) 이전에 종사관 2직이 삭감되고 군관 2직이 증치되면서 도제조 1, 제조 2, 대장 1, 중군 1, 별장 2, 천총 2, 국별장 3, 파총 6, 종사관 4, 초관 34직 등 359직으로 조정되어 후대로 계승되었다(초관 등 종9품직의 관직 수는 뒤 〈표 7-8〉 참조).[76]

2) 禁衛營

禁衛營은 1682년(숙종 8) 관아설치와 함께 도제조 1(의정), 제조(종1~종2, 관직수 불명), 대장(병판)·중군(종2, 각1), 별장(정3, 1), 천총(정3, 4), 파총(종4, 5), 외방겸파총(종4, 12), 낭청(종6, 6), 초관 45직 등 167직(종9)을 두었고,[77] 1687년(숙종 13)에 제조를 혁거하였으며, 1754년(영조 30)에 대장을 정직으로 전환하고 예겸제조(병판) 1직을 설치하였다.[78] 1785년(정조 9) 이전에

判兵曹兼管都監事 武臣趙儆爲大將 文臣辛慶晉李弘冑爲郎.

73) 차문섭은 대장의 상위에서 도감사를 총관한 영의정 尹斗壽와 병판 李德馨을 '소임당상'이라고 적기하였는데 저자의 소견으로는 "영의정이 도감사를 총령하고 병판이 관령하였다"고 하였음에서 소임당상 보다는 그 직장을 보아 총관과 관사로 적기함이 좋을 듯하다. 그러나 여기서는 차문섭의 견해에 따라 소임당상으로 적기한다.

74) 그 외 323직은 知彀官 10, 旗牌官 20, 別武士 68, 軍官 15, 別軍官 10, 勸武軍官 50, 局出身 150직이다(『속대전』 권4, 병전 군영아문 훈련도감).

75) 『만기요람』 군정편2 훈련도감. 치폐 시기는 알 수 없으나 왜란 중에 설치되었다가 왜란이 끝난 후에 폐지된 것으로 추측된다.

76) 그 외의 122직은 教鍊官 15, 기패관 12, 별무사 30, 군관 5, 별군관 10, 권무군관 50직이다(『속대전』 권4, 병전 군영아문 훈련도감).

77) 『숙종실록』 권13, 8년 3월 갑자 ; 『만기요람』 군정편, 금위영 설치연혁(이하 아문의 설치전거는 뒤 10장 제2절 군영아문의 성립과 변천 참조).

騎射將(정3, 3)·騎射(종9, 50)·別騎衛(종9, 32)를 신치하고 종사관(낭청) 4·초관 4·교련관 3직을 삭감하면서 도제조 1, 제조 1, 대장 1, 중군 1, 별장 1, 천총 4, 기사장 3, 파총 5, 外方 兼把摠 12, 종사관 2, 초관 41직 등 357직으로 조정되어 후대로 계승되었다(초관 등의 관직명과 관직수는 뒤 〈표 7-8〉 참조).[79]

3) 御營廳

御營廳은 1624년(인조 2) 관아설치와 함께 제조(정2, 1), 대장(종2, 1)을 두었고, 1643년(인조 21)에 제조를 혁거하였다.[80] 그후 효종대에 어영청이 북벌군의 선봉군으로 육성되면서 군사력이 강화되고 上番軍에서 常駐軍적 면모를 보이는 등 변화가 있기도 하나 편제(관제)는 그대로 유지되었다.[81] 이어 1746년(영조 22) 이전에 도제조·제조 각1, 대장·중군(종2, 각1), 별장 2, 천총(정3, 5), 파총(종4, 5), 외방 겸파총(종4, 10), 낭청(종6, 2, 문, 무 각1), 초관 45직 등 239직(종9)으로 정비하였다.[82] 이어 1785년(정조 9) 이전에 別後部千摠 1(정3)·기사장 3(정3)·기사 150직(종9)을 신치하고 기패관 1·별무사 8·색군관 1·가전별초 2직을 증치 및 별장 1·초관 4직을 삭감하면서 도제조 1, 제조 1, 대장 1, 중군 1, 별장 1, 천총 5, 별후부천총 1, 기사장 3, 파총 5, 외방 겸파총 10, 종사관 2, 초관 등 428직으로 조정되었다. 이것이 1809년(순조 9)까지 별후부천총 1직과 군관 3직이 삭감되고 마의 1직이 설치되면서 계승되었고,[83] 1865년 이전에 별후부천총 1직이 복치되고 마의

---

78) 『만기요람』 군정편, 금위영.

79) 『대전통편』 권4, 병전 군영아문 금위영.

80) 『만기요람』 군정편, 어영청.

81) 최효식, 1983, 「御營廳硏究」, 『한국사연구』 40, 84~95쪽.

82) 『만기요람』 군정편, 어영청, 『속대전』 권4, 병전 군영아문 어영청. 그 외의 194직은 교련관 12, 기패관 10, 별무사 22, 군관 40, 별군관 10, 권무군관 50, 駕前別抄 50직이다(『속대전』 권4, 병전 군영아문 어영청)

83) 1809년에 편찬된 『만기요람』에는 도제조·제조·대장이 기재되지 않았고 별장이 기사별장, 문·무종사관 각1직이 종사관 2직으로 기재되었으며, 별후부천총 1직이 기재되

1직이 삭감되면서 후대로 계승되었다. 지금까지 살핀 어영청 관직변천을 시기별로 정리하면 다음의 표와 같다.

〈표 7-6〉 조선 중·후기 어영청 관직 변천[84]

	정1	정2	종2		정3				종4		종6				
	도제조	제조	대장	중군	별장	천총	별후부천총	기사장	파총	외방겸파총	문낭청	무낭청	문종사관	무종사관	종사관
속대전 (1746)	1	1 (병판)	1	1	1	1			5	10	1	1			
대전통편 (17850)	1	1	1	1	1	5	1	3	5	10			1	1	
만기요람 (1809)				1	기사별장1	5		3	5	10					2
대전회통 (1865)	1	1	1	1	1	5	1	3	5	10					2

	종9					종9					총계	비고
	초관	교련관	기패관	별무사	군관	별군관	권무군관	가전별초	마의	기사		
속대전	45	12	10	22	40	10	50	50			262	
대전통편	41	12	11	30	41	10	50	52		150	428	
만기요람	41	12	11	30	41*	10	50	52	1	150	425	*도제조5, 본청15, 출신군관21
대전회통	41	12	11	30	38	10	50	52		150	428	

4) 守禦廳

守禦廳은 1626년(인조 4) 관아설치와 함께 使·中軍(종2, 각1), 南漢山城守城將(종2, 1, 광주부윤), 별장·천총(정3, 각2), 유영별장·城機別將(정3, 각1, 남한산성), 파총 3(종4), 종사관(종6, 1), 초관 등 133직(종9)을 두었고, 1785년(정조 9) 이전에 종사관·한량군관·이속군관·부료군관을 혁거하고 남한군관 250·경한량군관 283·남한이속군관 50·남한부료군관 27직(모두 종9)을 신치

지 않았다. 기재되지 않은 도제조 등에 있어서 군관 41직 중에 도제조(수행)군관 5직과 본청군관 15직이 포함된 점에서 기재가 생략되었다고 하겠다. 따라서 『만기요람』은 『대전통편』의 관직 중 別後部千摠 1직이 삭감되면서 계승된 셈이다.

84) 최효식, 앞 논문, 88~89쪽 〈표 7〉 전재.

및 천총 1·초관 4·교련관 3·색군관 12직을 삭감하면서 사1, 중군1, 남한수성장 3, 별장2(남한), 천총 1, 파총2, 초관 등 740직으로 조정되었다가 1795년(정조 19) 경청의 혁거와 함께 광주유수겸영으로 전환되면서 파총2, 초관 26직 등 135직이 후대로 계승되었다(초관 등의 관직과 관직 수는 뒤 〈표 7-8〉 참조).[85]

5) 摠戎廳

摠戎廳은 1624년(인조 2) 관아설치와 함께 使·中軍(종2, 각1)과 수 미상의 千摠(정3)·把摠(종4)·哨官(종9) 등을 두었다가 곧 사·중군 각1, 천총 3, 파총 6, 초관 30 등으로 개정하였다.[86] 그 후 1746년(영조 22) 이전에 사·중군(종2, 각1), 천총(정3, 2), 파총(종4, 4), 초관 20인 등 348직(종9)으로 정비되었다.[87] 이어 1750년(영조 26) 이전에 종사관 1(종6)·부료군관 12(종9)이 신치되고 초관 6·교련관 3직이 증치 및 군관 8·감관 4직이 삭감되었고, 1785년(정조 9) 이전에 감관 1직(종9)이 신치되고 종사관 1·파총 2·초관 16·군관 5직이 삭감되었다.[88] 그 후 1809년(순조 9)에 당상별부료군관 2직이 신치되고 파총 4, 초관 16·교련관 2·군관 3직이 증치 및 부료군관 2직이 삭감되었으며, 1865년(고종 2) 이전에 진영장 3직(정3, 수령겸)이 신치되고 군관 5직이 증치 및 초관 16·교련관 2·한량군관 150직이 삭감되면서 사 1, 중군 1, 천총 2, 진영장 3, 파총 2, 초관 등 193직(본영)과 관성장 1, 파총 1, 초관 등 44직(북한산성)으로 조정되어 후대로 계승되었다(초관 등의 관직과 관직 수는 뒤 〈표 7-8〉 참조).[89]

---

85) 『만기요람』 군정편, 수어청 ; 『대전회통』 권4, 병전 군영아문 수어청.

86) 최효식, 1985, 「총융청 연구」, 『동국대학교 경주캠퍼스 논문집』 4, 170~171쪽에서 종합(동 논문집에 관직은 적기하지 않았지만 설립 때의 군영편제(3部-9司-27哨)와 개정시의 3부-6사-30초에서 추정하였다).

87) 그 외의 328직은 敎鍊官 12, 軍官 10, 監官 5, 守門部將 1, 閑良軍官 300직이다(『속대전』 권4, 병전 군영아문 총융청).

88) 『만기요람』 군정편, 총융청 ; 『대전통편』 권4, 병전 군영아문 총융청.

2. 기타 軍營衙門 : 左·右捕盜廳, 經理廳·扈衛廳·禁軍廳·龍虎營·鎭撫營·管理營, 壯勇營·總理營[90]

1) 左·右捕盜廳

좌·우포도청은 1481년(성종 12)부터 운영된 장 5직(종7?, 5부 각1)이 1522년(중종 17) 이전에 5부 捕盜將이 좌·우 포도장으로 개편되면서 장3직이 삭감되고 다수의 부장·종사관·가설부장이 신치되면서 장(종2, 좌·우 각1), 부장(각4), 종사관(각3), 가설부장(각10)으로 정비되었고(직질불명),[91] 1746년(영조 22) 이전에 대장이 종2품직으로 승질되고 무료부장 각 26직이 신치 및 가설부장 각2직이 증치되면서 대장 각1, 종사관 각3, 부장 각4, 부료부장 각26, 가설부장 각12직으로 조정되어 후대로 계승되었다.[92]

2) 經理廳·扈衛廳·禁軍廳·龍虎營·鎭撫營·管理營

(1) 經理廳(숙종 38~영조22)

經理廳은 1712년(숙종 38) 관아설치와 함께 도제조 1(영의정), 제조 1(비국당상), 북한산성 관성장 1(정3), 북한산성 파총 1(종4), 낭청 1(종6, 비국낭청), 북한산성 초관 5(종9), 군관 4(종9), 북한산성 기패관 5·군관 11·요사군관 20·각색군관 3·성문부장 3직(모두 종9)을 두었고, 1746년(영조 22) 이전에

89) 『만기요람』 군정편, 총융청 ; 『대전회통』 권4, 병전 군영아문 총융청.

90) 기타 군영아문의 위차는 『대전통편』·『대전회통』에는 經理廳·扈衛廳·禁軍廳·龍虎營·(左·右)捕盜廳, 管理營·鎭撫營·總理營·管理營으로 기재되고 壯勇營은 그 운영시기와 관계되어 등재되지 않았다. 본고에서는 그 아문의 설치시기·중요도·아문의 연원 등과 관련하여 장용영을 제시하고 포도청 등은 순서를 조정하여 서술한다.

91) 『중종실록』 권45, 17년 5월 임술, 권64, 23년 11월 을미. 포도장의 직질은 언급되지 않았지만 『명종실록』 등에 대장으로 적기되고 『속대전』에 대장이 종2품관으로 적기되었음에서 이때 5부가 좌·우로 체계화되면서 장이 종2품관으로 승질된 것으로 추측된다(『명종실록』 권26, 15년 8월 계축, 『선조실록』 권118, 32년 10월 무신, 『광해군일기』 152, 12년 5월 을미).

92) 『속대전』 권4, 병전 군영아문 포도청.

관아가 摠戎廳에 합속되면서 모든 관직이 혁거되었다.[93]

(2) 扈衛廳

扈衛廳은 1623년(인조 1)에 설치된 扈衛 3廳에 대장 3(정1, 시·원임대신, 국구), 별장 3(정3), 軍官 1,050·소임군관 3직(종9)과 당상별부료군관 1직을 두면서 비롯되었고, 1666년(현종 7) 호위 3청을 통합하여 禁軍廳으로 개편할 때 대징 2·군관 700직을 삭감하면서 대장 1(정1겸), 별장 3, 군관 350, 소임군관 3, 당상 별부료군관 1직으로 정비된 후 변동 없이 후대로 계승되었다.[94]

(3) 禁軍廳

禁軍廳은 1666년(현종 7) 겸사복·내금위·우림위를 통합하면서 창설할 때 별장(종2, 1), 장(정3당상, 7−兼司僕將 2, 內禁衛將 3, 羽林衛將 2), 당상군관 15, 교련관 10, 종3~종9품 체아 700직을 설치하였고, 1755년(영조 31)에 龍虎營으로 개칭되면서 계승되었다.[95]

(4) 龍虎營

龍虎營은 1755년(영조 31) 禁軍廳을 개칭하면서 성립될 때 별장(종2, 1), 장(정3, 7−겸사복장 2, 내금위장 3, 우림위장 2), 당상군관 16, 교련관 14·별부료군관 80직(종9)을 설치하였고, 1865년(고종 2) 이전에 장 1직을 삭감하고 별부료군관 40직을 증치하면서 별장 2, 장 6, 당상군관 16, 교련관 14, 별부료군관 120직으로 정비되어 후대로 계승되었다.[96]

---

93) 『만기요람』 군정편, 경리청, 『대전통편』 권4, 병전 군영아문 총융청.
94) 『만기요람』군정편, 금군청, 『대전통편』 권4, 병전 군영아문 금군청.
95) 『만기요람』군정편, 금군청, 『대전통편』 권4, 병전 군영아문 용호영.
96) 『대전회통』 권4, 병전 군영아문 용호영.

(5) 鎭撫營

鎭撫營은 1700년(숙종 26) 관아설치 때에 사(종2, 1, 강화유수), 중군(정3, 1), 鎭營將(정3－5, 前·左·中·右·後鎭 각1, 수령겸)을 두었고, 1785년(정조 9) 이전에 종사관 1(종6, 강화유수부 경력겸), 천총 4, 파총 10, 초관 등 159직(종9)을 신치하면서 사 1, 중군 1, 진영장 5, 종사관 1, 천총 4, 파총 10, 초관 등 159직으로 정비되어 후대로 계승되었다(초관 등의 직명과 직수는 뒤 〈표 7-8〉 참조).[97]

(6) 管理營

管理營은 1711년(숙종 37) 관아 설치 때에 사(종2, 1, 개성유수), 중군(정3, 1, 大興山城 留防將)을 두었고, 1785년(정조 9) 이전에 종사관 1(종6, 개성경력), 별장 2·천총 3(정3), 백총 4·파총 6(종4), 초관 등 326(종9), 당상군관 50직이 신치되면서 사 1, 중군 1, 종사관 1, 별장 2, 천총 3, 백총 4, 파총 6, 초관 등 326직, 당상군관 50직으로 정비되어 후대로 계승되었다(초관 등의 직명과 직수는 뒤 〈표 7-8〉 참조).[98]

3) 壯勇營·總理營

(1) 壯勇營

壯勇營은 1793년(정조 17) 관아를 설치할 때 本營(內營, 서울)에 도제조 1(정1), 제조 1, 사 1, 종사관 1, 별장 2, 파총 3, 선기장 2, 초관 14, 감관 등 183직, 外營(화성)에 외사 1(정2, 수원유수겸), 중군 1, 종사관 1, 별효장 2, 파총 12, 척후장 1, 초관 25, 교련관 등 330직의 371직을 두면서 비롯되었고 (초관 등의 직명과 직수는 뒤 〈표 7-7〉 참조), 1802년(순조 2) 혁거되면서

97)『대전통편』 권4, 병전 군영아문 진무영.

98)『대전통편』 권4, 병전 군영아문 관리영.

외영은 총리영으로 개편되어 계승되었다.[99)]

(2) 總理營

總理營은 1802년(순조 2) 壯勇營이 해체될 때 외영이 축소되어 개칭되면서 관아가 설치될 때 使 1(정2, 수원유수), 중군 1(정3), 종사관 1(종6, 수원판관), 別驍將 2(정3), 파총 12(종4), 척후장 1(종6, 영서도찰방겸), 초관 등 355직(종9)이 설치되었고, 변동 없이 후대로 계승되었다(초관 등의 직명과 직수는 뒤 〈표 7-8〉 참조).[100)]

이상에서 조선후기 군영아문(포도청 포함)의 관직은 1593년(선조 26)까지 포도청·훈련도감에 겸직인 소임당상 2(영의정·병조판서겸), 장관직인 대장 3(종2, 훈련도감 1, 좌·우포도청 각1) 이하 부장·무료부장 28직(종9, 포도청, 훈련도감의 낭청·초관·군관 등 불명)의 39직이 설치되면서 비롯되었다. 이후 이 관직이 1864년(고종 1)까지 10여 군영이 치·폐되고 군제개편 등과 관련되어 도제조 이하 겸직, 대장(사) 이하 장관, 요속인 종사관·낭청, 교련관·군관 등 장교가 증감되면서 도제조 이하 겸직·대장 이하 장관·낭청·교련관 등 장교가 각각 15·254·18·3,218직(속대전), 17·317·20·3,731직(정조 19), 13·394·15·2,664직(대전회통)으로 운영되었다.

지금까지 고찰한 군영아문과 포도청의 정1~종6품직과 종9품직의 관직 변천을 정직과 겸직으로 구분하여 제시하면 다음의 〈표 7-7, 8, 9〉와 같다.

---

99) 박범, 2019, 「정조중반 장용영의 군영화과정」, 『사림』 70, 수선사학회.
100) 『대전회통』 권4, 병전 군영아문 총리영.

〈표 7-7〉 朝鮮後期 軍營衙門 將官·僚屬 변천[101)]

		성종16~ 광해군14	인조 1~고종 2	『대전회통』	비고
훈련도감	종2품	대장1, 중군1	→	대장1, 중군1	
	정3	별장1→	별장2, 천총2, 국별장3→	별장2, 천총2, 국별장3	
	종4	?	파총6, 낭청6~0→	파총6	
	종6	?	종사관6~4→	종사관4	
	종9	?	초관34, 군관 등 325→	초관34, 군관 등 325	
	계	3	386(속대전, 이하 동)	378	
금위영	종2		대장1, 중군1→	대1,중1	
	정3		별장1, 천총4, 기사장3→	별1, 천4, 기사장3	
	종4		파총5→	파5	
	종6		낭청6~0, 종사관1[*]→	종1[*]	*문관1 제외
	종9		초관45~41, 군관등 134~122→	초41, 군관 등 299	
	계		189	357	
어영청	종2		대장1, 중군1→	대1, 중1	
	정3		별장2→1, 천총5, 별후부천총1→0(겸직), 기사장3→	별1, 천5, 기3	
	종4		파총5→	파5	
	종6		종사관1[*]→	종1[*]	*문관1 제외
	종9		초관45→41, 교련관12, 기패관10→11, 별무사 등 172→430[*]1→	초41, 교련관12, 기패관10, 별무사 등 353	
	계		254	413	
총융청	종2		사1, 중군1→	사1, 중군1	
	정3		천총2→천총2, 관성장0→1(북한산성), 진영장3(수령겸)→	천총2, 관성장(북), 진영장3(겸)	
	종4		파총5(1북)→3(1북)→	파총3(1북)	
	종9		초관20→16(6 북), 교련관 12→19(4 북), 기패관7(5 북), 각종군관 320→193[*]2, 수문부장 1→1, 성문부장0-1(북)→	초관16(6북), 교련관 19(4북), 기패관7(5북), 각종군관 193(26북), 수문부장1, 성문부장1(북)	
	계		361	247	
포도청	종2	좌·우대장 각1	→	대장2	
	종6	종사관6	→	종사관6	
	종9	부장8, 가설부장20→	부장8, 무료부장52, 가설부장24→	부장8, 무료부장52, 가설부장24	
	계	36	92	92	
경리영	정3		관성장1(북한산성)→혁(고종2 이전, 이하 동)		
	종4		파1→혁		
	종6		낭청1→혁		
	종9		초5, 군관 등 45[*]3→혁		

경리영	계		53		
호위청	정3		별장1~3→	별3	
	군관		군관1,058→350, 소임군관3, 당상별부료군관1→	군관350, 소임군관3, 당상별부료군관1	
	계		1,065	357	
용호영(영조31 금군청을 개칭)	종2		별장1→	별1	
	정3		장7→6	장6	
	종9		교련관→10→14, 별부료군관40→120, 당상군관15→16→	교련관14, 별부료군관120, 당상군관16	
	계		130→157→	157	
총리영(순조2 장용영을 개편)	정3		중군1, 별효장2→	중1, 별효2	사1(종2, 수원유수겸제외)
	종4		파총12→	파12	
	종6		종사관1(수원판관겸), 척후장1→	종사관1(수원판관겸), 척후장1	
	종9		초관25, 교련관8, 지각관10, 별군관100, 수첩군관12, 별효사200→	초25, 교련관8, 지각관10, 별군관100, 수첩군관12, 별효사200	
	계		372	372	
수어청(정조19 이후 광주유수겸영)	종2		사1, 중군1→사1(광주유수겸), 중군1→	사1(광주유수겸), 중군1	
	정3		별장2, 천총2, 남한유영별장1·성기별장1→0→	진영장3·별장2(수령겸)	
	종4		파총3→2(남한)→	2	
	종6		종사관1→0	0	
	종9		1,052~132(초관 21〈본영16·남한5〉→26, 교련관 20〈본10·남10〉→17〉, 기패관60〈본41·남19〉, 각종군관 984→740*→	초관26, 교련관17, 기패관19, 별군관9·수첩군관61	
	계		1,080~135→	135	
관리영	정3		중군1→중군1, 별장2, 천총3→	중1,별2,천3	사1(종2, 개성유수겸 제외)
	종4		0→백총4, 파총6→	백4, 파6	
	종9		0→초관32, 교련관8, 기패관36, 군관250, 당상군관50→	초32, 교련관8, 기패관36, 군관250, 당상군관50	
	계		1(속대전)→392	392	
진무영	정3		중군1→중군1, 천총4→	중1, 천4	사1(종2,강화유수겸제외)
	종4		0→파총10→	파10	
	종9		0→초관63, 교련관10, 기패관71, 군관15→	초63, 교련관10, 기패관71, 군관15	
	계		1(속대전)→174	174	

장용영(순조2 총리영으로 개편)	종2		사1, 중군1(화성)→순조2 혁(계 총리영, 이하 동)		
	정3		별장2, 별효장2(화)→순조2 혁		
	종4		파총15(12화), 선기장2, 척후장1(화)→순조2 혁		
	종6		종사관2(1화)→순조2 혁		
	종9		초관39(25화), 감관·군관 등 513직(330화)*5→순조2 혁(개 총리영)		
	계		592(화성371)		
합계	종2	4	13→15→11→	11	
	정3	1	43→48→52→	52	
	종4	0	29→45→53→	53	
	종6	6	18→21→16→	16	
	종9	28	3,387→3,939→2,942→	2,942	
	계	39	3,490→4,068→3,074→	3,074	

*1 별무사22→30, 군관40→38, 별군관10, 권무군관50, 가전별초50→52, 기사0→150.

*2 본영-320→167(군관15→10, 본청군관 0→3, 별부료군관0→2, 감관5→2, 한량군관300→150), 북한산성0→26(수첩군관2, 군기감관1, 소임군관3, 부료군관20).

*3 본영-군관4, 북한산성-기패관5, 군관11, 料射軍官20, 각색군관3, 성문부장3.

*4 본영-군관10·한량군관283, 남한 군관43·이속군관290·부료군관336→남한-별군관9·수첩군관61.

*5 본영-183(감관4, 지각관11, 별부료군관2, 교련관16, 패장8, 약방1, 침의1, 장용위92, 별무사33, 마의구료패장1, 시인1, 부료무사11), 화성-330(교련관8, 지각관10, 별군관100, 수첩군관12, 별효사200).

〈표 7-8〉 조선 중·후기 군영아문 종9품 군관 등 변천

	훈련도감			금위영			어영청			수어청			총융청		
	『속대전』	『통편』	『회통』	속	통	회	속	통	회	속	통	회	속	통	회
교련관				15	12	12	12	12	12	20	17	17	12	15	12
지각관	10	10	10												
기패관	20	20	20	12	10	10	12	11	11	60	19	19			2
별무사	68	68	68	30	30	30	22	30	30						
군관	15	15	17	5	5	5	40	41	38	58	0	0	15	14	10
본청군관															3
별군관	10	10	10	10	10	10	10	10	10	9	9				
권무군관	50	50	50	50	50	50	50	50	50						

101) 앞 195~202쪽과 『속대전』·『대전통편』·『대전회통』 권4, 병전 경관직 군영아문에서 종합.

한량군관													300	300	150
경한량군관										283	0				
이속군관										290					
부료군관										336					2
수첩군관										61	61				2
가전별초							50	52	52						
성문(수문)부장													1	1	2
국출신	150	150	150												
기사					150	150		150	150						
별기위					32	32									
감관													5	2	2
합계	323	323	325	122	299	299	196	356	353	1,117	106	36	333	332	185

	경리영		호위청			용호영		관리영		진무영		장용영	총리영	합계		
	속	통	속	통	회	통	회	통	회	통	회	(정19)	회통	속	통	회
교련관						14	14	8	8	10	10	19	8	59	88	93
지각관												21	10	10	117	117
기패관								36	36	71	71			104	96	98
당상별부료군관			1	1	1			50	50					1	51	51
별부료군관												2				
군관	40	혁	900	350	350			250	250	15	15			1,077	690	685
본청군관																3
별군관												100	100	39	39	130
권무군관														150	150	150
한량군관														300	300	150
경한량군관														283		
이속군관														290		
부료군관						80	120							336	80	122
소임군관			3	3	3									3	3	3
수첩군관												12	12	61	61	2
가전별초														50	52	52
성문(수문)부장														1	1	2
국출신														150	150	150
기사															300	300
별기위															32	32
감관														5	2	2
별효사												200	200			200
패장												8				
약방												1				

침의												2				
장용위												92				
별무사												33		120	128	128
마의구료패장												1				
시인												1				
부료무사												11				
합계	40	0	904	354	354	94	134	344	344	96	96	513	330	3,039	2,340	2,470

〈표 7-9〉 조선후기 군영아문 겸직 변천(*1 정1, *2 정2)

	훈련도감			금위영			어영청			수어청			경리청	
	『속대전』	『대전통편』	『대전회통』	속	통	회	속	통	회	속	통	회	속	통
도제조(정1)	1	1	1	1	1	1	1	1	1				1	혁
제조(정2)	2	2	2		1	1	1	1	1				1	혁
대장(종2)				1	1									
사(정2)												1		
수성장(종2)										1				
합계	3	3	3	2	3	2	2	2	2	1	0	1	2	0

	호위청			관리영			진무영			총리영	합계		
	속	통	회	속	통	회	속	통	회	회	속	통	회
도제조(정1)											4	3	3
제조(정2)											4	4	4
대장(종2)	3[*1]	1[*1]	1[*1]								4(3[*1])	2(1[*1], 1)	2(1[*1], 1)
사(종2)				1	1	1	1	1	1	1[*2]	2	2	4(2[*2], 2)
수성장(종2)											2	0	0
종사관(종6)					1	1		1	1		0	2	2
합계	3[*1]	1[*1]	1[*1]	1	2	2	1	2	2	1[*2]	16(4[*1], 12)	13(2[*1], 11)	13(2[*1], 2[*2], 9)

제3절 雜職의 變遷

1. 文班

『경국대전』에 규정된 掌樂院 등 15관아에 종6품 典樂 이하 141 문반 잡직(관아별 관직 수·직질은 〈표 7-10〉)은 왜란 이후에 재정난 등과 관련되어 대대적으로 혁거·삭감되면서 운영되었다.

장악원·장원서·액정서의 관직은 그대로 계승되었지만 1746년(영조 22) 이전에 工曹 工造·工作, 교서관·사섬시 공조·공작, 상의원 工製·공조·공작, 선공감 공조·공작이 혁거되고 군기시 공제 1·공조 1·공작 2직이 삭감되었으며, 사복시 牽馬陪(종9) 11직이 신치되었다.[102]

1785년(정조 9) 이전에 사옹원 宰夫 이하 모든 관직, 사복시 牽馬陪 이하 모든 관직이 혁거되고 군기시 공제 4·공조 1직이 散料職이 되었으며, 사복시 견마배 21직이 가치되었다.[103]

1865년(고종2) 이전에 소격서 尙道·志道가 혁거되면서 문반 잡직은 사복시 견마배 32, 장악원 典樂 1직 이하 45직, 장원서 愼花 이하 8직, 액정서 司謁 이하 28직으로 조정되어[104] 『대전회통』에 법제화되었다.

2. 武班

『경국대전』에 규정된 破陣軍 등 3개 부대에 近事 이하 1,621 체아 무반잡직은 왜란 이후에 재정난, 군제개편 등과 관련되어 대대적으로 개편되면서 운영되었다.

1746년(영조 22) 이전에 彭排에 편제된 隊長·隊副 1,010직과 隊卒에 편제된 대장·대부 596직이 軍營衙門으로 이속되었다. 승문원·교서관·도화서에 각각 領(종9, 관직수 불명), 금군에 正 21(종8)·領 63(종9), 각 군영에 旗摠(정8)·隊長(종8)·隊副(종9)(관직수 불명), 騎步兵에 旅帥(종8)·隊正(종9)(관직수 불명)을 각각 설치하였다.[105]

---

102) 『속대전』 권1, 이전 경관직 잡직.
103) 『대전통편』 권1, 이전 경관직 잡직.
104) 『대전회통』 권1, 이전 경관직 잡직.
105) 『속대전』 권4, 병전 경관직 잡직.

1785년(정조 9) 이전에 破陣軍에 勤事·從事·趨事가 혁거되었고, 1865년(고종 2) 이전에 금군에 정 18·영 54직이 가치 되면서[106] 금군 정 39·영 117직, 각군영 기총·대장·대부, 기보병 여수·대정으로 조정되어 『대전회통』에 법제화되었다. 지금까지 살핀 조선 중·후기 문·무반 잡직의 변천을 종합하여 제시하면 다음과 같다.

〈표 7-10〉 조선 중·후기 문·무반 잡직 변천(체아직)

반	관아	『경국대전』	성종16~영조22	영조23~고종2	『대전회통』
동반	工曹	工造1(종8),工作2(종9)	영조22이전 혁		
	校書館	司准1(종8),司勘1(종9)	영조22이전 이서반		
	校書館·司贍寺·造紙署	工造4,工作2	영조22이전 혁		
	司饔院	宰夫1(종6),膳夫1(종7),調夫2(종82),飪夫2(정9),烹夫7(종9)	→	정조8이전 폐	
	尙衣院	工製4(종7),공조1,공작3	영조22이전 혁		
	司僕寺	安驥1(종6),調驥1(종7),理驥1(종8),保驥1(종9)	영조22이전 치 牽馬陪11(종9)	정조9이전 안기~보기 폐, 가 견마배21	견마배 32
	軍器寺	공제5,공조2,공작2	영조22이전 감공제1,공조1,공작2	정조9이전 전환 산료직	
	繕工監	공조4.공작4	영조22이전 혁		
	掌樂院	典樂1(정6),副典樂2(종6),典律2(정7),副典律2(종7),典音2(정8),副典音4(종8),典聲10(정9),副典聲23(종9)	→	→	전악1, 부전악1, 전율2, 부전률2, 전음2, 부전음4, 전성10, 부전성 23
	昭格署	尙道1(종8), 志道1(종9)	→	고종2이전 폐	
	掌苑署	愼花1(종6),愼果1(종7),愼禽1(정8),副愼禽1(종8),愼獸3(정9),副愼獸3(종9)	→	→	신화1, 신과1, 신금1, 부신금1, 신수1, 부신수3
	掖庭署	司謁·司鑰각1(정6),	→	→	사알1, 사약1, 부사

106)『대전통편』·『대전회통』 권4, 병전 경관직 잡직.

동반		副司鑰1(종6), 司案2(정7), 副司案3(종7), 司鋪2(정8), 副司鋪3(종8), 司掃6(정9), 副司掃9(종9)			약1, 사안2, 부사안3, 사포2, 부사포 3, 사소6, 부사소9
	圖畫署	善畵1(종6),善繪1(종7),畵史1(종8),繪史2(종9)	영조22이전 이 서반		
	소계	141(정6 3,종6 7, 정7 4,종7 18,정8 5, 종8 25,정9 21, 종9 60)	119(정6 3,종6 6, 정7 4,종7 12,정8 5,종8 13,정9 22,종9 54)	124(정6 3,종6 4,정7 4,종7 6, 정8 5,종8 9, 정9 28,종9 65)	124(정6 3,종6 4,정7 4,종7 6, 정8 5,종8 9, 정9 28,종9 65)
서반	承文院諸員		영조22이전 치 領(종9, 직수 불명)	→	領(종9, 직수 불명)
	校書館唱準		영조22이전 치 領(종9, 직수 불명)	→	領(종9, 직수 불명)
	圖畫署畵員		영조22이전 치 領(종9, 직수 불명)	→	領(종9, 직수 불명)
	禁軍		영조22이전 치 정21(종8), 領63(종9)	고종2이전 가 정18, 영54	정(종8, 39, 영종9, 117
	各營軍士		영조22이전 치 旗摠(정8), 隊長(종8), 隊副(종9)(직수 불명)	→	기총(정8), 대장(종8), 대부(종9)
	騎步兵		영조22이전 치 旅帥(종8), 隊正(종9)(직수 불명)	→	여수(종8), 대정(종9)
	破陣軍	勸事2(종7),從事2(종8),趨事3(종9)	→	정조9이전 혁	
	彭排	隊長98(정9),隊副920(종9)	영조22이전 이 각영 군사(직수 불명)→	정조9이전 혁	
	隊卒	대장46,대부550	영조22이전 이 각영 군사(직수 불명)→	정조9이전 혁	
	소계	1,621(종7 2,종8 2,정9 144,종9 1,473)	1,621~91(종7 2, 종8 23, 종9 66[*1])	91~156(종8 39, 종9 117[*])	156(종8 39, 종9 117[*])
합계		2,062(정6 3, 종6 7, 정7 4, 종7 20, 정8 5, 종8 27,정9 165, 종9 1,533)	2,062~210(정6 3, 종6 6, 정7 4, 종7 14, 정8 5, 종8 36, 정9 22, 종9 120[*1])	210~271(정6 3, 종6 4, 정7 4, 종7 6, 정8 6, 종8 48, 정9 28, 종9 172[*])	280(정6 3, 종6 4, 정7 4, 종7 6, 정8 5, 종8 48, 정9 28, 종9 172[*])

* 관직수가 불명인 승문원 제원 이하 제외

제8장 朝鮮 中·後期 京官職의 변천Ⅲ－女官, 廟·殿·陵·園官, 臨時官職

제1절 女官과 宮官

1. 女官

1) 王(後宮) 女官

국왕을 侍寢한 여관－후궁은 『경국대전』에 규정된 嬪(정1) 이하 淑媛(종4)이 변동 없이 후대로 계승되었고, 1865년(고종 2)에 빈이 왕명이 있으면 무품이 되도록 개정되었다(그 외 여관은 앞 〈표 2-15〉 『경국대전』의 여관·궁관 참조).[1)]

2) 世子 女官

세자를 시침한 여관은 『경국대전』에 규정된 良媛(종2) 이하 昭訓(종4)이 변동 없이 후대로 계승되었다(그 외 여관은 앞 〈표 2-15〉 『경국대전』의 여관·궁관 참조).[2)]

---

1) 『대전회통』 권1, 이전 내명부.
2) 『대전회통』 권1, 이전 세자궁.

2. 宮官

1) 王·王妃殿 宮官

왕과 왕비를 支待한 궁관은 『경국대전』에 규정된 尙宮·尙儀(정5) 이하 奏變徵·奏徵·奏羽·奏變宮(종9)이 변동 없이 후대로 계승되었다(그 외 궁관은 앞 〈표 2-15〉 『경국대전』 여관·궁관 참조).[3]

2) 世子·世子嬪 宮官

세자·세자빈을 지대한 궁관은 『경국대전』에 규정된 守閨·守則(종6) 이하 掌藏·掌食·掌醫(종9)가 변동 없이 후대로 계승되었다(그 외 궁관은 앞 〈표 2-15〉 『경국대전』의 여관·궁관 참조).[4]

제2절 廟·殿·陵·園官

1. 廟·殿·園官

廟官, 殿官, 園官은 각각 追尊王의 신위, 先代王의 영정이 봉안된 전각과 왕 私親이 안장된 園(墓)를 관리하고 수위하는 종6~종9품의 관직이다. 이 관직은 『경국대전』에는 文昭·延恩·慶基 3殿에 都提調(정1)·提調(종1~종2) 각2직과 參奉(종9) 6직이 등재되었지만[5] 이후 1864년(고종 1)까지 왜란, 관제의 정비, 왕통의 계승과 王親의 追崇 등과 관련되어 문소·연은전이 혁거되고 肇慶廟와 慶基殿 등 8전, 昭寧園 등 8원이 차례로 설치되면서 도제조 이하

3) 『대전회통』 권1, 이전 내명부.
4) 『대전회통』 권1, 이전 세자궁.
5) 『경국대전』 권1, 이전 경관직 문소전, 연은전, 경기전조.

겸직, 令(종5) 이하 정직과 別檢(종8) 이하 무록직이 설치되고 변천되면서 운영되었다. 여기에서는 묘, 전, 원으로 구분하고, 令(종5) 이하 정직과 別提(종8) 이하 무록관의 설치·변천을[6] 고찰한다.

1) 廟官 : **肇慶廟**

肇慶廟는 조선왕가의 근본이 되는 전주이씨 시조 司空 李翰의 위패를 봉안한 廟이다. 묘를 관리·수위하는 묘관은 1765년(영조 41) 준공과 함께 참봉 2직을 두면서 비롯되어 1776년(정조 즉위)에 참봉 1직이 종8품 무록직인 별검으로 승질·개정되었으며,[7] 1865년(고종 2) 이전에 영 1직이 신치되고 참봉이 혁거되면서 영·별검 각1직으로 정비된 후 『대전회통』에 등재되었다.

2) 殿官 : **文昭殿, 延恩殿, 慶基殿, 長寧殿, 永禧殿, 萬寧殿, 肇慶殿, 長生殿, 濬源殿, 華寧殿**

文昭殿은 태조 4조의 위패를 봉안한 전각이다. 『경국대전』에 등재된 참봉 2직이 후대로 계승되다가 1592년(선조 25)에 왜군의 방화로 전각이 소실되었고, 1746년(영조 22) 이전에 관직이 혁거되었다.[8]

延恩殿은 성종의 생부인 덕종의 위패를 봉안한 전각이다. 『경국대전』에 등재된 참봉 2직이 후대로 계승되다가 1592년(선조 25) 왜군의 방화로 전각이 소실되었고, 1746년(영조 22) 이전에 관직이 혁거되었다.[9]

慶基殿은 태조의 영정을 봉안한 전각이다. 『경국대전』에 등재된 참봉

---

6) 겸직인 도제조·제조는 뒤에서 검토되기에 중복을 피하여 제외하였고, 별제 등은 참봉이 승질된 관직인 관계로 포함하여 파악한다.
7) 『대전통편』 권1, 이전 경관직 각전 조경묘.
8) 『증보문헌비고』 권224, 직관고 11 문소전 ; 『속대전』 권1, 이전 경관직 문소전.
9) 『증보문헌비고』 권224, 직관고 11 연은전 ; 『속대전』 권1, 이전 경관직 연은전.

2직이 후대로 계승되다가 1592년(선조 25)에 왜군의 방화로 전각의 소실과 함께 관직이 혁거되었다.[10] 그 후 1614년(광해군 6) 전각의 중건에 따라 참봉 2직이 복치되고 1776년(정조 즉위)에 참봉 1직이 무록직인 별검(종8)으로 승격되었으며, 1785년(정조 9) 이전에 별검이 녹직인 영(종5)으로 승격·전환되면서 영(1)·참봉(1)으로 정비되어[11] 『대전통편』에 등재된 후 후대로 계승되었다.

長寧殿은 숙종의 영정을 봉안한 전각이다. 1695년(숙종 21) 전각의 중건과 함께 참봉 2직이 설치되었고,[12] 1721년(경종 1)에 참봉 1직이 무록직인 별검(종8)으로 승격되고 1776년(정조 즉위)에 영이 신치되고 참봉이 소멸되면서 영(1)·별검(1)으로 정비되어[13] 『대전통편』에 등재된 후 후대로 계승되었다.

永禧殿은 1690년(숙종 16) 열성의 영정을 봉안하고 있던 南別宮을 영희전으로 개칭하면서 참봉 2직을 두었고,[14] 태조·세조·元宗(선조 생부)·숙종·영조·순조의 어용을 봉안한 전각이다. 1725년(영조 1) 이전에 참봉 2직이 설치되었다가 참봉 1직이 영으로 승격되고 1860년(철종 11)에 도제조·제조 각1직이 신치되었으며, 1865년(고종 2) 이전에 영 1직이 가치되면서 도제조(1)·제조(1)·영(2)·참봉(1)으로 정비되어[15] 『대전회통』에 등재되었다.

萬寧殿은 영조의 영정을 봉안한 전각이다. 1745년(영조 21) 전각의 창건과 함께 별검·참봉 각1직이 설치되었다가 1776년(정조 즉위)에 영정이 장령전에 移奉되면서 소멸되었다.[16]

---

10) 『증보문헌비고』 권224, 직관고 11 경기전.
11) 『증보문헌비고』 권224, 직관고 11 경기전.
12) 『숙종실록』 권29, 21년 9월 갑자.
13) 『증보문헌비고』 권224, 직관고 11 장령전.
14) 『숙종실록』 권22, 16년 11월 갑신.
15) 『증보문헌비고』 권224, 직관고 11 영희전 ; 『대전회통』 권1, 이전 경관직 제전.
16) 『증보문헌비고』 권224, 직관고 11 만령전 ; 『속대전』 권1, 이전 경관직 제전 장령전.

長生殿은 東園秘記를 보관하는 전각이다. 1746년(영조 22) 이전에 겸직인 도제조(1)·제조(2)·낭청(2)이 설치되었다가 제조·낭청 각1직이 증치되어 도제조(1)·제조(3)·낭청(3)으로 정비되어[17]『대전통편』에 등재된 후 후대로 계승되었다.

濬源殿은 태조의 영정을 봉안한 전각이다. 1729년(영조 5) 이전에 참봉 2직이 설치되었다가 1776년(정조 즉위)에 참봉 1직이 別檢(종8)으로 승격되었고,[18] 1785년(정조 9) 이전에 별검이 令(종5)으로 승격 및 영 1직이 가치되고 참봉이 혁거되면서 영 2직으로 정비되어『대전통편』에 등재된[19] 후 후대로 계승되었다.

華寧殿은 정조의 영정이 봉안된 전각이다. 1801년(순조 1)에 전각의 건립과 함께 겸직인 제조 1(정2, 수원유수)·영 1직(종5, 수원판관)이 설치되었고,[20] 이것이 그대로『대전회통』에 등재되었다.

3) 園官 : 昭寧園, 順康園, 仁明園, 永祐園(顯隆園), 綏吉園, 徽慶園

昭寧園은 영조의 생모인 숙종후궁 淑嬪崔氏의 묘이다. 1753년(영조 29) 園의 조성과 함께 종9품 수봉관 2직이 설치되었고,[21] 이것이 그대로『대전통편』에 등재되면서 후대로 계승되었다.

順康園은 원종의 생모인 선조후궁 仁嬪金氏의 묘이다. 1755년(영조 31) 묘에서 원으로 승격되면서 참봉 2직이 두어졌다가 1785년(정조 9) 이전에 수봉관 2직으로 개정되어[22]『대전통편』에 등재되면서 후대로 계승되었다.

---

17)『증보문헌비고』 권224, 직관고 11 장생전 ;『속대전』 권1, 이전 경관직 제전 장생전.

18)『영조실록』 권22, 5년 6월 계묘 ;『속대전』 권1, 이전 경관직 준원전 ;『증보문헌비고』 권224, 직관고 11 준원전.

19)『증보문헌비고』 권224, 직관고 11 준원전 ;『대전통편』 권1, 이전 경관직 각전 준원전.

20)『순조실록』 권2, 1년 1월 계미·정해 ; 1년 4월 을해 ;『대전회통』 권1, 이전 경관직 각전 화령전.

21)『증보문헌비고』 권224, 직관고 11 제원관.

仁明園은 정조 후궁인 元嬪洪氏의 묘이다. 1785년(정조 9) 이전에 수봉관 2직이 설치되어[23] 『대전통편』에 등재되면서 후대로 계승되었다.

永祐園(顯隆園)은 정조의 생부인 莊祖(思悼世子)의 묘이다. 1776년(정조 즉)에 묘에서 永祐園으로 승격되면서 수봉관 2직이 설치되었다. 그 후 1779년(정조 3)에 수봉관이 별검·참봉으로 개정되고 1789년(정조 13)에 영우원이 顯隆園으로 개칭되면서 영·참봉 각1직으로 개정된 후 『대전회통』에 등재되었다.[24]

綏吉園은 眞宗(孝章世子)의 생모인 영조후궁 靖嬪李氏의 묘이다. 1778년(정조 2) 묘가 원으로 승격되면서 소령원관이 겸하는 수봉관 2직이 설치되었고,[25] 『대전통편』에 등재되면서 후대로 계승되었다.

徽慶園은 순조의 생모인 綏嬪朴氏의 묘이다. 1823년(순조 24)에 수봉관 2직이 설치되었고, 1865년(고종 2) 이전에 영·참봉 각1직으로 개정된 후[26] 『대전회통』에 등재되었다.

이러한 변천에 따라 묘·전·원의 정직은 참봉 4직(『경국대전』)→ 별검 13·참봉 3·수봉관 9직(성종 17~정조 8)→ 영2·참봉 2·수봉관 8직(정조 9~고종 1)으로 운영되다가 1865년(고종 2)에 반포된 『대전회통』에 법제화되었다. 지금까지 고찰한 諸廟·殿·園의 配位者와 官職의 변천을 종합하면 다음의 표와 같다.

---

22) 『대전통편』 권1, 이전 경관직 순강원.
23) 『대전통편』 권1, 이전 경관직 인명원.
24) 『증보문헌비고』 권224, 직관고 11 제원관.
25) 『증보문헌비고』 권224, 직관고 11 제원관.
26) 『대전회통』 권1, 이전 경관직 각원.

〈표 8-1〉 조선 중·후기 諸廟·殿·園 配位者와 관직 변천(설치순)[27]

관아		配位	『경국대전』	성종16~정조8	정조9~고종1	『대전회통』	비고
肇慶廟		司空李翰 신위*		영조41 참봉2→정조즉 別檢(1, 종8) 참봉1[28]→	→? 令(종5,1), 별검1	영1, 별검1	*전주이씨 시조
殿	文昭殿	태조 4조 신위	都提調(정1, 2, 尊屬宗親), 제조(종1~종2, 2), 參奉(종9, 2)→	→ 영조22 이전 혁[29]			
	延恩殿	德宗신위	제조2(문소전 제조겸), 참봉2→	→영조22 이전 혁[30]			
	永禧殿	太祖·世祖·元宗·肅宗·英祖·純祖 어용		숙종16 참봉2→영조1 영·참봉 각1→	→ 철종11 도제조1, 제조1, 영1, 참봉1→고종2이전 각 영1→	도제조1, 제조1, 영2, 참봉1	
	長寧殿	숙종영정		숙종21 참봉2→ 경종1 별검1, 참봉1→	→? 영1, 별검1	영1, 별검1	
	萬寧殿	영조영정		영조21 별검·참봉 각1→정조즉 혁(병장령전)			
	慶基殿	태조영정	참봉 2→	→ 선조25경 혁→광해군6 참봉2→정조즉 별검(종8, 1)·참봉1→	→정조8 영1·참봉1→	영1, 참봉1	
	濬源殿	태조영정		영조5 이전 참봉2→정조즉 별검1, 참봉1→정조9 이전 영2→	→	영2	
	長生殿	東園秘記		? 도제조1(영의정), 제조2(공판, 예참판), 낭청2(예·공낭관겸)→영조41 加提調1(호판), 加郎廳1(호낭관)→	→	도제조1(영의정), 제조3(호·예·공판), 낭청2(호·예·공낭관)	
	華寧殿	莊祖睟容			순조1 제조1(수원유수겸), 영1(판관겸)[31]→	제조1(유수), 영1(판관	
	계		도제2, 제조 4, 참봉4	도제1, 제조3, 낭청3, 영1, 별검2, 참봉9	도제조2, 제조5, 낭청3, 영3, 별검3, 참봉2	→	
園	永祐園	장조		정조즉 守奉官(종9, 2)→3 별검1, 참봉1→	→ 13개 현륭원		

園	昭寧園	숙빈최씨*		영조29 수봉관2→	→	수봉관2	*영조생모
	綏吉園	정빈이씨*		정조2 수봉관2-(소령원관겸)→	→	수봉관2-(소령원관겸)	*영조후궁
	順康園	인빈김씨*		영조31 참봉2→정조9 이전 수봉관2→	→	수봉관2	*선조후궁
	仁明園	원빈홍씨*		정조3 수봉관2→	수봉관2→	수봉관2	*정조후궁
	顯隆園(←永祐園)	장조		정조즉 수봉관2(영우원)→정조즉 별검1, 참봉1→	정조13 영1, 참봉1(현륭원)→	영1, 참봉1	
	徽慶園	수빈박씨*			순조23 수봉관2→고종1 영1, 참봉1→	영1, 참봉1	*순조생모
	계			별검1, 참봉3, 수봉관10	영2, 참봉2, 수봉관10	영2, 참봉4, 수봉관8	
합계			도제2, 제조4, 참봉4	도제조1, 제조3, 낭청3, 영1, 별검3, 참봉12, 수봉관10	도제조2, 제조5, 낭청3, 영5, 별검3, 참봉4, 수봉관10	도제조2, 제조5, 낭청3, 영5, 별검, 참봉6, 수봉관8	

2. 陵官

『경국대전』에 규정된 德陵 등 20릉과 1495년(연산군 1) 이후 1693년(숙종 32)까지 조영된 莊陵 등 17릉의 37릉은 모두 종9품 參奉 2직이 편제되었다가 참봉 각1직이 1694년(숙종 33) 이후 1865년(고종 2) 이전까지 왕실의 尊崇·祀典, 관제의 정비·변통 등과 관련되어 수십 차에 걸쳐 관직이 陞·降格되고 개칭되면서 令(종5)·直長(종7)·奉事(종8)·別檢(종8) 등으로 변천되면서 운영되었다. 또 1720년(경종 즉위) 이후에 조영된 懿陵 등 10릉은 참봉 2직과

27) 『증보문헌비고』 직관고 11 ; 『대전회통』 권1, 이전 각릉·각전·각원 등에서 종합.

28) 『영조실록』 권47, 41년 10월 갑술·계미·갑신·신묘 ; 『대전통편』 권1, 이전 경관직 각전 조경묘.

29) 『증보문헌비고』 권224, 직관고 11 문소전.

30) 『증보문헌비고』 권224, 직관고 11 연은전.

31) 『순조실록』 권2, 1년 1월 계미·정해, 1년 4월 을해 ; 『대전회통』 권1, 이전 경관직 화령전.

별검·참봉 각1직이 설치되었다가 睿陵은 변개가 없었으나 그 외의 의릉 등 9릉은 별검이 영, 참봉이 영이나 직장·별검으로 승격되는 등으로 개변되면서 운영되었다. 여기에서는 본서의 서술과 관련하여 1485년(성종 16, 『경국대전』 반포) 이전에 조영된 덕릉 등 20릉과 그 후에 조영된 장릉 등 27릉으로 구분하여 고찰한다.

1) 德陵 등 20릉

『경국대전』에 능관으로 규정된 德陵 등 20릉의 각 종9품 참봉 2직이 후대로 계승되다가 1694년(숙종 33)에 健元陵·齊陵·貞陵과 獻陵·英陵·光陵·純陵의 참봉 각1직이 종7품 직장과 종8품 봉사로 승격·개칭되었다.[32] 이후 다음과 같이 8차에 걸쳐 개변되면서 참봉 2직이던 능관이 직장 1직(健元陵), 참봉 1직(安·和陵), 직장·참봉 각1직(智·獻·純陵), 봉사·참봉 각1직(淑·義·純·定陵), 영·참봉 각1직(健元·齊·貞·厚·英·顯·光·敬·昌·恭陵)으로[33] 정비된 후 『대전회통』에 등재되었다.

ⓐ 숙종대에는 1699년(38)에 제릉·영릉·광릉의 관직이 참봉 2직으로 개정되었다.

ⓑ 영조대에는 1725년(1)에 헌·현·경·창·恭陵의 관직이 직장 참봉 각1직, 1735년(11)에 건원·제·헌·현·경·창·공릉의 관직이 영·참봉 각1직, 1759년(35)에 昌陵의 관직이 참봉 2직, 1769년(45)에 숙·의·순릉의 관직이 봉사·참봉 각1직, 지릉의 관직이 별검·참봉 각1직, 안·정·화·德陵의 관직이 참봉 1직으로 각각 개정되었다.

ⓒ 정조대에는 1776년(즉위)에 영릉의 관직이 직장·참봉 각1직, 창릉의 관직이 영·참봉 각1직, 제·후·光陵의 관직이 별검·참봉 각1직으로 각각 개정되

32) 『숙종실록』 권43, 33년 3월 무진 ; 『증보문헌비고』 권224, 직관고 11 건원릉조.

33) 『조선왕조실록』 연산군 1년~철종 10년조 ; 『증보문헌비고』 권224, 직관고 11 ; 『속대전』·『대전통편』·『대전회통』 권1, 이전 경관직 各陵조에서 종합.

었다.

ⓓ 1865년(고종 2) 이전에 지릉·헌릉과 후릉의 관직이 직장·참봉 각1직과 영·참봉 각1직으로 각각 개정되었다.

2) 莊陵 등 27릉

1485년(성종 16) 『경국대전』이 반포된 후에 역년의 경과에 따라 莊陵 등 27릉이 조성되었다. 이 중 莊陵 등 22릉에는 능의 조영과 함께 참봉 2직이 설치되었다가 다음의 설명과 같이 참봉 1직이 令~別檢에 승격·개칭되면서 영 19, 직장 5, 별검 2, 참봉 27직으로[34] 정비된 후 『대전회통』에 등재되었다.

ⓐ 숙종대에는 1694년(33)에 長·휘·영·숙릉의 관직이 직장·참봉 각1직, 선·정·희태·목·명·익릉의 관직이 봉사·참봉 각1직으로 각각 개정되었다.

ⓑ 영조대에는 1721년(1)에 사릉의 관직이 직장·참봉 각1직, 강·휘·숙·혜릉의 관직이 봉사·참봉 각1직, 1731년(11)에 선·정·희릉의 관직이 직장·참봉 각1직, 사릉의 관직이 영·참봉 각1직, 1737(17)에 태릉의 관직이 직장·참봉 각1직, 효·강·목·휘·숙·翼陵의 관직이 별검·참봉 각1직, 1731년 이후에 휘릉의 관직이 영·참봉 각1직으로 각각 개정되었다.

ⓒ 정조대에는 1776년(즉위)에 온·長·영·의·홍·永陵의 관직이 영·참봉 각1직, 영·명·원릉의 관직이 별검·참봉 각1직, 1776년 이후에 章陵의 관직이 별검·참봉 각1직, 1785년(9) 이전에 장·숭·영·익릉의 관직이 영·참봉 각1직, 휘릉이 별검·참봉 각1직, 1796년(20) 이전에 長·徽陵의 관직이 별검정 참봉 각1직, 1796년에 長·영릉의 관직이 영·참봉 각1직으로 각각 개정되었다.

ⓓ 1865년(고종 2) 이전에 경릉의 관직이 직장·참봉 각1직, 효·강·惠陵의 관직이 영·참봉 각1직, 健·仁·綏陵의 관직이 별검·참봉 각1직으로 각각 개정되었다.

---

34) 『조선왕조실록』 연산군 1년~철종 10년조 ; 『증보문헌비고』 권224, 직관고 11 ; 『속대전』·『대전통편』·『대전회통』 권1, 이전 경관직 各陵조에서 종합.

또 1799년(순조 즉위) 이후에 조영된 健陵 등 5릉은 健陵(1799, 순조 즉)·仁陵(1799, 순조 즉)·綏陵(1832, 순조 32)은 능의 조영과 함께 별검·참봉 각1직이 각각 설치된 후 후대로 계승되었고, 경릉은 능의 조영과 함께 영·참봉 각1직이 설치(1843, 헌종 9)되었다가 직장·참봉 각1직(1865[고종 2] 이전), 예릉은 능의 조영(1859, 철종 10)과 함께 참봉 2직이 설치된 후 그 모두가 『대전회통』에 등재되었다(설치나 개변연도).

그리하여 『경국대전』에 20릉 참봉 40직과 1697년(숙종 33)에 37릉 74직이던 참봉이 40릉 영 8·직장 5·별검 9·참봉 58직의 80직(숙종 33~영조 22), 42릉 영 24·직장 6·봉사 3·별검 6·참봉 41직의 80직(영조 23~정조 8), 47릉 영 29·직장 9·봉사 3·별검 2·참봉 47직의 90직(정조 9~고종 2)으로 정비된 후 『대전회통』에 등재되었다.

덧붙여 능관의 승격배경을 보면 주로 왕권존엄·배장자와 국왕과의 관계·참하관의 인사적채 해소를 위한 관제변통에서 기인되었다.[35] 『경국대전』이 반포된 1485년(성종 16)으로부터 『대전회통』이 반포된 1865년(고종 2)까지에 걸친 능관의 변천을 능별과 시기별로 종합하여 제시하면 다음의 표와 같다.

〈표 8-2〉 조선 중·후기 능관 변천(令 종5, 直長 종7, 奉事·別檢 종8, 參奉 종9)[36]

능과 배릉자		『경국대전』	성종17~영조22 (『속대전』)	영조23~정조9 (『대전통편』)	정조10~고종2 (『대전회통』)	비고
德陵	穆祖	參奉2*	→	→직장1(영조45)	→	*증보문헌비고
安陵	목조비 이씨	참봉2*	→	→참봉1(영조45)	→	
智陵	翼祖	참봉2*	→	→別檢1참1(영조45)→	→ 직장1 참봉1 (?)→	
淑陵	익조비 최씨	참봉2*	→	→ 奉事1, 참봉1(영조45)	→	
義陵	度祖	참봉2*	→	→ 奉事1, 참봉1(영조45)	→	
純陵	탁조비 박씨	참봉2*	→	→ 奉事1, 참봉1(영조45)	→	
定陵	桓祖	참봉2*	→	→참봉1(영조45)	→	

35) 졸고, 앞 논문, 2020, 139~148쪽.

和陵	환조비 안씨	참봉2*	→	→참봉1(영조45)	→	
健元陵	太祖	참봉2	→直長1 參奉1(숙종33)→命1 참봉1(영조11)→	→	→	
齊陵	태조비 한씨	참봉2	→직1 참1(숙33)→참2(숙38)→	→別檢1 참1(정조즉)→영1 참1(정7)→	→	
貞陵	태조계비 강씨	참봉2	→직장1 참1(숙33)→영1 참1(영11)→	→	→	
厚陵	定宗, 비 김씨	참봉2	→	→별1 참1(정조즉)→	→영1 참1(?)→	
獻陵	太宗, 비 민씨	참봉2	→奉事1 참1(숙33)→직1 참1(영1)→영1 참1(영11)→	→	→직1 참1(?)→	
英陵	世宗, 비 심씨	참봉2	→봉1 참1(숙33)→참2(숙38)→	-→별1참1(정즉)-→영1참1(정7)→	→	
顯陵	文宗, 비 권씨	참봉2	→직1 참1(영1)→영1 참1(영11)→	→	→	
光陵	世祖, 비 윤씨	참봉2	→봉1 참1(숙33)→참2(숙38)→	→별1 참1(정즉)-→영1 참1(정7)→	→	
敬陵	德宗*, 비 한씨	참봉2	→직1 참1(영1)→영1 참1(영11)→	→	→	* 성종 생부
昌陵	睿宗, 계비 한씨	참봉2	→직1 참1(영1)→영1 참1(영11)→	→참2(영35)→영1 참1(정즉)→	→	
恭陵	예종비 한씨	참봉2	→직1 참1(영1)→영1 참1(영11)→	→	→	
順陵	成宗비 한씨	참봉2	→봉1 참1(숙33)→직1 참1(영11)→	→	→	
莊陵	端宗		참봉2(숙24)→	→별1 참1(정즉)→영1 참1(?)→	→	
思陵	단종비 송씨		참봉2(숙24)→직1참1(영1)→영1참1(영11)→	→	→	
宣陵	成宗, 계비 윤씨		참2(연산1)→봉1참1(숙33)→직1참1(영11)→	→	→	
靖陵	中宗		참2(인조1)→봉1참1(숙33)→직1참1(영11)→	→	→	
溫陵	端敬王后 愼씨		참봉2(영15)→	→영1참1(정즉)→	→	
禧陵	중종계비 윤씨		참2(중종10)→봉1참1(숙33)→직1참1(영11)→	→	→	
泰陵	중종계비 윤씨		참2(명종20)→봉1참1(숙33)→직1참1(영17)→	→	→	

孝陵	仁宗, 비 박씨		참2(선조1)→별1참1(영17)→	→	영1참1(?)→	
康陵	明宗, 비 심씨		참2(선조즉)→봉1참1(영조1)→별1참1(영17)→	→	영1참1(?)→	
穆陵	宣祖 비 박씨, 계비 김씨		참2(광해즉)→봉1참1(숙33)→별1참1(영17)→	→	→	
章陵)	元宗*, 비 具씨		참2(인10)→직1참1(숙33)→참2(숙38)→	→영1참1(정즉)→별1참1(곧)→	→영1참1(정20)→	* 선조생부
長陵	仁祖, 비 한씨		참2(인27)→직1참1(숙33)→참2(숙38)→	→영1참1(?)→별1참1(곧)→	→영1참1(정20)→	
徽陵	인조, 계비 조씨		참2(숙14)→직1참1(숙33)→봉1참1(영1)→별1참1(영17)→영1참1(곧)→	→별1참1(정9 이전)→	→영1참1(정조20)→	
寧陵	孝宗, 비 장씨		참2(효종10)→직1참1(숙33)→참2(숙38)→	→영1참1(정즉)-→별1참1(곧)→	→영1참1(정조20)→	
崇陵	顯宗, 비 김씨		참2(현종15)→직1참1(숙33)→봉1참1(영1)→별1참1(영17)→	→영1참1(?)→	→	
明陵	肅宗, 1계비 민씨, 2계비 김씨		참2(숙26)→봉1 참1(숙33)→별1 참1(숙38)→	→참2(영33)→별1참1(정즉)→영1참1(?)→	→	
翼陵	숙종비 김씨		참2(숙6)→봉1참1(숙33)→별1참1(영17)→	→영1참1(정9)→	→	
懿陵	景宗,계비이씨		참봉2(영즉)→	→영1참1(정즉)→	→	
惠陵	경종비 심씨		참2(경종즉)→봉1참1(영1)→별1참1(영11)→	→	-→영1참1(?)→	
元陵	英祖,계비김씨		참봉2?(영22)[37]→	→별1참1(정조즉)→	→	
弘陵	영조비 서씨			참봉2(영33[38])→영1참1(정즉)→	→	
永陵	眞宗*, 비 趙씨			참2(영52)[39]→영1 참1(정즉)→	→	* 영조자 孝章世子
健陵	正祖, 비 김씨				순조즉 별1 참1→영1 참1(?)→	
仁陵	純祖, 비 김씨				순조즉 별1 참1→영1 참1(?)→	

綏陵	文祖*, 비 趙씨				순조32 별1 참1→영1 참1(?)→	* 순조 자 孝明世子
景陵	憲宗, 비 김씨, 계비 홍씨				헌종9 영1 참1→직1 참1(?)→	
睿陵	哲宗, 비 김씨				철종10 참봉2→	
합계		20릉 40직; 참봉 40	40릉 80직; 영 8, 직장 5, 별검 9, 참봉 58(영조22)	42릉 80직; 영 24, 직장 6, 봉사 3, 별검 6, 참봉 41(정조7)	47릉 90직; 영 29, 직장 9, 봉사 3, 별검 2, 참봉 47(고종2)	

제3절 朝鮮 中·後期 臨時 官職

臨時 官職은 겸직과 같이 녹이 없는 무록직이나 겸직은 正職者가 겸하여 직무를 보는 관직인데 비하여 정직자가 겸직하거나 散官(散階者)이 임시로 규정에 없는 관직에 제수되어 직무를 보고, 소관사의 종료와 함께 혁거된 관직이다. 조선 중·후기의 임시직은 조선초기와 같이 國喪·國婚, 왕대비·왕비·왕세자 책봉, 각종 건축공사, 명사영접, 제도상정, 공신책봉, 실록편찬, 진휼·구황 등과 관련되어 한시적으로 운영된 도감, 소, 색, 청 등에 정1품직이 겸하는 도제조·감사 이하 겸직과 정3품 이하 정직·산관이 제수된 사 이하 여러 관직이 있었다.

---

36) 한충희, 2020, 「朝鮮時代 陵官制硏究」, 『동서인문학』 59, 161~164쪽 〈부록〉 조선시대 능관 변천표에서 전재(『조선왕조실록』 태조 2년~철종 10년조 ; 『증보문헌비고』 권224, 직관고11 諸陵官조 ; 『경국대전』, 『속대전』, 『대전통편』에서 종합).

37) 설치시에 관직은 언급되지 않았으나 의릉·홍릉·영릉의 예에 비추어 참봉 2직이 설치된 것으로 추측된다.

38) 설치된 능관은 불명하나 원릉의 예에 따라 참봉으로 파악한다.

39) 동상조.

1. 都監

국상을 당하면 이를 관장하기 위해 國喪·齋·殯殿·山陵都監이 설치되고 그 각각에 時·原任 議政이 겸하는 都提調(정1), 判書 등이 겸하는 提調·判事(종1~종2), 정3품 당상관 이하가 겸하는 使(3품)·副使(4품)·判官(5품)·郎廳(5~6품), 녹사(7~9품) 등이 임명되어 각각에 부여된 일을 담당하였다.[40] 왕비·왕대비·공신 등을 책봉할 때에도 책봉도감 설치되고 그 각각에 使(1~2품) 이하의 각급 관직이 제수되어 그 관장사를 처리하였다.[41]

2. 所·色·廳

소·색·청에 설치된 관직은 그 관장사의 경중에 따라 다소의 차이가 있지만 嘉禮色·田制詳定所·實錄廳·救恤廳 등에는 의정이 겸하는 도제조나 1~2품관이 겸하는 제조·사 이하의 각급 관직이 제수되어 소관사를 처리하였다.

3. 기타 아문

그 외에 조선 중·후기를 통해 운영된 都體察使府·築城司 등에도 의정이

40) 예컨대 정조 국상을 위해 임명된 도감직과 본직은 다음과 같다(『순조실록』 권1, 즉위년 6월조, 낭관은 불명).
총호사 : 좌의정 이시수.
빈전도감제조 : 병판 김재찬, 예판 이만수, 한용구.
국장도감제조 : 형판 이조원, 이제학, 이판 조진관.
산릉도감제조 : 서유림, 좌참찬 김문순, 한성판윤 이득신.

41) 예컨대 순조비 가례를 위해 임명된 도감직과 본직은 다음과 같다(『순조실록』 권4, 2년 8월 정미·계축, 낭관은 불명).
가례도감도제조 : 우의정 서용보.
가례도감제조 : 이만수, 호판 조진관(호판 이서구로 교체), 민태혁(서매수로 교체).

겸하는 都體察使, 1~2품이 겸하는 提調·巡察使·堂上, 당하관이 겸하는 從事官·郎廳 등이 설치되어 소관사를 처리하였다.

조선 중·후기에 운영된 임시직의 소속된 관아, 관장사, 운영기간, 관직을 표로 정리하여 제시하면 다음과 같다.

〈표 8-3〉 조선 중·후기 임시 관직 종합[42)]

관아	관장사	운영기간	관직						비고
			관직(겸직)				무록직		
			정1	종1~종2	정3~종6	정7~종9	정3~종6	정7~종9	
國葬都監 등*	국장 등사	국장·책봉시	都提調	提調, 判事	使, 副使, 判官		使, 副使, 判官	錄事	*功臣冊封都監, 왕비·세자·대비·추존왕 등 冊封都監 외
嘉禮色 등*	가례 등사	행사시	都提調	提調, 判事	使, 副使, 判官		使, 副使, 判官	녹사	*貢賦詳定色·六典修撰色 외
田制詳定所 등*	전제상정 등사	작업시	都提調	提調, 判事	使, 副使, 判官		使, 副使, 判官	녹사	*儀禮詳定所·貢法上定所 외
實錄廳 등*	실록편찬 등사	작업시	監館事	知館事, 同知館事	修撰官, 編修官, 記注官, 記事官	記事官			*諺文廳·救荒廳·賑恤廳 외
기타*	토왜총관, 남북방 변사 주관	왜란기, 변사 발생시	도체찰사, 도제조, 당상	제조, 순찰사, 당상	종사관, 낭청				도체찰사부·축성사 외

42) 『조선왕조실록』, 『증보문헌비고』 등에서 종합(그 외의 관아는 뒤 〈표 11-3〉 참조).

제9장 朝鮮 中·後期 外官職의 變遷

제1절 文班職

1. 觀察使와 守令

1) 觀察使

도의 장관인 종2품 관찰사는 『경국대전』에 경기, 충청, 경상, 전라, 황해, 강원, 함경, 평안도의 8도에 각1직이 규정되었고,[1] 이후 비록 도명은 계수관의 변경에 따라 여러 번에 걸쳐 개칭되었지만[2] 관직명과 관직 수는 『속대전』·『대전통편』·『대전회통』에 그대로 법제화되면서 계승되었다.[3]

2) 守令 : 府尹, 大都護府使, 牧使, 都護府使, 郡守, 縣令, 縣監

군현의 守令인 府尹 등은 『경국대전』에 규정된 府尹 4(종2), 大都護府使 4(정3), 牧使 20(정3), 都護府使 44(종3), 郡守 82(종4), 縣令 35(종5)·縣監 141직(종6) 등 338직이 이후 1865년(고종 2)까지 지방통치의 효율화로 인한 군현의 신설, 군현민의 반역·군현 통폐합 등으로 인한 군현의 혁거와 복치, 수도·변경방어, 왕실과 관련된 승격, 반역·강상죄인 등으로 인한 군현의 강격·승격 등과 관련되어 여러 차례에 걸쳐 변천되면서 운영되었다.[4]

---

1) 『경국대전』 권1, 이전 경관직 외관.

2) 계수관의 변경과 관련된 도명의 변천은 뒤 289~290쪽 참조.

3) 『속대전』·『대전통편』·『대전회통』 권1, 이전 경관직 외관.

이러한 군현의 신설, 혁거, 복치, 강격, 승격에 따라 각급 수령 즉, 부윤(종2)·대도호부사(정3당하)·목사(정3)·군수(종4)·현령(종5)·현감(종6)의 관직수는 1486년(성종 17)~1746년(영조 22)에는 府尹 6, 大都護府使 5, 牧使 20, 都護府使 74, 郡守 71, 縣令 26·縣監128직의 329직, 1747년(영조 23)~1785년(정조 9)에는 府尹 6, 大都護府使 5, 牧使 20, 都護府使 77, 郡守 71, 縣令 26·縣監 126직의 331직, 1786년(정조 10)~1864년(고종 1)에는 府尹 5, 大都護府使 5, 牧使 20, 都護府使 77, 郡守 77, 縣令 26·縣監 120직의 330직으로 변천된 후[5] 1865년(고종 2)에 반포된 『대전회통』에 그대로 법제화되었다. 이러한 수령 변천을 도별로 정리하여 제사하면 다음의 표와 같다.

〈표 9-1〉 조선 중·후기 도별 수령 변천[6]

	경기도				충청도				경상도				전라도				강원도	
	경	속	통	회	경	속	통	회	경	속	통	회	경	속	통	회	경	속
府尹		1	1						1	1	1	1	1	1	1	1		
大都護府使									1	1	2	3					1	1
牧使	4	3	3	3	4	4	4	4	3	3	3	3	3	4	4	4	1	1
都護府使	7	10	10	8	0	1	1	1	7	15	15	14	4	6	7	7	5	7
郡守	7	9	9	10	12	12	12	14	14	12	12	13	12	11	11	13	7	6
縣令	5	4	4	4	1	1	1	1	7	5	5	5	6	5	5	5	3	3
縣監	14	9	9	8	37	36	36	34	34	33	33	33	31	29	28	26	9	8

4) 신치·혁거·복치·강격·승격 군현의 변천배경별 군현수는 다음의 표와 같다(졸저, 2022, 『조선 중·후기 정치제도연구』, 혜안, 232쪽 주28)과 236쪽 〈표 5-1〉에서 전재, 그 구체적인 변천 내용은 같은 책, 229~236쪽 참조, *1 반란 6, 중죄발생 22, 강상죄 15).

	군현 분리	군현 통합	국방 강화	불충인등 출신지	피폐	준년(10년) 경과	전패 망실	감·병영 소재지	전공	왕실 존숭	기타	계
신치	3	1	4									8
혁거		20		11	15						9	55
복치	29					13					8	50
강격				45*1			2	4(이설)			18	67
승격			27			47		3	4	14	2	97

5) 뒤 〈별표 7〉에서 종합.

합계	37	36	36	33	54	54	54	54	67	70	71	71	57	56	56	56	26	26
	강원도		황해도				함경도				평안도				합계			
	통	회	경	속	통	회	경	속	통	회	경	속	통	회	경	속	통	회
府尹							1	1	1	1	1	2	2	2	4	6	6	5
大都護府使	1	1					1	1	1	1	1	1	1	1	4	4	5	5
牧使	1	1	2	2	2	2	0	1	1	1	3	2	2	2	20	20	20	20
都護府使	7	7	4	6	7	6	11	15	16	18	6	14	14	14	44	74	77	77
郡守	6	6	7	7	7	7	5	2	2	2	18	12	12	12	82	71	71	77
縣令	3	3	4	2	2	2					8	6	6	6	35	26	26	26
縣監	8	8	7	6	5	6	4	2	2	2	5	5	5	5	141	128	126	120
합계	26	26	22	23	23	23	22	22	23	25	42	42	42	42	338	329	331	330

2. 首領官과 學官·驛·渡官

1) 首領官 : 都事·審藥·檢律, 庶尹·判官

首領官은 관찰사와 대읍 수령의 행정이나 刑政·醫政을 보좌하는 요속이다. 즉 都事·審藥·檢律는 관찰사, 庶尹은 평양부윤, 判官은 부윤·대도호부사·목사·부사의 요속이다.

(1) 都事·審藥·檢律

관찰사의 행정을 보좌한 도사는 『경국대전』에 규정된 8도 각1직의 8직이 변동없이 후대로 계승되었다.

관찰사의 의정을 보좌한 심약은 『경국대전』에 규정된 8도 각1~3직의 무록직 16직이 1785년(정조 9) 이전에 황해도에 1직이 증가되면서[7] 17직으로 정비되어 후대로 계승되었다(도별 관직은 뒤 〈표 9-2〉 참조).

관찰사의 형정을 보좌한 검률은 『경국대전』에 규정된 8도 각1~2직의 무록직 9직이 변동없이 후대로 계승되었다(도별 관직은 뒤 〈표 9-2〉 참조).

---

6) 뒤 〈별표 7〉과 『경국대전』·『속대전』·『대전통편』·『대전회통』 권1, 이전 경관직 외관조에서 종합.

7) 『대전통편』 권1, 이전 경관직 황해도.

(2) 庶尹·判官과 水運判官

평양·함흥부윤의 행정을 보좌한 서윤은 『경국대전』에 규정된 각1직이 변동 없이 후대로 계승되었다.

경주부윤 등, 안동대도호부사 등, 파주목사 등, 종성도호부사 등의 행정을 보좌한 판관은 『경국대전』에 규정된 8도 각2~7직의 36직이 1747년(영조 23)까지 경기도 4·충청도 3·경상도 4·전라도 3·황해도 1·강원도 1[8)]·함경도 6·평안도 6직의 28직이 삭감되면서 8직이 되었고, 다시 1785년(정조 9)까지 경기도 1직이 삭감되고 함경도에 1직이 증가되면서 8직으로 조정되어 후대로 계승되었다. 판관이 설치된 군현은 다음의 표와 같다.

〈표 9-2〉 조선 중·후기 판관 설치 군현[9)]

	『경국대전』	『속대전』	『대전통편』	『대전회통』
경기	5(좌·우도수운판관, 무록관), 광주·여주목, 수원부)	1(좌도수운판관)	0	→
충청	4(충주·청주·공주·홍주목)	1(공주목)	→	→
경상	5(경주부윤부, 안동대도호부, 상주·진주·성주목)	1(대구부)	→	→
전라	5(전주부윤부, 나주·제주·광주목, 남원부)	2(전주부, 제주목)	→	→
황해	2(황주·해주목)	1(해주)	→	→
강원	2(강릉부, 원주목)	1(원주)	→	→
함경	7(영흥부윤부, 경원·회령·종성·온성·경성·북청부)	1(경성부)	2(함흥부, 경성부)	→
평안	6(평양부윤부, 영변대도호부, 안주·의주목, 강계·정주부)	0	→	→
합계	36(수운판관 2, 판관34)	8	8	→

8) 『속대전』에는 2직(判官削減)이 삭감되고 『대전회통』에는 1직(判官 1 『속』 江陵削減)이 삭감된 것으로 기재되어 양 법전에 차이가 있다. 그런데 여타 도의 변천에 미루어 首府에는 판관이 존치되었음에서 『속대전』에 2직중 강릉은 삭감하고 원주는 존속시킨 것으로 추측하여 파악한다.

9) 『경국대전』·『속대전』·『대전통편』·『대전회통』 권1, 이전 경관직 외관조에서 종합.

2) 學官 : 教授·訓導, 譯學訓導

(1) 教授

대읍인 부윤부, 대도호부, 목, 도호부 향교의 교육을 관장한 교수는 『경국대전』에 규정된 8도 각4~13직의 72직이 1591년까지는 대도호부에는 종6품직인 교수가 파견되나 목·도호부에는 교수나 종9품직인 훈도가 파견되다가[10] 1592년(선조 25) 왜란 이후에 모두 혁거되었고,[11] 1747년(영조 23)에 반포된 『속대전』에 법제화되어 후대로 계승되었다(『경국대전』에 규정된 도별 교수 수는 뒤 〈표 9-3〉 참조).[12]

(2) 訓導

군·현 향교의 교육을 관장한 훈도는 『경국대전』에 규정된 8도 각9~55직의 249직이 1618년(광해군 10)~숙종초에 교수와 함께 모두 혁거되었고,[13] 『속대

10) 『錦溪集』 黃俊良行狀(중종 35년 성균학유로서 성주훈도에 제수), 『德溪集』 吳健年譜(명종 14년 성균권지학유로서 성주훈도), 『愚得錄』 鄭介淸行狀(선조 15년 나주훈도), 『重峰集』 趙憲行狀(명종 21 온성부훈도, 선조 1~4년 정주, 나주, 홍주목교수), 『象村稿』 申欽年譜(선조19 성균관권지학유로서 경원부훈도), 외.

11) 교수·훈도가 혁거된 시기는 명확히 알 수 없다. 그런데 1618년(광해군 10)에 편찬된 『新增昇平(順天府)誌』에 "教授-官員丁酉(1597, 선조 30)後復不常置"라고 한 것, 숙종대 초반에 편찬된 『大興郡邑誌』에 "訓導昔有今無"라고 한 것과 이태진이 "왜란 때 왜군이 점유한 군현이 전국 328군현 중 181군현이었고 농경은 전라도·대동강 이북에서만 가능하였다(2003, 「상평창·진휼청의 설치 운영과 구휼문제」, 『한국사』 30, 국사편찬위원회, 350쪽)"고 하였음에서 향교도 많이 소실되었을 것으로 추측된다. 또 조선중기부터 설립되기 시작한 서원이 다음의 표와 같이 명종 대까지는 19원이던 것이 선조 이후에 남설되면서 현종대에 이르러는 200원을 상회하였다(정만조, 2003, 「사족의 향촌지배와 서원의 발달」, 『한국사』 31, 84쪽). 이러한 등을 종합할 때 1597년 이후 군현별로 설치와 불치가 반복되다가 1618년(광해군 10)~숙종초 이전에 훈도와 함께 혁거된 것으로 추측된다.

왕대	설립 수	왕대	설립 수	왕대	설립 수	왕대	설립 수
명종 이전	19	인조대	28	숙종대	166	정조이후	3
선조대	63	효종대	27	경종대	8	미상	7
광해군대	29	현종대	46	영조대	18	합계	414

12) 『속대전』·『대전통편』·『대전회통』 권1, 이전 외관직 각도조.

전』에 법제화되어 후대로 계승되었다(도별 훈도 수는 뒤 〈표 9-3〉 참조).

(3) 譯學訓導

왜·중국과 접한 변경도에 설치되어 내왕하는 사신의 통역을 관장한 역학(한학·왜학)훈도는 『경국대전』에 규정된 경상도 2·황해도 1·평안도 2직의 5직이 1785년(정조 9) 이전에 경상도 1·전라도 6·황해도 2·함경도 1·평안도 4직의 14직이 증치되면서 19직으로 조정된 후 후대로 계승되었다.[14)]

3. 驛官·渡官과 기타

1) 驛官 : 察訪, 驛丞

道驛을 관장한 찰방은 『경국대전』에 규정된 8도 각2~5직의 23직이 1746년(영조 22) 이전에 승역을 관장한 역승도가 찰방도로 승격하면서 8도 각2~11직의 40직으로 증가한 후 후대로 계승되었다(도별 찰방수는 뒤 〈표 9-3〉 참조).

丞驛을 관장한 역승은 『경국대전』에 규정된 8도 각0~6직의 18직이 1746년(영조22) 이전에 1 역승도가 혁거되고 17 역이 찰방도역으로 승격됨에 따라 17직(1직은 혁거)이 찰방으로 승격되면서 소멸되었다(도별 승역은 뒤 〈표 9-3〉 참조).[15)]

2) 渡官 : 渡丞

渡를 관장한 도승은 『경국대전』에 규정된 경기 7도(벽란·한강·임진·노량·낙하·삼전·양화도) 각1직의 7직이 1746년(영조 22) 이전에 도승이 別將으로 개칭되고 서반으로 이속된 것이 『속대전』에 법제화되어 후대로 계승되었다.[16)]

---

13) 동상조.

14) 『대전통편』 권1, 이전 외관직 경상, 전라, 황해, 평안도조.

15) 『속대전』·『대전통편』·『대전회통』 권1, 이전 외관직 각도조.

3) 기타 ; 諸殿·麗陵 官職

제전은 기자조선 이래 역대 시조의 廟이고, 麗陵은 고려 개성에 있는 고려 역대 왕의 능이다. 제전은 崇義殿(고려 4묘, 마전), 崇德殿(신라 시조 박혁거세묘, 경주), 崇仁殿(기자묘, 평양), 崇靈殿(고구려 시조 동명왕묘, 평양)이다.

숭의전관은 『경국대전』에 규정된 使(종3)·守(종4)·令(종5) 중 1직이 1627년(인조 5) 이전에 사·수·영이 혁거되고 설치된 監(종6) 1직이 정묘호란 직후에 혁거되었다가 2년 후에 복치되었으며,[17] 1746년(영조 22) 이전에 감이 영으로 승격되고 다시 1785년(정조 9) 이전에 감 1직이 설치되면서 영·감 각1직으로 정비되어 후대로 계승되었다.[18]

숭덕전관은 1723년(경종 3)에 묘호를 숭덕전으로 정하면서 참봉(종9) 2직을 설치하였고,[19] 1746년(영조 22)에 그 이전에 참봉 1직이 승격된 감(종6)을 숭의전의 예에 따라 영으로 승격하면서 영·참봉 각1직으로 조정되었다가[20] 1785년(정조 9) 이전에 영을 혁거하면서 참봉 1직으로 정비된 후 후대로 계승되었다.[21] 숭인전관은 1612년(광해군 4)에 평양에 있던 기자사를 숭인전으로 개칭·승격시키면서 참봉 2직을 설치하였고,[22] 1746년 이전에 참봉을 혁거하고 영·감 각1직을 두었다가 1865년(고종 2) 이전에 감이 혁거되고 참봉 1직이 설치되면서 영 1직과 참봉 1직으로 정비되어 『대전회통』에 등재되었다.[23] 숭령전관은 1785년 이전에 참봉 2직이 설치되었고, 1865년 이전에

---

16) 『속대전』·『대전통편』·『대전회통』 권4, 이전 외관직 각도조.
17) 『인조실록』 권20, 7년 1월 기사.
18) 『속대전』·『대전통편』·『대전회통』 권1, 이전 외관직 경기도 숭의전.
19) 『경종실록』 권12, 3년 6월 경신.
20) 『영조실록』 권24, 22년 8월 경인, 『속대전』 권1, 이전 외관직 경상도 숭덕전.
21) 『대전통편』·『대전회통』 권1, 이전 외관직 경상도 숭덕전.
22) 『광해군일기』 권52, 4년 4월 신묘.
23) 『대전통편』·『대전회통』 권1, 이전 외관직 평안도 숭인전.

참봉 1직이 영으로 승격되면서 영·참봉 각1직으로 정비되어 『대전회통』에 등재되었다.[24]

여릉관은 1785년 이전에 참봉 1직을 두면서 비롯되어 『대전통편』에 등재되면서 후대로 계승되었다.[25] 지금까지 살핀 수령관, 학관, 역관, 전관 등의 변천을 정리하여 제시하면 다음의 표와 같다.

〈표 9-3〉 조선 중·후기 도별 수령관·학관·역관 등 변천[26]

			경기도				충청도				경상도				전라도			
			경	속	통	회	경	속	통	회	경	속	통	회	경	속	통	회
수령관	도	도사	1	1	1	1	1	1	1	1	1	1	1	1	1	1	1	1
		심약	1	1	0	0	2	2	2	2	3	3	3	3	3	3	2	2
		검률	1	1	1	1	1	1	1	1	1	1	1	1	2	2	2	2
	군현	판관	5	1	0	0	4	4	1	1	5	5	5	5	5	5	2	2
학관		교수	11				4				12				8			
		훈도	26				50				55				40			
		역학훈도									2	2	3	3	0	0	6	6
역·도관		찰방	3	6	6	6	3	5	5	5	5	11	11	11	3	6	6	6
		역승	3	0			3	0			6	0			3	0		
		도승	7	0														
기타		제전	3^{*1}	1^{*2}	2^{*3}	2						1^{*4}	1	1				
		여릉			1^{*1}													
합계			59	11	11	11	68	13	10	10	90	23	25	25	65	17	20	20

			황해도				강원도				함경도				평안도			
			경	속	통	회	경	속	통	회	경	속	통	회	경	속	통	회
수령관	도	도사	1	1	1	1	1	1	1	1	1	1	1	1	1	1	1	1
		심약	1	1	2	2	1	1	1	1	3	3	3	3	2	2	2	2
		검률	1	1	1	1	1	1	1	1	1	1	1	1	1	1	1	1
	군현	서윤									1	1	1	1	1	1	1	1
		판관	2	2	1	1	2	2	1	1	7	1	2	2	6	0	0	0
학관		교수	6	0			7	0			13	0			11	0		
		훈도	18	0			19	0			9	0			31	0		
		역학훈도	1	1	3	3	0								2	2	6	6
역관		찰방	2	3	3	3	2	4	4	4	3	3	3	3	2	2	2	2

24) 『대전통편』·『대전회통』 권1, 이전 외관직 평안도 숭령전.
25) 『대전통편』·『대전회통』 권1, 이전 외관직 경기도 숭의전.

역관	역승	1	0														
기타	제전														2[*5]	4[*6]	4[*7]
합계		33	9	11	11	35	9	9	8	38	10	12	12	57	11	17	17

			합계				비고
			경	속	통	회	
수령관	도	도사	8	8	8	8	
		심약	16	16	17	17	
		검률	9	9	9	9	
	군현	서윤	2	2	2	2	
		판관	36	8	8	8	
학관		교수	72	0	0	0	
		훈도	249	0	0	0	
		역학훈도	5	5	21	21	
역·도관		찰방	23	40	40	40	
		역승	18	0	0	0	
		도승	7	0	0	0	
기타		제전	3	3	7	7	
		여릉			1	1	참봉1
합계			438	100	113	113	

*1 숭의전-사(1, 종3), 수(1, 종4), 영(1, 종5), *2 숭의전-영(1, 종5), *3 숭의전-영(1, 종5), 감(1, 종6), *4 숭덕전-참봉(1, 종9), *5 숭인전-영(1, 종6)·감(1, 종9), *6 숭인전-영(1, 종6)·참봉(1, 종9), 숭령전-참봉(2, 종9), *7 숭인전-참봉(2, 종9), 숭령전-영(1)·참봉(1).

이상에서 조선 중·후기의 수령관·학관·역관은 도의 수령관은 큰 변동이 없고 역관인 찰방은 23직에서 40직(영조 22년 이후)으로 증가되면서 운영되었다. 그러나 그 외의 군현 수령관·학관·역관(역승)은 모두 경제난·관제개정과 관련되어 크게 삭감되면서 판관은 30직에서 8직(영조 22년 이후), 학관은 326직에서 5~21직(영조 22 이후), 역승·도승은 25직에서 혁거(영조 22 이후)되면서 운영되었다. 지금까지 고찰한 조선 중·후기 각급 외관 문반 정직의 변천을 관직·시기별과 도별로 종합하여 제시하면 다음의 〈표 9-4, 5〉와 같다.

26) 앞 188~189쪽과 『경국대전』·『속대전』·『대전통편』·『대전회통』 권1, 이전 외관직 각도조에서 종합.

〈표 9-4〉 조선 중·후기 외관 문반 정직 변천
(도호부사 이하 주재 군현은 뒤 〈별표 7〉 참조)[27)]

		『경국대전』	『속대전』	『대전통편』	『대전회통』	비고
종2	觀察使	8(8도 각1)	→	→	→	
	府尹	4	6	6	5	
정3	大都護府使	4	4	5	5	
	牧使	20	→	→	→	
종3	都護府使	44	74	77	75	
종4	郡守	82	71	71	77	
	庶尹	2	→	→	→	
종5	縣令	35	26	→	26	
	都事	8(8도 각1)	→	→	8	
	判官	34	8	→	8	
	兵馬判官	1	0			
	水運判官	2	1	0		
종6	縣監	141	128	126	122	
	察訪	23	40	→	→	무록직(『경국대전』 권1, 이전 외관 경기도 수운판관조, 이하 동)
	教授	72	0			무록직
종9	審藥	16	16	17	17	무록직
	檢律	9	9	9	9	무록직
	訓導	249	0			무록직
	譯學訓導	5	5	19	19	
	驛丞	18	0			무록직
	渡丞	7	0*			*改別將(武班)
합계(*)		784(390)	426(356)	442(379)	467(379)	*무록관 제외

〈표 9-5〉 『대전회통』 문반 도별 외관직[28)]

			경기도	충청	경상	전라	강원	황해	함경	평안	계
방백	종2	관찰사	1	1	1	1	1	1	1	1	8
수령	종2	부윤	0	0	1	1	0	0	1	2	5
	정3	대도호부사	0	0	2	0	1	0	1	1	5
		목사	3	4	3	4	1	2	1	2	20
		계	3	4	5	4	2	2	2	3	25
	종3	도호부사	8	1	14	7	7	6	18	14	75
	종4	군수	10	14	13	13	6	7	2	12	77
	종5	현령	4	1	5	5	3	2	0	6	26
	종6	현감	8	34	33	26	8	6	2	5	122
	계		33	54	71	56	26	23	25	42	330

27) 앞 228~236쪽에서 종합.

수령관	종4	서윤	0	0	0	0	0	0	1	1	2
	종5	도사	1	1	1	1	1	1	1	1	8
		판관	0	1	1	2	1	1	2	0	8
		계	1	2	2	3	2	2	3	1	16
	합계		2	2	2	3	2	2	4	2	18
기타	종9	한학훈도	0	0	0	0	0	3	1	6	10
		왜학훈도	0	0	3	6	0	0	0	0	9
		심약	1	2	3	3	1	2	3	2	17
		검률	1	1	1	2	1	1	1	1	9
		계	2	3	7	11	2	6	5	9	45
합계			37	60	81	71	31	32	35	54	401

제2절 武班職

1. 正職 : 兵馬節度使·兵馬萬戶·兵馬虞候, 水軍節度使·水軍僉節制使·水軍萬戶, 統制使·通御使·防禦使·營將, 首領官, 權官·別將

조선 중·후기의 외관·무반 정직은 관직별로 다소 차이가 있기는 하지만 주로는 수도 외곽과 남북방의 방어강화와 관련되어 다수의 변진이 설치, 혁거, 복치, 승격, 강격, 수군진에서 육진으로의 전환에 따른 등 많은 변천을 겪으면서 운영되었다.[29] 이와 동시에 왜란과 호란을 겪으면서 기존에 운영되던 변진의 전방과 내륙에 다수의 보와 산성 등이 설치·수축됨에 따라 그곳을 수어할 권관(종9)·별장(종9)이 증치되고, 새로이 군사의 통령과 훈련을 위해 다수의 고위 군직인 영장 등이 설치되는 변천을 겪으면서 운영되었다. 이에 따라 여기에서는 무반 정직을 육군·수군절도사 이하 진장, 영장 등, 절도사 수령관, 보·산성 등의 권관·별장 등으로 구분하여 고찰한다.

---

28)『대전회통』 권1, 이전 경관직 외관조에서 종합.

29) 이중 병마진과 수군진의 변천배경은 졸고, 앞 책, 2022, 270~274쪽 참조.

1) 兵馬節度使·兵馬萬戶

(1) 兵馬節度使

병마절도사는 『경국대전』에 규정된 8도 각1~3직의 15직이 1593년(선조 26)에 황해도에 1직이 증치되면서 16직으로 조정된 후[30] 변동 없이 후대로 계승되었다(도별 관직 수는 뒤 〈표 9-6〉 참조).

(2) 兵馬萬戶

병마만호는 『경국대전』에 규정된 18직(함경도 14, 평안도 4)이 이후 왜란·호란 후에 요해처의 방어강화도모에 따라 경기·황해도에 추가로 설치되고 함경·평안도 만호가 병마첨·동첨절제사로 승격 및 새로이 설치되면서 41직(경기 5, 황해 3, 함경 18, 평안 5, 『속대전』), 40직(경기 4, 황해 3, 함경 18, 평안 15, 『대전통편』), 31직(경기 6, 황해 3, 함경 12, 평안 10, 『대전회통』)으로 변천되면서 운영되었다(도별 변천 내용은 뒤 〈별표 7〉 참조).

2) 水軍節度使·水軍僉節制使·水軍同僉節制使·水軍萬戶

(1) 水軍節度使

수군절도사는 『경국대전』에 규정된 각도 1~3직의 17직(8 관찰사겸)이 1633년(인조 11)에 3도수군통어사가 경기도수군절도사를 예겸하면서 녹직이 1직 감소되고 겸직이 1직 증가되었고,[31] 1719년(숙종 45)에 황해도에 1직이 증치되면서 다시 17직이 되었다.[32] 이후 1779년(정조 3)에 경기도수사 1직이 강화유수의 겸직이 되면서 16직이 되었다가 1788년(정조 12)에 다시

---

30) 『속대전』 권4, 병전 외관 황해도, 『증보문헌비고』 권234, 직관고 21, 외무직, 병마절도사 황해도.

31) 『속대전』 권4, 병전 외관 경기도 ; 『증보문헌비고』 권234, 직관고 21, 외무직, 수군절도사 경기도.

32) 『속대전』 권4, 병전 외관 황해도 ; 『증보문헌비고』 권234, 직관고 21, 외무직, 수군절도사 황해도.

전임직으로 복설되면서 17직으로[33] 조정되어 후대로 계승되었다.

(2) 水軍僉節制使

수군첨절제사는 『경국대전』에 규정된 각도 1~3직의 12직이 연변의 방어강화를 위해 수군만호가 승격되는 등에서 19직(경기 3, 충청 4, 경상 3, 전라 4, 황해 1, 강원1, 평안 3, 『속대전』), 21직(충청 1 삭감, 경상 1 증가, 평안 2 증가, 대전통편), 27직(충청 1·전라 3·황해 1·평안 1 증가, 『대전회통』)으로 조정되어 후대로 계승되었다(변천 내용은 뒤 13장 2절 1 진·포와 〈별표 8〉 참조).

(3) 水軍同僉節制使

수군동첨절제사는 1523년(중종 18)에 전라도에 防踏鎭을 설치하면서 비롯되었고,[34] 이후 연변방어강화를 위해 수군만호를 승격시키는 등 경기 등 4도에 2~6직이 설치되면서 17직(경기 2, 경상 4, 전라 6, 황해 5, 『속대전』), 16직(경상 1 삭감, 『대전통편』), 11직(경상 1·전라 3·황해 1 삭감)으로 조정되어 『대전회통』에 등재되었다(변천내용은 뒤 13장 2절 1 진·포와 〈별표 8〉 참조).

(4) 水軍萬戶

수군만호는 『경국대전』에 규정된 각도 3~19직의 55직이[35] 연변강화를 위한 만호진의 동첨절제사·첨절제사진의 승격 등에서 37직(경기 4·충청 2·경상 1·전라 1·황해 5·강원 3·함경 2직 삭감, 『속대전』), 35직(경상 3

33) 『증보문헌비고』 권234, 직관고 21, 외무직, 수군절도사 ; 『대전회통』 권4, 병전, 외관 경기도.

34) 『신증동국여지승람』 권40, 순천도호부 관방 방답진.

35) 55직은 경기 5, 충청 3, 경상 19, 전라 15, 황해 6, 강원 4, 함경도 3직이다.

삭감, 전라 1 증치, 『대전통편』)으로 조정되어 후대로 계승되었다(변천내용은 뒤 13장 2절 1 진·포와 〈별표 8〉 참조).

3) 統制使·通御使, 營將, 防禦使, 衛將

(1) 統制使·通御使

통제사(3도수군통제사)는 1593년(선조 26) 왜란 중의 경상·전라·충청3도 수군을 통할하기 위해 임시로 3도수군통제영을 설치하고 장관에 전라좌수사가 겸하는 정3품 당상관직인 3도수군통제사 1직을 둔데서 비롯되었고,[36] 1602년(선조 40)에 정직의 종2품직으로 승격되고 경상우수사를 예겸하게 하면서 정착되어 변동 없이 후대로 계승되었다.[37]

통어사(3도수군통어사)는 1633년(인조 11)에 경기연안의 방어를 강화하기 위해 경기·충청·황해 3도 수군을 통할하기 위해 3도수군통어영을 설치하고 장관에 경기수사를 겸하는 종2품직인 통어사 1직을 두면서 비롯되었고,[38] 이후 변동 없이 후대로 계승되었다.[39]

(2) 營將

영장은 1627년(인조 5) 청의 침입 후 외침을 방어하기 위해 束伍軍의 훈련을 관장할 영장제를 실시하고 8도에 영장진의 장관으로 정3품 전임 영장 16직을 하3도(충청 5·경상 5·전라 5)에 두면서 비롯되었고,[40] 이후

---

36) 『선조수정실록』 권27, 26년 8월.

37) 『선조실록』 권211, 40년 5월 무진, 『속대전』·『대전통편』·『대전회통』 권4, 병전 외관직 경상도 통제영. 선조 38년 본영을 한산도에서 고성으로 옮기면서 통제사가 본직이 되기까지는 경상우수사가 통제사를 겸대하였다.

38) 『강화부지』 권하, 사실 이조조.

39) 『속대전』·『대전통편』·『대전회통』 권4, 병전 외관직 경기도 통어영.

40) 허선도, 1991, 「조선시대 영장제」, 『한국사논총』 14, 43~44쪽(『인조실록』 권16, 5년 4월 병진) ; 徐台源, 1999, 『조선후기 지방군제연구-영장제를 중심으로-』, 혜안, 60~63쪽.

일시 혁거(인조 11~효종 4)되었다가 1654년(효종 5)에 복치되었다.[41] 그 후 그 외 5도에도 겸직영장 30직을 설치하면서 전임 16·겸직 30직의 46직으로 증가·조정되었다가[42] 다시 황해도 1직이 삭감되고 녹직 4직이 삭감 및 겸직 1직이 증치되면서 녹직 11·겸직 32직의 43직으로 조정되어[43] 후대로 계승되었다(녹직과 겸직의 변천내용은 뒤 〈표 12-7〉 참조).

(3) 防禦使

조선후기의 방어사는 1592년(선조 25)에 경상도 일대의 왜군을 방어하기 위하여 방어사가 임명되기도 하나,[44] 1691년(숙종 17)에 서북방의 방어를 강화하기 위하여 강계방어사(강계부사겸)를 두면서 본격화되었다.[45] 이후 1746년(영조 22)까지 평안도에 1직이 증치되고 경기(3)·강원(1)·함경도(1)에 5직(모두 수령겸)이 설치되면서[46] 7직으로 조정되었다가[47] 다시 1865년(고종 2) 이전에 경기도 2직(광주·수원)이 삭감되면서 5직이 『대전회통』에 등재되었다.

(4) 衛將

조선후기의 위장은 1746년(영조 22) 이전에 함경남·북도에 각각 수령이 겸하는 5소 총 10 위장영을 설치하면서 비롯되었고, 후대로 계승되었다.[48]

---

41) 허선도, 위 논문 46~47쪽 ; 서태원, 위 책, 63~67쪽 ; 『효종실록』 권12, 5년 2월 임신.

42) 『속대전』 권4, 병전 외관직 8도조에서 종합.

43) 『대전통편』·『대전회통』 권4, 병전 외관직 8도 영장.

44) 趙儆이 경상도방어사로 활동하고 있음이 확인되었고(『선조실록』 권27, 25년 6월 갑인), 1599년(선조 32) 5월 19일에 경주부윤인 朴毅長이 성주목사 겸경상우도방어사에 제수되었다(『경주선생안』 부윤선생안서).

45) 『증보문헌비고』 권234, 직관고 21 외무직.

46) 동상조.

47) 『대전통편』 권4, 병전 외관직조에서 종합.

48) 『속대전』·『대전통편』·『대전회통』 권4, 병전 외관직 8도 함경도.

4) 權官·別將

(1) 權管

권관은 주로 북변의 함경도·평안도의 변진 전방 요새지에 설치된 堡·關과 경상·전라도 등 해안요해지에 설치된 浦의 종9품 守將이고, 별장은 경기도 등의 渡와 경상·전라도 등의 山城에 무록관으로[49] 설치된 종9품 수장이다. 그 설치와 변천은 그 관직적 지위와 관련되어 주로 『신증동국여지승람』과 『속대전』 등 법전 등에서만 확인된다.

권관은 양계 북변의 보와 경상·전라도 등의 포에 설치되었는데, 보·포에 설치된 권관은 『경국대전』에는 등재되지 않았지만 『신증동국여지승람』 각읍 關防條를 볼 때 1481년(성종 12)까지는 평안·경상·전라도에 각각17·5·1직의 23직이 있었다고 추정되고, 1530년(중종 25)까지 평안도에 1직이 신치되고 함길도와 황해도에 11직과 1직이 설치되면서 36직, 1628년(인조 6) 이전에 평안도에 7직이 신치되면서 44직이 확인되었다.[50] 그 후 1746년(영조 22) 이전에 15직이 혁거되고 1직이 신치되면서 31직으로 감소되었고, 1865년(고종 2) 이전에 23직이 혁거되고 2직이 신치되면서 33직으로 조정된 후 『대전회통』에 등재되었다.[51] 이를 정리하면 다음의 표와 같다.

〈표 9-6〉 조선후기 권관 변천[52]

		성종12~영조22	영조23~정조8	정조9~고종2	『대전회통』(고종2)	비고
경기도	보			2	2	
경상도	포등	6*	2	2	2	*포5, 보1
전라도	포	1				
황해도	관	1				
함경도	보	9	16	12	12	
평안도	보	27	13	17	17	
합계		44	31	33	33	

49) 『속대전』·『대전통편』·『대전회통』 권4, 병전 외관직 참조.

50) 『관서록』(崔晛)에서 종합.

51) 권관이 설치된 보·포와 소재지는 뒤 〈표 13-9〉 참조.

(2) 別將

별장은 山城과 渡에 설치된 종9품 관직이다. 별장은 1746년(영조 22) 이전에 『경국대전』에 규정된 경기도 벽란도 등 7도에 설치된 문반 종9품 무록직인 渡丞을 별장으로 개칭하고 무반직으로 전환시킴과 동시에 산성에도 설치하면서 비롯되었다. 이 별장이 이후 1865년(고종 2)까지 35직(도 등 21, 산성 14), 34직(도 등 14, 산성 20), 38직(도 등 17, 산성 21)으로 변천되어 『대전회통』에 등재되었다.[53] 산성과 도 등에 설치된 별장을 정리하면 다음의 표와 같다.

〈표 9-7〉 조선후기 별장 변천

		성종16~영조22	영조23~정조8	정조9~고종2	고종2 『대전회통』
경기도	산성		1	1	1
	도 등	7	5	6	7
	계		6	7	8
충청	도				1
경상	산성		3	3	5
	포 등		8	7	3
	계		11	10	8
전라	산성		3	3	4
	기타		3	3	3
	계		6	6	7
황해	산성		5	5	5
함경	嶺		2	2	2
평안	산성		2	2	2
	기타		3	2	2
	계		5	4	7
합계	산성		14	14	17
	기타		21	20	21
	계		35	34	38

52) 뒤 〈표 13-9〉에서 발췌(권관 설치지는 같은 표 참조).

53) 『속대전』·『대전통편』·『대전회통』 권4, 병전 외관직에서 종합.

5) 首領官 : 監營·水軍統制營·水軍統禦營 中軍, 統制營·兵營·水營 虞侯, 兵馬評事·兵馬判官

(1) 巡營·統制營·統禦營 中軍

순영 중군은 1785년(정조 9) 이전에 8도에 정3품 당상 녹직 각1직이 설치되어 『대전통편』에 등재된 후 후대로 계승되었다.[54]

통제영과 통어영 중군은 1865년(고종 2) 이전과 1785년(정조 9) 이전에 각각 정3품 당상 녹직 1직이 설치되어 후대로 계승되었다.[55]

(2) 統制營 虞侯·兵馬虞候·水軍虞侯·兵馬評事·兵馬判官

통제영 우후는 1607년(선조 40)에 통제사를 종2품직으로 승격시키면서 정3품 전임 1직을 두면서 비롯되었고,[56] 이후 변동 없이 후대로 계승되었다.[57]

병마우후는 『경국대전』에 규정된 충청 1·경상 2·전라 1·함경 1·평안 1직의 6직이 군현정비에 따라 1746년(영조 22) 이전에 함경도에 1직이 증치되면서[58] 7직으로 조정되어 후대로 계승되었다.

수군우후는 『경국대전』에 규정된 충청 1·경상 2·전라도 2직의 5직이 1607년(선조 40) 통제영 우후가 경상우도 수군우후를 겸함에 따라 경상도 1직이 삭감되면서[59] 4직으로 조정되어 후대로 계승되었다.[60]

병마평사는 『경국대전』에 규정된 함경·평안도 각1직의 2직이 1746년 이전에 평안도 평사가 혁거되면서[61] 함경도 1직만이 존치되어 후대로 계승되었

54) 『대전통편』·『대전회통』 권4, 병전 외관직에서 종합.
55) 『대전통편』·『대전회통』 권4, 병전 외관직에서 종합.
56) 『선조실록』 211, 40년 5월 무진.
57) 『속대전』·『대전통편』·『대전회통』 권4, 병전 외관직에서 종합.
58) 『속대전』 권4, 병전 외관직 함경도.
59) 『선조실록』 211, 40년 5월 무진.
60) 『대전통편』·『대전회통』 권4, 병전 외관직에서 종합.
61) 『속대전』 권4, 병전 외관직 평안도.

다.[62]

이상에서 조선 중·후기 무반 정직은 『경국대전』에 규정된 130직이 324직, 320직, 317직으로 변천된 후 『대전회통』에 등재되었다. 이를 시기별과 도별로 종합하여 제시하면 다음의 표와 같다.

〈표 9-8〉 조선 중·후기 외관·무반 관직·시기별 변천
(수군첨절제사 이하 주재진은 뒤 〈별표 8〉 참조)[63]

		『경국대전』	『속대전』	『대전통편』	『대전회통』	비고
종2	병마절도사	15(8겸*)	→	16(8겸)	→	* 관찰사
	수군통제사		1	→	→	
	통제영중군				1	
	수군통어사		1	→	→	
	병마방어사(겸*)		6	7	5	* 수령
	수군방어사(겸*)		3	5	4	* 수령
	계	15(8겸)	26(17)	30(20)	28(17겸)	
정3 당상	수군절도사	17(8겸*)	16(8겸)	→	17(8겸)	* 관찰사
	통어영중군				1	
	순(감)영중군(*)		8*	→	→	* 8도 각1
	계	17(8겸)	24(8)	24(8)	26(8겸)	
정3	진영장		46(30겸*)	45(29)	43(32겸)	* 수령
	위장		10(수령)*	→	→	* 함경도
	통제영우후		1	→	→	
	계		57(40)	56(39)	54(32겸)	
종3	수군첨절제사	12	19	21	27	
	병마우후	6	7	7	8	
	계	18	26	28	35	
정4	수군우후	5	4	4	4	
종4	수군동첨절제사	0	17	16	11	
	병마만호	18	41	40	31	
	수군만호	55	37	35	35	
	계	73	95	91	77	
정6	병마평사	2	1	1	1	
종6	감목관(무록관)	0	21(21)	21(21)	20(20)	
종9	권관(무록관)	0	35	31	34	
	별장(무록관)	0	35	34	38	
	계	0	70	65	72	
합계		130(16)	324(85)	320(88)	317(87)	

62) 『대전통편』·『대전회통』 권4, 병전 외관직에서 종합.

〈표 9-9〉『대전회통』 무반 정직 도별 관직(겸직)[64]

		경기	충청	경상	전라	황해	강원	함경	평안	계
종2	병마절도사	1(1)	2(1)	3(1)	2(1)	1(1)	2(1)	3(1)	2(1)	16(8)
	수군통제사			1						1
	수군통어사	1								1
	병마방어사	1(1)					1(1)	1(1)	2(2)	5(5)
	수군방어사	1(1)			1(1)				2(2)	4(4)
	통제영중군			1						1
	계	4(3)	2(1)	5(1)	3(2)	1(1)	3(2)	4(2)	6(5)	28(17)
정3 당상	수군절도사	2(1)	2(1)	3(1)	3(1)	1(1)	2(1)	3(1)	1(1)	17(8)
	순영중군	1	1	1	1	1	1	1	1	8
	통어영중군	1								1
	계	4(1)	3(1)	4(1)	4(1)	2(1)	3(1)	4(1)	2(1)	26(8)
정3	영장	4(4)	5(1)	6(1)	5(3)	5(5)	3(3)	6(6)	9(9)	43(32)
	위장							10(10)		10(10)
	통제영우후			1						1
	계	4(4)	5(1)	7(1)	5(3)	5(5)	3(3)	16(16)	9(9)	54(42)
종3	수군첨절제사	3	4	4	7	1	2	0	6	27
	병마우후		1	2	1	1		2	1	8
	계	3	5	6	8	2	2	2	7	35
정4	수군우후		1	1	2					4
종4	수군동첨절제사	2		2	3	4				11
	병마만호	6				3		12	10	31
	수군만호	1	1	15	15	1	1	1	0	35
	계	9	1	17	18	4	1	13	10	77
정6	병마평사								1	1
종6	감목관	5(5)	0	3(3)	5(5)	3(3)	0	3(3)	1(1)	20(20)
종9	권관			2				14	18	34
	별장	8	1	8	7	5	0	2	7	38
	계	8	1	10	7	5	0	16	25	72
합계		37	18	53	52	26	12	58	61	317

63) 앞 238~246쪽에서 종합.

64) 『대전회통』 권4, 병전 외관직 각도조에서 종합.

2. 兼職 : 兵馬節度使·水軍節度使, 兵馬水軍節制使·兵馬節制使·兵馬僉節制使·兵馬同僉節制使·兵馬節制都尉, 營將·防禦使·衛將, 監牧官

1) 兵馬節度使·水軍節度使

8도 겸병마절도사와 겸수군절도사 각1직은『경국대전』에 8도 관찰사가 예겸하도록 된 규정이 변동 없이 후대로 계승되었다.[65]

2) 兵馬水軍節制使·兵馬節制使·兵馬僉節制使·兵馬同僉節制使·兵馬節制都尉

巨鎭과 諸鎭의 지휘관인 병마수군절제사, 병마절제사, 병마첨절제사, 병마동첨절제사, 병마절제도위는 그 모두가『경국대전』에 수령이 예겸하도록 된 규정에 따라 慶州府尹 이하 수령이 차례로 병마수군절제사(정3, 경주부윤·제주목사 겸), 병마첨절제사(종3, 목사·부사 겸), 병마동첨절제사(종4, 군수 겸), 병마절제도위(종6, 현령·현감 겸)를 겸하였다. 병마첨절제사·병마동첨절제사·절제도위는 군현의 수령의 예겸직이었기에 군현의 승격·강격,[66] 내륙방어 강화를 위한 진관개정 등에 따라 여러 차례에 걸쳐 승격, 강격, 승격후 강격, 강격후 승격되는 변천을 겪으면서 운영되었다.

병마수군절제사와 병마절제사는『경국대전』에 규정된 3직(전라도 2 - 제주·전주, 경상도 1 - 경주)이 곧 병마수군절제사(제주)가 병마절제사로 개칭되면서 병마절제사 3직이 되었고, 이후 1746년(영조 22) 이전에 전라도 1직(전주)이 삭감되고 경기·평안도 각1직이 설치되면서 4직이 되었다가 1785년(정조 9) 이전에 경기도 1직이 삭감되면서 3직으로 조정되어 후대로

---

65)『대전회통』 권4, 병전 외관직 각도.

66) 군현의 승격·강격은 뒤 291~304쪽 참조.

계승되었다.[67]

병마첨절제사는 『경국대전』에 규정된 각도 2~16직의 53직이 62직(속대전), 72직(대전통편), 79직(대전회통)으로 변천되면서 운영되었다.

병마동첨절제사는 『경국대전』에 규정된 각도 6~17직의 101직이 117직(속대전), 134직(대전통편), 128직(대전회통)으로 변천되면서 운영되었다.

병마절제도위는 『경국대전』에 규정된 각도 11~46직의 209직이 209직(속대전), 160직(대전통편), 156직(대전회통)으로 변천되면서 운영되었다. 병마절제사·첨절제사·동첨절제사·절제도위의 변천을 도별·시기별로 정리하면 다음의 표와 같다.

〈표 9-10〉 조선 중·후기 병마절제사·첨절제사·동첨절제사·절제도위 변천

	병마절제사				병마첨절제사				병마동첨절제사	
	경국	속	대통	대회	경국	속	대통	대회	경국	속
경기			1	0	4	6	7	10	10	10
충청					4	4	3	3	12	12
경상	1	1	1	1	5	5	6	7	20	20
전라	2	2	1	1	4	4	4	4	14	14
황해					2	3	1	1	11	15
강원					3	3	3	3	11	11
함경					15	19	24	25	6	8
평안					16	22	24	26	17	27
계	3	3	4	3	53	62	72	79	101	117

	병마동첨절제사		병마절제도위				합계			
	대통	대회	경국	속	대통	대회	경국	속	대통	대회
경기	18	16	22	22	13	12	36	28	39	38
충청	13	15	42	42	38	36	58	58	54	54
경상	25	24	46	46	39	39	72	72	71	71
전라	17	19	42	42	35	33	62	62	57	53
황해	18	16	13	13	8	9	26	31	27	26
강원	11	11	14	14	12	12	28	28	26	26
함경	7	7	11	11	4	4	36	38	35	36
평안	25	20	19	19	11	11	52	68	60	57
계	134	128	209	209	160	156	366	391	370	366

67) 『속대전』·『대전통편』·『대전회통』 권4, 병전 외관직에서 종합.

3) 營將·防禦使·衛將

(1) 營將

영장은 1627년(인조 5) 영장제를 실시하고 하3도(충청 5·경상 5·전라 5)에 영장진의 장관으로 정3품 전임 영장 16직을 두면서 비롯되었고,[68] 이후 영장제의 운영에 따라 일시 혁거(인조 11~효종 4)되었다가 1654년(효종 5)에 복치되면서 하3도 외의 5도에도 겸직 영장 30직을 설치하면서 전임 16·겸직 30직의 46직으로 증가·조정되었다.[69] 그후 겸직 영장은 1785년(정조 9) 이전에 경기도 2직이 삭감되고 충청·경상도 각1직과 전라도 3직이 증치되면서 32직으로 조정되어 『대전회통』에 등재되었다(영장의 변천 배경은 뒤 참조).

(2) 防禦使

방어사는 1592년(선조 25)에 부산포에 상륙하여 북진해 오는 왜군을 방어하기 위하여 경주부윤을 방어사에 임명하면서 비롯되었고, 이후 곧 혁거되었다가 1691년(숙종 17)에 서북방의 방어를 강화하기 위하여 강계방어사(강계부사겸)를 두면서 복치되어[70] 이후 1746년까지 평안도에 1직이 증치되고 경기(3)·강원(1)·함경도(1)에 5직(모두 수령겸)이 설치되면서[71] 7직으로 조정되었으며, 다시 1865년(고종 2) 이전에 경기도 2직(광주·수원)이 삭감되면서 5직이 존치되어 후대로 계승되었다.

(3) 衛將

위장은 1746년(영조 22) 이전에 함경도 내륙의 방어를 강화하기 위하여

---

68) 허선도, 1991, 「조선시대 영장제」, 『한국사논총』 14, 43~44쪽 ; 『인조실록』 권16, 5년 4월 병진.

69) 『효종실록』 권12, 5년 2월 임신.

70) 『증보문헌비고』 권234, 직관고 21 외무직.

71) 동상조. 경기 등 5도에 설치된 7방어사는 뒤 13장 주14) 참조.

수령이 겸하는 정3품직 10직을 설치하면서 비롯되었고, 이후 변동 없이 계승되었다.[72)]

(4) 監牧官

감목관은 『경국대전』에 규정된 그것(관직 수 불명)이[73)] 광해군초에 혁거되었다가 1628년(인조 6)에 복치된 후[74)] 『속대전』에 종6품 21직(소재수령겸, 경기 5·충청 1·경상 3·전라 5·황해 3·함길 3·평안 1)으로 등재되었으며, 1865년(고종 2) 이전에 충청도 감목관이 혁거되면서 20직으로 조정되어 『대전회통』에 등재되었다. 지금까지 살핀 무반 겸직 변천을 관직·시기별로 정리하면 다음의 표와 같다.

〈표 9-11〉 조선 중·후기 외관 무반 겸직 관직·시기별 변천

			『경국대전』	성종16~영조22	영조23~고종2	『대전회통』
진관	종2	兵馬節度使	8(관찰사)	8	8	8
	정3당상	수군절도사	8(관찰사)	8	8	8
	정3	병마절제사	3*	3*	4	3
	종3	병마첨절제사	53	62	72	79
	종4	병마동첨절제사	101	117	134	128
	종6	병마절제도위	209	209	160	156
	계		382	407	386	382
제영	종2	병마방어사			7	5
		수군방어사			5	4
	정3당상	영장		30	29	32
	정3	위장		10	10	10
	계			40	39	42

72) 『속대전』·『대전통편』·『대전회통』 권4, 병전 외관직에서 종합.

73) 『경국대전』 권4, 병전 경기도조에 "監牧 -有牧場守令兼諸道同"이라고 기록되었을 뿐 감목이 설치된 도와 관직수가 언급되지 않았다. 그런데 『세종실록지리지』 각도 감목관조에 경기 등 7도에 녹관 종6품 9직이 명기(경기·충청·경상·황해·함길·평안도 각1, 전라도 3)되었고, 최초로 겸직의 감목관 설치지역과 관직수가 명기된 『속대전』에 7도에 총 21직이 확인됨에서 10~20여직이 설치된 것으로 추측된다.

74) 『증보문헌비고』 권235, 직관고 22 감목관조, 『인조실록』 6년 12월 기축.

목장	종6	감목관	불명	21	20	20
합계			382이상	468	457	451

*1은 병마수군절제사

제3절 土官職

1. 文班

토관 문반직은 『경국대전』에 규정된 함경도와 평안도의 변경요충이고 대읍인 영흥·평양부윤부, 영변대도호부, 의주목, 경성·회령·경원·종성·온성·부령·경흥·강계도호부 등 12읍에 설치된 정5품 도무 4직으로부터 종9품 부여용 59직의 238직이[75] 1510년(중종 5) 영흥부윤부가 대도호부로 강격되고 함흥도호부가 부윤부로 승격하고 계수관이 됨에 따라 영흥부 토관이 함흥부로 移設되었다.[76] 이때의 이것이 그대로 법제화되면서[77] 조선후기까지 계승되었다.

〈표 9-12〉『대전회통』 토관 문반직(권1, 이전, *은 위 관직명과 동일)

		정5품	종5	정6	종6	정7	종7	정8	종8	정9	종9	계
함흥부	都務司	都務1			勘簿1			管事1				3
	典禮署		掌簿1			典事1			給事1		攝事1	4
	諸學·戎器·司倉·營作署				*각1			*각1			*각1	12
	收支局						掌事1					1
	典酒局								*1		*1	2
	司獄局										*2	2
	4部*1										*각2	8
	계	1	1		5	1	1	5	2		16	32

75) 앞 〈표 2-13〉에서 종합.

76) 『함흥부읍지』·『영흥부읍지』 건치연혁.

77) 『속대전』·『대전통편』·『대전회통』 권4, 병전 토관직.

평양부	도무사	*1	*1	校簿1		*2						5
	전례서		*1		*1	*1			*1		*1	5
	제학·융기·사창·영작서				*각1			*각1			*각1	12
	수지국						*1		*1		*1	3
	전주국								*1	參事1	*1	3
	사옥국										*2	2
	4부										*각2	8
	계	1	2	1	5	3	1	4	3	1	17	38
영변·경성도호부	도무사	*각1		*각1		*각1						6
	전례서		*각1			*각1			*각1		*각1	8
	융기·사창·영작서				*각1			*각1				6
	수지국						*각1				*각1	2
	전주국								*각1		*각1	4
	사옥국										*각2	4
	계	2	2	2	2	4	2	2	4		10	30
의주 등 8읍*1	都割司				都割 각1	*각1						16
	전례서				勘簿 각1				*각1		*각1	24
	융기·사창서						*각1				*각1	32
	전주국								*각1		*각1	16
	사옥국										*각1	8
	계				16	8	16		16		40	96
합계		4	5	3	28	16	20	11	25	1	83	196

*1 人興, 禮安, 義興, 知安部(여타 군현 동)

*2 義州牧, 會寧·慶源·鍾城·溫城·富寧·慶興·江界都護府

2. 武班

토관 무반직은 『경국대전』에 규정된 함경도와 평안도의 변경요충이고 대읍인 영흥·평양부윤부, 영변대도호부, 의주목, 경성·회령·경원·종성·온성·부령·경흥·강계도호부 등 12읍에 설치된 정5품 여직 4직으로부터 종9품 부여용 59직의 238직이[78] 1510년(중종 5) 영흥부윤부가 대도호부로 강격되고 함흥도호부가 부윤부로 승격하고 계수관이 됨에 따라 영흥부 토관이

78) 앞 〈표 2-14〉에서 종합.

함흥부로 移設되었다.[79] 이때의 이것이 그대로 법제화되면서[80] 조선후기까지 계승되었다.

〈표 9-13〉『대전회통』 토관 무반직(권4, 병전)

	咸興府 鎭北衛	平壤府 鎭西衛	寧邊 大都護府 鎭邊衛	鏡城 都護府 鎭封衛	義州牧 鎭江衛	會寧·慶源府 懷遠衛	種城·穩城·會寧·敬興府 柔遠衛	江界府 鎭浦衛	계
정5 勵直	1	1	1	1	0	0	0	0	4
종5 副勵直	1	1	1	1	0	0	0	0	4
정6 勵果	2	2	2	2	1	각1	각1	1	16
종6 副勵果	2	2	2	2	1	각1	각1	1	16
정7 勵正	2	3	2	2	1	각1	각1	1	17
종7 副勵正	2	3	2	2	1	각1	각1	1	17
정8 勵猛	1	4	3	3	2	각2	각2	2	29
종8 副勵猛	3	4	3	3	3	각3	각2	3	33
정9 勵勇	3	5	4	4	4	각4	각3	3	43
종9 副勵勇	4	5	5	5	5	각5	각5	5	59
합계	23	30	25	25	18	36	64	17	238

이상에서 조선 중·후기 경관 문반 녹·체아·무록직은 정1품 4직~종9품 91직의 701직(『경국대전』)에서 정1품 4직~종9품 115직의 610직(『속대전』)과 정1품 4직~종9품 102직의 561직(『대전회통』)으로 변천되면서 운영되었다. 무반직은 정직은 정1품 1직~종9품 232직의 792직(『경국대전』)에서 정1품 1직~종9품 5직의 116직(성종 17~고종 1)으로 변천되면서 운영되다가 『대전회통』에 정1품 1직~종9품 5직의 111직으로 등재되었다. 5위 체아직은 종4품 11직~종9품 1,707직의 2,464직(『경국대전』)에서 정3품 8직~종9품 581직의 1,511직(『속대전』)과 정3품 당상 4직~종9품 2,003직의 2,979직(『대전회통』)으로 변천되면서 운영되었다.

군영아문직(본직)은 선조 26년의 종2품 4직~종9품 28직의 39직(관직수가

---

79) 『함흥부읍지』·『영흥부읍지』 건치연혁.

80) 『속대전』·『대전통편』·『대전회통』 권4, 병전 토관직.

불명인 군관 제외)이 종2품 13~11직에서~종9품 3,387~2,942직의 3,490~3,074직(인조 2~고종 1)으로 변천되면서 운영되다가 『대전회통』에 종2품직 11직~종9품 2,942직의 3,074직으로 등재되었다.

겸직은 직계·육조속아문 문반직은 『경국대전』의 149직(당상129, 참상12, 참하8)이 211~163직(당상181→139, 참상23→17, 참하7-7, 성종 17~고종 2), 무반직은 『경국대전』의 30직(당상)직이 80~74직(당상12, 참상56~12, 참하12, 선조 26~영조 22), 77직(당상12, 참상55, 참하10, 고종 1)으로 변천되면서 운영되다가 『대전회통』에 각각 163직(당상139, 참상17, 참하7)과 77직(당상12, 참상55, 참하10)으로 등재되었다. 군영아문직은 선조 26년의 2직(당상)이 16직(당상, 선조 26~영조 22), 13직(당상11, 참상2, 고종 1)으로 변천되면서 운영되다가 『대전회통』에 13직(당상11, 참상2)으로 등재되었다.

잡직은 문·무반직을 합해 정6품 3직~종9품 1,533직의 2,062직(『경국대전』)에서 정6품 3직~종9품 120직의 210직(『속대전』)과 정6품 3직~종9품 182직의 280직(『대전회통』)으로 변천되면서 운영되었다.

외관직은 문반(녹·무록)직은 종2품 12직~종9품 304직의 784직(『경국대전』)에서 종2품 14직~종9품 34직의 426직(『속대전』)과 종2품 13직~종9품 47직의 469직(『대전회통』)으로 변천되면서 운영되었다. 무반(녹·무록)직은 종2품 7직~정6품 2직의 114직(『경국대전』)에서 종2품 7직~종9품 70직의 251직(『속대전』)과 종2품 11직~종9품 72직의 216직(『대전회통』)으로 변천되면서 운영되었다.

지금까지 『대전회통』에 법제화된 경관 문·무 정직·체아직·무록직·겸직·잡직, 외관 문·무 정직·겸직과 토관직을 종합하여 정리하면 다음의 표와 같다.

〈표 9-14〉『대전회통』 경관직과 외관직 종합

(위 〈표 6-7, 7-1·3·4·10, 8-1·2, 9-4·9·11·13〉에서 종합, 군영아문 제외)

			정1	종1	종1~종2	정2	종2	정3 당상	정3	종3	정4	종4	정5	종5
경관	文班	正職	4	3		12	12	17	12	7	10	14	30	67
		遞兒職							4			4		4
		소계	4	3		12	12	17	16	7	10	18	30	71
		兼職	23	4	*50	11	13	16	4	1	3	1	3	2
		합계	27	7	*50	23	25	33	20	8	13	19	33	73
	武班	정직	1	1		2		12	*12			7		9
		체아직						4	5	6		56		86
		소계	1	1		2		16	17	6		63		95
		겸직				6	5	1	15					
		합계	1	1		8	5	17	32					
	계	정직	5	4		14	12	29	24	7	10	21	30	76
		체아직						4	9	6		60		90
		소계	5	4		14	12	33	33	13	10	81	30	166
		겸직	23	4	50	17	18	17	19	1	3	1	3	2
		합계	28	4	50	31	30	50	52	14	13	82	33	168
외관	문반	正職					13		25	75		79		42
		土官職											4	5
		계					13		25	75		79	4	47
	무반	정직					11	18	13		4	77		
		토관직											4	4
		겸직					17	8	43	79		128		
		계					28	26	56	79	4	205	4	4
	계	정직					24	18	38	75	4	156		42
		토관직											8	9
		겸직					17	8	43	79		128		
		계					41	52	81	154	4	284	8	51
총계		정직	5	4		14	36	47	62	82	14	177	30	118
		체아직						4	9	6		60		90
		겸직	23	4	50	17	35	25	62	80	3	129	3	2
		총계	28	8	50	31	71	76	133	168	17	366	33	210

			정6	종6	정7	종7	정8	종8	정9	종9	합계	비고
경관	문반	정직	48	51	14	28	11	25	24	79	468	
		체아직		8		6		8	14	11	59	
		무록직		16		1		5		12	34	
		소계	48	75	14	35	11	38	38	102	561	
		겸직	3	16	4	1	3	1	9	6	176	* 이상
		합계	51	91	18	36	14	39	47	108	737	* 이상

경관	무반	정직		12	**33	17				5	111	*정3~종6, **정7~종9
		체아직		150		246		297	126	2,003	2,979	
		소계		162	33	263		297	126	2,008	3,090	
		겸직*		96						10	441	수령겸직 포함
		합계		202	33	263		297	126	2,018	3,531	
	잡직	문반	3	4	4	6	5	9	28	65	124	
		무반						39		117	156	
		계	3	4	4	6	5	48	28	182	280	
	계	정직	48	63	47	45	11	25	24	84	579	
		체아직		258		252		305	140	2,014	3,038	
		무록직		16		1		5		12	34	
		소계	48	337	47	298	11	335	164	2,111	3,651	
		잡직	3	4	4	6	5	48	28	182	280	
		겸직	3	56	4	1	3	1	9	16	617	
		합계	54	397	55	305	19	384	201	2,309	4,548	
외관	문반	정직*		162						47	444	무록관 포함
		토관직	3	28	16	20	11	25	1	83	196	
		계	3	190	16	20	11	25	1	130	640	
	무반	정직	1	20						72	216	
		토관직	16	16	17	17	29	33	43	59	238	
		겸직		156							431	
		계	16	192	17	17	29	33	43	131	885	
	계	정직	1	182						119	660	
		토관직	19	44	33	37	40	58	44	142	434	
		겸직		156							431	
		계	20	200	33	37	50	58	44	261	1,525	
총계		정직	49	245	47	45	11	25	24	203	1,239	
		체아직		258		252		305	140	2,014	3,038	
		무록직		16		1		5		12	34	
		토관직	19	44	33	37	50	58	44	142	434	
		겸직	3	212	4	1	3	1	9	16	1,048	
		잡직	3	4	4	6	5	9	28	182	280	
		총계	74	779	88	342	69	397	245	2,366	6,073	

제10장 朝鮮 中·後期 京衙門의 變遷 I — 直啓衙門과 軍營衙門

제1절 直啓衙門의 變遷

『경국대전』에 규정된 직계아문은 문반아문과 무반아문을 합해 종친부·의정부·중추부 등 22아문이 1865년(고종 2)까지 왜란·호란 이후의 정치·경제·사회의 변동, 왕권강화 도모, 도성내외 방어강화, 제도정비 등과 관련되어 겸사복·내금위가 금군청에 합병되면서 소멸되고 비변사·선혜청·규장각 등과 수원부 등이 유수부로 승격되었으며, 훈련도감 등 10여 군영아문이 차례로 설치되는 등으로 개변되면서 40여 아문으로 증대되었다.

이 장에서는 『경국대전』에 법제화된 의정부 등 22아문과 신설된 비변사·훈련도감 등 40여 아문이 이후 1865년(『대전회통』 반포)까지 어떻게 변천되면서 운영되었는가를 크게 정무·예우아문과 군영아문으로 구분하고,[1] 그 각각은 다시 1485년 이전(『경국대전』 등재)·1486년 이후 설치아문과 관아별로 그 변천상을 구분하여 살펴본다.

---

1) 정무아문은 정무에 참여하는 관아이고, 예우아문은 예우는 받되 정치에 참여하지 못하는 관아이며, 군영아문은 도성과 도성 외곽의 군사를 지휘하는 군사아문이다.

1. 政務衙門 : 議政府·義禁府·六曹·漢城府·司憲府·開城府·承政院·司諫院·經筵·五衛都摠府·兼司僕·內禁衛, 備邊司·宣惠廳·堤堰司·濬川司·奎章閣·水原府·廣州府·江華府·羽林衛

1) 1485년(성종 16) 이전 설치아문 : 議政府·義禁府·六曹·漢城府·司憲府·開城府·承政院·司諫院·經筵, 五衛都摠府·兼司僕·內禁衛

(1) 議政府·義禁府·六曹·漢城府·司憲府·開城府·承政院·司諫院·經筵

의정부로부터 내금위까지의 18아문은 『경국대전』에 직계아문으로 규정된 아문이다. 이들 아문 중 의정부·의금부·육조·한성부·사헌부·개성부·승정원·사간원·경연 등 모든 아문은 비록 왜란 이후에 비변사·훈련도감 등 5군영이 중심이 된 정치·군사운영에 따라 議政府·五衛都摠府가 유명무실해 지기는 하였지만 『속대전』 등에 등재되면서 조선후기까지 계승되었다.

(2) 五衛都摠府·兼司僕·內禁衛

오위도총부는 왜란 이후에 備邊司와 訓練都監 등 5軍營이 중심이 된 정치·군사운영에 따라 오위도총부가 유명무실해지기는 하였지만 『속대전』 등에 등재되면서 조선후기까지 계승되었다.

겸사복과 내금위는 1666년(현종 7)에 그 기능과 관련되어 국왕호위를 관장하는 군영아문인 禁軍廳에 병합·개편되면서 소멸(장관인 겸사복장·내금위장은 금군청의 정3품 겸직으로 존속)되었다.[2)]

2) 1486년 이후 설치아문 : 備邊司·宣惠廳·堤堰司·濬川司·奎章閣, 水原府·廣州府·江華府, 羽林衛

(1) 備邊司·宣惠廳·堤堰司·濬川司·奎章閣

---

2) 『속대전』 권4, 병전 군영아문 금군청.

비변사는 1555년(명종 10), 1510년(중종 5)에 三浦倭亂의 진압과 관련된 군정을 통령하기 위하여 임시기구로 설치되었다가 이후 廢·置가 반복되면서 운영되었던 備邊司를 乙卯倭變을 기하여 상설의 정1품 아문으로 규정하면서 비롯되었다.[3] 이 비변사는 1592년(선조 25) 임진왜란이 발발하자 의정부를 대신하여 최고 정치·군사기구로 군림하다가 1865년(고종 2)에 비변사 중심으로 운영되던 국정운영체제를 다시 의정부 중심체제로 복구한 정치체제 개편으로 의정부에 병합되면서 혁거되었다.[4]

선혜청은 1760년(영조 36)에 대동미를 총관하는 정1품 직계아문이 되었고,[5] 이후 조선후기까지 계승되면서 호조를 제치고 최고의 재정기관이 되면서 비변사와 함께 국정운영의 중추가 되었다.

제언사는 1661년(현종 3)에 당시까지 각도의 堤堰과 修理를 修飭 하기 위하여 임시로 운영되다가 상설의 정1품 직계아문이 되었으며,[6] 1592년(선조 25) 이래로 비변사 중심으로 운영되던 국정운영체제를 다시 의정부 중심체제로 복구한 정치체제 개편으로 의정부에 병합되면서 혁거되었다.[7]

준천사는 1760년(영조 36)에 도성의 하수구의 준설을 관장하는 임시기구로

---

3) 그 置·廢와 기능은 다음과 같다(한충희, 1992, 「조선 중종 5년~선조 24년(성립기)의 비변사에 대하여」, 『서암조항래교수화갑기념 한국사학논총』, 205쪽 〈표 2〉에서 발췌).
중종 5~7년경 : 삼포왜란 진압, 변경방비
중종 36~명종 10 : 제포왜변 진압 등 변경방비
중종 12~15년경 : 북방여진 준동 방비
명종 10년 : 을묘왜변 관련 군정 통령, 정1품 상설
중종 15~17년경 : 야인구축등 변경방비, 아문
중종 17~36년 이전 : 추자도왜변 진압

4) 『고순종실록』 고종 1년 6월 15일·2년 3월 28일조 ; 『증보문헌비고』 권216, 직관고 3 비변사.

5) 『증보문헌비고』 222, 직관고 9 ; 『대전회통』 권1, 이전 경관직.

6) 『증보문헌비고』 권216, 직관고 3.

7) 『고순종실록』 고종 1년 6월 15일·2년 3월 28일조 ; 『증보문헌비고』 권216, 직관고 3 비변사.

운영되다가 정1품 직계아문이 되었고,[8] 이후 그대로 계승되다가 1865년(고종 2) 동반아문에서 서반아문으로 전환되었다.

규장각은 1776년(정조 즉위)에 정조의 개혁정치를 뒷받침하기 위해 설치되면서 종2품 직계아문이 되었고,[9] 이후 정조대의 왕권과 문예진흥을 뒷받침하였으며,[10] 조선후기까지 그대로 계승되었다.

(2) 水原·廣州·江華留守府

수원부는 1793년(정조 17)에 외관 종3품 아문인 水原都護府가 정조의 수원천도 도모와 관련되어 정2품 華城留守府로 개칭·승격되면서 직계아문이 되었고,[11] 조선후기까지 그대로 계승되었다.

광주부는 1795년(정조 19)에 외관 종2품 아문인 廣州府尹府가 도성의 방어강화와 관련되어 정2품 유수부로 승격되면서 직계아문이 되었고,[12] 조선후기까지 그대로 계승되었다.

강화부는 1627년(인조 5)에 도성수비를 강화하기 위하여 종2품 외관인 江華府尹府가 정2품 경관의 江華留守府로 승격되면서 직계아문이 되었고,[13] 조선후기까지 그대로 계승되었다.

(3) 羽林衛

우림위는 1492년(성종 23) 국왕호위를 강화하기 위하여 설치되었고,[14]

---

8) 『증보문헌비고』 222, 직관고 9 ; 『대전회통』 권1, 이전 경관직.

9) 『증보문헌비고』 권220, 직관고 7.

10) 박광용. 1997, 「정조대 탕평정국과 왕정체제의 강화」, 『한국사 32, 89~95쪽.

11) 『수원부읍지』 건치연혁 ; 『대전회통』 권1, 경관직..

12) 『광주부읍지』 건치연혁 ; 『대전회통』 권1, 경관직.

13) 『강화부읍지』. 건치연혁 ; 『속대전』 권1, 이전 경관직.

14) 성종 23년에 설치되어 폐, 치가 반복되면서 운영되다가 현종 7년 내금위·겸사복과 함께 금군청으로 통합되면서 혁거되었다(『성종실록』 권264, 23년 4월 을사 ; 『현종개수실록』 권11, 5년 8월 계미). 우림위가 정식의 아문인가 임시아문인가는 명확하지

1666년(현종 7)에 그 기능과 관련되어 兼司僕·內禁衛와 함께 국왕호위를 관장하는 군영아문인 禁軍廳에 병합·개편되면서 소멸(장관인 겸사복장·내금위장은 금군청의 정3품 겸직으로 존속)되었다.[15]

2. 禮遇衙門 : 宗親府·忠勳府·儀賓府·敦寧府·中樞府

종친부는 종친, 충훈부는 正功臣,[16] 의빈부는 국왕의 사위, 돈령부는 왕의 외척과 왕비의 친족, 중추부는 직임이 없는 무임소 문·무 당상관을 각각 우대하기 위하여 설치된 관아인데 『경국대전』에 규정된 그것이 비록 대우와 기능의 발휘는 신축이 있었지만 관아는 그대로 조선후기까지 계승되었다.

이리하여 조선 중·후기의 직계아문은 1485년(성종 16) 『경국대전』에 규정된 종친부·의정부·중추부 등 22아문이 비변사·선혜청·화성유수부·금군청·규장각 등 9아문이 신치되고, 비변사·내금위 등 4아문이 혁거되면서 22(성종 16~선조 24), 20(선조 25~정조 8), 24(정조 9~고종 1), 27(고종2, 『대전회통』) 아문으로 변천되면서 운영되었다.

지금까지 살펴 본 1485년(성종 16, 『경국대전』 반포)으로부터 1865년(고종 2, 『대전회통』 반포)까지의 직계아문변천을 표로 정리하여 제시하면 다음과 같다.

못하다. 그러나 『대전통편』 권4, 병전에 겸사복장·내금위장에 이어 등재되어 있고 이어 "不載於原典 只見於續典小註 與兼司僕內禁衛竝稱內將 同屬禁軍廳"이라 하였고, 우림위는 겸사복·내금위와 함께 현종 9년 금군청으로 개편되면서 혁거되며, 또 羽林衛將은 兼司僕將·內禁衛將과 함께 금군청에 소속된 정3품직이 되었다. 즉 우림위는 겸사복·내금위와 동급의 친위군이었다. 이에서 우림위는 겸사복·내금위와 같은 무반 종2품 직계아문으로 설치되었다고 추측하여 무반 종2품 직계아문으로 파악한다.

15) 『속대전』 권4, 병전 군영아문 금군청.

16) 공신의 칭호는 크게 개국공신 등의 공신과 개국원종공신 등의 원종공신으로 구분되는데, 여기에서는 최승희 교수의 분류(「朝鮮後期 原從功臣錄勳과 身分制 동요」, 『한국문화』 22, 113쪽 서두)에 따라 개국공신 등의 공신을 정공신으로 표기한다.

〈표 10-1〉 조선 중·후기 직계아문 변천[17]

『경국대전』*	성종16~선조24	선조25~정조8	정조9~고종1	『대전회통』	비고* 이후
宗親府	→	→	→	宗親府	정1품아문
議政府	→	→	→	議政府	
忠勳府	→	→	→	忠勳府	
儀賓府	→	→	→	儀賓府	
敦寧府	→	→	→	敦寧府	
備邊司	중종5 치 備邊司(임시아문)~7, 12~ 15, 17~25경, 38→	명종10, 備邊司(상설, 정1품아문)→	→	고종2 혁(속 議政府)	
宣惠廳		광해군즉위 宣惠廳→ 영조36 정1품아문→	→	宣惠廳	
堤堰司	성종16 이후 치 堤堰司(임시아문)→중종18 이후 혁	현종3 堤堰司→	→	고종2 혁(속議政府)	
濬川司		영조36, 濬川司(동반아문)→	→	濬川司(서반아문)	
中樞府	→	→	→	中樞府	
義禁府	→ 연산10 密威廳→ 중종1 義禁府→	→	→	義禁府	종1품아문
六曹(吏·戶·禮·兵·刑·工曹)	→	→	→	六曹(이·호·예·병·형·공조)	정2품아문
漢城府	→	→	→	漢城府	
水原都護府(외관)	→	→	정조17 華城留守府→	華城留守府	
廣州牧(외관)	→	선조10 府尹府(외관)→ 인조1 留守府→8 부윤부→ 영조26 유수부→ 35 부윤부→	정조19 留守府→	廣州留守府	
五衛都摠府	→	→	→	五衛都摠府	
			정조즉, 奎章閣→	奎章閣	종2품아문
司憲府	→	→	→	司憲府	
開城府	→	→	→	開城府	
江華都護府(외관)	→	광해군10, 府尹府(외관)→인조5 留守府→	→	江華留守府	
承政院	→	→	→	承政院	정3품(당상) 아문
司諫院	연산10 혁→중종1 복→	→	→	司諫院	
經筵	→	→	→	經筵	

兼司僕	→	현7 禁軍廳(군영아문) → 영조31 龍虎營→	→	龍虎營 (軍營衙門)	
內禁衛	연산11 衙鐵衛→중종1 內禁衛→	현7 禁軍廳(군영아문) → 영조31 龍虎營→			
羽林衛	성종23 치 羽林衛(직계아문)→	현7 禁軍廳(군영아문) → 영조31 龍虎營→			

제2절 軍營衙門의 成立과 變遷

1. 5軍營：訓練都監·御營廳·禁衛營·摠戎廳·守禦廳

군영아문은 1592년(선조 25) 왜란 이후에 설치된 군사아문을 총칭하는 용어이다. 이 군영아문이 언제부터 군사아문의 총칭으로 사용되었는가는 기록의 불비로 명확히 알 수 없다. 그러나 군영아문의 용어가 『속대전』에 규정되고, 그 아문을 직계아문·육조 속아문과는 별도로 군영아문으로 분류하여 적기하고 있다. 그런데 訓練都監 등 5 군문아문이 5軍營으로 통칭되어 있고,[18] 5군영 중 가장 늦게 설치된 禁衛營이 1682년(숙종 8)에 설치되었다. 이점에서 군영아문은 훈련도감이 설치된 1592년으로부터 금위영이 설치된 1682년의 어느 시기에 직계아문이나 육조 속아문과 구분하여 군영아문으로 규정한 것으로 추측되고, 이것이 계승되다가 1746년(영조 22)에 반포된 『속대전』에 법제화된 것으로 생각된다.

---

17) 『경국대전』·『전록통고』·『속대전』·『대전통편』『대전회통』 이·병전, 『조선왕조실록』 성종 14년~고종 1년조. 『증보문헌비고』 직관고에서 종합. 관아별 서열은 편의상 관아의 지위, 동반관아, 서반관아의 순서로 정리하였다.

18) 5군영은 훈련도감(선조 26), 어영청·총융청·수어청(인조 2), 금위영(숙종 8)이다(()는 설치년).

1) 訓練都監

훈련도감은 1592년(선조 25) 임진왜란이 발발하자 왜란 중인 1593년(선조 26)에 왜군의 鳥銃兵에 대처하기 위해 明 戚繼光의 『紀效新書』에 의거한 浙江兵法을 익히기 위한 射手·砲手·殺手의 3手兵을 훈련시키고자 종2품아문으로 설치되었고,[19] 그대로 조선후기까지 계승되었다.[20]

2) 御營廳

어영청은 1624년(인조 2)에 도성의 방어를 강화하기 위해 종2품 아문으로 설치되어 조선후기로 계승되었다.[21]

3) 禁衛營

금위영은 1682년(숙종 8)에 궁성의 수어를 강화하기 위해 종2품 아문으로 설치되어 조선후기로 계승되었다.[22]

4) 摠戎廳

총융청은 1624년(인조 2)에 도성수비를 강화하기 위해 종2품 아문으로 설치되고 1747년(영조 23) 經理廳을 합병하였으며,[23] 1846년(헌종 12) 總衛營

---

19) 『선조실록』 권36, 26년 8월 경자·계묘(그 설립 전후 과정은 金鍾洙, 2003, 『朝鮮後期中央軍制硏究-訓練都監의 設立과 社會變動』, 도서출판혜안, 71~96쪽 참조), 『대전회통』 권4, 병전 군영아문 훈련도감.

20) 『선조실록』 권36, 26년 8월 경자·계묘(그 설립 전후 과정은 金鍾洙, 위 책, 71~96쪽 참조), 『대전회통』 권4, 병전 군영아문 훈련도감.

21) 『인조실록』 권4, 2년 12월 정묘, 『비변사등록』 3책 인조 2년 1월 12일(그 설립 전후과정은 崔孝軾, 1983, 「御營廳 硏究」, 『韓國史硏究』 40, 한국사연구회, 74~77쪽 참조), 『대전회통』 권4, 병전 군영아문 어영청.

22) 『숙종실록』 권13, 8년 3월 갑자 ; 『만기요람』 군정편 금위영 설치연혁 ; 『대전회통』 권4, 병전 군영아문 금위영.

23) 『인조실록』 권6, 2년 7월 계유·경진 ; 『영조실록』 권65, 23년 5월 을미(총융청 설립과 변천 과정은 최효식, 1985, 「戎廳 硏究」, 『(동국대 경주캠퍼스)論文集』 4, 462~466쪽

으로 개칭되었다가 1849년(철종 즉위)에 다시 총융청으로 개칭되어 후대로 계승되었다.[24)]

5) 守禦廳

수어청은 1626년(인조 4)에 도성수비를 강화하기 위해 종2품 아문으로 설치되었고, 1656년(효종 7)경 경청·속영체제로 정비되었으며, 이후 출진·還京廳을 거듭하면서 운영되다가 1795년(정조 19)에 경청이 혁거되고 수어사가 광주유수의 겸직이 되면서 겸영으로 존속되었다.[25)]

2. 기타 軍營衙門 : 左·右捕盜廳, 經理廳·扈衛廳·禁軍廳·龍虎營·鎭撫營·管理營, 壯勇營·總理營

1) 左·右捕盜廳

좌·우 포도청은 1560년(명종 15)에 수도의 치안을 강화하기 위해 종2품 상설직계아문으로 정착되어[26)] 조선후기로 계승되었다.

2) 經理廳·扈衛廳·禁軍廳·龍虎營·鎭撫營·管理營

참조).

24) 『대전회통』 권4, 병전 군영아문 총융영.

25) 『속대전』·『대전회통』 권4, 병전 군영아문 수어청조. 차문섭은 1979, 「守禦廳研究」 상, 『東洋學研究』 6, 단국대 동양학연구소, 70~72쪽에서 인조 9~10년에 본격적인 편제가 정비되었다고 하였다.

26) 『명종실록』 권26, 15년 8월 계축 國家設左右捕盜廳 置左右大將. 그러나 이 이전인 성종 12년에 「捕盜事目」을 반포하여 左, 右邊 捕盜將 각1명이 卒伍를 거느리고 각각 서울 東·南·中部와 京畿左道, 서울 西·北部와 京畿右道를 관장하도록 규정하였다(그 이전에도 포도장 운영 확인, 『성종실록』 권127, 12년 3월 무술·권40, 5년 3월 병신). 이 이후 『중종실록』 등에 그 운영이 자주 확인되고 있다(『중종실록』 권26, 11년 10월 을묘, 외). 이점에서 성종대부터 간헐적으로 운영되다가 명종 15년에 상설의 직계아문이 되었고, 이것이 영조 22년에 반포된 『속대전』에 법제화된 것으로 생각된다.

(1) 經理廳

경리청은 1712년(숙종 38)에 도성방어를 강화하기 위해 종2품 아문으로 설치되어 운영되다가 1747년(영조 23)에 총융청에 합병되면서 혁거되었다.[27]

(2) 扈衛廳

호위청은 1623년(인조 1)에 국왕호위를 강화하기 위해 종2품 아문으로 설치되어 조선후기까지 계승되었다.[28]

(3) 禁軍廳

금군청은 1666년(현종 7)에 국왕 호위를 강화하기 위해 兼司僕·內禁衛·羽林衛를 통합하면서 종2품 아문으로 설치되어 운영되다가 1755년(영조 31)에 龍虎營으로 개편되면서 혁거되었다.[29]

(4) 龍虎營

용호영은 1755년(영조 31)에 국왕호위를 강화하기 위해 금군청이 개편되면서 종2품 아문으로 설치되어 조선후기까지 계승되었다.[30]

(5) 鎭撫營

진무영은 1700년(숙종 26)에 도성 서방 방어를 강화하기 위해 종2품 아문으로 설치되어 조선후기까지 계승되었다.[31]

---

27) 『영조실록』 권65, 23년 5월 을미 ; 『대전통편』 권4, 병전 군영아문 경리청.

28) 『인조실록』 권2, 1년 7월 무신·9월 기사·10월 임진 ; 『만기요람』 군정편 호위청 설치연혁 ; 『속대전』·『대전회통』 권4, 병전 군영아문 호위청.

29) 『증보문헌비고』 권226, 직관고 13 용호영 ; 『속대전』 권4, 병전 군영아문 금군청 ; 『만기요람』 군정편 용호영 설치연혁.

30) 『만기요람』 군정편 용호영 설치연혁 ; 『대전통편』 권4, 병전 군영아문 용호영.

(6) 管理營

관리영은 1711년(숙종 37)에 도성 북방 방어를 강화하기 위해 종2품 아문으로 설치되어 조선후기까지 계승되었다.[32)]

3) 壯勇營·總理營

(1) 壯勇營

장용영은 1793년(정조 17)에 정조가 왕권강화를 뒷받침하고 군영아문을 총령하기 위하여 왕 8년 이전에 설치된 壯勇衛에 금군청을 병합하면서 종2품 아문으로 설치되었다가.[33)] 1802년(순조 2)에 총리영에 합병되면서[34)] 혁거되었다.

(2) 總理營

총리영은 1793년(정조 17)에 壯勇營 外營으로 설치되었고, 1802년(순조 2)에 혁거된 장용영을 개편하면서 총리영으로 개칭되었다가[35)] 1813년(순조 13)에 정3품 당하아문으로 강격된 후 후대로 계승되었다.[36)]

이리하여 1560년(명종 15) 좌·우 포도청의 설치로 시작되고 1592년(선조 25) 훈련도감의 설치로 본격화된 조선후기의 군영아문은 그 수가 성종 16~선조 24년에는 포도청 1청에 불과하다가 그 후 5군영 등의 설치와 함께 크게 증가하면서 10(선조 25~정조 8)→ 11~9(정조 9~고종 1)→ 9(고종 2, 『대전회

---

31) 『대전통편』·『대전회통』 권4, 병전 군영아문 진무영조.

32) 『대전통편』·『대전회통』 권4, 병전 군영아문 관리영조.

33) 『日省錄』 정조 9년 7월 2일 ; 『정조실록』 권37, 17년 1월 12일·권42, 19년 5월 25일조(그 설치와 개편 전후관계는 박범, 2019, 「정조중반 장용영의 군영화과정」, 『史林』 70, 수선사학회, 128~147쪽 참조).

34) 『비변사등록』 193책, 순조 2년 9월 23일.

35) 박범, 앞 논문, 2019 ; 『순조실록』 권13 2년 9월 23일 ; 『대전회통』 권4, 병전 군영아문 총리영.

36) 『영조실록』 권65, 23년 5월 을미.

통』)아문으로 변천되면서 운영되었다. 지금까지 살펴 본 1485년(성종 16, 『경국대전』 반포)으로부터 1865년(고종 2, 『대전회통』 반포)까지의 군영아문 변천을 표로 정리하여 제시하면 다음과 같다.

〈표 10-2〉 조선후기 군영아문 변천[37]

		성종16~선조24	선조25~정조8	정조9~고종1	『대전회통』	비고
5군영	訓練都監		선조26 訓練都監(종2)→	→	訓練都監	종2품 아문
	御營廳		인조2 御營廳(종2)→	→	御營廳	
	摠戎廳		인조2 摠戎廳(종2)→	현종12 개 總衛營→15(철종즉) 複稱	摠戎廳	
	守禦廳		인조4 守禦廳→	정조19 혁(광주유수부)		
	禁衛營		숙종8 禁衛營(종2)→	→	禁衛營	
기타군영	羽林衛	성종23 羽林衛→연산10 혁→ 중종1 복→	현종7 혁(속 禁軍廳)			정3품 아문
	左·右 捕盜廳	중종11 이전 左, 右捕盜廳→ 명종15 상설·직계아문→	→	→	左, 右 捕盜廳	종2
	定虜衛	중종7 定虜衛→	광해군시 혁			정3
	扈衛廳		인조1 扈衛廳[38]→	→	扈衛廳	
	禁軍廳		현종7 禁軍廳→영조31 龍虎營→	→		
	鎭撫營		숙종26 鎭撫營→	→	鎭撫營	
	經理營		숙종36 經理廳→38 經理營(정3상)→ 영조23 혁(속 摠戎廳)			
	管理營		숙종37 管理營→	→	管理營	
	龍虎營		영조31 龍虎營→	→	龍虎營	
	壯勇營			정조9 壯勇衛→17 壯勇營→순조2 總理營		정2~종2[39]
	總理營			순조2 總理營→13 정3아문→	總理營	정3

37) 『조선왕조실록』 명종 15~순조 13 ; 『증보문헌비고』 권226, 직관고 13 ; 『만기요람』 군정편 ; 『속대전』·『대전통편』·『대전회통』 권4, 병전 경관직 군영아문조에서 종합.

38) 관아의 격은 보통 최고 정직의 관품에 의하여 결정된다. 호위청의 관직을 보면 3청에 각각 時·原任議政이나 國舅가 겸하는 정1품 大將 1명, 정3품 別將 1명 이하가 있기에 관직을 볼 때는 정3품 관아이다. 그러나 『속대전』 등에는 관아의 위치가

종2품 아문인 경리청과 금군청 사이에 기재되어 있다. 이점에서 종2품 아문으로 간주하여 파악한다.

39) 장용영의 관아 지위는 정조가 장용영 대장의 위차를 두고 년에 "병조판서(정2)의 아래이고 훈련대장(종2)의 상위이다"(『일성록』 정조 12년 3월 6일)라고 하였음에서 정2~종2품으로 상정하였다.

제11장 朝鮮 中·後期 京衙門의 변천Ⅱ－六曹屬衙門·六曹屬司와 臨時衙門

제1절 六曹屬衙門

六曹屬衙門은『경국대전』에 이조에 忠翊府 등 7아문, 호조에 內資寺 등 17(이상)아문, 예조에 弘文館 등 30(이상)아문, 병조에 5衛 등 6(이상)아문, 형조에 掌隷院·典獄署의 2아문, 공조에 尙衣院 등 8아문 등 66(이상)아문으로 법제화되었다.[1] 이 육조 속아문이 이후 1865년(고종 2)까지 정치상황, 재정궁핍, 육조의 속아문사 관장으로 인한 기능 조정과 약화, 參下 전·능·원관의 증가로 인한 관제변통 등과 관련된 속아문관의 삭감·혁거[2] 등 관제개변으로[3] 상서원 등 29관아는『경국대전』의 그것이 그대로 계승되었지만[4] 그 외의 관아는 승격·강격·혁거되고 세손강서원 등 관아가 新置되는 등의 변개를 겪으면서 운영되었다.

이 장에서는『경국대전』반포로부터 1865년(고종 2,『대전회통』반포)까지 변개된 육조 속아문을 승격·강격아문, 신치·혁거아문으로 구분하여 살펴본다.

---

1) 졸저, 2006,『朝鮮初期의 政治制度와 政治』, 계명대학교출판부, 309~315쪽, 〈표 7-9〉에서 종합.

2) 졸고, 2021,「朝鮮 中·後期(성종 16~고종 2) 京官 文班職 變遷研究」,『朝鮮史研究』30, 38~39쪽.

3) 육조 속아문의 변천배경과 그 변천을 정리하면 다음의 표와 같다(졸저, 앞 책, 2022. 100쪽에서 전재).

1. 昇格·降格衙門

1) 昇格衙門

1648년(인조 26)에 世子侍講院에 세자의 講學을 강화하기 위하여 종3품의 輔德 위에 정3품직인 贊善 1직이 설치됨에 따라 종3품 아문에서 정3품 아문으로 승격되어[5] 후대로 계승되었다.

2) 降格衙門

조선 중·후기 육조 속아문은 육조의 屬衙門事 관장, 군비증가·흉년으로 인한 재정궁핍,[6] 陵官이 중심이 된 참하관의 인사적체[7] 등과 관련된 속아문의 장관·차관이 正(정3)·副正(종3) 등의 혁거에 따라 내자시 등 10여 아문이 정3품 아문에서 종3품 이하 아문으로 강격되었다.

	관직삭감(재정궁핍)	업무증대	관아기능조정	기타	비고(아문수)
新置衙門				세손강서원(세손교육), 세손익위사(세손호위)	2
革去衙門			충익사, 종부시, 내섬시, 풍저창, 전함사, 교서관, 사축서, 도화서, 귀후서, 장예원, 수성금화사, 전연사	종학(운영부실)	13
昇格衙門		5부, 세자시강원		제궁·제전·제릉(관제조정)	2(제전등 제외)
降格衙門	내자시, 사도시, 제용감, 사재감, 의영고, 장흥고, 사포서, 예문관, 예빈시				9
합계	9아문	2	12	3(제전 등 제외)	26(제전 등 제외)

4) 29속아문은 뒤 〈표 11-2〉 참조(연산군대에 혁거되었다가 중종대에 복구된 관아 포함).

5) 『인조실록』 권17, 24년 5월 정축 ; 『속대전』 권1, 이전 경관직 세자시강원.

6) 『연산군일기』 권19, 9년 3월 경진 ; 『중종실록』 권14, 6년 10월 정축 ; 『명종실록』 권18, 10년 6월 정축 ; 『선조실록』 권17, 16년 6월 정미·권42, 26년 9월 계축 ; 『인조실록』 권34, 15년 3월 정미 외.

7) 한충희, 2020, 「조선시대(1392, 태조 1~1785, 정조 9) 능관제연구」, 『(계명대)동서인문학』 59, 155~156쪽.

성종 16~선조 24년에는 종2품 아문인 忠翊府가 忠翊司로 개칭되면서 정4품 아문으로 강격되고 곧 환원되었다가 다시 정3품 아문으로 강격되었고,[8] 정6품 아문인 掌苑署가 掌苑(정6)이 혁거되면서 종6품 아문으로 강격되었다가 1506년(중종 1) 장원이 복설되면서 정6품 아문으로 환원되었다.[9]

선조 25~정조 8년에는 繕工監(정3→종3), 司饔寺·司宰監(정3→종4), 濟用監·校書館(정3→종5), 內資寺·內贍寺·禮賓寺(정3→종6), 義盈庫·長興庫·司圃署·氷庫·造紙署(종5→종6)가 각각 정3품과 종5품 아문에서 종3~종6품 아문으로 강격되었다.[10]

2. 新置·革去衙門

1) 新置衙門

1648년(인조 26)에 왕세손의 講學과 호위를 위해 정3품 아문인 世孫講書院(예조 속아문)과 종6품 아문인 世孫衛從司(병조 속아문)가 설치되었고,[11] 1746년(영조 22) 이전에 정3품 아문인 宣傳官廳·종6품 아문인 守門將廳(병조 속아문)이 설치되었다.[12]

---

8) 『연산군일기』 권61, 12년 1월 병신 ; 『인조실록』 권1, 1년 10월 무신. 다시 광해군 8년 4월에 충익위로 개칭되면서 위속이 되었다.

9) 『연산군일기』 권61, 12년 1월 병신 ; 『증보문헌비고』 권223, 직관고 10.

10) 정3품 아문에서 종3품 아문으로 강격된 경우는 정3품직인 正이 혁거되고 종3품직인 副正이 장관이 되면서였으나, 정3품 아문에서 종5품 이하아문으로 강격된 경우는 예컨대 예빈시가 명종 10년 副正(종3)·提檢(4품)·僉正(종4)·判官(종5)이 혁거되고, 경종 1년 정이 혁거되면서 종6품 아문이 되었듯 대개의 경우는 먼저 종3~종5품관이 혁거되고 뒤에 정3~종5품관이 혁거되었다(『명종실록』 권18, 10년 6월 정축 ; 『증보문헌비고』 권222, 직관고 9).

11) 『인조실록』 권19, 26년 9월 신축 ; 『증보문헌비고』 권225, 직관고 12.

12) 『증보문헌비고』 권226, 직관고 13 ; 『속대전』. 권4, 병전 경관직.

2) 革去衙門

조선 중·후기 육조 속아문은 그 관직이 재정궁핍과 관련되어 삭감되기도 하였지만 그 기능과 관련되어 屬曹(속아문이 소속된 조)나 기능이 유사한 속아문으로 통합되면서 혁거되었다(혁거연도는 뒤 〈표 11-1〉 참조).

성종 16~선조 24년에는 宗學이 재정궁핍과 유명무실로,[13] 司畜署가 典牲暑에 병합되면서[14] 각각 혁거되었다.

선조 25~정조 8년에는 忠翊司가 병조,[15] 司贍寺가 濟用監,[16] 豊儲倉이 長興庫,[17] 典艦司가 공조,[18] 校書館이 奎章閣,[19] 歸厚署가 호조(처음에는 예조),[20] 掌隷院이 형조,[21] 修城禁火司가 병조,[22] 효종 9년에 복설된 司畜署가 다시 호조로[23] 각각 병합되면서 혁거되었다.

정조 9~고종 1년에는 內贍寺가 義盈庫, 圖畵署가 예조, 歸厚署가 호조로 각각 병합되면서[24] 혁거되었다. 또 조선 중·후기를 통하여 內資寺 등 10여 아문이 폐·복치되거나 폐·복치를 반복하면서 운영되었다.[25]

---

13) 『중종실록』 권14, 6년 10월 무인 ; 권26, 11년 9월 갑진 ; 권80, 30년 7월 무자.
14) 『인조실록』 권34, 15년 3월 정미.
15) 명종 18년 충훈부에 병합되면서 혁거되었고, 광해군 8년 복치되었다가 최종적으로 숙종 4년 병조에 병합되면서 혁거되었다(『명종실록』 권18, 10년 6월 정축 ; 『숙종실록』 권7, 4년 9월 신해·권9, 6년 5월 무신 ; 『숙종개수실록』 권35 하, 27년 12월 기묘).
16) 『인조실록』 권34, 15년 3월 정미.
17) 『인조실록』 권34, 15년 3월 정미.
18) 『증보문헌비고』 권224, 직관고 11 전함사.
19) 『증보문헌비고』 권220, 직관고 7 교서관, 정조 6년조.
20) 『증보문헌비고』 권223, 직관고 10 귀후서, 정조 1년조.
21) 『영조실록』 권39, 10년 9월 계유,
22) 『증보문헌비고』 권224, 직관고 11. 수성과 금화 기능으로 나뉘어 수성은 병조에 귀속되나 금화는 한성부에 귀속되었다.
23) 『효종실록』 권20, 9년 12월 기묘 ; 『증보문헌비고』 권223, 직관고 10 사축서(영조 43년조).
24) 『대전회통』 권1, 이전 경관직.
25) 그 아문은 다음과 같다. 『조선왕조실록』 연산군 1~영조 22년조에서 종합.

3. 革去後 復置衙門

정3품 아문인 觀象監이 1496년(연산군 2)에 司曆署로 개칭되고 종5품 아문으로 강격되었다가 1506년(중종 1)에 정3품 아문인 관상감으로 환원되었고, 掌樂院이 1505년(연산군 11)에 聯芳院으로 개칭되었다가 1506년(중종 1)에 장악원으로 복칭되었다. 종5품 아문인 掌苑署가 1505년에 종6품 아문으로 강격, 1506년(중종1)에 정6품 아문으로 승격, 1746년(영조 22) 이전에 종6품 아문으로 강격되었다. 또 昭格署가 1506년(연산군 12)에 혁거, 동년 중종 즉위초에 복구, 1518년(중종 13)에 혁거, 1522년(중종 17)에 복치되어 1746년(영조 22) 이전에 혁거되는[26] 변화를 각각 겪으면서 운영되었다.

이리하여 조선 중·후기의 육조 속아문은 성종 16~선조 24년에는 강격 2[승격·신치·혁거는 없었고(연산군대에 강격·혁거되었다가 중종대에 복구된 아문 제외), 선조 25~정조 8년에는 승격 2·강격 13·신치 4·혁거 12, 정조 9~고종 1년에는 혁거 2(승격·강격·신치는 없음)가 되는 변천을 겪으면서 운영되었다. 또 속아문수는 66이상(『경국대전』)[27]→66(성종 16~선조 24) → 66~58(선조 25~정조 8)→58~56(정조 9~고종 1)으로 변천되면서 운영되었다.[28] 속아문 지위는 종2품 아문은 3(『경국대전』)→2(성종 16~선조 24)→2

( )는 혁거시기

내자시(인조15~23), 조지서(연산12~중종1, 선조16~27이전),
홍문관(연산군1~중종1), 의영고(선조27~광해군즉위),
종묘서(중종11~20), 전설사(선조6~16 이전),
양현고(선조26~영조22 이전), 활인서(선조26~영조22 이전),
혜민서(인조15~곧) 와서(인조28~?, 인조36~영조22이전).
4학(연산군10~중종1).

26) 『연산군일기』 권62, 12년 1월 병신 ; 『중종실록』 권1, 1년 10월 무신 ; 『중종실록』 권34, 13년 9월 경자 ; 『중종실록』 권46, 17년 12월 을유·정해.

27) 4학·5부·5위는 1아문으로 계산, 그 각각을 고려하면 80여 아문이 된다. 제궁·능·전 제외, 이후의 시기도 같다).

28) 그 변천상을 정리하면 다음의 표와 같다(〈표 11-2〉에서 종합).

(선조 25~정조 8)→2(정조 9~고종 1), 정3품 당상아문은 2(『경국대전』)→2(성종 16~선조 24)→2~1(선조 25~정조 8)→1(정조 9~고종 1), 정3품 아문은 27(『경국대전』)→27(성종 16~선조 24)→27~20(선조 25~정조 8)→20~19(정조 9~고종 1), 종6품 아문은 12이상(『경국대전』)→12(성종 16~선조 24)→22~18(선조 25~정조 8)→18~17(정조 9~고종 1)아문으로 변천되면서 운영되었다(종3~정6품 아문의 수는 주40) 참조). 이를 정리하면 다음의 표와 같다.

〈표 11-1〉 조선 중·후기 육조 속아문 관아수 변천

	『경국대전』	성종16~선조24	선조25~정조8	정조9~고종1	『대전회통』	비고
종2품 아문	3이상*	3~2	2	2	2	* 忠翊府, 內侍府, 五衛
정3품 당상아문	2*	2	2~1	1	1	* 弘文館, 掌隷院
정3	27	27	27~20	20~19	19	
종3	1	1	2	2	2	
정4	5	6~5	6~1	1	1	
종4	2	2	2	2	2	
정5	2	2	2	2	2	
종5	8	8	8~7	7	7	
정6	3	3	3~1	1	1	
종6	12이상	12	12~18	18~17	17	
합계	66이상	66~63	66~58	58~56	56	

이를 볼 때 조선 중·후기 육조 속아문은 조선초에 비해 아문수가 크게 감소되었고, 또 육조 속아문의 중심이 된 정3품 아문이 크게 감소된 반면에

〈속조별 소속 속아문 변천 종합표〉

	『경국대전』	성종16~선조24	선조25~정조8	정조9~고종1	『대전회통』	비고
이조	7	7	7~6	6~5	5	
호	17이상	17	17~14	14~13	13	
예	27이상*	27	27~23	23	23	*諸殿, 宮, 陵 제외
병	6이상	6	6~9	9	9	
형	2	2	2~1	1	1	
공	7	7	7~5	5	5	
합계	66이상	66	66~58	58~56	56	

최하위 아문인 종6품 아문은 그 수가 크게 증가되는 특징을 보이면서 운영되었다고 하겠다. 지금까지 살펴본 1485년(성종 16, 『경국대전』 반포)으로부터 1865년(고종 2, 『대전회통』 반포)까지의 육조 속아문 변천과 변천배경을 표로 정리하여 제시하면 다음과 같다.

〈표 11-2〉 조선 중·후기 육조 속아문 변천[29]

『경국대전』	성종16~선조24	선조25~정조8	정조9~고종1	『대전회통』	비고
忠翊府	연산12 忠翊司(정4 아문)→				이조속아문, 정3품아문
內侍府	→	→	→	내시부	
尙瑞院	→	→	→	상서원	
宗簿寺	→	→	→	고종1 혁 (속 종친부)	
司饔院	→	→	→	사옹원	
	연산12 忠翊司→	명종18 혁(속충훈부)→ 광해군8 복→ 혁(숙종4, 속병조[30])			정4
內需司	→	→	→	내수사	정5
掖庭署	→	→	→	액정서	잡직아문
內資寺	→	인조15 혁→ 곧 복(현종4 이전)→ ? 종6품아문			호조속아문, 정3품아문
內贍寺	→	인조15 종6품아문			
司䆃寺	→	숙종28 종4품아문			
司贍寺	→	? 혁→ 인조13복→15 혁(속濟用監)			
軍資監	→	→	→	군자감	
濟用監	→	숙종1 종5품아문			
司宰監	→	영조22이전 종4품아문			
豊儲倉	→	인조15 혁(속장흥 고)			정4
廣興倉	→	→	→	광흥창	
典艦司[31]	→	중종31~정조9이전 혁(속공조)			
		司䆃寺→	→	사도시	종4
		司宰監→	→	사재감	
		濟用監→	→	제용감	종5
平市署	→	→	→	평시서	
司醞署	→	→	→	사온서	

		五部(東·西·南·北·中部)→	→	오부(동·서·남·북·중부)	
義盈庫	→	선조7 이후 혁→ 광해군 즉위 복→ 영조22이전 종6품아문			
長興庫	→	인조15~영조22이전 종6품아문			
司圃署	연산12 혁→숙종30이전 복→	영조22이전 종6품아문			
養賢庫	→	선조26 혁→ 영조22이전 복→	→	양현고	
		內資寺→	→	내자시	종6
		內贍寺→	→정조24 혁(속의영고)		
		義盈庫→	→	의영고	
		長興庫→	→	장흥고	
		司圃署→	→	사포서	
五部(東·西·南·北·中部)	→	영조22이전 종5품아문			
弘文館	연산11 혁→ 중종1 복→	→	→	홍문관	예조속아문, 정3품아문
		世子侍講院→	→	세자시강원	
		인조26 世孫講書院→	→	세손강서원	
藝文館	→	정조9이전 종3품아문			
成均館	→	→	→	성균관	
春秋館	→	→	→	춘추관	
承文院	→	→	→	승문원	
通禮院	→	→	→	통례원	
奉常寺	→	→ -	→	봉상시	
校書館	→	광해2 서적교인도감→ ? 校書館→ ? 종5품아문→ 정조6혁(규장각)			
內醫院	→	→	→	내의원	
禮賓寺	→	경종1 종6품아문			
掌樂院	연산11 聯芳院→ 중종1 掌樂院→	→	→	장악원	
觀象監	연산2 사력서(종5아문)→ 중종1 觀象監→	→	→	관상감	
典醫監	→	→	→	전의감	

司譯院	→	→	→	사역원	
世子侍講院	→	인조24 정3품아문			종3
			藝文館→	예문관	
宗學	연산11 혁→ 중종1 복→6 혁→ 11 복→	영조22이전 혁			정4
昭格署	연산12 혁→중종1 복→ 13 혁→ 17 복→	→ 영조22이전 혁			종5
宗廟署	중종11 혁→ 20 복→	→	→	종묘서	
社稷署	→	→	→	사직서	
		校書館→ 정조6 혁(속규장각)			
氷庫	→	영조22이전 종6품아문			
		禮賓寺→	→	예빈시	종6
		氷庫→	→	빙고	
典牲署	→	→	→	전생서	
司畜署	연산12 혁→중종1 복→ 인조15 혁(속전생서)	? 복→ 선조28 혁(속전생서)→ ? 복→ 영조43 혁(속 호조)			
惠民署	인조15 혁(속전의감)→ 곧 복→	→	→	혜민서	
圖畵署	→	정조9이전 혁			
活人署	→	선조26 혁→ 영조22이전 복→	→	활인서	
歸厚署	→	선조26 혁(속 예조) → 영조22이전 복→ 정조1 혁(속 호조)			
四學(東·西·南·北·中學)	연산10 東·西·南학 혁→중종1 복→	현종2 5학(치 북학), 곧 4학(혁북학)→	→	4학(동·남·북·중학)	
諸殿·陵32)	→	→	→	제전	
五衛(義興·龍驤·虎賁·忠佐·忠武衛)	→	→	→	5위(의흥·용양·호분·충좌·충무위)	병조속아문, 정3품아문
訓鍊院	→	→	→	훈련원	
司僕寺	→	→	→	사복시	
軍器寺	→	→	→	군기시	
		영조22 이전 宣傳官廳→	→	선전관청	
典設司	선조6 혁→ ? 복→ 선조16 종6품아문				정4
世子翊衛司	→	→	→	세자익위사	정5
	典設司→	→	→	전설사	종6

		인조26 世孫衛從司→	→	세손위종사	
	성종16 이전 守門將	守門將廳→	→	수문장청	
掌隷院	→	영조40 혁(속형조)			형조속아문, 정3
典獄署	→	→	→	전옥서	종6
尙衣院	→	→	→	상의원	공조속아문, 정3품아문
膳工監	→	숙종1 이전 종3품아문			
		膳工監→	→	선공감	종3
修城禁火司	→	인조15 혁	→		정4
典涓司	→	영조22이전 혁			종4
掌苑署	연산군12 종6품아문→ 중종1 정6품아문→	영조22이전 종6품아문			정6
造紙署	연산군12 혁→? 중종1 복→ 선조16 혁→	선조27이전 복→	→	조지서	
		掌苑署→	→	장원서	
瓦署	→	선조28 혁(속 공조)→? 복→ 36이전 혁→ 영조22이전 복→	→	와서	

29) 『조선왕조실록』 성종 16년~철종 14년 ; 『고종실록』 1년 ; 『증보문헌비고』 권220~226, 직관고 7~14 ; 『『경국대전』·『전록통고』·『속대전』·『대전통편』·『대전회통』 권1, 이전·권4 병전 경관직조 등에서 종합.

30) 숙종 6 속충훈부, 숙종 15 속병조, 숙종 27년 이후 속충훈부(『숙종실록』 6~27년조, 『속대전』·『대전통편』 권1, 이전 충훈부조).

31) 전함사의 속조에 있어서 태종 5년 3월 6조 속아문제 성립 때에는 호조 속아문이었다. 그런데 『경국대전』 호전과 병전 모두에 전설사가 기재된 반면에 전함사는 누락되어 있고, 이전 경관직조에는 전설사와 전함사가 각기 정4품 아문에 기재되어있다. 또 『속대전』·『대전통편』·『대전회통』에는 이 내용이 그대로 전재되어 있다. 이를 볼 때 호전과 병전에 기재된 전설사 중 하나는 전함사가 되어야 맞겠고, 양 사의 기능과 육조 속아문 성립 때의 속아문 분류에 미루어 『경국대전』 등에 기재된 전설사는 전함사가 오기되었다고 생각된다. 이에 따라 호조 속아문으로 기재된 전설사는 전함사로 고쳐 파악한다.

32) 『경국대전』으로부터 『대전회통』에 이르기까지의 제전·능의 변천은 다음의 표와 같다[『경국대전』·『속대전』·『대전통편』·『대전회통』 ; 한충희, 2019, 「조선시대 능관제연구」, 『동서인문학』 59, 계명대학교 동서인문학연구소에서 종합, ( )는 관아의 격과 아문수)].

제2절 六曹屬司(부 議政府·堤堰司·訓練都監 속사)

육조 속사는 『경국대전』에 등재된 이·호·예·병·공조에 각각 3司, 형조에 4司의 19司가 이후 1865년(고종 2)까지 군정·경제·사회적인 변동 등과 관련되어 이·예·형·공조는 변동 없이 계승되었지만, 호·병조는 군정·경제제도의 변천·운영과 관련되어 많은 속사가 설치되면서 운영되었다(『경국대전』의 19속사는 뒤 〈표 11-4〉 참조). 이에 따라 여기에서는 호·병조 속사의 변개를 살펴보고 겸하여 의정부·준천사·훈련도감의 속사도 고찰한다.

1. 戶曹·兵曹 屬司

1) 戶曹屬司

호조 속사는 『경국대전』에 등재된 版籍司·會計司·經費司가 1785년(정조 9) 이전에 經費司가 別例房으로 개칭되고 前例房·辦別房·別營色·別庫色·歲幣色·應辯色·銀色이 신치되면서[33] 판적사·회계사·별례방·전례방·판별방·별영색·별고색·세폐색·응변색·은색의 10사로 정비되어 『대전통편』에 등재된 후 후대로 계승되었다.

	제전	제릉	비고
『경국대전』	文昭·延恩殿(종9-2)	健元陵 등 20릉(종9-20)	
성종16~영조22(『속대전』)	永禧殿 등 5전(종5-1, 종8-2, 종9-2)	건원릉 등 40능(종5-8, 종7-5, 종8-9, 종9-18)	
영조23~정조9(『대전통편』)	영희전 등 8전(종5-3, 종8-2, 겸관-2*)	건원릉 등 42릉(종5-24, 종7-6, 종8-9, 종9-3)	*萬寧·長生 殿
정조10~고종2(『대전회통』)	영희전 등 8전(종5-6, 겸관-2*)	건원릉 등 47릉(종5-29, 종7-9, 종8-5, 종9-4)	
합계	2~8전	20~47릉	

33) 『대전통편』 권1, 이전 경관직 호조.

2) 兵曹屬司

병조 속사는 『경국대전』에 등재된 武選司·乘輿司·武備司가 1785년(정조 9) 이전에 무선사와 승여사가 政色과 馬色으로 개칭되고 一軍色·二軍色·有廳色·都案色·結束色이 설치되면서[34] 정색·마색·일군색·이군색·유청색·도안색·결속색의 7속사로 정비되어 『대전통편』에 등재된 후 후대로 계승되었다.

2. 議政府·濬川司 屬司

1) 議政府屬司

의정부에는 속사가 없다가 1865년(고종 2)에 1592년(선조 25)으로부터 당시까지 의정부를 무력화시키면서 최고의 정치·군사기구로 군림했던 비변사를 의정부에 병합하고 의정부 중심 국정운영체제를 복구할 때 堤堰司가 속사가 된 후[35] 『대전회통』에 등재되었다.

2) 濬川司屬司

준천사에는 속사가 없다가 1865년(고종 2)에 비변사를 혁거하고 의정부 중심의 국정운영체제를 복구할 때 舟橋司가 속사가 된 후[36] 『대전회통』에 등재되었다.

3) 訓練都監屬司

훈련도감 속사인 糧餉廳은 1593년(선조 26) 훈련도감 설치와 함께 속사로 설치되어 후대로 계승되었다.[37]

---

34) 『대전통편』 권1, 이전 경관직 호조.

35) 『고종실록』 2년 3월 28일.

36) 『고종실록』 2년 3월 28일.

37) 『대전회통』 권4, 병전 군영아문 훈련도감 양향청.

이와 같이 『경국대전』의 19속사가 조선후기에는 16司, 3房·12色으로 개칭·증가·세분화되면서 운영되었다. 조선 중·후기 육조 속사변천을 정리하면 다음의 표와 같다.

〈표 11-3〉 조선 중·후기 육조 속사 변천(부 의정부·준천사·훈련도감 속사)

		『경국대전』	성종16~고종1(창치년)	『대전회통』(고종2)
이조	文選司	文選司	→	→
	考勳司	考勳司	→	→
	考功司	考功司	→	→
호조	版籍司	版籍司	→	→
	會計司	會計司	→	→
	經費司	經費司	정조9 이전 別例房→	別例房
	前例房		정조9 이전 前例房→	前例房
	辦別房		정조9 이전 辦別房→	辦別房
	別營色		정조9 이전 別營色→	別營色
	別庫色		정조9 이전 別庫色→	別庫色
	歲幣色		정조9 이전 歲幣色→	歲幣色
	應辯色		정조9 이전 應辯色→	應辯色
	銀色		정조9 이전 銀色→	銀色
예조	稽制司	稽制司	→	→
	典享司	典享司	→	→
	典客司	典客司	→	→
병조	武選司	武選司	정조9 이전 政色→	政色
	乘輿司	乘輿司	정조9 이전 馬色→	馬色
	武備司	武備司	→	→
	一軍色		정조9 이전 一軍色→	一軍色
	二軍色		정조9 이전 二軍色→	二軍色
	有廳色		정조9 이전 有廳色→	有廳色
	都案色		정조9 이전 都案色→	都案色
	結束色		정조9 이전 結束色→	結束色
형조	詳覆司	詳覆司	→	→
	考律司	考律司	→	→
	掌禁司	掌禁司	→	→
	掌隷司	掌隷司	→	→
공조	營造司	營造司	→	→
	攻治司	攻治司	→	→
	攻治司	攻治司	→	→
의정부	堤堰司		고종2 堤堰司→	堤堰司
준천사	舟橋司		고종2 舟橋司→	舟橋司
준천사	糧餉廳		선조26 糧餉廳→	舟橋司

제3절 臨時衙門

조선 중·후기에 운영된 임사아문은 조선초기의 제도가 그대로 계승·답습되고 정치, 사회, 경제의 변화에 수반되어 다수의 아문이 설치되어 운영되었다. 國葬 4都監, 校正·大同·救荒·賑恤廳, 詳定所, 備戎司, 嘉禮色 등 제 도감·청·소·사·색 등은 조선 중·후기를 통해서 特定事를 집중적으로 처리하거나 懸案事가 있을 때 설치되고 그 각각에 도제조(정1겸)·판사(1~2품겸)·제조(1~2품)·사(1~2품)·낭청(3품 이하)가 임명되어 소관사를 지휘하고 처리하였다.[38]

1. 都監

조선 중·후기를 통하여 운영된 도감에는 왕실과 관련된 일을 집중적으로 처리하기 위해 설치된 국장 4도감(魂殿·殯殿·齋·山陵都監)·祔廟都監·冊封都監·封陵都監[39]·嘉禮都監을 위시하여 明使·清使를 지대하기 위한 迎接都監, 왕릉보수를 修補都監 등이 있다.

2. 所·色·廳·司, 기타

조선 중·후기를 통해 운영된 소에는 전제·의례상정소와 숙위소 등이 있고, 색에는 가례색·육전수찬색·공부상정색 등이 있다. 청에는 실록청, 법전찬집

---

38) 그 아문은 다음과 같다(아문의 운영기간과 관장사는 〈표 11-4〉 참조).
도감 : 빈전, 재, 국장, 조묘(산릉), 책봉(봉숭), 가례(길례), 부묘, 공신(녹훈). 실록, 영접도감.
청 : 교정(감교), 찬집, 입거, 이정, 전운, 군적, 진휼, 호패청.
소 : 상정소.

39) 왜란 시기 등에 훼손된 왕릉을 보수하기 위해 설치된 도감이다.

청, 대동청, 균역청, 이정청, 진휼청, 구황청, 방어청, 양향청 등이 있고, 사에는 비융사, 무군사, 축성사 등이 있다. 그 외에 도체찰사부, 忠壯衛·別騎衛, 訓練別隊 등 다수가 확인된다.

이들 임시기관은 짧게는 1~2년의 단기간으로부터 수십 년에 걸쳐 운영되면서 그 각각에 부여된 현안사를 처리하였다. 특히 이들 아문 중에서도 築城司는 조선중기에 남북방의 변사를 집중적으로 처리하다가 비변사로 계승되었고,[40] 都體察使府는 전란이나 전란이 임박하였을 때 경외의 군사를 총령하는 최고 군사지휘부였으며,[41] 撫軍司는 왜란시에 分朝를 이끈 세자 광해군의 군민지휘를 위한 行營이었다.[42] 宿衛所는 정조 즉위초에 급박한 국왕·궁궐 호위를 위해 설치되어 洪國榮의 실각 시까지 운영되었는데[43] 정조의 위임을 받아 정치·군사를 총관한 都承旨兼禁衛大將(곧 규장각제조도 겸임)인 홍국영이 대장으로서 왕측근·궁궐·호위와 도성수비를 전장함은 물론 5군영까지 지휘하였다.[44] 또 大同廳과[45] 均役廳 등은 대동미와 군포를 전장하다가 조선

40) 『중종실록』 권28, 12년 6월 경술·신미.

41) 정유재란기인 선조 29~30년에 우의정 이원익이 도체찰사, 숙종 2년 1월~3년 5월에는 영의정 許積이 도체찰사, 숙종 4년 12월~6년 3월에는 영의정 허적이 도체찰사, 병조판서 金錫胄가 부체찰사로서 각각 도체찰사부를 주관하였다(『선조실록』 29~30년조 ; 노명구, 2012, 「5군영제의 확립과 군영체제의 정비」, 『한국군사사』 권7, 조선후기1, 423~431쪽에서 종합).

42) 『선조실록』 권45, 26년 윤11월 병신·권46, 26년 12월 신해, 외.

43) 『정종기사』 권5, 1년 11월·권7, 3년 9월(구체적인 내용은 박광용, 1997, 「정조대 탕평정책과 왕정체제의 강화」, 『한국사』 32, 국사편찬위원회, 47쪽 참조).

44) 박광용, 위 논문, 97쪽.

45) 경기대동청이 설치된 선조 41년으로부터 각도에 설치된 대동청과 그 시기는 다음의 표와 같다(한영국, 2003, 「대동법의 시행」, 『한국사』 30, 국사편찬위원회, 513쪽 〈표 11〉에서 전재)

관아	운영시기	관아운영	관아	운영시기	관아운영
경기대동청	선조 41년	독립, 속선혜청	호서대동청	숙종 2	속선혜청
강원대동청	인조 2~효종3	호조관리	영남대동청	숙종 3	속선혜청
호서대동청	효종 3	속선혜청	해서대동청	숙종 34	속선혜청
호남대동청	효종 8	속선혜청			

후기에 정치를 주도한 備邊司, 宣惠廳 등 直啓衙門으로 계승되거나 흡수되었고,[46] 救恤廳(賑恤廳)은 조선 중·후기에 빈번히 발생하는 흉년, 대규모로 발생한 질병 등과 관련하여 최대의 현안이 된 기민과 병자를 구휼하기 위하여 상설기관처럼 운영되었다.[47] 그 외에도 精抄廳·武藝廳 등은 현종과 숙종이 노론의 전단을 극복하고 왕권강화를 도모하면서 그 토대로 육성한 군영이었다.[48] 이점에서 국장도감 등은 물론 축성사·도체찰사부·무군사·숙위소·대동청·구휼청·무예청 등은 비록 임시아문이기는 하나 성설아문과 다름없는 지위와 기능을 누렸다고 하겠다.

이상에서 조선 중·후기에 치·폐가 반복되거나 단기간에 중대사나 현안사를 담당한 제 도감·소·색·청·사·위 등 임시아문은 조선 중·후기를 통해 수십여 아문으로[49] 변천되면서 운영되었다.

지금까지 살펴본 1485년(성종 16, 『경국대전』 반포)으로부터 1865년(고종 2)까지 운영된 중요 임시아문을 정리하면 다음의 표와 같다.

---

46) 그 변천은 뒤 〈표 11-4〉 참조.

47) 중종~명종 연간에 진휼청이 운영된 시기는 다음의 표와 같다(이태진, 2003, 「상평창·진휼청의 설치 운영과 구휼문제」, 『한국사』 30, 국사편찬위원회, 343쪽 〈표 3〉에서 전재)

	기간	소속관아	전거		기간	소속관아	전거
중종	6(1511)~8년	독립관아	『중종실록』 6년 10월 신사	명종	2(1547)~3년	독	『명종실록』 2년 5월 을해, 3년 6월 경술
	11~12	독	11년 5월 기미, 12년 3월 신사		6~10	독	6년 3월 임진, 10년 4월 신묘
	20~21	호조산하	20년 7월 기묘 21년 1월 기미		14	독	14년 7월 정해
	24~25	산	24년 7월 신축, 25년 1월 갑진		20~21	독	20년 11월 무술, 21년 6월 을미
	28	산	28년 1월 병오				
	36~37	독	36년 5월 임진, 37년 8월 을미				

48) 『정조실록』 권20, 9년 7월 기유 ; 권37, 17년 1월 임신.

49) 『조선왕조실록』 성종 16년~고종 2년조에서 종합.

〈표 11-4〉 조선 중·후기 임시아문 운영[50)]

아문	운영기간(관장사)	아문	운영기간(관장사)
國葬4都監[51)]	조선 중·후기(국장제사)	常平廳	?~선조41(물가조절)
冊封(封崇, 冊寶)都監	조선 중·후기(책봉, 봉숭사)	大同廳	선조41~효종3(속 선혜청, 대동미포 관장)[52)]
嘉禮(吉禮)都監	조선 중·후기(가례, 길례사)	均役廳	영조25~29(속 선혜청, 군포관장)[53)]
奉陵都監	조선후기(봉릉시)	日記廳	중종2(戊午史局事 정리)
祔廟都監	조선 중·후기(부묘시)	釐正廳	조선 중·후기(전정, 군정 등 이정)
功臣(錄勳)都監	조선 중·후기(공신책록시)	精抄廳	현종10~16, 숙종7~8(위속)
實錄都監(廳)	조선 중·후기(실록편찬시)	轉運廳	조선 중·후기(전운사)
迎接都監	조선 중·후기(명사영접시)	賑恤廳	조선 중·후기(진휼사)
軍籍(改修)都監(廳)	조선 중·후기(군적개수시)	號牌廳	조선 중·후기(호패사)
樂學都監	?~중종6(악학관장)	能麼兒廳	인조7~?혁, 효종6~영조4(군사교련)
營建都監	광해8~[54)](각종건축공사)공역	權武廳	효종·현종대(무사훈련권장)
別造都監	인조2이전~?(병기제조)	施惠廳	연산12~중종1(구료)
正供都監	선조3~5(공물상정)	武藝廳	숙종17~정조9(무예장권)
軍門都監	선조30~32(명 재독 접대)[55)]	別軍職廳	효종1~, 정조12~(효종 심양수행 8장사, 그 후손 소속위)[56)]
備戎司	연산6~10(야인방어)	治腫廳	왜란 직후(종기치료)
築城司	중종12(변방방비)	糧餉廳	왜란 이후(군수조달)
撫軍司	선조26.12~(世子군정지휘)	詳定所	조선 중·후기(공안, 전제 등 상정)
保民司	영조40~51(구료)	宿衛所	정조1~3(국왕 측근호위)[57)]
舟橋司	정조17~(浮橋건설사)	忠壯衛	선조25~?(위속)
校正(勘校)廳	조선 중·후기(경전, 사서, 법전 등 교정)	掃敵衛	조선후기(預差내금위)
防禦廳	중종5~6(삼포왜란진압지휘)	別親騎衛	조선후기(위속)
別造廳	인조9~?(회기제조, 화약 연취)	訓練別隊	현종10~숙종8(위속),
撰集廳	조선 중·후기(어제, 경전, 사서, 법전 등 찬집)	廣惠署, 進惠署, 受惠室, 保艷司, 保和庫	연산군 말기
入居廳	조선 중·후기(북방지 입거사)		

50) 『조선왕조실록』 성종 16년~철종 14년조 ; 『정종기사』 1~3년조 ; 『증보문헌비고』 권226, 직관고 13 ; 『만기요람』 군정편 등에서 종합.

51) 4도감은 국왕훙서로부터 능의 조성까지 업무를 분장한 殯殿, 齋, 國葬, 造墓都監이다.

52) 각도에 설치된 대동청은 다음과 같다[()는 선혜청 병합년)].
경기대동청(선조41~41), 강원대동청(인조2~효종3), 호서대동청(효종3~3), 호남대동청(효종9, 선혜청속사), 영남대동청(숙종3, 선혜청속사), 호서대동청(숙종34, 선혜청속사).

53) 『영조실록』 권71, 26년 7월 신해.

54) 광해군 8년 이전 繕修都監, 營建廳, 인조 11 修理所.

55) 선조 32년 2월에 이 도감에 속한 접반사인 이조판서 張雲翼이 명 提督 麻貴를 접대하였음이 확인되었고(『선조실록』 권109, 32년 2월 경신), 마귀제독은 선조 32년 5월~32년 4월까지 조명 연합군을 지휘하면서 정유재란을 종결지었다(麻鎬瀅, 『東征提督 而泉 麻貴 朝鮮救援實記』. 도서출판 태양, 53~244쪽). 이에서 군문도감의 운영기간은 마귀제독의 활동과 관련하여 추정하였다.

56) 『증보문헌비고』 권226, 직관고 13 별군직청.

57) 정조 1년에 정조의 최측근 친위군으로 설치되었고, 홍국영은 도승지로서 숙위소대장을 겸하면서 정치·군사를 전단하는 위세를 부렸고, 2년 뒤에 홍국영의 실각과 함께 혁파되었다(『승정원일기』 145책, 정조 3년 10월 8일 ; 『정조실록』 권22, 10년 12월 정미 … 曾於宿衛所-洪國榮以禁衛大將內入直時 稱宿衛所 …).

제12장 朝鮮 中·後期 外官衙의 변천Ⅰ－道·郡縣과 驛·殿·陵

제1절 道와 郡縣

1. 道

道는『경국대전』에 규정된 8도가 변동 없이 후대로 계승되었다. 그러나 道名은 관내 군현을 대표하는 두 邑號(首府, 界首官)의 첫 글자에서 기인되었기에 도명의 토대가 된 계수관이 군현의 변천에 따라 혁파·복구되는가 하면 자주 읍호가 강격·승격되었다. 이러한 군현의 변천과 관련되어 경기·경상·평안도와 영안도는 변동 없이 계승(영안도는 중종 4년에 함경도로 개칭된 후 조선말까지 계승)되었지만 그 외의 충청·전라·강원·황해도는 다음에 제시된 강원도의 예와 같이 수시로 차례에 걸쳐 개칭되면서 계승되었다.

江原道는 1395년(태조 4)에 강원도가 되었고,[1] 이후 1665년(현종 6)까지 이 명칭이 그대로 계승되다가 현종 7년에 江陵大都護府가 縣으로 강격되면서 原州牧과 襄陽都護府가 계수관이 되면서 原襄道로 개칭되었으며,[2] 이어 1683년(숙종 9)에 原州牧이 縣으로 강격되면서 숙종 1년 현에서 대도호부로 승격되었던 江陵과 襄陽이 계수관이 되면서 江襄道가 되었다.[3] 다시 숙종 18년에

1) 『태조실록』 권7, 4년 6월 을해.

2) 『현종실록』 권11, 7년 2월 계축, 『강원도읍지』 강릉대도호부·원주목·양양도호부 건치연혁.

원주가 목으로 승격되면서 강릉대도호부와 원주목이 계수관이 되면서 강원도로 개칭되었고, 또다시 1782년(정조 6)에 강릉대도호부가 현으로 강격되면서 원주목과 春川都護府가 계수관이 되면서 原春道로 개칭되었다. 최종적으로 1790년(정조 14)에 강릉이 대도호부로 승격되면서 원주목과 함께 계수관이 되면서 강원도로 개칭되어 조선말까지 계승되었다.[4)] 조선 중·후기의 도명 변천을 정리하여 제시하면 다음의 표와 같다.

〈표 12-1〉 조선 중·후기 도명 변천 종합[5)]

	충청	전라	강원	황해		충청	전라	강원	황해
성종16(『경국대전』)	忠淸	全羅	江原	黃海	숙종15	충청			
중종37	淸公				숙종18			江原	
명종4	淸洪				숙종20	忠洪			
광해군8				황연	영조17		全光		
인조1				황해	영조31	청홍			
인조23		全南			영조40	충청			
효종4	忠淸				정조2	공홍			
효종7	忠洪				정조6			原春	
현종7			原襄		정조10	충청			
현종8	충청				정조14			강원	
숙종5	公淸				순조4	공홍		原春	
숙종6	公洪				순조17~철종13	공청~공홍[6)]			
숙종9			江襄		고종2(『대전회통』)	충청	전라	강원	황해

3) 『숙종실록』 9년, 강원도읍지 강릉대도호부·원주목·양양도호부 건치연혁.

4) 『조선왕조실록』 숙종 18년·정조 6년·정조 14년조 ; 『강원도읍지』 강릉대도호부·원주목·춘천도호부 건치연혁.

5) 『조선왕조실록』, 『신증동국여지승람』 충청도읍지 충주건치연혁 등에서 종합(계수관의 변경과 관련된 군현읍호의 승강은 뒤 〈별표 7〉 참조).

6) 순조 17 공청, 26 공충, 헌종 1 충정, 철종 13 공홍도(『순조실록』 권15, 17년 4월 신유, 26년 10월 을해 ; 『철종실록』 권14, 13년 7월 정미).

2. 郡縣

군현인 府尹府 등은『경국대전』에 규정된 府尹府 4(종2품 아문), 大都護府 4(정3), 牧 20(정3), 都護府 44(종3), 郡 82(종4), 縣令縣 35(종5)·縣監縣 141관(종6) 등 338관이 이후 1865년(고종 2)까지 지방통치의 효율화로 인한 군현의 신설, 군현민의 반역·군현 통·폐합 등으로 인한 군현의 혁거와 복치, 수도·변경방어, 왕실과 관련된 승격, 반역·강상죄인 등으로 인한 군현의 강격·승격 등과 관련되어 여러 차례에 걸쳐 변천, 운영되었다.[7)]

1) 昇格과 降格

(1) 昇格

군현의 승격은 다음에 제시된 예와 같이 수도와 국경방어 강화(①), 왕비출신지·왕릉소재지·왕의 태 봉안지 등 왕실연고지(②), 감영·수영소재지(③), 변란에 주민이 전공을 세운 군현(④), 변란시에 주민이 충절을 보인 군현(⑤),『조선왕조실록』을 소장한 군현(⑥), 읍호가 강격된 후 10년이 경과하면 다시 복구시킨다는 규정에[8)] 따라 승격한 군현(⑦), 복위된 단종 연고지(⑧) 등이 읍격이 승격되거나 강격되었던 邑格이 다시 복구되면서 있게 되었다.

① ㄱ) 숙종 28년에 북방의 방어강화와 관련되어 慈山郡이 도호부로 승격되었다.[9)] ㄴ) 광해군 10년에 수도방어와 관련되어 江華都護府가 府尹府로 승격되었다가 인조 5년에 다시 留守府로 승격되었고,[10)] 숙종 20년에 通津縣이 현내에 축조한 文殊山城의 관장과 관련되어 도호부로 승격되었다.[11)]

---

7) 졸고, 2011,「조선 중·후기 군현의 변천과 국방·지방통치」,『(계명대)인문학연구』 45, 234~242쪽에서 종합.

8) 뒤 주 20) 참조.

9)『숙종실록』 권36, 28년 5월 병오.

10)『광해군일기』 권129, 10년 6월 ;『인조실록』 권15, 5년.

② ㄱ) 효종 1년에 왕비 仁宣王后 張氏의 성관지인 豊德郡이 도호부로 승격되었고,[12] ㄴ) 인조 10년에 金浦縣이 그 5년 전에 長陵(인조의 생부 元宗陵)이 양주에서 관내로 遷葬됨에 따라 군으로 승격하였으며,[13] ㄷ) 중종 4년에 加平縣이 관내에 소재한 중종태실로 인해 군으로 승격되었다.[14]

③ ㄱ) 광해군 10년에 永平縣이 抱川縣을 병합하여 경기도 감영지가 되면서 대도호부로 승격하였고,[15] 숙종 45년에 瓮津縣이 황해도 수영이 되면서 도호부로 승격하였다.[16]

④ 선조 31년에 蔚山郡이 왜란시에 군내 의병의 전공으로 도호부로 승격하였다.[17]

⑤ 선조 34년에 昌原都護府가 왜란시에 부민이 합심하여 성을 지키고 전란 중 1명도 왜군에게 항복하지 않은 행의로 大都護府로 승격되었다.[18]

⑥ 인조 11년에 茂朱縣이 妙香山史庫에 봉안된 實錄이 현내의 赤裳山史庫에 옮겨져 수장됨에 따라 도호부로 승격되었다.[19]

⑦ 효종 4년에 강격된 후 10년이 경과된 公山·錦山·龍潭縣이 "강격된 후 10년(준년)이 경과하면 복구한다"는 법규[20]에 따라 公州牧, 錦山郡, 龍潭縣令官으로 승격되었다.[21]

⑧ ㄱ) 숙종 24년에 寧越郡이 그 15년 전에 복위된 단종릉(長陵)의 소재지라 하여 도호부로 승격되었고,[22] 숙종 25년에 단종비 송씨의 본관지인 礪山郡

---

11) 『숙종실록』 권27, 20년 9월 무인.
12) 『황해도읍지』 풍덕부 연혁.
13) 『인조실록』 권26, 10년 5월 을사 ; 『경기도읍지』 김포군 연혁.
14) 『중종실록』 권4, 2년 10월 병술 ; 『경기도읍지』 가평군 연혁.
15) 『경기도읍지』 영평군 연혁.
16) 『황해도읍지』 옹진부 연혁.
17) 『경상도읍지』 울산부 연혁.
18) 『경상도읍지』 창원부 연혁.
19) 『충청도읍지』 무주부 연혁.
20) 『중종실록』 권91, 30년 9월 정유 ; 『효종실록』 권14, 6년 1월 무자 ; 『정조실록』 권19, 8년 1월 계해, 외.
21) 『효종실록』 권14, 6년 1월 무자.
22) 『강원도읍지』 영월부 건치연혁.

이 도호부로 승격되었다.[23]

(2) 降格

군현의 강격은 다음에 제시된 예와 같이 반란지·대역죄인 출신지(①), 불효·종이 주인을 살해하는 등 강상죄 발생지(②), 殿牌망실지(③), 감·병·수영 이설(④), 廢王 연고지(⑤)인 군현이 각각 현감관 등으로 강격되었다.

① ㄱ) 숙종 23년에 가평군이 李永昌의 반란으로 현감관이 되었고,[24] ㄴ) 영조 40년에 長淵都護府가 부민이 가렴주구를 일삼은 屯監(둔전감독관)을 살해한 일, 순조 12년에 宣川府와 鐵山府가 수령이 홍경래군에게 항복한 일로 각각 현으로 강격되었으며,[25] ㄷ) 영조 31년에 역적태생지라 하여 春川府, 忠州牧, 陽川縣令官이 모두 縣監官으로 강격되었다.[26]

② ㄱ) 중종 38년에 安城郡과 義城縣令官이 주민이 범한 강상죄로 현감관으로 강등되었고,[27] ㄴ) 영조 12년에 星州牧이 관아노비가 목사를 살해한 일로 현으로 강격되었다.[28]

③ 현종 2년에 昌原大都護府가 殿牌의 투실로 현으로 강격되었다.[29]

④ ㄱ) 중종 4년에 永興府尹府가 함흥으로 감영이 이전됨에 따라 대도호부로 강격되었고,[30] ㄴ) 성종 20년에 경상우도 수영의 설치에 따라 도호부로 승격된 巨濟가 수영이 烏牙浦로 이전됨에 따라 현으로 강격되었다.[31]

---

23) 『전라도읍지』 여산부 연혁.

24) 『경기도읍지』 가평군 연혁.

25) 『황해도읍지』 장연현 연혁, 평안도읍지 선천부·철산부 연혁.

26) 『영조실록』 권85, 31년 6월 계묘.

27) 『중종실록』 권100, 38년 4월 을유.

28) 『영조실록』 권42, 12년 10월 을축.

29) 『경상도읍지』 창원부 연혁. 전패는 조선시대에 각 고을의 객사에 봉안한 왕을 상징하는 '殿'자를 새긴 나무 패 인데, 동지·신정·국왕탄일 등 조하와 기타 하례의식이 있을 때 수령 이하의 관원과 백성들이 이를 받들고 경배하였다.

30) 『함경도읍지』 영흥부 연혁.

31) 『경상도읍지』 거제부 연혁.

⑤ ㄱ) 중종 1년에 연산군의 외향으로 인해 승격되었던 咸安都護府와 왕비 愼氏의 본관지라 하여 승격된 居昌郡이 군과 현으로 강격되었고,[32] ㄴ) 인조 1년에 광해군이 왜란시에 세자로서 廟社를 받들고 현에 撫軍司를 설치하고 군민을 위무한 일로 승격되었던 伊川도호부가 현으로 강격되었다.[33]

이처럼 조선 중·후기 군현은 내외방어·왕실존숭·전란 유공군현 표창·강격된 후 10년 경과 등으로 승격되었고, 반란·불충·중죄인 출신지와 감영이설 등으로 강격되었다. 그런데 이러한 사유와 관련되어 강격되고 승격된 군현을 보면 각각 반란·중죄인·강상죄 발생과 내외방어·왕실존숭·강격된 후 10년경과 등이었다

〈표 12-2〉 조선 중·후기 군현의 승강 배경과 수[34]

	반란 군현	중죄인 출신지	강상죄 발생지	殿牌 망실	감영 등 이설	내외 방어	감·병영 소재지	전공	왕실 존숭	준년(10년) 경과	기타 및 불명	합계
강격	8	22	15	2	4						18	67
승격						27	3	4	14	47	2	97

또 그 중 중심이 되는 사유를 보면 강격은 반란·중죄인·강상죄인으로 조선의 정치·사회체제를 유지·강화하기 위한 것이고, 승격은 왕실존숭과 체계적이고 효율적인 내외방어·지방통치를 위한 것이었다. 이를 볼 때 조선 중·후기의 군현의 강격과 승격은 주로 조선왕조의 정치·사회체제 유지와 왕실존숭·국방·지방통치의 강화에서 기인되었다고 하겠다.

32) 『중종실록』 권1, 1년 9월 을미.
33) 『강원도읍지』 이천부 건치연혁.
34) 『조선왕조실록』, 『신증동국여지승람』, 『증보문헌비고』, 『경기도읍지』 등에서 종합(중복군현 제외).

2) 郡縣의 設置·革去後 復置

1485년(성종 16) 반포된 『경국대전』에는 慶州·全州·永興·平壤府尹府 이하 4大都護府·20牧·44都護府·82郡·33縣令官·141縣監官의 총 329개 군현이 있었다.[35] 이때의 군현이 이후 조선의 마지막 법전인 『대전회통』이 반포되는 1865년(고종 2)까지 즉 조선 중·후기에 어떠한 변천을 거치면서 운영되었겠는가?. 여기에서는 그 중 이 시기에 설치, 혁거, 복치된 군현을 살펴본다.

(1) 設置

조선 중·후기에 설치(신치)된 군현은 인조 15년에 경주부윤부의 속현인 慈仁에 현감관을 설치하면서 비롯되었고,[36] 이후 1865년(고종 2)까지 漆谷都護府(인조 18)·金川郡(효종 2)·英陽縣(숙종 1)·順興都護府(숙종 9)·茂山都護府(숙종 10)·長津都護府(정조 11)·厚州都護府(순조 22) 등 8개 군현이 설치되었다.[37]

조선 중·후기에 혁거된 군현은 연산군 11년에 楊州牧·坡州牧이 혁거되면서 비롯되었고,[38] 이후 고종 2년까지 55개 군현이 혁거되었다. 이 시기에 혁거된 군현을 왜란, 정치운영, 법전편찬 등과 관련하여 성종 17년~선조 24년·선조 25년~인조 38년·효종 1년~영조 22년·영조 23년~정조 9년·정조 10년~고종 2년으로 구분하여 살펴보면 다음과 같다.

성종 17년~선조 24년에는 위에서 언급된 양주·파주목을 포함하여 다음의 표와 같이 4목·3군·2현감관의 9군현이 혁거되었다. 선조 25년~인조 27년에는 1목·1군·5현령관·24현감관의 31군현이 혁거되었다. 효종 1년~영조 22년에는 2군·1현령관·13현감관의 16군현이 혁거되었다. 영조 23년~정조 9년과

---

35) 한충희, 앞 논문, 2011, 202~203쪽.

36) 『인조실록』 권28, 11년 1월 경자 ; 『경상도읍지』 자인현 연혁.

37) 뒤 〈별표 7〉에서 종합. 장진은 장진진이 승격되면서 설치되었다.

38) 『경기도읍지』 양주목··파주목 건치연혁.

정조 10년~고종 2년에는 각각1개 군현이 혁거되었다.

〈표 12-3〉 조선 중·후기 혁거 군현(( ) 복치 제외)[39]

	부윤부	대도호부	목	도호부	군	현		합계
						현령관	현감관	
성종16~선조24	0	0	4(0)	0	3(0)	0	2(0)	9(0)
선조25~인조38	0	0	1(0)	0	1(0)	5(0)	24(2)	31(2)
효종1~영조22	0	0	0	0	2(1)	1(1)	13(1)	16(3)
영조23~정조9	0	0	0	0	1(0)	0	0	1(0)
정조10~고종2	0	0	0	1(1)	0	0	0	1(1)
합계	0	0	5(0)	1(1)	7(1)	6(1)	39(3)	55(6)

그런데 다음 절에서 분석됨과 같이 성종 17년~선조 24년 등의 시기에 혁파된 군현은 10년(만9년, 準年)이 경과된 뒤에는 성종 16년~선조 24년·영조 23년~정조 9년에는 혁파된 군현 모두가 복치되었고, 선조 25년~인조 27년·효종 1년~영조 22년에는 각각 4군현(그 중 2군현은 효종 7년에 복치)과 2군현을 제외한 모두가 복치되었으며, 정조 10년~고종 2년에는 혁파된 1곳이 복치되지 않은 등 총 6개 군현을 제외한 49개 군현이 복치되었다.

(2) 혁거

조선 중·후기에는 앞의 〈표 12-3〉과 같이 총 55개 군현이 혁거되었는데, 이를 도별로 보면 각각 경기도는 11개, 충청도는 9개, 경상도는 15개, 전라도는 9개, 강원도는 1개, 황해도는 4개, 함경도는 1개, 평안도는 2개 군현으로 경상도가 가장 많고 경기, 충청·전라, 황해, 평안, 강원·함경도의 순서였다. 즉 경기도와 하삼도는 혁거와 복치 등 군현의 변동이 심하였고, 강원·황해도와 양계는 큰 변동이 없었다. 이를 볼 때 다수의 군현이 혁거·복치된 선조 25년~정조 9년의 경기·충청·경상·전라도는 지방통치에 상당한 혼란과 부작용을 야기하였을 것으로 추측된다. 그렇기는 하나 이 경우에도 조선 중·후기

39) 뒤 〈별표〉에서 종합.

를 통하여 그 군현민에 대한 징계와 관련되어 혁파된 군현의 대부분이 10여 년 뒤에 복치되었기에 그 부작용은 단기간에 그쳤기에 군현제의 운영에 큰 변동이 없었고, 또 군현제에 토대한 지방통치에 크게 영향을 미치지 못하였다고 하겠다.

(3) 復置

조선 중·후기에 복치된 군현은 중종 1년, 연산군 10년에 혁거되었던 楊州牧·坡州牧을 복치하면서 비롯되었고, 이후 고종 2년까지 혁파된 55개 군현 중 50개 군현이 복치되었다. 이 시기에 혁거된 군현을 성종 17년~선조 24년·선조 25년~인조 38년·효종 1년~영조 22년·영조 23년~정조 9년·정조 10년~고종 2년으로 구분하여 살펴보면 다음과 같다.

〈표 12-4〉 조선 중·후기 복치 군현(( )는 혁파 군현, 중복 제외)[40]

	부윤부	대도호부	목	도호부	군	현령관	현감관	합계
성종16~선조24	0	0	4(4)	0	3(3)	0	2(2)	9(9)
선조25~인조27	0	0	1(1)	0	1(1)	5(5)	22(24)	29(31)
효종1~영조22	0	0	0	0	1(2)	0(1)	12(13)	13(16)
영조23~정조9	0	0	0	0	1(1)	0	0	1(1)
정조10~고종2	0	0	0	0(1)	0	0	0	0(1)
합계	0	0	5(5)	0(1)	6(7)	5(6)	36(39)	50(55)

성종 17년~선조 24년에는 〈표 12-4〉와 같이 4목·3군·2현감관의 9군현이 복치되었고, 선조 25년~인조 38년에는 1목·1군·5현령관·22현감관의 29군현, 효종 1년~영조 22년에는 1군·12현감관의 13군현, 영조 23년~정조 9년에는 1군현이 각각 복치되었으며, 정조 10년~고종 2년에는 복치된 군현이 없었다.

그런데 이처럼 복치된 군현수를 〈표 12-3〉의 혁파된 군현수와 비교하여

---

40) 뒤 〈별표 7〉에서 종합.

보면 성종 17년~선조 24년·영조 23년~정조 9년에는 혁파된 모든 군현이 복치되었고, 선조 25년~인조 27년·효종 1년~영조 22년에는 2개와 1개 군현을 제외한 대부분의 군현이 복치되었으며, 정조 10년~고종 2년에는 복치된 군현은 없지만 혁파된 군현이 1개에 불과하기 때문에 별 의미가 없다. 이를 볼 때 조선 중·후기를 통하여 혁파된 대부분의 군현이 10여년 뒤에 복치되었다고 하겠는데, 이것은 각종 범죄와 관련된 군현을 징계하여 도모하기는 하였지만 조선의 군현은 인구수의 다과와 토지의 넓이[41]를 토대로 설정되었기에[42] 효율적이고 합리적인 지방통치를 위해서는 영구적으로나 장기적으로 혁파할 수 없었음에서 기인되었다고 하겠다.

이상에서 조선왕조는 조선 중·후기를 통하여 왕조의 정치·사회체제를 유지하고 강화하기 위하여 반란·불충·강상죄를 범한 인물의 출신 군현을 혁파하였고, 혁파된 군현은 10년이 지난 뒤에 복치하여 효율적이고 원활한 지방통치를 도모하였다.

3) 郡縣의 昇格과 降格

(1) 昇格

조선 중·후기 군현의 승격은 성종 20년에 巨濟縣令官이 都護府로 승격되면서 비롯되었고, 이후 고종 2년까지 72개 현감관 등 97개 군현이 현령관~부윤부로 승격되었다(중복 제외). 이 시기에 혁거된 군현을 왜란, 정치운영, 법전편찬 등과 관련하여 성종 17년~선조 24년·선조 25년~인조 38년·효종 1년~영조

---

41) 이존희, 위 책 185쪽(『세종실록』 권2, 즉위년 12월 갑진, 『문종실록』 권8, 1년 6월 무진, 외). 조선초기에는 현이 1,000호 이상이 되면 군, 군이 1,000호 이상이 되면 도호부로 승격되었다. 부윤부는 조선왕조의 근거지와 역대 왕조의 서울이었고, 목·대도호부는 고려중기 이래로 각도의 계수관이거나 중심이 된 고을이었다.

42) 『世宗實錄地理志』와 이 이후에 편찬된 지리지와 읍지의 군현 영역을 보면 4계가 산과 하천으로 명기되었다. 이점은 군현의 읍호와 영역이 인구·전결과 지형을 토대로 상정되고 운영되었음을 잘 보여준다고 하겠다.

22년·영조 23년~정조 9년·정조 10년~고종 2년으로 구분하여 살펴보면 다음과 같다.

성종 17년~선조 24년에는 다음의 표와 같이 忠州牧이 강격된 維新縣 등 9개 현이 군·도호부·목에 승격되었고, 거제현령관이 도호부, 咸興郡 등 6개 군이 도호부·목·부윤부, 江陵都護府와 原州都護府가 대도호부와 목, 廣州牧이 부윤부에 각각 승격되는 등 18개 군현이 현령관 이상에 승격되었다.

〈표 12-5〉 조선 중·후기 승격 군현[43)]

	현감관→현령관~대도호부	현령관→군~대도호부	군→도호부, 부윤	도호부→목~부윤부	목→부윤부	부윤부→유수부	합계(중복제외)
성종16년~선조24년	9[*1]	1(도호부)	6[*2]	2(목·대도호부)	1	0	19(18)
선조25~인조27	21(20)[*3]	3(군·도·대도)	7[*4]	3(목·대도·부윤)	1	2	37(33)
효종1~영조22	43(36)[*5]	3(도)	6(도)	1(부윤)	1	0	54(47)
영조23~정조9	9[*6]	0	0	0	0	1	10(9)
정조10~고종2	17(15)[*7]	0	0	0	0	0	17(15)
합계	92(72)	7	21(19)	6(5)	3	3(2)	137(97)

*1 군 2·도호부 4·목 3
*2 도호부 4·목 1·부윤 1
*3 현령관 1·군 4·도호부 10·목 5
*4 도호부 6·목 1
*5 군 11·도호부 14·목 9·대도호부 2
*6 군 3·도호부 5·목 1
*7 군 6·도호부 2·목 6·대도호부 1

선조 25년~인조 27년에는 臨陂 등 20개 현이 현령관·군·도호부·목에 승격되었고, 永平 등 3개 현령관이 군·도호부·대도호부, 江華 등 7개 군이 도호부·목, 강화 등 3개 도호부가 목·대도호부·부윤부, 義州牧이 府尹府로 승격되었으며, 江華·廣州府尹府가 留守官으로 승격되면서 경관이 되는 등 33개 군현이 승격되었다.

효종 1년~영조 22년에는 醴泉 등 36개 현이 군·도호부·목·대도호부로

43) 뒤 〈별표 7〉에서 종합.

승격되었고, 三和 등 3개 현령관이 도호부, 慈山 등 6개군이 도호부, 慶州都護府가 부윤부, 慶州牧이 부윤부로 승격되는 등 47개 군현이 승격되었다.

영조 23년~정조 9년에는 長淵 등 9개 현이 군·도호부·목으로 승격되었고, 廣州府尹府가 留守府로 승격되면서 경관이 되는 등 9개 군현이 승격되었다.

정조 10년~고종 2년에는 大靜 등 15개 군이 군·도호부·목·대도호부로 승격되었다.

이처럼 성종 17년~고종 2년에는 총 97개의 현감관·현령관·군·도호부·목·부윤부가 현령관~부윤부와 경관인 유수부에 승격하였다. 그런데 이 시기에 강격된 군현은 총 65개였다. 이를 볼 때 조선중기를 통해서 승격 군현 중 65개 군현은 강격된 후 복구되면서 있게 된 승격이었고, 그 외의 32개 군현은 『경국대전』에 규정된 읍격보다 승격되었다고 하겠다. 이때의 32개 군현은 조선 중·후기를 통하여 운영된 군현수가 329~321였음을 감안할 때 조선 중·후기에는 군현이 승격되면서 군현제가 변천되는 경향이 현저하였다고 하겠다.

(2) 降格

조선 중·후기에 강격된 군현은 성종 25년에 巨濟都護府가 縣令官으로 강격되면서 비롯되었고, 이후 고종 2년까지 67개 군현이 강격되면서 운영되었다. 이 시기에 혁거된 군현을 왜란, 정치운영, 법전편찬 등과 관련하여 성종 17년~선조 24년·선조 25년~인조 38년·효종 1년~영조 22년·영조 23년~정조 9년·정조 10년~고종 2년으로 구분하여 살펴보면 다음과 같다.

성종 17년~선조 24년에는 다음의 표와 같이 永興府尹府가 大都護府로 강격되었고, 江陵 등 2개 대도호부가 도호부, 忠州 등 4개 목이 도호부·군·현, 7개 도호부가 군·현으로 강격되는 등 13개 군현이 강격되었다.

선조 25년~인조 27년에는 경관이던 廣州留守府가 府尹府로 강격되면서 외관이 되었고, 鈴平大都護府가 군, 忠州 등 6개 목·利川 등 2개 도호부·咸陽

등 4개 군·臨縣令官이 현감관이 되는 등 18개 군현이 강격되었다.

효종 1년~영조 22년에는 慶州府尹府가 목과 도호부로 강격되었고, 江陵 등 2대도호부·淸州 등 7목·仁川 등 9개 도호부·瑞山 등 10개 군이 현감관이 되는 등 29개 군현이 강격되었다.

영조 23년~정조 9년에는 江陵大都護府·淸州牧이 현감관이 되었고, 利川 등 6개 도호부·瑞山 등 3개 군이 현감관이 되는 등 10개 군현이 강격되었다.

정조 10년~고종 2년에는 淸州 등 5개 목이 현감관이 되었고, 順天 등 5개 도호부와 安岳郡이 현감관이 되는 등 16개 군현이 강격되었다.

〈표 12-6〉 조선 중·후기 강격 군현 종합[44)]

	유수부→부윤부	부윤부→대도호부, 목, 도호부	대도호부→도호부, 군, 현감관	목→도호부, 군, 현	도호부→군, 현	군→현	현령관→현감관	합계(중복 제외)
성종16~선조24년	0	1(대도호부)	3(부,2)	4(부1·군1·현2, 3)	7(군3·현3)	0	0	15(13)
선조25~인조38	1	0	1(군)	8(현, 6)	4(현, 3)	4	1	21(18)
효종1~영조22	0	2(목·부, 1)	2(현)	10(현, 7)	10(현, 9)	11(10)	0	35(29)
영조23~정조9	0	0	1(현)	2(현)	4(현)	3	0	10(10)
정조10~고종2	0	0	0	7(6, 현)	6(현)	1	0	17(16)
합계	1	3(2)	7(4)	29(11)	32(27)	19(16)	1	98(67)

이들 강격된 군현의 복구(승격)를 보면 강릉도호부 등 65개 군현은 강격되기 이전의 읍격으로 복구되었고, 영흥대도호부와 안변도호부의 2개 군현은 원래의 읍격으로 복구되지 않고 그대로 계승되었다. 이를 볼 때 조선 중·후기에는 왕조의 정치·사회체제를 유지하고 강화하기 위하여 그에 저촉된 행위를 한 인물의 출신지를 징계하기 위하여 대대적으로 강격하였지만 효율적인

44) 뒤 〈별표 7〉에서 종합.

지방통치상 10여 년이 경과한 뒤에는 불가피하게 원래의 읍격으로 복구시켰다고 하겠다.

이상에서 조선 중·후기의 군현은 왕조의 정치·사회를 유지하면서도 효율적인 지방통치와 국방을 위해 중죄를 범한 인물의 출신군현을 강격하나 일정기간이 경과한 뒤에는 복구할 수밖에 없었고, 국방을 강화하고 왕실의 위엄을 높이기 위해 다수의 연변과 내륙요충지 및 왕실연고지를 승격시켰다고 하겠다. 지금까지 살핀 군현변천을 변천사유와 시기별로 종합하면 다음의 표와 같다.

〈표 12-7〉 조선 중·후기 군현 변천 배경과 시기별 변천 수(( )는 중복 제외)[45]

	성종16~ 선조24	선조25~ 인조27	효종1~ 영조22	영조23~ 정조9	정조10~ 고종2	합계
설치	0	2	4	0	2	8
혁거	9(9)	31(31)	18(17)	1(1)	1(1)	60(55)
경관	0	2(1)	1	0	1	4(3)
복치	9(9)	27(27)	17(16)	1(1)	0	54(50)
강격	17(15)	21(18)	34(29)	10(10)	18(17)	100(67)
승격	19(18)	36(34)	54(47)	8(8)	24(22)	141(97)
계	28(27)	72(70)	71(68)	11(11)	26(26)	208(152)

조선 중·후기에는 위에서 살핀 바와 같이 8개 군현이 설치되고, 55개 군현이 혁거되고, 3개 군현이 경관으로 전환되었으며, 50개 군현이 복치되고, 97개 군현이 승격되며, 67개 군현이 강격되었다. 이처럼 변천된 군현의 변천시기를 보면 다음의 표와 같이 성종 16년~선조 24년에는 9개 군현이 혁거되었다가 복치되었고, 15개 군현이 강격되고 18개 군현이 승격되는 등 27개 군현이 변천되었다. 선조 25년~인조 27년에는 2개 군현이 설치되었고, 31개 군현이 혁거되었고 27개 군현이 복치되었으며, 18개 군현이 강격되고 34개 군현이 승격 및 1개 군현이 경관으로 전환되는 등 70개 군현이

45) 계는 중복을 제외한 수이고 ( )는 각각 선조 24년·인조 27년·『속대전』·『대전통편』·『대전회통』에 규정된 군현수이다.

변천되었다. 효종 1년~영조 22년에는 4개 군현이 설치되었고, 17개 군현이 혁거되고 16개 군현이 복치되었으며, 29개 군현이 강격되고 47개 군현이 승격 및 1개 군현이 경관이 되는 등 68개 군현이 변천되었다. 영조 23년~정조 9년에는 1개 군현이 혁거되었다가 복치되었고, 10개 군현이 강격되고 8개 군현이 승격되는 등 11개 군현이 변천되었다. 정조 10년~고종 2년에는 2개 군현이 설치되고 1개 군현이 혁거되었으며, 17개 군현이 강격되고 22개 군현이 승격 및 1개 군현이 경관이 되는 등 26개 군현이 변천되었다.

이때 승격된 97개 군현을 보면 48개 군현이 강격되었다가 승격되었고, 5개 군현이 승격되었다가 강격되었고, 43개 군현이 승격되거나 강격·승격된 뒤 다시 승격되었다. 이 중 승격되거나 강격·승격된 뒤 다시 승격된 43개 군현의 승격된 배경은 63%인 27개 군현이 국방이었고, 70%인 30개 군현이 선조 25년~영조 22년이었으며, 72%인 31개 군현이 경기·경상·전라·평안도였다.[46]

한편 조선 중·후기의 군사제도와 국방정책을 보면 왜란과 호란의 수습과 왜란과 호란에서 제기된 도성·경기지방과 경상·전라·함경도 지역이 중심이 된 연안·남북내륙의 요충지에 대한 방어를 강화하기 위하여 임시기구이던 備邊司를 상설기구로 개편하고 최고의 정치·군사기구로 운영하였고,[47] 5위제를 5군영제로 개편하였다.[48] 개성부 이외에 강화·수원·광주를 유수부로 승격하여 도성방어의 거점으로 삼았고,[49] 경상·전라·함경도를 중심한 전국

---

46) 뒤 〈별표 7〉에서 종합.

47) 비변사의 설치, 운영, 기능은 앞 260쪽 참조.

48) 5군영은 왜란 중인 선조 26년에 수도경비·군사훈련을 위하여 훈련도감을 설치하면서 비롯되었고, 이후 인조 2년에 수도방어를 위한 어영청과 경기도 방어를 위한 총융청, 인조 4년에 남한산성을 방어하기 위한 수어청, 숙종 8년에 궁중수비를 위한 금위영이 설치되면서 종결되었고, 이후 정조 17년에 수어청의 혁파를 시작으로 고종 31년 훈련도감이 혁파되기까지 조선후기 중앙군의 중추가 되었다(5군영의 설치배경과 운영·기능은 264~266쪽 참조).

49) 강화유수부는 인조 5년에 부윤부, 수원유수부는 정조 17년에 도호부, 광주유수부는 인조 1년과 영조 26년에 각각 부윤부가 승격되면서 성립되었고, 이후 한말까지 계속되었다(이존희, 앞 논문에서 종합).

의 연안·내륙 요충지에 다수의 성곽을 수축하고 군·현을 도호부로 승격하였다.[50] 또 왕실의 존숭과 관련되어 왕릉의 관리하는 능관을 종9품의 참봉 2인에서 종5품 영 이하 2인으로 승격시키는가 하면,[51] 조선초기와 같이 국왕태 봉안지·왕비출신지 등의 군현을 승격시키고 국왕의 생부 분묘 소재지 등 왕실과 관련된 군현을 승격하였다.[52]

이를 볼 때 조선 중·후기에 150여의 군현이 설치, 혁거, 복치, 승격, 강격되면서 운영되었는데 특히 43개 군현이 현감관에서 군 이상으로 승격되게 된 것은 대개 왜란과 호란 이후에 남방의 북방의 침입으로부터 도성·경기와 연안·남북내륙의 방어를 강화하기 위한 국방책에서 기인되었고, 부분적으로는 왕실을 존숭하기 위한 의례적인 왕실관련지의 승격에서 기인되었다고 하겠다. 즉 조선 중·후기의 군현승격은 도성과 연안·남북요충지의 방어강화와 왕실존숭에서 기인되었다고 하겠다.

제2절 驛과 殿·陵

1. 驛

驛에는 관내의 수십 속역을 관장하는 종6품 察訪이 주재하는 도역(察訪道), 관내의 십여 속역을 관장하는 종9품 丞이 주재하는 도역(丞驛道), 관원 없이

---

50) 대표적인 예로 선조 37년 인동현에 산성을 쌓고 인동현을 도호부로 승격한 것이 있다(『조선왕조실록』, 『경상도읍지』 등 8도읍지에서 종합).

51) 숙종 32년까지는 각 릉에 참봉 2인을 두어 관리하다가 숙종 33년에 참봉 1인을 직장(종7)이나 봉사(종8)로 승격시켰고, 영조 11년에 다시 직장이나 봉사를 영(종5)으로 승격시키면서 능관은 영·참봉 각 1, 직장·참봉 각 1, 봉사·참봉 각 1, 별검·참봉 각 1, 참봉 2직으로 정착되었다(앞의 139쪽 참조).

52) 이와 관련되어 승격된 군현은 뒤 〈별표 7〉에서 종합.

도역의 지휘를 받는 속역이 있는데, 이들 역은 조선 중·후기에 효율적인 지방통치, 관제정비에 따른 승역의 찰방역으로의 승격 등과 관련되어 여러 차례 개변되면서 운영되었다.

察訪道驛은 『경국대전』에 규정된 8도 23역이 1746년(영조 22) 이전에 승역 17역이 찰방도역으로 승격되면서[53] 40역으로 정비되어 『속대전』에 법제화되면서 후대로 계승되었다.

丞驛은 『경국대전』에 규정된 18역이 1746년 이전에 1역이 혁거되고 17역이 찰방도역으로 승격되면서 혁거되었다(승역의 변천은 앞 〈표 3-4〉 참조).

2. 殿·陵

전은 기자조선 이래 역대 시조와 왕의 위패를 봉안한 관아(전각)인데 『경국대전』에 규정원 숭의전(고려 태조 등 4왕)을 비롯하여 1785년(정조 9)까지 숭인전(광해군 4, 기자), 숭덕전(경종 3, 박혁거세), 숭령전(정조 9 이전, 동명왕)의 4전이 설치되어[54] 『대전통편』에 등재된 후 후대로 계승되었다.

능은 개성부에 있는 고려 역대왕의 능을 관리하는 관아인데 1785년(정조 9) 이전에 설치되어 『대전통편』에 등재된[55] 후 후대로 계승되었다. 지금까지 살핀 문반 외관의 변천을 정리하여 제사하면 다음의 표와 같다.

53) 『속대전』 권1, 이전 외관직 각도조.

54) 4전의 연혁, 설치 관직과 그 전거는 앞 9장 3항 참조.

55) 『대전통편』 권1, 이전 외관직 경기도 여릉.

〈표 12-8〉 조선 중·후기 도별 외관 변천[56)]

		경기도				충청도				경상도			
		경	속	통	회	경	속	통	회	경	속	통	회
군현	府尹府	0	1	1	0					1	1	1	1
군현	大都護府									1	1	2	2
군현	牧	4	3	3	3	4	4	4	4	3	3	3	3
군현	都護府	7	10	10	8	0	1	1	1	7	15	15	14
군현	郡	7	9	9	10	12	12	12	14	14	12	12	13
군현	현 縣令官	5	4	4	1	1	1	1	1	7	5	5	5
군현	현 縣監官	14	9	9	8	37	36	36	34	34	33	33	33
군현	합계	37	36	36	30	54	53	53	54	67	70	71	71
역	찰방역	3	6	6	6	3	5	5	5	5	11	11	11
역	승역	3	0			3	0			6	0		
역	계	6	6	6	6	6	5	5	5	11	11	11	11
4전·1능*		1	1	2	2						1	1	1
합계		44	43	44	38	60	58	58	59	78	82	83	83

		전라도				황해도				강원도			
		경	속	통	회	경	속	통	회	경	속	통	회
군현	府尹府	1	1	1	1								
군현	大都護府									1	1	1	1
군현	牧	3	4	4	4	2	2	2	2	1	1	1	1
군현	都護府	4	6	7	7	4	6	7	6	5	7	7	7
군현	郡	12	11	11	13	7	7	7	7	7	6	6	6
군현	현 縣令官	6	5	5	5	4	2	2	2	3	3	3	3
군현	현 縣監官	31	29	28	26	7	6	5	6	9	8	8	8
군현	합계	55	56	56	56	24	23	23	23	26	26	26	26
역	찰방역	3	6	6	6	2	3	3	3	2	4	4	4
역	승역	3	0			1	0			2	0		
역	계	6	6	6	6	3	3	3	3	4	4	4	4
전·능													
합계		61	62	62	62	27	26	26	26	30	30	30	30

		함경도				평안도				합계			
		경	속	통	회	경	속	통	회	경	속	통	회
군현	府尹府	1	1	1	1	1	2	2	2	4	6	6	5
군현	大都護府	1	1	1	1	1	1	1	1	4	4	5	5
군현	牧	0	1	1	1	3	2	2	2	20	20	20	20
군현	都護府	11	15	16	18	6	14	14	14	44	74	77	71
군현	郡	5	2	2	2	18	12	12	12	82	65	65	71

56) 뒤 〈별표 7〉에서 종합.

군현	縣	縣令官	0	0	0	0	8	6	6	6	34	26	26	23
		縣監官	4	2	2	2	5	5	5	5	141	128	126	124
	합계		22	22	23	25	42	42	42	42	349	323	315	319
역	찰방역		3	3	3	3	2	2	2	2	23	40	40	40
	승역										18	0		
	계		3	3	3	3	2	2	2	2	41	40	40	40
전·능								1	2	2				
합계			25	25	255	28	44	45	46	46	391	366	360	364

*숭의(경기)·숭덕(경상)·숭인(평안)·숭령(평안)전, 여릉(경기)

제13장 朝鮮中·後期 外官의 變遷Ⅱ－ 諸營과 鎭·浦, 牧場·渡, 堡·山城

제1절 諸營

1. 兵營

병마절도사가 주재하는 병영은 『경국대전』에 규정된 독영 10영(경기 1〈감영겸 병영〉, 충청 1〈감영겸 병영〉, 경상 2, 전라 1, 황해 1〈감영겸 병영〉, 강원 1〈감영겸 병영〉, 함경 2, 평안 1)과 감영겸영이 1593년(선조 26)에 황해도에 녹관의 병마절도사가 증치됨에 따라 1소가 증치되면서[1] 8도 11병영으로 조정된 후 변동 없이 후대로 계승되었다.[2]

2. 水營

수군절도사가 주재하는 수영은 『경국대전』에 규정된 독영 11영(경기 1〈감영겸 수영〉, 충청 1〈감영겸 수영〉, 경상 2, 전라 2, 황해 1〈감영겸 수영〉, 강원 1〈감영겸 수영〉, 함경 2, 평안 1〈병영겸 수영〉)과 감영겸영이 1719년(숙종 45) 이전에 황해도에 녹관 수군절도사가 증치됨에 따라 1소가 증치되었

1) 『증보문헌비고』 권234, 직관고 21, 병마절도사 황해도.

2) 『대전회통』 권4, 병전 외관. 독영은 전임의 병사, 수사가 주재하는 영이고, 겸영은 감사가 병사와 수사를 겸임하는 영이다.

고,[3] 다시 1746년(영조 22) 이전에 평안도 병영겸영이 감영겸영으로 조정된 후 후대로 계승되었다.[4]

3. 營將營과 防禦使營

1) 營將營

영장영은 營將(종2)이 주재하는 관아이다. 영장영은 1627년(인조 5) 청의 침입에 굴복하여 화약을 맺은 후 외침을 방어하기 위한 속오군의 훈련을 관장할 영장제를 실시하고 8도에 영장 46직을 설치하면서 비롯되었다.[5] 이후 영장제는 1637년(인조 15)에 대청관계와 관련되어 혁거되었다가[6] 1654년(효종 5) 효종의 북벌도모와 관련되어 복구되어[7] 후대로 계승되었다.[8] 영장은 초창시에는 8도에 전임으로 46직이 설치되었으나 효종 5년에 복설될 때에는 충청·전라·경상도에만 전임 영장 16직이 설치되었다.[9] 이후 1746년(영조 22)까지 경기도 등 6도에 겸임 영장 30직이 설치되면서 전임 16, 겸임 30직의 46직으로 정비되었고,[10] 1672년(현종 13) 이후 황해도 1직과 경기도 2직이 삭감되면서 45직과 43직(충청 1, 경상 1, 전라 3 전직에서 겸직으로 전환)으로 변천되면서 운영되었다.[11]

이러한 영장직의 운영과 관련되어 영장영은 다음의 표와 같이 독영은

---

3) 『증보문헌비고』 권234, 직관고 21, 병마절도사 황해도.
4) 『속대전』·『대전회통』 권4, 병전 외관 평안도 수군절도사.
5) 허선도, 1991, 「조선시대 영장제」, 『한국학논총』 14, 43~44쪽 ; 『인조실록』 권16, 5년 4월 병진.
6) 위 논문, 46쪽.
7) 위 논문, 47쪽 ; 『효종실록』 권12, 5년 2월 임신.
8) 『속대전』·『대전통편』·『대전회통』 권4, 병전 외관직.
9) 허선도, 앞 논문, 1991, 48쪽 ; 『효종실록』 부록 효종행장.
10) 『속대전』 권4, 병전 외관직 8도.
11) 『대전통편』·『대전회통』 권4, 병전 외관직 8도.

16~12직, 겸영은 30~29직으로 변천되면서 운영되었다.

〈표 13-1〉 조선후기 영장영 변천(*겸영)

		인조5~11	효종5	『속대전』	『대전통편』	『대전회통』
경기도*				6	6	4
충청	독영	5	5	5	5	4
	겸영					1
	계	5	5	5	5	5
경상	독영	6	6	6	6	5
	겸영					1
	계	6	6	6	6	6
전라	독영	5	5	5	5	2
	겸영					3
	계	5	5	5	5	5
황해*				6	5	5
강원*				3	3	3
함경*				6	6	6
평안*				9	9	9
합계	독영	16	16	16	16	12
	겸영			30	29	30
	계	16	16	46	45	42

2) 防禦使營

방어사영은 防禦使(종2, 수령겸)가 주재하는 관아이다. 방어사는 1592년(선조 25) 왜란 중에 북진해오는 왜군을 방어하기 위하여 경주부에 경주부윤이 겸하는 방어사를 설치하면서 비롯되고 왜란 중에 혁거되었다가[12] 1691년(숙종 17)에 강계방어사를 설치하면서 복설되었고,[13] 이후 1746년(영조 22)까지 평안도에 1직이 증치되고 경기(3)·강원(1)·함경도(1)에 5직이 설치되면서 7직으로 정비되었다.[14] 이후 이것이 1865년(고종 2) 이전에 경기도 광주·

12) 『증보문헌비고』 권234, 직관고 21 외무직.

13) 『증보문헌비고』 권234, 직관고 21 외무직.

14) 『증보문헌비고』 권234, 직관고 21 외무직 방어사 ; 『속대전』 권4, 병전 외관직 방어사. 『속대전』에 규정된 7 방어사 겸대자는 광주부윤·수원부사·장단부사(경기), 춘천부사(강원), 성진첨사(함경), 창성·강계부사, 평안)이다.

수원방어사 2직이 삭감되면서 5직으로 변천되면서 운영되었다.[15] 또 수군방어사는 1642년(인조 20)에 선천수군방어사(선천부사겸)를 설치하면서 비롯되었고,[16] 이후 1746년까지 선천수군방어사가 폐지되고 영종진수군방어사가 설치되고 이어 1785년(정조 9)까지 교동수군방어사 등 경기·전라·평안도에 4직이 증치, 1865년(고종 2) 이전에 교동방어사가 폐지되는[17] 변천을 겪으면서 운영되었다.

이러한 방어사제의 운영에 따라 병마방어사영은 영조 22년까지 7겸영으로 정비되어 고종 2년 이전에 2영이 삭감되면서 5영, 수군방어사영은 정조 9년까지 5겸영으로 정비되어 고종 2년 이전에 1영이 삭감되면서 4영이 존속되어 후대로 계승되었다.

4. 기타(水軍統制營, 水軍統禦營, 衛將營)

3道水軍統制營은 1592년(선조 25) 4월에 왜란 중의 3도수군을 통합지휘하기 위하여 전라우수영을 정3품 당상아문인 3도수군통제영으로 승격시키면서 비롯되었고,[18] 이어 1607년(선조 40)에 종2품 아문으로 승격된 후 그대로 계승되었다.[19]

3道水軍統禦營은 1633년(인조 11)에 경기수영을 삼도수군통어영으로 개편하면서 비롯되었고,[20] 이후 그대로 계승되었다.[21]

---

15) 『증보문헌비고』 권234, 직관고 21 외무직.
16) 『증보문헌비고』 권234, 직관고 21 외무직.
17) 『대전통편』·『대전회통』 권4, 병전 외관직.
18) 『선조수정실록』 권27, 26년 8월.
19) 『선조실록』 권211, 40년 5월 무진.
20) 『증보문헌비고』 권234, 직관고 21 외무직 통어사.
21) 송기중, 2010, 「17세기 수군방어체제의 개편」, 『조선시대사학보』 53, 21~31쪽 ; 『속대전』·『대전통편』·『대전회통』 권4, 병전 외관직 경기도 수군통어사.

衛將營은 1746년(영조 22) 이전에 함경남·북에 각각 수령이 겸하는 5직의 위장 10직을 설치하면서 비롯되었고, 이후 그대로 조선후기까지 계승되었다.[22] 지금까지 살펴본 제영의 관직변천을 종합하여 제시하면 다음의 표와 같다.

〈표 13-2〉 조선 중·후기 제영

		『경국대전』									『속대전』(1746)								
		경기	충청	경상	전라	황해	강원	함경	평안	계	경기	충청	경상	전라	황해	강원	함경	평안	계
종2	병영	1	2	3	2	1	1	3	2	15	1	2	3	2	1	1	3	2	15
	수군통제영												1						1
	수군통어영										1								1
	병마방어사영										3						1	2	6
	수군방어사영										1							2	3
	계	1	2	3	2	1	1	3	2	15	6	2	4	2	1	1	4	6	26
정3 당상	수영	2	2	3	3	1	1	3	2	17	1	2	3	2	2	1	3	2	16
	영장영										6	5	6	5	6	3	6	9	46
정3	위장																10		10
합계		3	4	6	5	2	2	6	4	32	13	9	13	9	9	5	23	17	98

		『대전통편』(1785)									『대전회통』(1865)								
		경기	충청	경상	전라	황해	강원	함경	평안	계	경기	충청	경상	전라	황해	강원	함경	평안	계
종2	병영	1	2	3	2	2	1	3	2	16	1	2	3	2	2	1	3	2	16
	수군통제영			1						1			1						1
	수군통어영	1								1	1								1
	병마방어사영	3					1	1	2	7	1					1	1	2	5
	수군방어사영	2			1				2	5	1			1				2	4
	계	7	2	4	3	2	2	4	6	30	4	2	4	3	2	2	4	6	27
정3 당상	수영	1	2	3	3	2	1	3	1	16	2	2	3	3	2	1	3	1	17
	영장영	6	5	6	5	5	3	6	9	45	4	5	6	5	5	3	6	9	43
정3	위장							10									10		
합계		14	9	13	11	9	6	23	16	91	10	9	13	11	9	6	23	16	87

22) 『속대전』·『대전통편』·『대전회통』 권4, 병전 외관직.

제2절 鎭·浦와 牧場·渡

1. 鎭·浦

조선중기의 지방군사기구에는 세조대에 확정되고 『경국대전』에 법제화된 '鎭管體制'가 준행되면서 육군과 수군이 있고, 육군과 수군은 도별로 '主鎭-巨鎭-諸鎭'이 등차적으로 편제되어 있었다.23)

주진은 兵馬·水軍節度使가 주재하면서 관할 도의 군정을 총관하는 최상층 기구였고, 거진은 兵馬·水軍僉節制使가 주재하면서 주진의 지휘를 받아 관내의 군정을 지휘하는 중간 기구였고, 제진은 병마·수군 同僉節制使·萬戶와 兵馬節制都尉가 주진과 거진의 지휘를 받아 관내의 군정을 지휘하는 하층 기구였다.

23) 진관체제는 세조 3년에 세조 1년 이래의 전국에 걸친 軍翼道體制를 도별로 병마·수군절도사영 소재지를 주진, 거점이 되는 지역을 거진, 거진 주변지역을 제진, 즉 각도의 육군과 수군을 각각 주진-거진-제진체제로 편성하고 주진의 관장하에 제진 이하를 지휘하면서 도별로 외적을 방어한 군사제도였다. 진관의 편성은 다음의 표와 같다(진관체제의 성립과 운영은 민현구, 1983, 『조선초기의 군사제도와 정치』, 한국연구원, 236~258쪽 참조).

진관편성표(『경국대전』 권4, 병전 외관직조, 민현구, 위 책, 252~258쪽에서 종합)

	육군				수군		
	주진(병영, 관찰사겸병마절도사, 병마절도사)	거진 (첨절제사)	제진		주진(수영, 관찰사겸수군절도사, 수군절도사)	거진 (첨절제사)	제진 (동첨절제사, 만호)
			(동첨절제사, 만호)	절제도위			
경기도	1	4	14	21	2	1	0
충청도	2	4	11	42	2	2	0
경상도	3	6	20	46	3	2	0
전라도	2	5	14	36	3	3	0
강원도	1	3	11	14	1	1	18(절 제도위 3)
황해도	1	2	11	13	1	1	6
함경도	3	6	16	11	3	1	0
평안도	2	19	21	18	2	3	0
계	15	49	118	199	17	14	55

이들 주진, 거진, 제진의 지휘관을 보면『經國大典』과 그 이후의 법전에 각각 주진을 관장하는 절도사는 道觀察使(종2)의 겸직이거나 전임직이었고(병마절도사는 종2품, 수군절도사는 정3품 당상관),[24] 거진을 지휘하는 첨절제사는 육군은 府尹(종2)·大都護府使(정3)·牧使(정3)·府使(종3)의 겸직이었고 수군은 전임직(종3품),[25] 제진을 지휘하는 동첨절제사 등은 동첨절제사는 육군은 牧使·府使·郡守(종4)의 겸직이고 수군은 전임직(종4),[26] 만호는 육군과 수군 모두 전임직(종4),[27] 병마절제도위는 현령(종5)·현감(종6)의 겸직으로 규정되었다.[28] 그런데 병마절제사·병마첨절제사·병마동첨절제사는 대부분의 경우는 부윤 이하의 겸직이었지만 일부, 특히 평안·함길도의 병마절제사 등은『경국대전』등의 규정과는 달리 전임관이 제수되어 그 관내의 행정과 군사를 총관하였다.[29] 또 함경·평안도의 훈융진·만포진 등 12진 병마첨절제사는 무반 경직의 겸직이었다.[30]

이를 볼 때 지방 군사기구 특히 병마절제사·병마첨절제사·병마동첨절제사·병마절제도위는 수령의 겸직-지방행정기구와 표리를 이루면서 운영되었다고 하겠다. 즉 육군은 만호를 제외한 모두가 겸직이었고, 수군은 육군과는 달리 절제사 이하 모두가 전임직으로 제수되었다고 하겠다.

한편 지방군사기구의 소재지와 기능을 보면 내륙지방은 육군이 중심이 되면서 관할지역을 방어하였고, 평안·함길도 국경지방은 육군이 중심이

---

24)『경국대전』·『대전통편』·『대전회통』권4, 병전 외관직 경기 등 8도 병마절도사·수군절도사조.

25) 위 책 권4, 병전 외관직 경기도 兵馬僉節制使 四員 廣州鎭·水原鎭·楊州鎭·長湍鎭 竝守令帶 諸道同, 경기 등 7도 수군첨절제사조.

26) 위 책 권4, 병전 외관직 경기도 兵馬同僉節制使 十四員 … 竝守令帶 諸道同, 경기 등 5도 수군동첨절제사조.

27) 위 책 권4, 병전 외관직 영안도·평안도 병마만호, 경기 등 7도 수군만호조.

28) 위 책 권4, 병전 외관직 경기 등 8도 병마절제도위조.

29)『경국대전』·『대전통편』·『대전회통』권4, 병전 외관직 함경·평안도조.

30)『경국대전』·『대전통편』·『대전회통』권4, 병전 외관직 함경·평안도조.

되면서 관할지역을 방어하였고, 연해지방과 도서지방은 해군이 중심이 되면서 관할지역을 방어하였다.[31]

이러한 지방군사기구의 운영과 관련하여 전임관으로 제수되고 북방 국경지방과 연안·도서지방에 설치된 병마·수군 첨절제사·동첨절제사·만호가 지휘하는 邊鎭(巨鎭·諸鎭)은[32] 『경국대전』에 수군첨절제사진 12소, 병마만호진 18소, 수군만호진 58소의 88진이 있었다. 이 변진이 성종 16년(『경국대전』)~고종 2년(「대전회통」)에 이르기까지 왜란시에 실함 등으로 인한 수군진의 조정, 왜란·호란후의 수도외곽과 북방·남방의 방어강화 등과 관련되어 수십 차례에 걸쳐 設置, 革去, 昇格, 降格, 水軍鎭에서 兵馬鎭으로 전환되는 변천을 겪으면서 운영되었다.

1) 邊鎭의 設置·革去와 兵種轉換

(1) 設置

조선 중·후기에 설치된 변진은 다음의 표와 성종 16년~영조 22년에는 수군의 경우 첨절제사는 경기도 영종진(숙종 7)·덕적진(영조 15)·덕포진(숙종 8년 이전) 등 7진이 설치되었고, 동첨절제사는 경기도 화량진(인조 7) 등 7진이 설치되었으며, 수군만호는 경기도 용진(숙종 42)·장봉도(숙종 34)·주문도(숙종 38년 이전)는 등 26진이 설치되었다. 병마만호는 경기도 인화보(숙종 6)·덕진(숙종 30) 등 29진이 설치되는 등 총 69진이 설치되었다. 영조 23년~정조 9년에는 수군첨절제사는 평안도 삼화진(정조 9년 이전)이 설치되었고, 수군만호는 경기도 정포(영조 23년 이후)·승천보(정조 9년 이전) 등 10진이 설치되는 등 11진이 설치되었다(수군동첨절제사와 병마만호는 설진된 곳이 없었다). 정조 10년~고종 1년에는 수군첨절제사는 경기도 장곶진(철

31) 민현구, 앞 책, 1983, 258~259쪽 중간 조선초기 진관체제일람도 참조.

32) 변진의 용례는 앞 졸저, 2022, 269쪽 참조.

종 4) 등 2진이 설치되었고, 병마만호는 경기도 정포(고종 2년 이전) 등 9진 등 11진이 설치되었다(수군동첨절제사와 수군만호는 설치된 곳이 없었다).

〈표 13-3〉 조선 중·후기 설치 변진수[33]

	군첨절제사	수군동첨절제사	수군만호	병마만호	합계
성종16년~영조22년	7	7	26	29	69
영조23~정조9	1	0	10	0	11
정조10~고종2	2	0	0	9	11
합계	10	7	36	38	91

조선 중·후기(성종 17~고종 2)를 통해서는 수군첨절제사 10진, 수군동첨절제사 7진, 수군만호 36진, 병마만호 38진 등 총 91진이 설치되었고, 시기별로는 성종 17년~영조 22년에 집중되고(72%, 69/91) 진별로는 수군만호진(40%, 36/91)과 병마만호진(42%, 38/91)이 중심이 되었다.

(2) 革去

조선 중·후기에 혁거된 변진은 다음의 표와 성종 16년~영조 22년에는 수군은 첨절제사는 경상도 미조정진(선조 25) 등 2진, 동첨절제사는 전라도 격포진(경종 3), 만호는 경기도 정포(숙종 40년 이전) 등 23진, 병마만호는 함경도 사개동(선조 37) 등 10진의 총 35진이 혁거되었다. 영조 23년~정조 9년에는 수군만호는 정포(정조 9년 이전) 등 10진, 병마만호는 평안도 수구진(정조 9년 이전) 등 11진이 혁거되었으며, 수군첨절제사·동첨절제사는 혁거된 진이 없었다. 정조 10년~고종 1년에는 수군은 첨절제사는 경기도 장곶진(고종 2년 이전), 동첨절제사는 경상도 적량(고종 2년 이전), 병마만호는 사개동(고종 2년 이전) 등 12진이 각각 혁거되는 등 23진이 혁거되었다(수군만호는 혁거된 진이 없었다).

---

33) 뒤 〈별표 8〉에서 종합.

〈표 13-4〉 조선 중·후기 혁거 변진수[34]

	수군첨절제사	수군동첨절제사	수군만호	병마만호	합계
성종16년~영조22년	1	1	23	10	35
영조23~정조9	0	0	10	1	11
정조10~고종2	1	0	1	12	14
합계	2	1	34	23	60

조선 중·후기를 통해서는 수군첨절제사 2진, 수군동첨절제사 2진, 수군만호 33진, 병마만호 23진 등 총 60진이 혁거되었고, 시기별로는 성종 17년~영조 22년에 집중되고(58%, 35/60) 진별로는 수군만호진(55%, 33/60)과 병마만호진(38%, 23/60)이 중심이 되었다.

(3) 兵種轉換

경기도의 초지량(숙종 6)·제물량(숙종 42)·용진(현종 6)·정포(고종 2년 이전)과 교동량(숙종 20) 수군만호진이 수도방어 등과 관련되어 병마만호진과 도호부, 또 월곶수군첨절제사진이 병마첨절제사진(현종 6년 이전), 평안도 신도병마첨절제사진이 수군첨절제사진(정조 9년 이전)으로 전환되었다(( ) 변천시기).[35]

2) 邊鎭의 昇格과 降格

(1) 昇格

조선 중·후기에 승격된 변진은 다음의 표와 수군첨절제사진은 황해도 소강진(숙종 44)과 충청도 안흥진(정조 9년 이전)이 수군절도사영, 수군동첨절제사진은 다대포진(정조 9년 이전) 등 6진, 수군만호진은 영종진(숙종 7) 등 진과 주문도(숙종 14) 등 진이 첨절제사진과 동첨절제사진, 병마만호진은 어유간(영조 22년 이전) 등 진과 서북(현종 14) 등 진이 동첨절제사진으로

34) 뒤 〈별표 8〉에서 종합.

35) 뒤 〈별표 8〉에서 종합.

각각 승격하는 등 총 26진이 승격되었다.

조선 중·후기에 승격된 변진은 그 수가 많지 않으나 시기별로는 성종 17년~영조 22년에 집중되었고(73%, 19/26), 진별로는 수군만호진(46%, 12/26)이 중심이 되었다.

(2) 降格

조선 중·후기에 강격된 변진은 다음의 표와 같이 그 수가 7진에 불과하여 큰 의미를 부여하기 어렵다. 7진은 모두가 수군첨절사진이었고, 성종 16년~영조 22년에 집중되었다(71%, 5/7). 성종 17년~영조 22년에 제포첨절제사 등 3진과 격포진(경종 3년 이전)이 만호진과 동첨절제사진, 벽산병마첨절제사(중종 19년 이전)가 만호진으로 각각 강격되었으며, 영조 23년~정조 9년에 위도진(정조 9년 이전)이 동첨절제사진으로 강격되었다.

〈표 13-5〉 조선 중·후기 승격·강격 변진수[36)]

	승격					강격				
	수군 첨절제사	수군동 첨절제사	수군 만호	병마 만호	계	수군 첨사	수군 동첨사	수군 만호	병마 만호	계
성종16~영조22	1	2	12	4	19	5	0	0	0	5
영조23~정조9	1	2	0	1	4	1	0	0	0	1
정조10~고종2	0	2	0	1	3	1	0	0	0	1
합계	2	6	12	6	26	7	0	0	0	7

그런데 조선 중·후기의 변천된 변진을 시기별로 보면 다음의 표와 같이 설치, 혁거, 전환, 승격, 강격 모두 성종 17년~영조 22년에 집중되었다. 그런데 이를 다시 왜란과 관련하여 그 이전과 이후의 시기로 구분하여 보면 설치-혁거-전환-승격-강격된 변진수가 성종 17~선조 24년에는 18-6-0-6-1진 등 31진, 선조 25~영조 22년에는 51-29-6-13-4진 등 93진이었듯이 선조 25년~

36) 뒤 〈별표 8〉에서 종합.

영조 22년이 앞 시기는 물론 영조 23년~정조 9년·정조 10년~고종 2년의 변천을 압도하였다.

〈표 13-6〉 조선 중·후기 변진 시기별 변천[37]

	시기별			진별				합계
	성종17~영조22	영조23~정조9	정조10~고종2	수군첨사	수군동첨사	수군만호	병마만호	
설치	69	11	11	10	7	36	38	91
혁거	35	11	12	2	1	34	23	60
전환	6	1	0	2	0	5	0	7
승격	19	4	3	2	6	12	6	26
강격	5	1	1	7	0	0	0	7
계	124	28	27	23	21	80	67	191

이를 볼 때 변진의 변천은 남방과 북방의 외침 등 군사활동과 관련되어 선조 25년~영조 22년이 큰 폭으로 변천되면서 중심이 되었고, 성종 17년~선조 24년, 영조 23년~정조 9년, 정조 10년~고종 2년에는 소폭으로 변천되었다고 하겠다.

설치된 변진수는 지역조건, 남방 왜와 북방 야인의 방어 등과 관련되어 경상·전라·함경도에 집중되었다.[38] 그러나 변천된 변진수를 보면 다음의 표와 같이 변진이 집중적으로 설치된 경상·전라·함경도와 함께 경기·평안도가 많이 변천되면서 중심이 되었다. 또 경상도 등 5도의 변천된 변진을 시기별로 보면 앞에서의 분석과 같이 모두 선조 25년~영조 23년의 시기가

37) 계는 중복을 제외한 수이고 ( )는 각각 선조 24년·인조 27년·『속대전』·『대전통편』·『대전회통』에 규정된 군현수이다.

38) 『경국대전』 권4, 병전 외관직조에 규정된 8도의 변진(수군첨절제사·만호진, 병마만호진)은 다음과 같다.

	수군첨절제사	수군만호	계		수군첨절제사	수군만호	병마만호	계
경기	1	5	6	강원	1	4	0	5
충청	2	3	5	황해	1	6	0	7
경상	2	19	21	함경	0	3	14	17
전라	2	15	17	평안	3	0	4	7

중심이 되면서 영조 23년~정조 9년과 정조 10년~고종 2년에 경상도와 평안도가 많이 변천되었다.[39)]

〈표 13-7〉 조선 중·후기 도별 혁거·복치 변진수[40)]

	설치·혁거·전환				승격·강격			합계
	신치	혁거	전환	계	승격	강격	계	
경기도	13	2	6	21	3	0	3	24
충청도	3	2	0	5	1	0	1	6
경상도	21	20	0	41	4	2	6	47
전라도	14	4	0	18	8	4	12	30
강원도	1	4	0	5	0	0	0	5
황해도	7	3	0	10	3	0	3	13
함경도	16	17	0	33	3	0	3	36
평안도	16	8	1	25	4	1	5	29
계	91	60	7	158	26	7	33	191

이를 볼 때 조선 중·후기 변진의 변천은 왜란과 야인의 준동, 호란 이후의 수도방어강화 등과 관련되어 시기적으로는 선조 25년~영조 25년에 집중되었고, 지역적으로는 변진의 설치가 집중된 경상·전라·함경도와 경기·평안도에 집중되었다고 하겠다.

또 변진의 변진을 시기별과 변진별로 종합해 보면 다음의 표와 같이 수군첨절제사진은 17진에서 27진, 수군동첨절제사진은 0진에서 11~16진. 병마만호진은 88진에서 104~112진으로 증가하였고, 수군만호진은 58진에서 44~35진으로 감소되었다. 즉 수군진은 만호진이 대거 동첨절제사·첨절제사진으로

---

39) 성종 17~선조 24, 선조 25~영조 22, 영조 23~정조 4, 정조 10~고종 2년 도별 변천수는 다음과 같다(뒤 〈별표〉에서 종합).

	성종17~선조24	선조25~영조22	영조23~정조4	정조10~고종2		성종17~선조24	선조25~영조22	영조23~정조4	정조10~고종2
경기도	0	17	4	0	함경도	3	28	0	8
경상도	9	20	17	1	평안도	2	15	3	12
전라도	4	17	4	1					

40) 뒤 〈별표 8〉에서 종합. 합계는 치·폐와 승·강이 중복된 군현은 중복을 제외한 수이고, 총 군현수는 『대전회통』(고종 2)에 규정된 군현 수이다.

승격되고 병마만호도 크게 증가되었다.

〈표 13-8〉 조선 중·후기 변진 변천[41]

		경국대전	속대전	대전통편	대전회통
수군	첨절제사진	12	17	21	27
	동첨절제사진	0	15	16	11
	만호진	58	44	35	35
병마만호진		18	36	40	31
합계		88	112	112	104

이러한 변진의 변천은 당시의 군사정세, 수도방어강화를 토대로 하였기에 당시의 국방과 밀접히 연관되었다고 하겠고, 그 결과 남방의 왜와 북방 야인의 직접적인 침입을 방어하고 수도의 방어를 강화하는 등 대외적인 평화와 국정안정의 한 토대가 되었다고 하겠다.

2. 牧場과 渡

1) 牧場

목장은 내륙과 도서에 설치되어 종6품 감목관의 주관하에 말을 사육하는 곳(관아)이다. 목장은 『경국대전』에 규정된 것(목장 수 불명)이 후대로 계승되다가 1746년(영조 22)까지 경기 등 7도(강원도 제외)에 1~5직의 21소로 조정되어 『속대전』에 등재되었다.[42] 그후 1865년(고종 2) 이전에 충청도 목장(1소)가 혁거된 후 6도 1~5직의 20직이 『대전회통』에 등재되어 후대로 계승되었다(『경국대전』의 목장은 앞 〈표 3-4〉 참조).[43]

41) 뒤 〈별표 8〉에서 종합.
42) 『속대전』 권4, 병전 경기·충청·경상·전라·황해·함경·평안도 감목관조.
43) 『대전회통』 권4, 병전 경기·경상·전라·황해·함경·평안도 감목관조.

2) 渡

渡는 임진강과 한강의 수로 요충지에 설치되어 도성을 공사로 내왕하는 인물과 물화의 도강을 관리하는 곳(관아)이다. 도는 『경국대전』에 규정된 경기도의 양화도 등 7도가 1746년(영조 22) 이전에 벽란·낙하도가 혁거되고 도를 관리하던 문반 종9품 승이 별장으로 개칭되고 무반직이 됨에 따라 무반아문이 되면서 『속대전』에 5직으로 등재되어[44] 후대로 계승되었다(『경국대전』의 도는 앞 〈표 3-4〉 참조) 조선 중·후기 도·목장을 정리하면 다음의 표와 같다.

〈표 13-9〉 조선후기 도별 渡와 牧場 변천[45]

	『경국대전』		『속대전』		『대전통편』		『대전회통』	
	도	목장	도	목장	도	목장	도	목장
경기도	7	불명	5	5	5	5	5	5
충청		불명		1		1		0
경상		불명		3		3		3
전라		불명		5		5		5
황해		불명		3		3		3
함경		불명		3		3		3
평안		불명		1		1		1
합계	7	불명	5	21	5	21	5	20

제3절 堡와 山城·浦·嶺·기타

보는 조선초기 이래로 양계의 변방이나 남방의 방어를 강화하기 위해 변진의 전방에 설치한 방어소로 守將인 權管(종9, 양계)이나 別將(종9, 남방)이 진수하였다. 산성·포·영 등은 왜란과 호란을 겪으면서 내륙이나 연변 방어를 강화하기 위해 요충지에 쌓은 성이나 방어소로 그 모두에는 종9품 別將이

44) 『속대전』 권4, 병전 외관직 경기도 별장.

45) 『속대전』·『대전통편』·『대전회통』 권4, 병전 외관직.

파견되어 진수하였다.

1. 堡

보는 1481년(성종 12)까지 경상도에 5소, 전라도에 1소, 평안도에 20소의 26소가 설치되었고,[46] 이후 1530년(중종 25)까지 경상·황해·함경·평안도에 1~10소가 증치되면서 36소(이상)가 되었고,[47] 그후 1865년(고종 2)까지 변경 방어, 관제개변 등과 관련되어 다수의 보가 신치, 혁거, 복치되면서 33소로 조정된 후 『대전회통』에 등재되어 후대로 계승되었다.[48] 그 변천상은 다음의 표와 같다.

〈표 13-10〉 조선 중·후기 보·포(수장 權管) 변천[49]

		성종12~영조22	영조23~정조8	정조9~고종2	고종2(대전회통)
경상도	삼천포	성종12전→	→	→	삼천포
	금단곶보	성12전→	영조23이전 혁		
	율포	성12전→	→	→	율포
	소을비포	성12전→	영23전 혁		
	가배량	성12전→ 19전 수군만호			
	상주포	중종25이후→	영23전 혁		
	곡포	영조22전→	→정조9전 혁		
	소계	7	2	2	2
전라	율현보	성12전→	영23전 혁		
황해	대진관	중25전→	영23전 혁		
함경	소농보	연산6→	→	→	소농보
	쌍청보	연8→	→	고종2전 혁	
	동인보	중종7→	영23전 혁	정조9전 복치	동인보
	진동보	중7→	영23전 혁		
	양영만동보	중8→	→	→	양영만동보
	건원보	중11→	→	→	건원보
	황척파보	중18→	→	→	황척파보

46) 『신증동국여지승람』 경상·전라·평안도 관방조. 보명은 〈표 13-10〉 참조).
47) 『신증동국여지승람』 경상·전라·평안도 관방조. 보명과 변천내용은 〈표 13-10〉 참조).
48) 변천내용은 〈표 13-10〉 참조).

함경	사마동보	중20→	영23전 혁		
	증산보	중23→	영23전 혁		
	자작부비보		영23전→	고종2전 혁	
	묘파		영23전→	고2전혁	
	가을파지보		영23전→	→	구갈파지보
	강구보		영23전→	고2전혁	
	황토보		영23전→	고2전혁	
	기이보		영23전→	고2전혁	
	보로지보		영23전→	정9전혁	
	오촌보		영23전→	→	오촌보
	보화보		영23전→	→	보화보
	안원보		영23전→	→	안원보
	수라보		영23전→	→	서수라보
	운룡보			철종9치(降萬戶)→	운룡보
	진동보			"	진동보
	인차외보			"	인차외보
	나난보			"	나난보
	소계	9	16	12	12
평안	광평보	성종12→		→	광평보
	고미성보	성12→	영23전 혁		
	옥강보	성12→	인6전 만호		
	송산보	성12→	영23전 혁		
	운두리보	성12전→	→	→	운두리보
	대길호리보	성12전→	→	→	대길호리보
	갑암보	성12전→	→	→	갑암보
	어정탄보	성12전→	→	→	어정탄보
	우구리책	성12전→	영23전 혁		
	外叱怪보	성12전→	영23전 만호	고2전 강치	질괴보
	팔공구비보	성12전→	영23전 혁		
	벌등포	성12전→	영23전 혁		
	대파아보	성12전→	→	→	대파아보
	소파아보	성12전→	→	→	소파아보
	추구비보	성12전→	→	→	추구비보
	소길호리보	성12전→	→	→	소길호리보
	금사동보	성12전→	영23전 혁		
	건천보	성12전→	→	→	건천보
	묘동보	성12전→	→	→	묘동보
	건자동보	성12전→	영23전 혁		
	산양회보	인조6전→	영23전 만호		
	乫軒洞堡	인6전→	→	→	갈헌동보
	건자포보	인6전→	영23전 혁		
	이동보	인6전→	영23전 혁		
	종포보	인6전→	영23전 만호→	철9 강치	종포보

평안	황청보	인6전→	영23전 혁		
	마마해보	인6전→	→	→	마마해보
	질동보		영23전→	→	질동보
	추파			철9치(강만호)→	추파보
	평남보			〃	
	소계	27	13	17	17
합계		46~38	31	31	31

2. 山城·浦·嶺·기타

산성은 1746년(영조 22) 이전까지 경기·경상·전라·황해·함경·평안도에 각각1~5소 등 14산성이 수축·신축된 것이 『속대전』에 등재되었고, 이후 1865년(고종 2)까지 경상·전라도에 3소가 신치되면서 17소가 『대전회통』에 등재된 후 후대로 계승되었다.[50)]

浦는 1746년(영조 22) 이전까지 경상·전라도에 4소가 설치된 것이 『속대전』에 등재되어 후대로 계승되다가 1865년(고종 2)까지 3소가 혁거되면서 잔존한 1소가 『대전회통』에 등재되었다.[51)]

嶺은 1746년(영조 22) 이전까지 함경도에 2소가 설치된 것이 『속대전』에 등재되어 후대로 계승되었다.[52)]

그 외에 1746년(영조 22) 이전까지 경기·경상·전라·평안도에 10소의 각종 진수소가 설치된 것이 『속대전』에 등재되었고, 이후 1865년(고종 2)까지 3소가 신치되고 3소가 혁거되면서 존치된 10소가 『대전회통』에 등재되었다.[53)]

조선 후기에 운영된 산성과 포의 변천을 도별과 시기별로 정리하면 다음의 표와 같다.

---

49) 『신증동국여지승람』 각읍 관방조, 『관서록』(최현), 『속대전』·『대전통편』·『대전회통』 권4, 병전 외관직 권관에서 종합.
50) 『속대전』·『대전통편』·『대전회통』 권4, 병전 외관직 8도 별장조.
51) 『속대전』·『대전회통』 권4, 병전 외관직 경상도·전라도 별장조.
52) 『속대전』·『대전회통』 권4, 병전 외관직 경상도·전라도 별장조.
53) 『속대전』·『대전회통』 권4, 병전 외관직 경상도·전라도 별장조.

〈표 13-11〉 조선후기 산성·포·영(수장 별장) 등 변천

		성종17~영조22	영조23~고종2	고종2(『대전회통』)	비고(소재지)
산성	문수산성	영조22이전 치→	→	문수산성	경기도
	금오산성	영22이전 치→	→	금오산성	경상
	독용산성	영22이전 치→	→	독용산성	경상
	조령산성	영22이전 치→	→	조령산성	경상
	가산산성	영22이전 치→	→	가산산성	경상
	금정산성		고2이전 치→	금정산성	경상
	위봉산성	영22이전 치→	→	위봉산성	전라
	입암산성	영22이전 치→	→	입암산성	전라
	금성산성	영22이전 치→	→	금성산성	전라
	남고산성		고2이전 치→	남고산성	전라
	수양산성	영22이전 치→	→	수양산성	황해
	구월산성	영22이전 치→	→	구월산성	황해
	장수산성	영22이전 치→	→	장수산성	황해
	정방산성	영22이전 치→	→	정방산성	황해
	대현산성	영22이전 치→	→	대현산성	황해
	자모산성	영22이전 치→	→	자모산성	평안
	황룡산성	영22이전 치→	→	황룡산성	평안
포	장수포	영22이전 치→	→	정수포	경상
	풍덕	영22이전 치→	정조9이전 혁		경상
	소비포	영22이전 치→	고종2이전 혁		경상
	격포	영22이전 치→	고2이전 혁		전라
영	中嶺	영22이전 치→	→	중령	함경
	赴戰嶺	영22이전 치→	→	부전령	함경
기타	長山		정조9이전 치→	장산	경기
	船頭堡		고종2이전 치→	선두보	경기
	元山		고종2이전 치→	원산	충청
	신문	영22이전 치→	→	신문	경상
	남촌	영22이전 치→	→	남촌	경상
	晴天	영22이전 치→	고2이전 혁		경상
	섬진	영22이전 치→	→	섬진	경상
	浦頂	영22이전 치→	고2이전 혁		경상
	흑산도	영22이전 치→	→	흑산도	전라
	古突山	영22이전 치→	→	고돌산	전라
	所安島		고2이전 치→	소안도	전라
	林土	영22이전 치→	→	임토	평안
	덕지동	영22이전 치→	정9이전 혁		평안
	保山	영22이전 치→	→	보산	평안
합계		30	31	31	

지금까지 고찰한 조선 중·후기 보와 산성 등을 도별과 시기별로 재정리하면 다음의 표와 같다.

〈표 13-12〉 조선후기 도별 보 등(權管官)과 산성 등(別將官) 변천[54]

	『속대전』				『대전통편』				『대전회통』			
	보등	산성	기타	계	보등	산성	기타	계	보등	산성	기타	계
경기도		1	2	3		1		1		1	2	3
충청											1	1
경상	2	4	7	13	2	4	6	12	2	5	4	11
전라		3	3	6		3	2	5		4	3	7
황해		5		5		5		5		5		5
함경	9			9	16			16	12			12
평안	27	2	3	32	13	2	2	17	17	2	2	21
합계	38	15	15	68	31	15	10	56	31	17	12	60

참고로 『대전회통』에 규정된 경·외 무반 아문을 아문·지위별로 종합하면 다음의 표와 같다.

〈표 13-13〉 『대전회통』 경·외 무반아문 아문·지위별 종합(겸영 제외)

		정1품 아문	정2	종2	정3 당상	정3	종3	종4	비고
경아문	直啓衙門	3[*1]	1[*2]						*1 중추부, 선혜청, 준천사 *2 5위도총부
	軍營衙門			5[*1]		4[*2]			*1 훈련도감, 어영청, 금위영, 포도청, 용호영 *2 호위청, 총리·관리·진무영
	兵曹 屬衙門				3[*]				* 5위, 훈련원, 선전관청
	계	3	1	5	3	4			
외아문	병영			8[*]					* 충청1, 경상2, 전라1, 황해1, 함경2, 평안1
	수영				8[*]				* 충청1, 경상2, 전라2, 황해1, 함경2
	제영			3[*1]	12[*2]				*1 병마방어사·수군통어사·수군통제사, *2 영장영
	진·포						27[*1]	77[*2]	*1 수군첨절제사, *2수군동첨절

---

54) 앞 〈표 13-8, 9〉에서 종합.

									제사 11, 병마 31·수군만호 35
	계			11	20		27	77	
합계		3	1	16	23	4	27	77	

		정5품아문	종6	종9	합계	비고
경아문	직계아문				4	
	군영아문				9	
	병조 속아문	1[*1]	2[*2]		6	*1 세자익위사 *2 세손위종사, 수문장청
	계	1	2		19	
외아문	병영				11	
	수영				11	
	제영				15	
	진·포				104	
	보 등(권관관)			31[*]	31	* 보29, 기타12
	산성 등(병장관)			29[*]	29	* 산성17, 기타12
	목장		20[*]		20	* 경기5, 경상3, 전라5, 함경3, 평안1
	계		20	60	218	
합계		2	22	60	237	

제14장 朝鮮 中·後期 官衙機能의 변천Ⅰ－直啓衙門과 軍營衙門

제1절 直啓衙門

1. 政務衙門

1) 議政府·備邊司와 宣惠廳·堤堰司·濬川司

(1) 議政府·備邊司

의정부의 법제적인 기능은 『경국대전』에 규정된 기능이 변동 없이 후대로 계승되었다. 실제기능은 1591년(선조 24)까지는 시기별로 왕권, 국정운영체계, 정치상황 등과 관련되어 다소의 차이는 있지만 백관을 총령하면서 서정을 분장한 육조를 직·간접으로 지휘하면서 국정운영을 주도하거나 정치에 큰 영향력을 발휘하였다.[1] 그러나 1592년(선조 25)~1864년(고종 1)에는 비변사가 중심이 된 국정운영에 따라 정무기능(平庶政·經邦國)의 기능을 상실하고 왕·왕실과 관련된 의례 등 기능만을 행사하였다.[2] 그렇지만 의정부는 장관인 領·左·右議政은 국왕의 신임을 받는 재상이 진출하는 최종 관직이고, 정치운영을 주도한 備邊司는 물론 宣惠廳·訓鍊都監 등을 총관하는 都提調 등을 例兼하고[3] 정치·군사 전반에 큰 영향력을 발휘하였기에 관아가 존치됨은 물론

---

1) 졸저, 2011, 『조선전기의 의정부와 정치』, 계명대학교출판부, 82~85쪽.

2) 위 책, 85~90쪽.

3) 『속대전』·『대전통편』·『대전회통』 권1, 이전 경관직 의정부.

법제적인 기능도 유지할 수 있었다.

비변사는 1592년(선조 25) 왜란에 대처할 최고 정치·군사관아로 설치되고 그 기능이 "서울과 지방의 군국기무를 총령한다(總領中·外軍國機務)"라고 규정되었다. 비변사는 설치와 함께 의정부를 무력화시키고 육조·8도와 都體察使 이하 각급 討倭軍을 지휘하는 등 정치·군사가 중심이 된 모든 국정을 총령하면서 왜란을 종식하였다. 왜란이 종식된 이후부터 1865년(고종 2) 의정부에 합병되기까지는 시기적으로 다소의 차이는 있지만 六曹에 대한 지휘권을 강화함은 물론 吏·兵·戶曹의 인사·군사·재정권과 三司의 언론을 약화시키면서 擬望, 軍機, 災實分等, 還餉, 松政, 留都, 西北糯紙衣 및 木綿去核, 표도인, 員役夜票, 담구군 및 가우, 초료, 사행은, 전죽 등 제급, 역로, 축목, 공명첩, 조전, 제향, 예악 등 국정 전 분야에 걸쳐 간여하며 강력한 영향력을 발휘하면서 국정운영을 주도하였다.[4] 특히 擬望(議薦權)은 남북변방 요지의 감사·병사·수사, 군영대장·유수·선혜청당상·암행어사·순찰사·통제사 등을 회의를 통해 결정하고 천거하는 것으로[5] 비변사기능의 핵심이 되고, 정치주도세력의 세력유지 기반이 되었다.

이러한 비변사의 기능에서 비변사는 조선후기에 정치주도권을 다툰 당파, 정치를 주도한 노론(순조 이후는 세도정치 가문)에 의해 지배되면서 정치기반이 됨은 물론 왕권을 제약하고 약화시키는 요인이 되었다.[6]

---

4) 반윤홍, 2003, 『조선시대 비변사 연구』, 경인문화사, 126~141쪽.

5) 위 책, 141~147쪽.

6) 왕권이 강력하거나 정상적으로 발휘될 때는 국왕이 백사·백관을 접견하고 상계·상소한 내용을 검토하면서 결정하는 즉, 정무·인사 등 모든 국정을 최종적으로 결정하였다. 그러나 당파가 주도한 비변사의 강력한 정무·인사권 행사는 국왕의 이에 관한 기능행사를 약화시키고 저해하였다. 특히 세도정치기에는 세도가가 국왕의 위임을 받아 정무·인사 등 국정을 결정하면 국왕은 이를 추인하여 시행하였다. 이러한 상황에서 1810년(순조 10)에 대사헌 김이도가 왕과 백관과의 소통부제를 두고 "(왕은) 장상에게 자문하지 않고, 경연에서 (국사의) 편리 여부를 강구하지 않으며, 명령이 승정원을 거치지 않고, 辭敎가 문자로 나오지 않습니다. 그리하여 여항에서는 알고 있으나 조정에서는 모르고, 下賤은 알고 있으나 사대부들은 모르며, 무관(韎韋)은 알고 있으나

(2) 宣惠廳·堤堰司·濬川司

선혜청의 법제적인 기능은 1608년(광해군 즉위) 관아설립시에 "대동미와 포 및 전을 관장한다(掌出納大同米·布·錢)"고 규정되었고, 이것이 변동 없이 후대로 계승되었다. 대동미는 조선후기 정부수입의 대부분을 점하였고, 이에 따라 선혜청은 호조를 제치고 최대의 재정기관이 되었고, 1753년(영조 29)에 4년 전에 설치되어 군포를 관장하던 均役廳이 합병되고 1760년(영조 36) 정1품 아문이 되면서 비변사와 견줄 정도의 강력한 기능을 행사하였다.[7] 또 이러한 재정기능에서 조선후기 정치주도세력의 재정기반이 되었다.

제언사의 법제적인 기능은 1490년(성종 21) 이전에 설치된 후 혁거되었다가 1662년(현종 3) 복치될 때 "각도 제언의 修理와 水利를 도모하는 일을 구관하는(句管修飭各道堤堰水利)" 것으로 규정되어 1865년(고종 2) 관아가 議政府에 합병될 때까지 계승되었다.[8] 그러나 실제기능은 미곡의 생산을 늘리기 위해 이앙법이 지속적으로 보급되고, 제언과 수리는 그 토대가 되고 막대한 경비가 소용됨은 물론 그 아문이 정1품 아문이고 도제조 3직(3의정)과 제조 2직이 설치되었음에서[9] 시사되는 바와 같이 강력한 영향력을 행사하였다.

준천사의 법제적인 기능은 1760년(영조 36) 당시의 긴급한 도성내 하천 濬溝를 위해 관아가 설치될 때 "도성내 하천 안의 토사를 치우고 수저를 깊게 하여 물이 잘 흐르게(疏濬)[10] 하는 일을 관장하는(掌疏濬都城內川渠)"

문관(搢紳)은 모르고 있습니다"(『순조실록』 10년 3월 신유)라고 한 기사는 이런 상황을 잘 보여주고 있는 예라고 하겠다.

7) 최주희, 2013, 「조선후기 宣惠廳의 운영과 中央財政構造의 변화」, 고려대학교 대학원 한국사학과 박사학위논문, 109~145, 205~243쪽.

8) 『증보문헌비고』 권216, 직관고 3 제언사 ; 『대전회통』 권1, 이전 경관직 의정부.

9) 도제조가 3직 이상 설치되고 3의정이 겸대한 경우는 비변사(3직 이상, 전·현직 의정겸)와 선혜청(3직, 3의정겸) 뿐이다(『속대전』 권1, 이전 경관직 외).

10) 이상은 감수, 1993, 『漢韓大字典』, 民衆書館, 759쪽.

것으로 규정되어 후대로 계승되었다. 실제기능은 개천을 준구하는 일에는 공역의 규모와 관련되어 많은 인원이 동원되고 재정이 소용되기도 하였지만 그 아문이 정1품 아문이고 도제조 3직(정1품겸)과 제조 6직(종2품 이상겸)·도청 1직(정3당상겸)이 설치되었음에서[11] 시사되는 바와 같이 강력한 영향력을 행사하였다.

2) 6曹(吏·戶·禮·兵·刑·工曹)

6조의 법제적인 기능은 『경국대전』에 규정된 그것이 변동 없이 후대로 계승되었다. 실제기능은 1495년(연산군 1)~1591년(선조 24)에는 의정부·외척세력 등과의 관계에 따라 다소 신축이 있기는 하나 서정을 확실히 분장하면서 국정에 큰 영향력을 발휘하였다.[12] 그러나 1592년(선조 25)~1864년(고종 1)에는 속아문기능이 많이 흡수되기도 하나[13] 비변사의 국정주도, 비변사의 인사·군사·재정·의례 등 기능, 선혜청의 대동미·군포 관장과 최고 재정기관화 등과 관련되어 6조기능이 전반적으로 위축되었고, 특히 이조의 인사기능, 병조의 인사·군사기능, 호조의 재정·회계기능, 공조의 공역기능이 크게 약화되었다.[14] 다만 형조에 있어서는 1764년(영조 40)에 노예의 부적과 결송을 관장하던 장예원이 合屬됨에[15] 따라 비록 법제적인 기능에는 변화가 없었지

---

11) 도제조가 3직 이상 설치되고 제조가 6직 이상 설치된 경우는 비변사(3직이상, 전·현직 의정겸), 선혜청(3직, 3의정겸, 제조는 3직), 제언사(3직, 3의정겸, 제조는 2직) 뿐이다(『대전통편』 권1, 이전 경관직 외).

12) 뒤 386~390쪽 참조.

13) 육조에 합병되면서 혁거된 속아문은 다음과 같다(앞 275쪽에서 종합).

호조 : 귀후서, 사축서　　형조 : 장예원
예조 : 도화서　　공조 : 전함사
병조 : 충익사, 수성금화사

14) 이조 정랑과 좌랑이 각 3직이 1777년(정조 즉위) 이전에 각 1직이 삭감되면서 각 2직으로 조정된 것이 이를 잘 입증한다고 하겠다(이조낭관의 삭감은 앞 6장 주23) 참조).

15) 『증보문헌비고』 권222, 직관고 9, 장예원.

만 그 관장사가 확충되었다.

3) 義禁府와 司憲府·司諫院

(1) 義禁府

의금부의 법제적인 기능은 『경국대전』에 규정된 그것이 변동 없이 후대로 계승되었다. 그러나 실제기능은 조선 중·후기를 통해 빈번히 詔獄이 있고, 이와 관련되어 국왕의 신임이 깊은 재상이 판사(종1겸)·지사(정2겸)·동지사(종2겸)에 제수되어 옥사를 주관하였기에[16] 강력한 기능을 발휘하였다.

(2) 司憲府·司諫院

사헌부·사간원의 법제적인 기능은 『경국대전』에 규정된 그것이 변동 없이 후대로 계승되었다. 그러나 실제기능은 정치상황, 집권세력의 언론억압, 언관의 정파역속 등과 관련되어 연산군 말에는 무력화되었고,[17] 1506년(중종 1)~1591년(선조 24)에는 기능이 신축되었으며,[18] 1592년(선조 25) 이후에는 특히 1746년(영조 22)에 사헌부 감찰이 24직에서 13직으로 삭감되고[19] 1762년(영조 38) 노론이 독주한 이후, 특히 세도정치기인 1804년(순조 4)~1863년(철종 14)에는 기능발휘가 억제되고 크게 약화되었다.[20]

---

16) 그 대표적인 예가 1679년(숙종 5) 이후에 정권의 교체를 가져온 환국과 환국을 주도하고 집권한 당파에 의해 주장된 반대파의 치죄이다(환국과 그 내용은 뒤 〈표 17-4〉, 주 28)~38) 참조).

17) 『연산군일기』 10~12년조.

18) 『조선왕조실록』 중종 1~선조 24년조.

19) 『속대전』 권1, 이전 경관직 사헌부.

20) 박현모, 2011, 『정조 사후 63년』, 창비, 50~53쪽, 58쪽 〈표 1〉, 99쪽 〈표 1〉, 138쪽 〈표 1〉 참조.

4) 漢城府와 水原·廣州·開城·江華府

(1) 漢城府

한성부의 법제적인 기능은 『경국대전』에 규정된 그것이 변동 없이 후대로 계승되었고, 실제기능도 큰 변동이 없었다.

(2) 水原·廣州·開城·江華府

개성유수부의 법제적인 기능은 『경국대전』에 규정된 그것이 변동 없이 후대로 계승되었고, 실제기능도 왜란과 호란을 겪은 후 왕성과 외곽의 방어를 강화하기 위하여 강화·수원·광주유수부가 설치되면서 4유수부체제로 조정된 뒤에도[21] 큰 변동이 없었다.

강화·수원·광주 3유수부의 법제적인 기능은 각각 관아 설치시인 1627년(인조 5), 1793년(정조 17), 1795년(정조 19)에 그 목적이 왜란과 호란을 겪은 후 왕성과 외곽의 방어를 강화하기 위한 것과 관련되어 각각 "掌治江都", "掌治華城", "掌治南漢山城"으로 규정되었고,[22] 실제기능도 강화·광주유수부는 그와 같았다. 그러나 화성유수부는 화성을 관장하기도 하지만 정조대에는 정조의 왕권강화책과 관련되어 壯勇營과 함께 군사적 기반이 되었기에 타 유수부에 비해 강력한 기능을 발휘하였다. 또 4留守府 留守는 備邊司 提調를 例兼하기는 하나 그 인사가 비변사에 의해 좌우되었기에[23] 비변사의 간여를 받았으며, 유수부는 그 군사·재정기능과 관련되어 정치주도세력에게 장악되면서 군영아문·선혜청과 함께 군사·재정적 기반이 되었다.

---

21) 이존희, 앞 논문, 1984 참조.

22) 『속대전』·『대전통편』·『대전회통』 권1, 이전 경관직 수원·광주·개성부조.

23) 반윤홍, 앞 책, 2003, 141~147쪽.

5) 經筵·奎章閣과 承政院

(1) 經筵·奎章閣

경연의 법제적인 기능은 『경국대전』에 규정된 그것이 변동 없이 후대로 계승되었다. 그러나 실제기능은 국왕의 성품, 정치상황 등과 관련되어 신축되면서 전개되었다.

규장각은 1776년(정조 즉위) 설치될 때 "역대 왕과 왕의 제문·벼루·고명·영정을 봉안하는 일을 관장(敬奉列聖御製·御筆·顧命·當佇御眞·御製·御筆)" 하는 것으로 규정되어 후대로 계승되었다.[24] 그러나 실제기능은 관아가 정조의 왕권강화·문체개혁 등의 도모와 관련되어 설치되었기에 정조대에는 왕 측근 기구가 되어 정조가 추진한 왕권강화·문체개혁 등을 뒷받침하는 강력한 정치기능을 발휘하였다.[25]

(2) 承政院

승정원의 법제적인 기능은 『경국대전』에 규정된 그것이 변동 없이 후대로 계승되었다. 그러나 실제기능은 그 직장이 왕권과 직결되었던 만큼 왕권·정치상황과 관련되어 신축되면서 전개되었다.[26]

2. 禮遇衙門

1) 宗親·儀賓·敦寧府·中樞府

宗親·儀賓·敦寧·中樞府의 법제적인 기능은 『경국대전』에 규정된 그것이 변동 없이 후대로 계승되었고, 실제기능도 그 직장과 관련되어 변동 없이

---

24) 『대전통편』 권1, 경관직 규장각.

25) 『정조실록』 정조 즉위~24년조.

26) 『증보문헌비고』 권220, 직관고 7 승정원 ; 『대전통편』·『대전통편』 권1, 이전 경관직 승정원. 특히 세도정치기에 왕권의 쇠미에 수반되어 현저히 약화되었다.

계승되었다.

2) 忠勳府

忠勳府의 법제적인 기능은 『경국대전』에 규정된 그것이 변동 없이 후대로 계승되었고, 실제기능도 그 직장과 관련되어 변동 없이 계승되었다.

3. 武班衙門 : 5衛都摠府·兼司僕·內禁衛·羽林衛

5衛都摠府·兼司僕·內禁衛·羽林衛의 법제적인 기능은 『경국대전』에 규정된 그것이 변동 없이 후대로 계승되었다. 그러나 실제기능은 5위도총부는 1485년(성종 16)~1591년(선조 24)에는 변동 없이 계승되었으나 1592년(선조 25) 이후에는 군제개편과 관련된 5衛의 유명무실화에 따라 관아의 명목만을 유지하면서 계승되었다. 겸사복 등은 군제개편, 정치상황 등과 관련되어 점차로 약화되었다가 1666년(현종 7) 통합되어 금군청으로 개편되면서[27] 소멸되었다(6조, 의금부, 한성부, 경연, 승정원과 종친부 등 예우기관의 『경국대전』에 규정된 기능은 뒤 〈표 14-1〉 참조).

이상에서 조선후기에는 왜란 이후에 급변하는 정치·군사·사회·경제에 대처하기 위하여 새로이 설치된 비변사·선혜청·제언사·준천사·규장각과 강화·수원·광주유수부가 정치·군사·사회·경제를 주도하는 강력한 기능을 발휘하였고, 기존의 의정부는 허설화되고 6조와 언론 3사도 그 기능이 위축되고 제약되었다. 조선 중·후기 직계아문의 법제적인 기능변천을 종합하면 다음과 같다.

---

27) 『속대전』 권4, 병전 군영아문 금군청.

〈표 14-1〉 조선 중·후기 직계아문 기능 변천[28]

관아	『경국대전』	성종16~고종2(창치년)	『대전회통』(고종2)	비고
宗親府	敬奉列聖御寶·御眞, 封進兩宮衣襨, 統領璿源諸派	→	敬奉列聖御寶·御眞, 封進兩宮衣襨, 統領璿源諸派	정1품 아문
議政府	總百官, 平庶政, 理陰陽, 經邦國	→	總百官, 平庶政, 理陰陽, 經邦國	
忠勳府	諸功臣之府	→	諸功臣之府	
儀賓府	尙公主·翁主者之府	→	尙公主·翁主者之府	
敦寧府	王親·外戚之府	→	王親·外戚之府	
備邊司		備邊司(명종15) ; 總領中·外軍國機務→고종2 혁(속 議政府)	고종2 혁	
宣惠廳		掌出納大同米·布·錢	掌出納大同米·布·錢	
堤堰司		句管修飭各道堤堰水利→고종2 혁(속議政府)		
濬川司	濬川司(서반아문)	掌疏濬都城內川渠	掌疏濬都城內川渠	
中樞府	無所掌(待文武堂上官無所任者)	→	無所掌(待文武堂上官無所任者)	
義禁府	掌奉敎推鞫之事	연산10 密威廳→ 중종1 義禁府→	掌奉敎推鞫之事	종1품 아문
吏曹	掌文選·勳封·考課之政		掌文選·勳封·考課之政	
戶曹	掌戶口·貢賦·錢糧·食貨之政		掌戶口·貢賦·錢糧·食貨之政	
禮曹	掌禮樂·祭祀·宴享·朝聘·學校·科擧之政·		掌禮樂·祭祀·宴享·朝聘·學校·科擧之政·	
兵曹	掌武選·軍務·儀衛·郵驛·兵甲·門戶·管鑰之政		掌武選·軍務·儀衛·郵驛·兵甲·門戶·管鑰之政	
刑曹	掌法律詳獻·詞訟·奴隷之政		掌法律詳獻·詞訟·奴隷之政	
工曹	掌山澤·工匠·營繕·陶冶之政		掌山澤·工匠·營繕·陶冶之政	
漢城府	掌京都口帳市廛·家舍·田土·四山·道路·橋梁·溝渠·逋缺·負債·鬪毆·書巡·檢屍·車輛·故失牛馬·烙契等事	→	掌京都口帳市廛·家舍·田土·四山·道路·橋梁·溝渠·逋缺·負債·鬪毆·書巡·檢屍·車輛·故失牛馬·烙契等事	
水原留守府		水原留守府(정조17) 장치화성	掌治華城	
廣州留守府		廣州留守府(인조1~8, 영조26~35, 정조19~) 掌治南(漢山)城	掌治南(漢山)城	
五衛都摠府	掌治五衛軍務	→	掌治五衛軍務	
奎章閣		정조즉위 敬奉列聖御製·御筆·顧命·當佇御眞·御製·御筆→	敬奉列聖御製·御筆·顧命·當佇御眞·御製·御筆	종2품 아문
司憲府	掌論執時政, 糾察百官, 正風俗, 伸冤抑, 禁濫僞等事	→	掌論執時政, 糾察百官, 正風俗, 伸冤抑, 禁濫僞等事	

開城留守府	掌治舊都	→	掌治舊都	
江華留守府		江華留守府(인조5) ; 掌治江都	掌治江都	
承政院	掌出納王命	→	掌出納王命	정3품(당상)아문
司諫院	掌諫爭·論駁	연산10 혁→중종1 복→	掌諫爭·論駁	
經筵	掌講讀·論思之任	→	掌講讀·論思之任	
兼司僕	(掌宮禁扈衛及陪衛)*1	→ 현종7 혁(속금군청)		
內禁衛	(掌宮禁扈衛及陪衛)*1	연산11 衝鐵衛→중종1 內禁衛→현종7 혁(속금군청)		
羽林衛	(掌宮禁扈衛及陪衛)*1	성종23 치 羽林衛(직계아문)→현종7 혁(속금군청)		

*1 『경국대전』에는 직장이 규정되어 있지 않으나 이들은 왕의 최측근에서 시위하고 배종하면서 호위하였음에서 추정하였다.

제2절 軍營衙門

1. 5軍營

1) 訓練都監

훈련도감의 법제적인 기능은 1593년(선조 26) 왜란 중에 왜군의 조총병에 대처할 군사를 양성하기 위하여 관아를 설치할 때 "군사의 재주를 시험하고 무예를 훈련시키고 무경을 습독시키는 일을 관장하는(掌軍士試才練藝武經習讀之事)" 것[29]으로 규정되어 후대로 계승되었다.

---

28) 『경국대전』·『전록통고』·『속대전』·『대전통편』·『대전회통』 이·병전 ; 『조선왕조실록』 성종 14년~고종 1년조 ; 『증보문헌비고』 직관고에서 종합. 관아별 서열은 편의상 관아의 지위, 동반관아, 서번관아의 순서로 정리하였다.

29) 『선조실록』 권36, 26년 8월 경자·계묘.

그러나 실제기능은 이 법제기능에 덧붙여 外營軍을 관장하면서 왕성과 도성 서부를 방어하고, 도성수축 등에 참여하였다.[30] 도성수비는 금위영·수어청·어영청과 분장하였지만 다음의 표와 같이 1808년(순조 8)의 군액, 재정, 창치시기 등과 관련되어 도성수비를 주도하고 여타 군영아문을 압도하는 기능을 발휘하였다. 특히 효종대 이후에는 장관인 대장이 비변사의 議薦(여타 군영대장 동)에 의하여 제수되고 군영아문의 수좌로서[31] 금위·수어영과 총융·어영청 대장 후보자의 모집단을 선발하였기에 훈련대장을 통한 훈련도감은 이들 군영에 영향력을 발휘하게 되었다.[32]

〈표 14-2〉 순조 8년 4군영의 군사력과 재정[33]

		훈련도감	금위영	어영청	총융청	비고
군사력(명)	장관	48	55	56	56	
	장교	358	149	206	35	
	군사	6,537(무예별감 198, 마병 833, 포수, 2,440, 살수 738, 표하군 1,850, 6도승호 191, 기타 287, 모두 장번 급료병)	2,008(기사 150, 표하군 764, 번상향군 5초, 기타 459, 대부분이 번상군, 일부가 장번)	2,216(기사 150, 표하군 781, 번상향군 5초, 기타 650, 다수 번상군, 일부 장번)	1,503(장초 2초, 아병 2초, 표하군 905, 다수 속오군, 일부 납포군)	
재정		115,283석(군포 17,674, 둔전세 16,317, 환곡이자 2,725, 군역청급대 18,567, 삼수미 60,000)	45,115(군포34,184, 둔전세 91, 군역청급대 10,840)	44,028(군포 33,343, 둔전세 34, 환곡이자 492, 군역청급대 10,159)	8,673석 10두(군포 1,360석 10두, 둔전세 2,591, 환곡이자 4,567, 군역청급대 155)	
창치시기		선조 25	숙종 8	인조 2	인조 2	

30) 이근호, 2012, 「숙종대 도성수비체제의 성립과 방위시설 정비」, 『한국군사사』 권7, 경인문화사, 454, 461쪽.

31) 김조순이 총융영·장용영·금위영의 대장을 역임하고 훈련대장이 되고 세도가 때에 장기간 훈련대장을 역임한 것, 조만영·김좌근·김문근 등이 금위영·어영청·총융청 대장을 역임하고 훈련대장에 제수된 것이 그 단적인 예이다(이들과 그 외 순조~철종대 훈련대장 역임자의 전력은 앞, 『조선정치사』 하, 774~776쪽 〈부표 22〉 참조).

32) 오종록, 1990, 「중앙 군영의 변동과 정치적 기능」, 『조선정치사』 하, 467쪽 ; 배우성, 1990, 「정조대 문반군영대장과 군영정책」, 서울대 국사학과 석사학위논문.

33) 위 논문, 440쪽 〈표 3〉, 458쪽 주81) 표 ; 방범석, 2016, 「장용영의 편제와 재정운영」, 『한국사』 62, 239쪽 〈표 1〉에서 종합.

이러한 훈련대장의 5군영을 주도한 위상과 권한, 막대한 재정의 독자적인 운영(여타 군영아문 동) 등에서 정치 주도세력은 훈련도감의 장악에 노력하여 실현하면서 세력유지와 행사의 기반으로 삼았다.[34)]

2) 禁衛營·御營廳·摠戎廳

금위영의 법제적인 기능은 1682년(숙종 8) 관아설치 시에 "궁성을 수어하는 일을 관장한다(掌守御宮城)"고 규정되어 후대로 계승되었다. 실제로도 소속 외영군을 관장하면서 도성 북부를 방어하였고, 도성수축사 등에 참여하였다.[35)]

어영청의 법제적인 기능은 1624년(인조 2) 관아설치 시에 "도성을 수어하는 일을 관장한다(掌守御都城)"고 규정되어 후대로 계승되었다. 실제로도 어영청은 외영군을 관장하면서 왕성과 도성 중부·북부를 방어하였고, 도성수축사 등에 참여하였다.[36)] 특히 효종대(1650~1659)에는 효종이 宋時烈과 어영청 대장 곧 훈련도감 대장인 李浣을 주축으로 병자호란을 설욕하고자 北伐을 추진하였기에 어영청은 일시는 북벌군의 중심이 되면서 훈련도감에 필적하는 군영이 되었다.[37)]

총융청의 법제적인 기능은 1624년(인조 2) 관아 설치 시에 "節制水原等鎭軍務"로 규정되어 후대로 계승되었다.[38)]

---

34) 순조대 세도가인 김조순을 위시한 조만영·김유근·김병국 등이 그 예이다(이들의 훈련대장 재직기간은 위 『조선정치사』 하, 771~776쪽 부록 〈부표 21, 22〉 참조).

35) 이근호, 2012, 「숙종대 도성수비체제의 성립과 방위시설 정비」, 『한국군사사』 권7, 경인문화사, 454, 461쪽.

36) 이근호, 위 논문, 454, 461쪽.

37) 보군을 7,000명에서 16,000~21,000명으로 증액하고 기병 300명으로 별기대를 창설하였으며, 대장의 상위에 겸직인 도제조 1직과 병조판서가 예겸하는 제조 1직을 설치하여 아문의 위상을 높였다. 재정도 호조에 의존하지 않고 보인의 확보를 통해 독자적으로 운영하였다. 이에 따라 훈련도감과 양립하는 핵심 군영기관이 되었다(노명구, 2012, 「북벌론과 군사력 강화」, 『한국군사사』 7, 조선후기 1, 382~387쪽).

38) 『속대전』·『대전회통』 권4, 병전 군영아문 총융영.

3) 守禦廳

수어청의 법제적인 기능은 1626년(인조 4) 관아설치 시에 "節制廣州鎭等軍務"로 규정되었고, 1795년(정조 19) 경청이 혁거되고 외영이 광주유수의 겸영으로 개편되었지만 기능은 그대로 계승되었다.[39] 관아가 설치된 인조 4년으로부터 정조 19년까지 소속 외영군을 지휘하면서 남한산성을 관장하고 도성남부를 방어하였다.[40]

2. 기타 軍營衙門 : 左·右捕盜廳, 經理廳·扈衛廳·禁軍廳·龍虎營·鎭撫營·管理營, 壯勇營·總理營

1) 左·右捕盜廳

포도청의 법제적인 기능은 1560년(명종 15) 상설아문이 될 때 "掌緝捕盜賊奸細分更夜巡"으로 규정되어 후대로 계승되었다.[41] 실제기능의 발휘는 조선후기로 이행될수록 수도의 인구가 크게 증가하고 사회가 복잡해지면서 민생과 관련된 범죄가 증가하였기에 그 업무가 폭증하고 정치적 영향력이 확대되었다.

2) 經理廳·扈衛廳·禁軍廳·龍虎營·鎭撫營·管理營

(1) 經理廳

경리청은 1712년(숙종 38) 관아설치 때 "북한산성의 사무를 관장한다(句管北漢山城事務)"고 규정되어 1865년(고종 2) 관아혁거 때까지 계승되었다.[42] 실제로도 관아가 존속된 시기를 통하여 소속된 군병을 지휘하면서 북한산성

39) 『속대전』 권4, 병전 경관직 군영아문 수어청.

40) 이근호, 2012, 「숙종대 도성수비체제의 성립과 방위시설 정비」, 『한국군사사』 권7, 경인문화사, 454, 461쪽.

41) 『속대전』 권4, 병전 경관직 군영아문 포도청.

42) 『속대전』 권4, 병전 경관직 군영아문 경리청.

을 관장하였다.

(2) 扈衛廳

호위청은 1624년(인조 2) 관아설치 때 "국왕의 호위를 관장한다(掌扈衛)"고 규정되어 조선후기까지 계승되었다.[43]

(3) 禁軍廳(內三廳)

금군청의 법제적인 기능은 1666년(현종 7) 兼司僕·內禁衛·羽林衛를 통합하여 관아를 설치할 때 "국왕의 배위와 입직을 관장한다(掌陪衛入直)"고 규정되어 1755년(영조 31) 龍虎營으로 개편될 때까지 계승되었다.[44]

(4) 龍虎營

용호영의 법제적인 기능은 1755년 금군청을 개편하면서 관아를 설치할 때 "국왕의 배위와 입직을 관장한다(掌陪衛入直)"고 규정되어 후대로 계승되었다.[45]

(5) 鎭撫營

진무영은 1700년(숙종 26) 관아설치 때 "강화부등 진의 군무를 절제한다(節制江華等鎭軍務)"고 규정되어[46] 1865년(고종 2) 관아혁거 때까지 계승되었다. 실제로도 관아가 존속된 시기를 통하여 소속된 군병을 지휘하면서 강화성을 관장하였다.

---

43) 『속대전』 권4, 병전 경관직 군영아문 호위청.

44) 『속대전』 권4, 병전 경관직 군영아문 금군청.

45) 『대전회통』 권4, 병정 군영아문 용호영.

46) 『속대전』과 그 이후의 법전에 법제적인 기능은 등재되지 않았다. 그러나 『속대전』에 본영이 강화부에 소재하고, 외영이 부평부·통진부·강화부·풍덕부·연안부로 규정되었다. 이점에서 수어청 등의 예에 따라 추정하여 파악한다.

(6) 管理營

관리영은 1711년(숙종 37) 관아설치 때 "대흥산성을 관장한다(掌大興山城)"고 규정되어[47] 1865년(고종 2) 관아혁거 때까지 계승되었다.[48] 실제로도 관아가 존속된 시기를 통하여 소속된 군병을 지휘하면서 대흥산성을 관장하였다.

3) 壯勇營·總理營

(1) 壯勇營

장용영의 법제적인 기능은 1793년(정조 17) 관아설치 때 명확히 규정되지 않았지만[49] 편제와[50] 실제기능에 미루어 "궁성의 호위와 화성을 관장한다(掌禁衛及華城)"고 규정되어 1802년(순조 2) 총리영으로 개편될 때까지 계승된 것으로 추측된다. 실제기능은 정조가 즉위 이후로 지속적으로 왕권강화를 도모하고 이를 뒷받침하기 위하여 군권의 장악을 도모하여 설치한 군영이 장용영이었던 만큼 장용영은 정조가 훙서하는 왕 25년까지 5군영을 지휘하는 강력한 기능을 발휘하였다.[51]

---

47) 『속대전』과 그 이후의 법전에 법제적인 기능은 등재되지 않았다. 그러나 『속대전』에 장관은 개성부유수(예겸)이지만 실제로 영을 관장한 중군이 대흥산성에 상주하면서 산성군무를 관장하였다. 이점에서 경리청 등의 예에 따라 추정하여 파악한다.

48) 『대전회통』 권4, 병전 군영아문 관리영.

49) 『정조실록』 권37, 17년 1월 12일.

50) 정조 6년, 즉위년에 설치되었다가 대장이던 洪國榮의 실각과 함께 혁거된 宿衛所의 후신으로 전년에 설치된 武藝出身廳이 개편되면서 설치된 壯勇衛가 궐내의 숙위와 호위 및 禁火를 관장하였고, 이 장용위가 동년에 종2품 아문으로 승격되면서 독립된 군영아문인 장용청이 되었다. 1788년(정조 12)에 장용청이 다시 장용영으로 개편되었고, 1793년(정조 17) 다시 한성 내영과 화성을 관장하는 외영으로 확대·강화되면서 5군영의 首營인 훈련도감을 제치고 군영아문을 지휘하다가 정조훙서 후 개편논의를 거쳐 1802년(순조 2)에 내영은 해체되고 외영은 총리영으로 개칭·축소되어 대장인 총리사는 수원유수의 겸직이 되었다(방범석, 2016, 「壯勇營의 편제와 재정운영」, 『한국사론』 62, 242~246쪽).

51) 박범, 앞 논문, 2019, 147~155쪽.

(2) 總理營

총리영의 법제적인 기능은 1802년(순조 2) 장용영을 혁파할 때 화성을 관장하던 외영인 축소개편하면서 설치할 때 "掌守衛華城及禿城"으로 규정되어 후대로 계승되었다.[52)]

이상에서 훈련도감이 중심이 된 금위영·어영청·수어청·총융청과 경리청 등 군영아문은 소속 군사를 지휘하면서 왕성과 도성내외를 주도하였고, 장용영은 정조대에 국한되기는 하나 훈련도감 등 군영아문을 지휘하면서 왕권을 뒷받침하였다. 조선 중·후기 군영아문의 법제적인 기능변천을 종합하면 다음과 같다.

〈표 14-3〉 조선 중·후기 군영아문 기능 변천(* 존속기간)[53)]

관아	성종16~영조22	영조23~고종1	『대전회통』	비고(출전)
訓練都監	掌軍士試才練藝武經習讀之事	→	掌軍士試才練藝武經習讀之事	『속대전』
禁衛營	掌守御宮城	→	掌守御宮城	『속대전』
御營廳	掌守御都城	→	掌守御都城	『속대전』
守禦廳*	節制廣州鎭等軍務	→ 정조19 혁		『속대전』 *인조4~정조19
禁軍廳	掌禁衛	→	掌禁衛	『속대전』
摠戎廳	節制水原等鎭軍務	→	節制水原等鎭軍務	『속대전』
經理廳*	句管北漢山城事務	句管北漢山城事務		『속대전』
扈衛廳	掌扈衛	掌扈衛	掌扈衛	『속대전』
管理營	掌大興山城	掌大興山城	掌大興山城	『속대전』
鎭撫營		掌江華城	掌江華城	『속대전』
龍虎營		掌陪扈入直	掌陪扈入直	
壯勇營*		(掌禁衛及華城)		*정조17~순조2
總理營*		(掌守衛華城及禿城)		*순조2~
左,右捕盜廳	掌緝捕盜賊奸細分更夜巡	→	掌緝捕盜賊奸細分更夜巡	『속대전』

52) 구체적으로 규정된 기능은 확인되지 않는다. 그렇기는 하나 『대전회통』 권4, 병전 군영아문 총리영조에 장관인 使는 수원유수의 예겸직이고, 정3품관인 중군이 화령전 위장과 독성 수성장을 예겸하였음에서 수원성과 독성을 관장하고 방어하였을 것으로 추정하여 적기한다.

53) 『증보문헌비고』 직관고, 『만기요람』 군정편, 『속대전』·『대전통편』·『대전회통』 권1·권4 경관직조에서 종합.

제15장 朝鮮 中·後期 官衙機能의 변천Ⅱ－六曹屬衙門·屬司와 外衙門

제1절 六曹屬衙門

1. 法制的 機能

육조 속아문의 법제적인 기능은 「경국대전」에 등재된 90여 아문 중 조선후기까지 지속된 尙瑞院 등 70여 아문(제 능전 제외) 중에서 이조 속아문인 尙瑞院과 호조 속아문인 內資寺의 경우 「경국대전」에 규정된 '掌璽寶·符牌·節鉞'과 '掌內供米·麵·酒·醬·油·蜜·蔬·果·內宴·織造等事'가 그대로 「속대전」 등 법전에 전재되면서 조선후기까지 계승되었음과 같이 그 모두의 기능이 그대로 계승되었다(그 외 아문의 기능은 뒤 〈표 15-1 〉 참조).

1485년(성종 16)으로부터 1865년(고종 2)까지의 시기에 혁거된 20여 아문 중 이조 속아문인 忠翊司와 호조 속아문인 司贍寺의 경우 「경국대전」에 규정된 '原從功臣之府'와 '掌造楮貨及外居奴婢貢布等事'가 그대로 관아의 혁거 시까지 계승되었음과 같이[1] 그 모두의 기능이 관아혁거 시까지 계승되었다(그 외 관아 기능은 뒤 〈표 15-1〉 참조).

1485년 이후에 새로 신설되면서 예조 속아문이 된 世孫講書院과 병조 속아문 宣傳官廳·世孫衛從司·守門將廳은 그 모두가 관아설치 때에 규정된

---

1) 『속대전』·『대전통편』·『대전회통』 권1·권4, 이전 경관직 각사.

'掌侍講世孫'과 '掌形名·啓螺·侍衛'·'掌陪衛世孫'·'掌守衛諸門'이[2] 그대로 「속대전」 등 법전에 등재되면서 후대로 계승되었다.

1485년(성종 16)으로부터 1865년(고종 2)까지에 걸친 육조 속아문의 기능 변천을 표로 정리하면 다음과 같다.

〈표 15-1〉 조선 중·후기 육조 속아문 기능변천[3]

아문	『경국대전』	성종16~고종1	『대전회통』	비고
忠翊府	原從功臣之府	→ 혁(숙종4, 속병조)[4]		이조속아문, 정3품아문
內侍府	掌大內監膳·傳命·守門·掃除之任	→	掌大內監膳·傳命·守門·掃除之任	
尙瑞院	掌璽寶·符牌·節鉞	→	掌璽寶·符牌·節鉞	
宗簿寺	掌撰錄璿源譜牒, 糾察宗室愆違之任	→고종1 혁(속 종친부)		
司饔院	掌供御膳及闕內供饋等事	→	掌供御膳及闕內供饋等事	
內需司	掌內廩米布及雜物·奴婢	→	掌內廩米布及雜物·奴婢	정5
掖庭署	掌傳謁及供御筆硯·闕門鎖鑰·禁庭鋪設之任	→	掌傳謁及供御筆硯·闕門鎖鑰·禁庭鋪設之任	잡직아문
內資寺	掌內供米·麵·酒·醬·油·蜜·蔬·果·內宴·織造等事	→	掌內供米·麵·酒·醬·油·蜜·蔬·果·內宴·織造等事	호조속아문, 정3품아문
內贍寺	掌各宮·各殿供上, 2品以上酒及倭·野人供饋, 織造等事	→ 인조15 혁, 현종4 이전 복→	掌各宮·各殿供上, 2品以上酒及倭·野人供饋, 織造等事	
司䆃寺	掌御廩米穀及內供醬等物	→	掌御廩米穀及內供醬等物	
司贍寺	掌造楮貨及外居奴婢貢布等事	→15혁(속濟用監)		
軍資監	掌軍需儲積	→	掌軍需儲積	
濟用監	掌進獻布物·人蔘·賜與衣服及紗·羅·綾·段·布貨·綵色·入染·織造等事	→	掌進獻布物·人蔘·賜與衣服及紗·羅·綾·段·布貨·綵色·入染·織造等事	
司宰監	掌魚·肉·鹽·燒木·炬火等事	→	掌魚·肉·鹽·燒木·炬火等事	
豊儲倉	掌米豆·草芚·紙地等物	→인조15 혁(속장흥고)		정4
廣興倉	掌百官祿俸	→	掌百官祿俸	
典艦司[5]	掌京·外舟艦	→ 중종31~정조9 이전 혁(속공조)		
平市署	掌句檢市廛·平斗斛·丈尺, 低昻物貨等事	→	掌句檢市廛·平斗斛·丈尺, 低昻物貨等事	

2) 『속대전』·『대전통편』·『대전회통』 권1·권4, 이전 경관직 각사.

司醞署	掌供酒체	→고종1 이전 혁		
義盈庫	掌油·蜜·黃蠟·素物·胡椒等物	→	掌油·蜜·黃蠟·素物·胡椒等物	
長興庫	掌席子·油芚·紙地等物	→	掌席子·油芚·紙地等物	
司圃署	掌園圃·蔬菜	연산12 혁→숙종30 이전 복→	掌園圃·蔬菜	
養賢庫	掌供成均館儒生米·斗等物	→	掌供成均館儒生米·斗等物	
五部(東·西·南·北·中部)	掌管內坊里居人非法事及橋梁·道路·頒火·禁火·里門警守·家垈打量·人屍檢驗等事	→	掌管內坊里居人非法事及橋梁·道路·頒火·禁火·里門警守·家垈打量·人屍檢驗等事	
弘文館	掌內府經籍, 治文翰, 備顧問	연산11 혁→ 중종1 복→	掌內府經籍, 治文翰, 備顧問	예조속아문, 정3품아문
世孫講書院		인조26 世孫講書院 ; 掌侍講世孫→	掌侍講世孫	
藝文館	掌制撰辭令	→	掌制撰辭令	
成均館	掌儒學敎誨之任	→	掌儒學敎誨之任	
春秋館	掌記時政	→	掌記時政	
承文院	掌事大交隣文書	→	掌事大交隣文書	
通禮院	掌禮儀	→	掌禮儀	
奉常寺	掌祭祀及諡號	→	掌祭祀及諡號	
校書館	掌印頒經籍, 香祝, 印篆之任	→ 정조6 혁(규장각)		
內醫院	掌和御藥	→	掌和御藥	
禮賓寺	掌賓客宴享·宗宰供饋等事	→	掌賓客宴享·宗宰供饋等事	
掌樂院	掌校閱聲律	연산11 聯芳院→ 중종1 掌樂院→	掌校閱聲律	
觀象監	掌天文·地理·曆數·占籌·測候·刻漏等事	연산2 司曆署(종5아문) → 중종1 觀象監→	掌天文·地理·曆數·占籌·測候·刻漏等事	
典醫監	掌醫藥供內用及賜與	→	掌醫藥供內用及賜與	
司譯院	掌譯諸方言語	→	掌譯諸方言語	
世子侍講院	掌侍講經史, 規風道義	→	掌侍講經史, 規風道義	종3
宗學	掌宗室敎誨之任	→영조22 이전 혁		정4
昭格署	掌三淸星辰醮祭	→고종1 이전 혁		종5
宗廟署	掌守衛寢廟	중종11 혁→20 복→	掌守衛寢廟	
社稷署	掌灑掃壇壝	→	掌灑掃壇壝	
景慕宮		정조3 景慕宮 掌守衛宮廟	掌守衛宮廟	
氷庫	掌氷藏	→	掌氷藏	
典牲署	→	→	掌養犧牲	
司畜署	掌飼雜畜	→ 영조43 혁(속 호조)		
惠民署	掌醫藥救活民庶	인조15 혁(속전의감) → 곧 복→	掌醫藥救活民庶	
圖畫署	掌圖畫	→정조9 이전 혁		

活人署	掌救活都城病人	→	掌救活都城病人	
歸厚署	掌造棺槨和賣·供禮葬諸事	→ 정조1 혁(속 호조)		
四學(東·西·南·北·中學)	掌訓誨所管儒生	연산10 東·西·南학 혁 →중종1 복→	掌訓誨所管儒生	
諸殿·陵[6)]	掌守衛殿·陵	→		
五衛(義興·龍驤·虎賁·忠佐·忠武衛)	掌守衛京外	→	掌守衛京外	병조속아문, 정3품아문
訓鍊院	掌軍士試才·鍊藝·武經習讀之事	→	掌軍士試才·鍊藝·武經習讀之事	
司僕寺	掌輿·馬·廐·牧	→	掌輿·馬·廐·牧	
軍器寺	掌造兵器	→	掌造兵器	
宣傳官廳		영조22 이전 宣傳官廳 ; 掌形名·啓螺·侍衛·傳命·出納符信等事		
典設司	掌供帳幕	선조6 혁→ ? 복→ 선조16 종6품아문	掌供帳幕	정4
世子翊衛司	掌陪衛東宮	→	掌陪衛東宮	정5
世孫衛從司		인조26 世孫衛從司(掌陪衛世孫)	掌陪衛世孫	
守門將廳		守門將廳(성종16 이전) ; 장수위제문	掌守衛諸門	
掌隷院	掌奴隷俘籍及決訟之事	→ 영조40 혁(속 형조)		형조속아문, 정3
典獄署	掌獄囚	→	掌獄囚	종6
尙衣院	掌供御衣襨及內府財貨·金寶等物	→	掌供御衣襨及內府財貨·金寶等物	공조속아문, 정3품아문
繕工監		→	掌土木營繕	
修城禁火司	掌宮城·都城修築及宮闕·公廨·坊里各戶救火等事	→ 인조15 혁		정4
典涓司	掌涓治宮闕之任	→ 영조22 이전 혁		종4
掌苑署	掌苑囿·花·果	연산군12 종6품아문 → 중종1 정6품아문→	掌苑囿·花·果	정6
造紙署	掌造表·箋·咨文紙及諸般紙地	연산군12 혁→? (중종1)복→선조16 혁→	掌造表·箋·咨文紙及諸般紙地	
瓦署	掌造瓦塼	→	掌造瓦塼	

3) 『조선왕조실록』 성종 16년~철종 14년, 『고종실록』 고종 1년, 『증보문헌비고』 권220~226 직관고 7~14, 『경국대전』·『전록통고』·『속대전』·『대전통편』·『대전회통』 권1 이전·권4 병전 경관직조 등에서 종합.

2. 實際機能

조선 중·후기에 존속된 70여 육조 속아문의 법제적인 기능은 앞에서 고찰하였음과 같이 관아의 지위가 승강되거나 관아가 혁거(혁거·복치·혁거)되기까지 변동없이 그대로 계승되었다.

그러나 1486년(성종 17) 이후 육조 속아문의 실제기능은 6조(속조)의 해아문사 관장, 재정난 등으로 인한 관직혁거·삭감, 관아의 유명무실화 등과 관련되어 관아의 지위가 유지된 거의 모든 속아문, 즉 승문원, 사옹원, 상의원, 사복시, 군자감, 관상감 등 30여 아문은 기능발휘가 억제되고 약화되었다.

1486년 이후에 지위가 강격된 충익부(다시 혁거), 군기시 등 20여 아문은

---

4) 숙종 6 속충훈부, 숙종 15 속병조, 숙종 27년 이후 속충훈부(『숙종실록』 6~27년조, 『속대전』·『대전통편』 권1, 이전 충훈부조).

5) 전함사의 속조에 있어서 태종 5년 3월 6조 속아문제 성립 때에는 호조 속아문이었다. 그런데 『경국대전』호전과 병전 모두에 전설사가 기재된 반면에 전함사는 누락되어 있고, 이전 경관직조에는 전설사와 전함사가 각기 정4품 아문에 기재되어있다. 또 『속대전』·『대전통편』·『대전회통』에는 이 내용이 그대로 전재되어 있다. 이를 볼 때 호전과 병전에 기재된 전설사 중 하나는 전함사가 되어야 맞겠고, 양 사의 기능과 육조 속아문 성립 때의 속아문 분류에 미루어 『경국대전』 등에 기재된 전설사는 전함사가 오기되었다고 생각된다. 이에 따라 호조 속아문으로 기재된 전설사는 전함사로 고쳐 파악한다.

6) 『경국대전』으로부터 『대전회통』에 이르기까지의 제전·능의 변천은 다음의 표와 같다[『경국대전』·『속대전』·『대전통편』·『대전회통』, 한충희, 2019, 『조선시대 능관제연구』, 『동서인문학』 59, 계명대학교 동서인문학연구소에서 종합, ( )는 관아의 격과 아문수)]

	제전	제능	비고
『경국대전』	文昭·延恩殿(종9-2)	健元陵 등 20능(종9-20)	
성종16~영조22 (『속대전』)	永禧殿 등 5전(종5-1, 종8-2, 종9-2)	건원릉 등 40능(종5-8, 종7-5, 종8-9, 종9-18)	
영조23~정9 (『대전통편』)	영희전 등 8전(종5-3, 종8-2, 겸관-2*)	건원릉 등 42능(종5-24, 종7-6, 종8-9, 종9-3)	萬寧·長生殿
정조10~고종2 (『대전회통』)	영희전 등 8전(종5-6, 겸관 -2*)	건원릉 등 47능(종5-29, 종7-9, 종8-5, 종9-4)	
합계	2~8전	20~47능	

아문이 강격되기 전에도 그 기능이 약화되었지만 아문이 강격된 이후는 더욱 기능이 위축되었고, 5위는 유명무실해졌다.

1486년 이후에 혁거된 종학 등 10여 아문은 그 기능이 크게 위축·약화되면서 운영되다가 속조나 타 속아문에 합속되었다.

1486년 이후에 신설된 되거나 승격된 아문인 세자시강원과 세손강서원·세손위종사는 전자는 왕권약화, 후자는 세손의 부재와 관련되어 본래에 의도한 기능을 발휘하지 못하였다.

〈표 15-2〉 조선후기 육조 속아문 변천(〈별표 6〉에서 종합)

	성종17~영조22	영조23~정조9	정조10~고종2	비고(계)
계승아문	홍문관, 예문관, 성균관, 상서원, 춘추관, 승문원, 통례원, 봉상시, 사옹원, 내의원, 상의원, 사복시, 군자감, 장악원, 관상감, 전의감, 사역원, 광흥창, 내수사, 종묘서, 사직서, 평시서, 전생서, 5부, 양현고, 혜민서, 활인서, 와서, 4학, 훈련원, 세자익위사→	→	→	31
승격아문		세자시강원	→	1
강격아문	충익부, 군기시, 내자시, 내섬시, 사도시, 예빈시, 제용감, 선공감, 사재감, 전설사, 의영고, 장흥고, 빙고, 장원서, 사포서, 사축서, 조지서, 도화서, 5위→	→ 18	→	18
신치아문		세손강서원, 세손위종사→	→	2
혁거아문	종학, 수성금화사, 풍저청, 전연사, 전함사, 소격서, 사온서, 충익사→	→	장예원, 종부시, 교서관, 사섬시, 귀후서	13
합계	58	60	55	55

제2절 六曹屬司·色(附 議政府·堤堰司·訓練都監 屬司)

1. 六曹屬司·色·廳

육조속사의 기능은 그 설치시기와 관련되어 1405년(태종 5)에 설치되어

『경국대전』에 등재된 이조 문선사 등 19속사는 이후 문선사 등 16속사는 기능이 그대로 『속대전』에, 호조 경비사와 병조 무선사의 2속사는 별례방과 정색으로 개칭되나 기능은 그대로 계승되면서 『대전통편』[7] 에 전재된 후 조선후기까지 계승되었다(18속사는 뒤 〈표 14-2〉 참조).

그러나 병조 승여사는 1785년(정조 9) 이전에 마색으로 개칭되면서 승여사의 기능에 兼掌立馬·路文·草料이 추가되어 掌鹵簿·輿輦·廐牧·程驛·補充隊·皂隷·羅將·伴倘 兼立馬·路文·草料等事로[8] 정비되어 『대전통편』에 등재된 후 후대로 계승되었다.

1785년(정조 9) 이전에 설치된 호조 전례방 등 7속사와 병조 일군색 등 5속사는 그 모두가 호조 전례방과 병조 일군색이 속사 설치 때에 '掌祭享·供上·使行方物·禮葬'과 '掌龍虎營·扈衛隊保布'로 규정되어[9] 그대로 『대전통편』에 등재된 후 후대로 계승되었음과 같이 설치 때 규정된 기능이 『대전통편』에 등재된 후 후대로 계승되었다(그 외의 10속사는 뒤 〈표 14-1〉 참조).

그런데 육조속사의 기능에 있어서 법제적인 기능은 『경국대전』에 규정되거나 설치 때의 그것이 변동 없이 계승되었지만 일부 속사 예컨대 이조속사에 있어서는 전랑인 이조정랑·좌랑이 해조 당상관의 지시를 받지않고 낭천제와 자천제를[10] 통하여 추천한 인사를 언론 3사인 사헌부·사간원·홍문관 낭관에 포진시키고 전랑직을 천거함으로서 사림정치와 당파분립기의 공론을 뒷받침한 1568년(선조 1)~1761년(영조 37)에는 강력한 기능을 발휘하였다.

---

7) 『속대전』·『대전통편』 권1, 경관직 이전 육조.

8) 『대전통편』 권1, 경관직 이전 병조.

9) 『대전통편』 권1, 경관직 이전 호조·병조.

10) 낭천권은 이조전랑이 試才를 거치지 않고 천거를 통해 재주와 행실이 좋은 사류를 관직에 등용하는 제도로서 치, 폐가 반복되면서 운영되었고, 자천제는 전임자가 후임 전랑을 천거하여 제수하는 제도로서 운영되었다. 전랑자천제와 낭천제는 김우기, 1986, 「조선전기 사림의 전랑직 진출과 그 역할」, 『대구사학』 29 ; 1990, 「전랑과 삼사의 관계에서 본 16세기 권력구조」, 『역사교육논집』 13·14 ; 최이돈, 1989, 「16세기 낭관권의 성장과 붕당정치」, 『규장각』 12 참조.

2. 議政府·濬川司·訓練都監 屬司

의정부 속사인 堤堰司와 준천사의 속사인 舟橋司는 1865년(고종 2) 독립관아에서 속사가 될 때 그 기능인 '句管修飭各道堤堰水利'와 '掌舟橋及兩湖漕運等事'가[11] 그대로 『대전회통』에 등재되었다.

훈련도감의 속사인 糧餉廳은 1593년(선조 26) 훈련도감의 설치와 함께 그 속사로 설치될 때 "掌訓局軍兵服色器械造繕等事"로 규정되어 『속대전』에 등재되어 후대로 계승되었다.[12]

1485년(성종 16) 마지막 반포된 『경국대전』으로부터 1865년(고종 2) 『대전회통』의 반포에 이르기까지의 육조 속사와 의정부·준천사 속사의 기능을 표로 정리하면 다음과 같다.

〈표 15-3〉 조선 중·후기 六曹와 議政府·濬川司 屬司 기능 변천

		『경국대전』	성종17~고종2(창치년)	『대전회통』(고종2)
이조	文選司	掌宗親·文官·雜職·贈職除授, 告身·祿牌, 文科·生員·進士·賜牌, 差定·取才·改名及贓汚·敗常人錄案等事	→	掌宗親·文官·雜職·贈職除授, 告身·祿牌, 文科·生員·進士·賜牌, 差定·取才·改名及贓汚·敗常人錄案等事
	考勳司	掌宗宰·功臣封贈, 諡號, 享官·老職·命婦爵帖·鄕吏給帖等事	→	掌宗宰·功臣封贈, 諡號, 享官·老職·命婦爵帖·鄕吏給帖等事
	考功司	掌文臣功過·勤慢·休暇, 諸司衙前仕日, 辨理鄕吏子孫等事	→	掌文臣功過·勤慢·休暇, 諸司衙前仕日, 辨理鄕吏子孫等事
호조	版籍司	掌戶口, 土田, 租稅, 賦役, 貢獻, 勸課農桑, 考險豊凶及賑貸, 斂散等事	→	掌戶口, 土田, 租稅, 賦役, 貢獻, 勸課農桑, 考險豊凶及賑貸, 斂散等事
	會計司	掌京·外儲積, 歲計, 解由, 休缺等事	→	掌京·外儲積, 歲計, 解由, 休缺等事
	經費司	掌京中支調及倭人糧料等事	정조9 이전 別例房掌京中支調及倭人糧料等事→	掌京中支調及倭人糧料等事

11) 『대전회통』 권1, 경관직 이전 의정부, 권1, 권4, 병전 준천사.
12) 『대전회통』 권4, 경관직 병전 군영아문 훈련도감 양향청.

호조	前例房		정조9 이전 掌祭享·供上·使行方物·禮葬→	掌祭享·供上·使行方物·禮葬
	辦別房		정조9 이전 掌無時別貿→	掌無時別貿
	別營色		정조9 이전 掌訓局軍·兵放料→	掌訓局軍·兵放料
	別庫色		정조9 이전 掌貢物上下→	掌貢物上下
	歲幣色		정조9 이전 掌節使歲幣→	掌節使歲幣
	應辯色		정조9 이전 掌客使支需→	掌客使支需
	銀色		정조9 이전 掌金銀→	掌金銀
예조	稽制司	掌儀式·制度·朝會·經筵·史官·學校·科擧·印信·表箋·冊命·天文·漏刻·國忌·廟諱·喪葬等事	→	掌儀式·制度·朝會·經筵·史官·學校·科擧·印信·表箋·冊命·天文·漏刻·國忌·廟諱·喪葬等事
	典享司	掌宴享·祭祀·牲豆·飮膳·醫藥等事	→	掌宴享·祭祀·牲豆·飮膳·醫藥等事
	典客司	掌使臣·倭·野人迎接·外方朝貢·宴設·賜與等事	→	掌使臣·倭·野人迎接·外方朝貢·宴設·賜與等事
병조	武選司	掌武官·軍士·雜職除授·告身·祿牌·附過·給假及武科等事	정조9 이전 政色掌武官·軍士·雜職除授·告身·祿牌·附過·給假及武科等事-→	掌武官·軍士·雜職除授·告身·祿牌·附過·給假及武科等事
	乘輿司	掌鹵簿·輿輦·廐牧·程驛·補充隊·皂隷·羅將·伴倘等事	정조9 이전 馬色 掌鹵簿·輿輦·廐牧·程驛·補充隊·皂隷·羅將·伴倘兼掌立馬·路文·草料等事→	掌鹵簿·輿輦·廐牧·程驛·補充隊·皂隷·羅將·伴倘兼掌立馬·路文·草料等事
	武備司	掌軍籍·馬籍·兵器·戰艦·點閱軍士·訓練武藝·宿衛·巡綽·城堡鎭戍·備禦征討·軍官·軍人差送·番休·給保·給假·侍丁·復戶·火砲·烽燧·改火·禁火·符信·更籤等事	→	掌軍籍·馬籍·兵器·戰艦·點閱軍士·訓練武藝·宿衛·巡綽·城堡鎭戍·備禦征討·軍官·軍人差送·番休·給保·給假·侍丁·復戶·火砲·烽燧·改火·禁火·符信·更籤等事
	馬色		정조9 이전 兼掌立馬·路文·草料→	兼掌立馬·路文·草料
	一軍色		정조9 이전 掌龍虎營·扈衛隊保布→	掌龍虎營·扈衛隊保布
	二軍色		정조9 이전 掌騎·步兵保布·闕內外各司雇立→	掌騎·步兵保布·闕內外各司雇立··
	有廳色		정조9 이전 掌忠順·忠贊·忠壯衛簽兵·餘丁番休→	掌忠順·忠贊·忠壯衛簽兵·餘丁番休
	都案色		정조9 이전 掌別騎兵保布→	掌別騎兵保布
	結束色		정조9 이전 掌闕內及動駕時禁喧→	掌闕內及動駕時禁喧
형조	詳覆司	掌詳覆·大辟之事	→	掌詳覆·大辟之事
	考律司	掌律令·按覈之事·	→	掌律令·按覈之事·
	掌禁司	掌刑獄·禁令之事	→	掌刑獄·禁令之事
	掌隷司	掌奴隷簿籍及俘囚等事	→	掌奴隷簿籍及俘囚等事
공조	營造司	掌宮室·城池·公廨·屋宇·土木工役·皮革·氈罽等事	→	掌宮室·城池·公廨·屋宇·土木工役·皮革·氈罽等事

<table>
<tr><td rowspan="2">공조</td><td>攻治司</td><td>掌百工製作·金銀·珠玉·銅鑞鐵冶鑄·陶瓦·權衡等事</td><td>→</td><td>掌百工製作·金銀·珠玉·銅鑞鐵冶鑄·陶瓦·權衡等事</td></tr>
<tr><td>山澤司</td><td>掌山澤·津梁·園囿·種植·炭·木·石·舟車·筆墨·水鐵·漆器等事</td><td>→</td><td>掌山澤·津梁·園囿·種植·炭·木·石·舟車·筆墨·水鐵·漆器等事</td></tr>
<tr><td>議政府</td><td>堤堰司</td><td></td><td>고종2 句管修飭各道堤堰水利→</td><td>句管修飭各道堤堰水利</td></tr>
<tr><td>濬川司</td><td>舟橋司</td><td></td><td>고종2 掌舟橋及兩湖漕運等事→</td><td>掌舟橋及兩湖漕運等事</td></tr>
<tr><td>訓練都監</td><td>糧餉廳</td><td></td><td>선조26 掌訓局軍兵服色器械造繕等事</td><td>掌訓局軍兵服色器械造繕等事</td></tr>
</table>

제3절 外衙門

1. 道(監營)와 郡縣

외아문인 도, 군현, 영·진의 기능은『경국대전』등 법전이나 관찬사료에 적기되지 않아 명확히 알 수 없다. 그렇기는 하나 각 아문의 장관명과 '수령7사' 등을 통해 그 기능을 추정하여 본다.

道(監營)는 조선초기에 국왕의 위임을 받아 관내의 모든 정치·군사를 전장하고 군현 수령의 정사를 규찰하였다. 이러한 도의 기능은 그 장관의 명호가 都觀察黜陟使兼監倉安集轉輸勸農管學事提調刑獄兵馬公事, 按廉使를 거쳐 1466년(세조 12)에 觀察使로 개칭되면서 정착되었다.[13] 또 조선초기의 관아기능은 고려를 계승한 그것이 세종대에 간결·구체적이고 아화된 것으로 정비되었고,[14] 관찰사는 절도사를 겸하면서 군정을 총관하였다.[15] 이렇게 볼 때 도의 기능은『경국대전』의 편찬이 거의 마무리된 1466년 이전에 '민정과 군정 및 수령규찰하는 등의 정사를 관장하는(掌民政軍政及守令糾察等事)' 것

13) 졸저, 앞 책, 2006, 166쪽.

14) 위 책, 370~417쪽.

15)『경국대전』권1, 이전 외관직 각도조.

으로 인식되었고, 이것이 그대로 조선후기까지 계승된 것으로 추측된다.

郡縣으로 통칭된 부윤부, 대도후, 목, 도호부, 군, 현의 기능은 조선초부터 흔히 수령의 기능이 국왕의 위임을 받아 '守令7事(農桑盛, 學校興, 詞訟簡, 奸猾息, 軍政修, 戶口增, 賦役均)'로 백성을 통치하였음에서 이 7사가 축약된 '민정과 군정 및 사법 등의 정사를 관장하는(掌民政軍政司法等事)' 것으로 인식되었고, 이것이 그대로 조선후기까지 계승된 것으로 추측된다. 그러나 이 중 군정기능에 있어서는 영장제가 운영된 시기(인조 5~15〈8도〉, 효종 5년~현종 5〈3남~8도〉)에 있어서는 각도에 수령의 상위자로 파견된 영장이 지방군의 습진과 훈련을 담당함에 따라 수령이 전관하였던 군정 권한이 위축되고 견제를 받았다.[16]

2. 諸營과 鎭·浦

1) 諸營

兵營의 기능은 장관의 명칭이 개국초의 兵馬都節制使가 1466년(세조 12)에 兵馬節度使로 개칭되면서 정착되어[17] 조선후기로 계승되었고, 관찰사의 지시를 받으면서[18] 도내의 병마(육군과 마정)를 총관하고 鎭將을 규찰하였다. 이점에서 병영의 기능은 세조말 이래로 '軍政과 鎭將糾察等事를 관장하는(掌軍政及鎭將糾察等事)' 것으로 인식되었고, 이것이 그대로 후대로 계승되었다고 생각된다.

---

16) 이 시기에는 습진과 훈련을 둘러싸고 영장과 수령의 갈등이 야기되었다. 그러나 현종 6년(8도) 이후는 영장이 討捕使를 겸하게 되면서 군사조련보다 토포기능이 중시되고, 또 영장이 수령(동첨절제사) 겸직이 되면서 양자 간 갈등이 완화되고, 수령이 중심된 군정이 영위되었다(허선도, 1991, 「조선시대 영장제」, 『한국학논총』 14, 50~52, 67쪽).

17) 졸저, 앞 책, 2006, 168쪽.

18) 『경국대전』 권1, 이전 외관직 각도조.

水營의 기능은 장관의 명칭이 水軍都節制使, 水軍都按撫處置使를 거쳐 1466년(세조 12)에 水軍節度使로 개칭되면서 정착되어[19] 조선후기로 계승되었고, 관찰사의 지휘를 받으면서[20] 도내의 수군을 관장하고 진장을 규찰하였다. 이에서 수영의 기능은 세조말 이래로 軍政과 鎭將糾察等事를 관장하는 것(掌軍政及鎭將糾察等事)으로 인식되었고, 이것이 그대로 계승되었다.

營將營의 기능은 1627년(인조 5) 설치 때에 각도에 5명씩 파견된 영장이 "관내 군현 束伍軍의 훈련과 습진을 주관한다"[21] 고 규정되었다. 그러나 영장제의 혁거(인조 15)·복치(현종 6), 현종 6년 이후의 討捕使兼職과[22] 현종 13년 이후의 수령(동첨절제사)의 영장겸직과[23] 관련되어 인조 5~15년에는 관내 군현 속오군의 조련과 습진을 주관하였고, 현종 6~12년에는 조련과 습진보다는 토포가 중심이 되었다.[24] 또 현종 13년 이후에는 동첨절제사를 겸한 수령이 영장을 겸하면서 군사훈련과 포도사를 관장하였다.[25] 이러한 영장의 기능과 관련되어 인조 5~15년에는 군사훈련을 둘러싸고 영장이 수령의 군사권을 축소시키면서 수령과 갈등이 있기도 하였으나 현종 6년, 특히 13년 이후에는 영장의 주 기능이 토포가 되고 영장이 동첨절제사의 겸직이 됨에 따라 수령의 군사권 축소와 갈등이 완화되었다.[26]

防禦使營의 기능은 그 설치가 남북방의 국방에서 기인되고[27] 그 직명에

19) 졸저, 위 책, 2006, 169쪽.
20) 『경국대전』 권1, 이전 외관직 각도조.
21) 『인조실록』 권16, 5년 4월 병진.
22) 『현종개수실록』 권12, 6년 2월 기미.
23) 『현종개수실록』 권25, 13년 3월 을축.
24) 『숙종실록』 권47, 35년 3월 기축 ; 『승정원일기』 순조 19년 10월 무오.
25) 『현종개수실록』 권25, 13년 1월 을축.
26) 『현종실록』 권23, 11년 8월 무술.
27) 그 설치사유는 확인되지 않는다. 그러나 왜란기에 진격하는 왜군을 방어하고 군현을 점거한 왜군을 공격하기 위해 경주부윤 윤인함(선조 25, 경상우도), 의병장 곽재우(29 경상좌도, 31 경상우도), 상주목사 박의장(31, 경상우도)을 방어사에 제수한(『조선왕조실록』, 『경주부읍지』 선생안) 것과 관직명에서 해당 지역의 방어를 강화하기 위해

미루어 설치지역의 방어제사를 관장한 것으로 규정되고 그대로 계승된 것으로 추측된다.

삼도수군통제사영의 기능은 왜란 중에 전라좌수사 이순신으로 하여금 경상·전라·충청 3도의 수군을 통합적으로 지휘하여 한산도에서 왜구를 토벌하도록 하기 위하여 설치된 만큼 '掌統慶尙全羅忠淸三道舟師進討倭'로 규정되었고,[28] 왜란이 종식된 후에는 그 기능이 왜의 토벌에서 방어가 되었던 만큼 '掌統慶尙全羅忠淸三道舟師備倭'로 변개되어 후대로 계승된 것으로 추측된다.

三道水軍統禦營의 기능은 삼도수군통제영의 기능과 1633년(인조 11) 정묘호란후 후금의 침입에 대비해 경기·강화연안의 방어를 위해 통어영이 설치될 때 '管京畿忠淸黃海三道舟師'로 규정되어 후대로 계승되었다.[29]

2) 鎭·浦

수군첨절제사·만호진과 병마만호는 조선초기부터 남북방의 변방과 연해를 방어하기 위한 요새로 설치되어 운영되었다. 이에서 수군진과 병마진의 기능은 '관내의 군사를 지휘하면서 외적을 방어하는 일(掌軍政備禦諸事)'로 인식되면서 후대로 계승된 것으로 추측된다.

3. 驛·牧場

역은 조선초기부터 비치된 마필과 역부를 통해 조정과 도·군현·변방간에 내왕하는 서신을 전달하고 경외를 오가는 사신 등에게 마필을 제공하였다. 이에서 역의 기능은 조선초기 이래로 '우역과 관련된 일을 관장하는 것(掌郵驛

설치된 것으로 추측된다.

28) 『증보문헌비고』 권234, 직관고 21 외무직 통제사.

29) 『증보문헌비고』 권234, 직관고 21 외무직 통어사.

諸事)'으로 인식되면서 후대로 계승된 것으로 추측된다.

목장은 조선초기부터 관용에 쓸 마필을 사육하기 위하여 운영하였다. 이에서 목장의 기능은 조선초기부터 '목마와 관련된 일을 관장하는 것'으로 인식되면서 후대로 계승된 것으로 추측된다.

〈표 15-4〉 조선 중·후기 외아문 기능변천 종합[30)]

	조선초기	조선중기	조선후기	비고
감영	掌民政軍政及守令糾察等事	→	掌民政軍政及守令糾察等事	
병영	掌軍政及鎭將糾察等事	→	掌軍政及鎭將糾察等事	
수영	掌軍政及鎭將糾察等事	→	掌軍政及鎭將糾察等事	
영장영			掌管郡縣束伍軍訓練及習陣事	
방어사영			掌防禦諸事	
부윤부·대도호부·목·도호부·군·현	掌民政軍政司法等事(守令7事*)	→	掌民政軍政司法等事(守令7事*)	* 農桑盛, 學校興, 詞訟簡, 奸猾息, 軍政修, 戶口增, 賦役均.
첨절제사·만호진	掌軍政諸事	→	掌軍政諸事	
목장	掌牧馬諸事	→	掌牧馬諸事	
역	掌郵驛諸事	→	掌郵驛諸事	

30) 외아문의 법제적인 기능은 『경국대전』 등 법전은 물론 제도사를 정리한 『증보문헌비고』 직관고 등에도 기재되지 않았기에 구체적인 기능은 알 수 없다. 그러나 각 관아의 관직명이나 실제기능을 볼 때 개략적인 내용이 추측된다. 이를 토대로 추정하여 제시한 것이다.

제3부

朝鮮 中·後期의 政治制度와 政治

제16장 朝鮮中期 議政府와 政治運營

조선의 議政府는 정종 2년 4월에 최고의 정치기구인 都評議使司가 개편되면서 성립되었고, 이후 세조 12년까지 10여 차에 걸쳐 개변되면서 백관을 총령하고 서정을 고르게 하고 음양을 다스리고 나라를 경륜하는(總百官 平庶政 理陰陽 經邦國) 기능과 領·左·右議政(각1, 정1), 左·右贊成(각1, 종1), 左·右參贊(각1, 정2), 舍人(2, 정4), 檢詳(1, 정5), 司祿(2, 정7)의 관원으로 정비되었다가[1] 마지막 반포된 『경국대전』에 법제화되었다. 의정부는 최고 국정기관으로 규정된 기능을 토대로 조선전기는 국정운영을 주도하였고, 조선후기 비변사가 중심이 시기에도 의정부 기능의 쇠퇴와는 무관하게 그대로 계승되었다.[2]

여기에서는 '朝鮮初期 議政府研究'와 관련시켜 조선중기(연산군 1년~선조

---

1) 변개 시기별 직제는 졸고, 1980, 「조선초기 의정부연구」 상, 『韓國史研究』 30, 101~104쪽 참조.

2) 의정부의 법제적인 기능은 변동이 없었지만 실제기능은 정종 2년~선조 24년·고종 3년~16년에는 시기별로 다소의 차이는 있지만 최고 국정기관으로 기능하였고, 선조 25년~고종 2년에는 비변사가 중심이 된 국정운영에 따라 최고 국정기관으로서의 지위만 유지하였다. 관직은 법제적으로는 1785년(정조 9) 이전에 사록 1직이 감소되었을 뿐이지만, 실제운영을 보면 조선후기에는 비변사의 운영에 따른 의정부기능의 약화에 따라 찬성·참찬은 유명무실해지면서 거의 제수되지 않았다(한충희, 1991, 「朝鮮前期(太祖~宣祖 24년)의 權力構造研究-議政府·六曹·承政院을 중심으로-」, 『國史館論叢』 30, 국사편찬위원회 ; 潘允洪, 2003, 『朝鮮時代 備邊司研究』, 景仁文化社 ; 李在喆, 2001, 『朝鮮後期 備邊司研究』, 집문당 ; 金炳佑, 2006, 『大院君의 統治政策』, 혜안 ; 한국역사연구회, 1990, 『조선정치사(1800~1863)』 상·하, 청년사 ; 한충희, 1989, 「議政府謄錄解題」, 『議政府謄錄』, 保景文化社에서 종합).

24년)[3] 의정부가 전개한 政治活動, 이 활동이 六曹·院相·備邊司 등 정치기구, 왕의 측근이나 외척으로서 권세를 누린 왕 側近·勳臣·權臣·外戚 등과 어떻게 연관되면서 전개되었는가를 통하여 의정부가 조선중기 국정운영에 어떻게 작용하였는가를 고찰한다.

제1절 議政府 政治活動 類型과 分野

조선시대 의정부가 전개한 정치활동은 국왕으로부터 命을 받아 정사를 수행한 受命活動, 국왕에게 上言·上疏 등을 통하여 의견을 개진함으로써 정사에 참여한 啓聞活動, 국왕의 命을 받아 정사를 擬議하는 擬議活動 등이 있었다. 그런데 이들 활동을 활동주체별로 보면 議政府 合同, 의정부 일부, 議政府·六曹 合司, 기타(議政府·三司(臺諫) 또는 議政府·기타 諸司)로 구분된다. 또 위에 제시된 활동주체가 직접으로 수명·계문·의의활동을 하기도 하지만 의정부나 육조 또는 百司가 계문한 정사를 왕이 의정부에 명하기도 하였고, 육조나 백사·지방관의 상계를 의정부가 검토한 후 轉聞하기도 하였으며, 백사·지방관·의정부가 계문한 내용을 다시 의정부에 내려 의의하게 하기도 하였다.[4] 또 의정부는 정치, 군사, 경제, 사회, 외교, 문화 등 국정

3) 조선왕조의 시기구분을 보면 정치사·정치운영, 사회경제·사상사, 정치세력·정치운영, 정치·사상사, 정치제도와 관련되어 크게 2~4시기 즉, 전·중·후기, 초·중·후·말기, 초·중·후기, 전·후기로 구분된다(고영진, 1995, 「조선사회의 정치·사상적변화와 시기구분」, 『역사와 현실』 15, 한국역사연구회, 86~89쪽). 본고에서는 이러한 시기구분과 『경국대전』의 편찬·비변사의 대두와 관련시켜 조선중기를 '연산군 즉위년~선조 24년'으로 설정하고 고찰한다. 또 선조 즉위~24년의 경우에는 왜란으로 인한 자료난과 관련되어 의정부 찬성·참찬 재직자와 그 전후관력이 불명한 경우가 많고, 의정부와 의정부 당상의 활동상을 구체적으로 파악하기 어렵지만 포괄하여 파악한다.

4) 한충희, 앞 논문, 1980, 112쪽. 이 중 의정부가 육조의 啓聞을 검토한 후 국왕에게 다시 계문하는, 즉 傳聞은 議政府署事制 운영기에 의정부가 육조를 지휘하면서 국정을 총관하는 핵심적인 형태였다.

전 분야에 걸쳐 활동하였다.

이때 의정부가 전개한 政治活動 類型과 分野에 있어서 六曹, 또는 諸司와 공동으로 수행한 활동은 엄밀하게는 의정부활동과 구분하여야 하겠고, 의정부 합동인가 일부에 의한 활동인가도 구분해서 파악해야 되겠지만 여기서는 모두 의정부활동으로 포괄하고, 또 그 활동유형과 활동분야를 각각 왕대별로 구분하여 파악한다.

1. 議政府 政治活動 類型

조선중기(연산군 즉위~선조 24년) 의정부의 정치활동을 보면 연산군대에는 다음의 표와 같이 의의가 911건 중 596건 65%로 중심이 되면서 계문도 활발하고(245건/27%) 수명은 미미하였다(70/8). 연도별로는 1~3년과 5·8~12년에는 의의가 59~82%를 점하면서 계문·수명활동을 압도하였고, 4·6년에는 의의(51%)가 중심이 되면서 계문활동도 활발하였고(42·43), 7년에는 계문이 중심이 되면서(60) 의의활동도 활발하였으며(40), 11년에는 수명이 활발하면서(21) 계문활동(12)을 능가하였다.

〈표 16-1〉 연산군 즉위~선조 24년 의정부 정치활동 유형[5)]

		연산군즉위~12년													
		즉위	1	2	3	4	5	6	7	8	9	10	11	12	계
수명	수	0	3	5	5	3	9	6	0	7	5	18	7	2	70
	%	0	7	6	5	7	10	6	0	5	6	13	21	14	8
계문	수	0	14	12	21	18	25	43	24	37	24	20	4	3	245
	%	0	34	13	23	42	27	43	60	28	27	16	12	21	27
의의	수	1	24	77	67	22	59	50	16	88	59	103	22	9	596
	%	0	59	82	72	51	63	51	40	67	67	73	67	64	65
계	수	1	41	94	93	43	93	99	40	132	88	141	33	14	911
	%	100													100

5) 『조선왕조실록』 연산군 즉위~선조 24조에서 종합.

		중종1~10년											중종11~28년		
		1	2	3	4	5	6	7	8	9	10	계	11	12	13
수명	수	2	7	3	1	3	2	3	3	3	0	27	13	9	2
	%	2	5	4	1	3	3	4	4	7	0	3	9	7	2
계문	수	60	55	35	20	39	13	12	12	11	14	271	29	40	19
	%	49	39	44	21	33	21	15	16	25	20	31	19	39	23
의의	수	60	78	41	73	77	46	66	59	30	57	587	110	85	60
	%	49	56	52	78	68	75	81	98	68	80	66	72	63	71
계	수	122	140	79	94	119	61	81	74	44	71	885	152	134	81
	%	100										100	100		100

		11~28년		중종29~인종1년											
		28	계	29	30	31	32	33	34	35	36	37	38	39	(계)
수명	수	0	48	0	1	0	1	5	6	1	2	0	0	3	19
	%	0	3	0	1	0	1	7	4	2	3	0	0	2	2
계문	수	34	502	25	21	16	21	14	22	3	10	5	6	28	171
	%	42	29	35	28	21	22	20	16	4	13	5	9	22	18
의의	수	47	1164	47	54	59	72	50	113	64	67	89	60	94	769
	%	58	67	75	71	79	77	72	80	94	84	95	91	75	80
계	수	81	1744	72	76	75	94	69	141	68	79	94	66	125	959
	%	100	100	100											100

		중종29~인종1				명종즉위~19년								
		인종즉위	1	(계)	합계	명종즉위	1	2	3	4	5	6	7	8
수명	수	0	1	1	20	5	6	3	1	2	3	1	0	1
	%	0	1	1	2	5	6	4	3	7	2	1	0	2
계문	수	6	48	54	225	55	53	34	16	10	9	71	19	20
	%	50	58	57	21	56	56	49	40	32	35	76	56	38
의의	수	6	34	40	809	39	36	33	23	19	14	21	15	32
	%	50	41	42	77	39	38	47	58	61	54	23	44	60
계	수	12	83	95	1054	99	95	70	40	31	26	93	34	53
	%	100			100	100								100

		명종즉위~19												명종20~선조24		
		9	10	11	12	13	14	15	16	17	18	19	소계	20	21	22
수명	수	1	4	2	0	1	1	0	2	0	0	1	34	1	0	1
	%	2	7	4	0	3	3	0	10	0	0	7	4	2	0	7
계문	수	15	17	13	21	5	9	4	5	2	6	3	387	28	8	4
	%	33	28	28	36	15	27	27	25	18	29	21	43	62	36	29
의의	수	30	39	31	37	27	23	11	13	9	15	10	477	16	14	9
	%	65	65	67	64	82	70	73	65	82	71	71	53	36	64	64
계	수	46	60	46	58	33	33	15	20	11	21	14	898	45	22	14
	%	100											100	100		100

		명종20~선조24															
		명종계	선조즉위	1	2	3	4	5	6	7	8	9	10	11	12	13	14
수명	수	36	0	1	0	1	0	0	0	1	0	2	1	0	0	0	0
	%	4	0	8	0	8	0	0	0	5	0	25	8	0	0	0	0
계문	수	427	7	6	1	7	1	1	5	9	31	3	3	2	1	2	4
	%	44	78	50	50	58	25	25	26	43	70	38	25	40	50	40	36
의의	수	516	2	5	1	4	3	3	14	11	13	3	8	3	1	3	7
	%	53	22	42	50	33	75	75	74	52	30	38	67	40	50	60	64
계	수	979	9	12	2	12	4	4	19	21	44	8	12	5	2	5	11
	%	100	100														100

		명종20~선조24											총계	비고
		15	16	17	18	19	20	21	22	23	24	소계		
수명	수	?	4	0	0	0	0	0	0	1	0	13	212	
	%	?	36	0	0	0	0	0	0	14	0	4	4	
계문	수	?	2	1	1	0	2	9	14	3	0	55	1,785	
	%	?	18	20	50	0	50	56	58	43	0	48	31	
의의	수	?	5	4	1	1	2	7	10	3	5	58	3,821	
	%	?	46	80	50	100	50	44	42	43	100	49	66	
계	수	?	11	5	2	1	4	16	24	7	5	326	5,818	
	%											100	100	

중종대에는 의의활동이 중심이 되면서(2,550건/71%) 계문이 활발하고(944/26) 수명은 미미하였다(94/3). 연도별로는 4~21년과 22~29년에는 의의가 58~95%를 점하면서 계문·수명활동을 압도하였고, 2·3·22년에는 의의가 중심이 되면서(55·52·52) 계문활동도 활발하였으며(39·44·46), 1년에는 의의·계문활동이 49%로 중심이 되었다.

인종대는 재위기간이 1년에 그쳤기에 별 의미가 없겠지만 중종대와는 달리 계문활동이 중심이 되면서(54/57%) 의의도 활발하였다(34/42). 연도별로는 즉위년에는 계문·의의가 중심이 되었고(50·50%), 1년에는 계문이 중심이 되면서(58) 의의도 활발하였다(42).

명종대에는 의의가 중심이 되면서(516건/53%) 계문이 활발하고(387/44), 수명은 미미하였다(36/2). 연도별로는 3~5·8~19·21~22년에는 의의가 압도하면서(54~82%) 계문도 활발하였고(15~40), 수명은 미미하였다(0~12). 6·20

년에는 계문이 압도하면서(76·62) 의의도 활발하였고(23·36), 즉위~2·7년에는 계문이 중심이 되면서(49~58) 의의도 활발하였다.

선조대에는 사료의 한계상 의정부활동상이 명확하지 않지만 의의와 계문이 119건 49%와 115건 47%로 중심이 되었고, 수명은 미미하였다(11/4). 연도별로는 4~6·10·13·14·17·24년에는 의의가 압도하면서(60~100%) 계문도 활발하였고(25~43), 즉위·3·8년에는 계문이 압도하면서(58~78) 의의도 활발하였고(22~33), 1·21·22년에는 계문이 중심이 되면서(50~58) 의의도 활발하였고(42~44), 7년에는 의의가 중심이 되면서(52) 계문도 활발하였고(43), 16년에는 의의가 중심이 되면서(46) 수명도 활발하였으며(36), 2·9·11·12·18·20·23년에는 계문·의의가 38~50%로 중심이 되었다.

이를 볼 때 조선중기 의정부 정치활동은 연산군대·중종대·명종대에는 의의활동이 압도하면서 계문활동도 활발하였고, 인종대에는 계문활동이 중심이 되면서 의의활동도 활발하였으며, 선조대에는 계문활동과 의의활동이 중심이 되었다고 하겠다. 그런데 인종대는 재위기간이 1년여에 불과하고, 선조대는 정치활동의 전모를 파악하기 어렵다. 이점을 감안한다면 결국 조선중기의 정치활동은 의의활동을 중심으로 전개되었다고 하겠다.

2. 議政府 政治活動 分野

조선중기 의정부가 전개한 정치활동분야에는 刑政·奴婢, 軍事, 儀禮·服制, 人事, 外交, 制度·立法, 經濟·田制, 賑濟·救療, 敎育·科擧·風俗 등 육조가 분장한 모든 정사-국정의 전분야가 망라되었다.[6)]

연산군대에는 다음의 표와 같이 형정·노비(258/912건, 28%/평균 22건)와 인사분야(207건/23%/평균 17건)가 중심이 되면서 군사(112/12/9), 진제·구

6) 의정부가 전개한 정치활동 분야를 육조의 기능과 연관시키면 다음과 같다(육조기능은 『경국대전』 권1, 이전 육조조 참조).

료(63/7), 의례·복제(58/6), 외교(47/5), 경제·전제(48/5)도 활발하였다. 연도별로 볼 때도 형정(1년)·인사(11·12)·군사(1·10~12)는 1~4개년을 제외하고는 중심이 되거나 활발히 전개되었고, 외교(2·3년)·경제(5~9)·진제(2·3·6·8·9) 등은 1~5개년에 걸쳐 활발하게 전개되었다. 특히 5·6년에 군사, 8년에 인사, 10년에 형정활동이 활발하였는데, 이것은 三水·江界 등지의 야인침입, 특지제수, 갑자사화 등에서 기인된 것이었다.[7]

〈표 16-2〉 연산군 즉위~선조 24년 의정부 정치활동 분야[8]

	연산군즉위~12													
	즉위	1	2	3	4	5	6	7	8	9	10	11	12	소계
刑政·奴婢		5	24	17	11	14	16	9	29	19	89	18	7	258
軍事		1	13	10	11	33	68	6	9	7	3	1	0	112
儀禮·服制	1	10	7	4	1	5	6	0	3	1	15	4	1	58
人事		15	20	29	10	17	23	9	36	29	14	3	2	207
外交		3	10	11	1	1	5	0	7	8	1	0	0	47
制度·立法		0	8	4	5	2	3	1	2	1	3	1	0	30
經濟·田制		0	3	5	0	6	7	5	15	6	0	1	0	48
賑濟·救療		2	7	9	1	5	13	3	9	13	0	0	1	63
教育·科擧·風俗 등		1	0	3	2	2	3	0	5	0	4	1	0	21
時務條陳		1	0	0	1	1	0	0	2	0	0	0	0	5
기타		3	2	1	0	7	5	7	15	4	12	4	3	63
합계	1	41	94	93	43	93	99	40	132	88	141	33	14	912

	중종1~10											중종11~28		
	1	2	3	4	5	6	7	8	9	10	소계	11	12	13
刑政·奴婢	18	38	14	13	18	11	14	15	4	15	160	21	17	9
軍事	3	8	6	14	30	7	15	6	5	9	104	20	6	7
儀禮·服制	5	0	3	3	4	3	0	3	2	4	28	16	12	5

형정·노비 – 형조　외교 – 예조　교육·과거·풍속 – 예·형조
군사 – 병조　제도·입법 – 예조(육조)　시무 – 육조
의례·복제 – 예조　경제·전제 – 호조　기타 – 공조 등
인사 – 이·병조　진제·구료 – 호조

7) 『연산군일기』 5~6년조에서 종합. 특지제수는 국왕이 인사절차를 거치지 않고 제수하는 인사행정이다.

8) 『조선왕조실록』 연산군 즉위~선조 24년조에서 종합.

人事	45	61	35	29	30	17	15	19	17	13	281	34	31	35
外交	5	3	8	6	6	9	12	4	3	3	59	8	7	1
制度·立法	16	4	4	3	10	3	3	2	1	6	53	16	10	6
經濟·田制	2	2	1	9	5	2	2	2	3	4	32	8	2	2
賑濟·救療	6	5	3	3	3	3	5	7	2	1	38	9	17	1
教育·科擧·風俗 등	5	6	1	4	4	2	5	2	1	2	32	12	10	2
時務條陳	1	0	2	3	1	0	1	1	2	3	14	1	2	4
기타	18	13	2	7	8	4	9	13	4	11	89	7	20	9
합계	122	140	79	94	119	61	81	74	44	71	883	152	134	81

	(중종11~28)													
	14	15	16	17	18	19	20	21	22	23	24	25	26	27
刑政·奴婢	8	29	25	36	35	29	32	16	25	36	16	23	18	7
軍事	5	15	3	24	38	15	17	3	2	18	4	2	0	1
儀禮·服制	2	8	6	9	6	5	15	3	5	12	4	18	4	4
人事	38	11	21	12	29	13	17	13	12	18	6	18	15	7
外交	2	4	25	11	23	9	20	1	2	11	13	3	2	3
制度·立法	17	5	0	8	2	4	6	3	2	1	2	1	0	1
經濟·田制	1	2	3	1	2	3	10	4	1	5	2	0	0	3
賑濟·救療	5	8	5	5	5	1	16	2	3	1	3	5	0	1
教育·科擧·風俗 등	3	4	2	3	4	6	7	6	0	5	1	0	1	3
時務條陳	1	0	0	0	2	1	1	0	0	1	0	1	0	0
기타	12	10	8	9	8	10	10	0	9	16	6	24	8	6
합계	104	96	98	118	154	96	151	57	61	124	57	95	48	36

	(중종11~28)		중종29~인종1										
	28	소계	29	30	31	32	33	34	35	36	37	38	39
刑政·奴婢	31	413	28	24	9	24	15	21	9	19	6	15	23
軍事	2	182	1	12	14	3	3	11	4	11	12	12	16
儀禮·服制	0	134	14	2	0	8	2	13	6	1	2	5	13
人事	13	344	10	15	17	18	15	12	17	6	11	8	13
外交	7	152	7	5	10	18	3	38	10	11	31	12	11
制度·立法	2	86	1	3	3	1	3	2	3	5	4	5	2
經濟·田制	5	54	0	1	1	5	2	2	3	3	7	0	2
賑濟·救療	4	91	1	1	0	0	2	11	0	3	5	1	1
教育·科擧·風俗 등	5	74	4	5	8	2	9	10	4	4	9	5	4
時務條陳	0	14	0	0	0	0	2	2	1	6	1	1	1
기타	13	185	6	8	13	15	13	19	11	10	6	4	39
합계	82	1,744	72	76	75	94	69	141	68	79	94	68	125

	(중종29~인종1)					명종즉위~19							
	중종계	즉위	1	인종계	소계	즉위	1	2	3	4	5	6	7
刑政·奴婢	776	0	7	7	200	42	22	15	13	8	6	8	2
軍事	384	0	3	3	100	4	6	2	1	6	3	6	6
儀禮·服制	227	3	10	13	79	9	6	3	0	0	0	0	0
人事	766	4	16	20	162	17	27	9	7	3	2	9	3
外交	367	0	8	8	173	4	8	7	1	1	1	2	6
制度·立法	170	0	1	1	33	1	0	1	0	0	2	3	0
經濟·田制	112	0	0	0	26	0	0	1	2	1	0	5	0
賑濟·救療	154	0	1	1	26	0	2	4	5	0	0	3	1
教育·科擧·風俗 등	168	0	0	0	64	4	4	2	0	4	2	2	1
時務條陳	42	0	0	0	14	2	1	2	0	0	0	0	0
기타	424	5	37	42	131	16	19	24	11	8	10	55	15
합계	3,590	12	83	95	1,111	99	95	70	40	31	26	93	34

	(명종즉위~19)												
	8	9	10	11	12	13	14	15	16	17	18	19	소계	20
刑政·奴婢	4	8	7	4	2	4	1	1	2	1	4	2	158	16
軍事	7	10	18	4	3	5	8	1	1	1	1	3	96	2
儀禮·服制	1	1	0	0	7	1	0	3	2	0	1	0	34	7
人事	12	9	7	9	5	10	7	4	4	2	5	1	152	1
外交	6	3	8	9	11	7	2	2	0	2	1	1	82	1
制度·立法	5	0	1	6	2	1	0	0	1	0	0	0	23	0
經濟·田制	1	0	4	0	1	0	0	0	0	0	0	2	17	0
賑濟·救療	0	3	2	0	0	0	3	1	0	0	0	0	24	0
教育·科擧·風俗 등	1	2	1	2	4	1	1	0	3	1	1	1	37	0
時務條陳	2	0	0	0	2	1	1	0	0	0	0	0	9	0
기타	14	10	12	12	20	3	10	3	7	4	8	4	265	18
합계	53	46	60	46	58	33	33	15	20	11	21	14	898	45

	명종20~선조24												
	21	22	명종계	선조즉위	1	2	3	4	5	6	7	8	9
刑政·奴婢	4	0	178	1	0	0	0	0	0	0	0	0	0
軍事	4	0	102	0	0	0	0	0	0	1	1	0	0
儀禮·服制	3	2	46	0	2	2	0	0	1	0	0	3	0
人事	5	2	160	0	6	0	9	2	3	11	9	7	2
外交	0	3	86	0	1	0	0	0	0	0	1	1	0
制度·立法	2	0	25	2	0	0	1	0	0	1	0	1	0
經濟·田制	0	0	17	0	0	0	0	0	0	0	2	0	0
賑濟·救療	0	0	24	3	0	0	1	0	0	0	0	0	0
教育·科擧	1	0	38	1	1	0	0	1	0	0	0	1	0

·風俗 등													
時務條陳	2	0	11	0	0	0	0	0	0	0	2	0	0
기타	2	7	292	2	2	0	1	1	0	6	6	31	6
합계	22	14	979	9	12	2	12	4	4	19	21	44	8

	(명종20~선조24)													
	10	11	12	13	14	15	16	17	18	19	20	21	22	23
刑政·奴婢	0	0	1	1	1	0	1	0	2	0	1	0	2	1
軍事	0	0	0	0	0	0	3	0	0	0	1	0	1	0
儀禮·服制	1	0	1	0	0	0	0	0	0	0	0	0	1	0
人事	5	1	0	3	2	0	7	5	0	0	1	13	18	4
外交	0	0	0	0	0	0	0	0	0	1	0	2	2	1
制度·立法	0	1	0	0	1	0	0	0	0	0	0	0	0	0
經濟·田制	0	1	0	0	0	0	0	0	0	0	0	0	0	0
賑濟·救療	0	0	0	0	2	0	0	0	0	0	0	0	0	0
教育·科擧·風俗 등	0	0	0	0	0	0	0	0	0	0	0	0	0	0
時務條陳	1	0	0	0	0	0	0	0	0	0	0	0	0	0
기타	5	2	0	1	5	0	0	0	0	0	1	1	0	1
합계	12	5	2	5	11	0	11	5	2	1	4	16	24	7

	(명종20~선조24)			총계
	24	선조계	소계	
刑政·奴婢	0	11	30	1,219
軍事	0	7	13	601
儀禮·服制	0	11	23	344
人事	3	111	110	1,153
外交	2	11	15	508
制度·立法	0	7	9	226
經濟·田制	0	3	3	177
賑濟·救療	0	6	6	242
教育·科擧·風俗 등	0	4	4	227
時務條陳	0	3	3	58
기타	0	71	99	821
합계	5	245	303	5,576

중종~인종대에는 연도별로는 중종 1~10년에는 인사·형정·군사는 1~2개년을 제외하고는 중심이 되거나 활발히 전개되었고, 외교·제도·경제·진제 등은 1~2개년에 걸쳐 활발하게 전개되었다. 특히 1~3년에 인사, 2년에 형정, 5년에 군사활동이 활발하였는데, 이것은 중종 즉위, 柳子光 등 논죄, 三浦倭變

등에서 기인된 것이었다.9) 중종 11~28년에는 형정·인사·군사는 2~8개년을 제외하고는 중심이 되거나 활발히 전개되었고, 의례·외교·제도·진제 등은 1~6개년에 걸쳐 활발하게 전개되었다. 특히 11~14년에 인사와 제도·입법, 11·12·20년에 진제·구료, 16~20년에 외교, 17~20·23년에 형정과 군사활동이 활발하였는데, 이것은 언관의 대두·공신개정과 장순왕후의 신주봉안·왕비 홍서와 책봉, 旱災, 무종홍서와 세종 즉위, 獄事와 三浦倭亂·입거야인구축 등에서 기인된 것이었다.10) 중종 29년~인종 1년에는 형정·인사·군사는 1~5개년을 제외하고는 중심이 되거나 활발히 전개되었고, 의례·외교·진제 등은 1~4개년에 걸쳐 활발하게 전개되었다. 특히 이시기에는 외교활동이 활발하였는데, 이것은 황후추존·홍서, 宗系辨誣, 왜·야인 위무, 중종홍서와 인종 즉위 등에서 기인된 것이었다.11) 중종~인종대를 통틀어는 인사(786/3,685건, 21%, 연평균 20건)와 형정·노비분야(783건/21%, 연평균 20건)가 중심이 되면서 군사(387/11/10), 외교(375/10/9), 의례·복제(240/7/6), 제도·입법(203/6/5)분야도 활발하였다.

명종 1~22년에는 형정(178/979건, 18%, 연평균 8건)·인사(160건/16%/7건)분야가 중심이 되면서 군사(102/10/5), 외교(86/9/5), 의례·복제(48/5/2.2)분야도 활발하였다. 연도별로 볼 때도 형정·인사·군사는 9~14개년을 제외하고는 중심이 되거나 활발히 전개되었고, 의례·외교·제도는 1~8개년에 걸쳐 활발하게 전개되었다. 특히 9·10년에 군사, 즉위·1년에 인사, 10~13년에 외교활동이 활발하였는데, 이것은 신왕즉위·을사사화, 達梁浦倭變과 야인준동, 종계변무·대왜수교 등에서 기인된 것이었다.12)

---

9) 『중종실록』 1~5년조에서 종합.

10) 『중종실록』 11~23년조에서 종합.

11) 『중종실록』 29년~인종 1년조. 종계변무는 『대명회전』에 이성계가 李仁任의 아들이라고 기재된 것을 李子椿의 아들로 바로잡은 일인데, 『대명회전』의 개정을 계기로 원문을 고치지는 못하고 원문에 부기하는 형식으로 마무리됨에 그쳤다.

12) 『명종실록』 즉위~13년조에서 종합.

선조 즉위~24년에는 사료의 한계로 그 파악된 활동건수가 적어 객관성이 낮지만 인사(110/303건, 36%, 연평균 9건)분야가 가장 비중이 높고, 형정·노비(30/10/1), 의례·복제(23/8/1)분야의 순서였다.

조선중기를 통해서는 형정(1,219/5,576건, 22%, 연평균 14건)와 인사(1,153건/21%/13건)분야가 중심이 되면서 군사(601/11/7), 외교(508/9/8), 의례·복제(344/6/7)분야도 활발하였다.

이상에서 의정부 정치활동은 연산군대는 형정·인사·군사분야, 중종~인종대에는 인사·형정·군사·외교분야, 명종대에는 형정·인사·군사·외교분야, 선조대에는 인사분야가 각각 중심이 되는 등 조선중기를 통하여 가장 중요한 국사인 인사·형정·군사·외교분야가 가장 활발하면서 중심이 되었다.

제2절 議政府와 政治機構

조선중기의 정치의 중심이 된 정치기구는 의정부를 위시하여 六曹·三司·承政院, 국왕 즉위 초에 국정을 총령한 院相과[13] 邊事를 주관한 備邊司[14] 등이다. 또 정치구조상으로는 六曹直啓制가 실시된 연산군대, 중종 1~10년, 중종

13) 원상제는 국왕 즉위초에 국상 중의 국정운영을 위해 의정·찬성 등이 원상을 겸직하고 육조·승정원을 지휘하면서 국정을 총관하는 국정운영체제이다(원상제와 조선중기 원상제 운영기간은 金甲周, 1973, 「院相制의 成立과 機能」, 『東國史學』 12, 60~70쪽, 뒤 〈표16-5〉 참조).

14) 비변사는 중종 5년에 三浦倭亂이 일어나자 이를 집중적이고도 효율적으로 진압하기 위한 임시기구로 설치되었고, 이후 廢止·復置가 반복되면서 운영되다가 명종 10년에 1품 상설기관이 되었다가 선조 25년 왜란이 일어나자 최고 정치·군사기구가 되었으며, 이후 고종 2년에 의정부에 합병되면서 혁거되기까지 의정부를 무력화시키면서 정치·군사를 중심한 모든 국정을 주도하였다. 비변사는 중종 5년~선조 24년까지에도 관아 설치배경과 관련되어 변사와 관련된 군정을 주관하였다(졸고, 1992, 「朝鮮中宗 5년~宣祖 24년(成立期)의 備邊司에 대하여」, 『서암조항래교수화갑기념 한국사학논총』, 논총간행위원회. 193~221쪽).

29년~인종 1년, 명종 1~19년, 명종 20년~선조 24년에는 六曹가 직접으로 국왕에게 보고하고 지시를 받으면서 국정운영을 주도하게 되어 있었고, 議政府署事制가 실시된 중종 11~28년경에는[15] 의정부가 육조를 지휘하면서 국정운영을 주도하게 되어 있었다.[16] 여기에서는 의정부가 육조, 원상, 비변사와 관련되면서 발휘한 기능을 구분하여 살펴본다.

---

15) 세조 즉위와 함께 실시된 육조직계제가 중종 11년에 의정부서사제로 전환되었다. 이때의 의정부서사제가 어느 때에 다시 육조직계제로 전환되었는가는 불명하나 한충희는 『증보문헌비고』 기사, 『중종실록』 기사, 찬성·참찬의 기능약화 등을 들어 중종 29년경 이전에 육조직계제로 전환되었다고 보았고(한충희, 위 「조선전기 의정부 권력구조연구」, 40~41쪽), 정홍준은 『조선왕조실록』 기사를 볼 때 선조 24년까지 의정부서사제가 지속되었다고 하였다(위 『조선중기 정치권력구조연구』, 28쪽).
이와 관련되어 중종 11년 의정부서사제의 복구를 논의할 때 중종이 내린 전교에 "(전략) 祖宗朝(議政府)署事節目 予未詳也 且(經國)大典云 議政府 總百官 平庶政 理陰陽經邦國 由是觀之 雖不別立(議政府)署事之法 依(經國)大典 政府治職可也 予嘗以此意 言于大臣 而近無檢察六部(曹)之事 進退人物 相職廢弛 (중략) 自今三公 不可躬親細事 六部大事及各司新立法 受敎之事 先報政府 而勘定 則上自酌其可否而處之 甚合事體 六部公事 政府若不啓稟 而先退之 則自古所以有廢端者也 (하략)(『중종실록』. 권25, 11년 4월 병자, ( ) 필자 보)"라고 하였듯이 의정부 기능이 포괄적으로 규정되었기에 의정부서사제는 물론 육조직계제가 실시될 때에도 그에 적응하여 기능을 발휘할 수 있었다. 곧 이어 의정부서사제가 실시되고 의정부는 六曹·漢城府·掌隸院의 細瑣事를 제외한 모든 정사를 보고받아 검토한 후 보고하여 시행하고, 이·병조의 인사도 제수에 앞서 규핵하는 등 육조·백사를 지휘하면서 국정을 총관하게 되었다(위 책 권25, 11년 5월 신사·권26, 11년 6월 신해 是日始復署事).
그런데 중종 11년에 복구된 의정부서사제하의 의정부활동을 보면 조선초기와는 달리 육조의 지휘·인사권에 대해 강력한 기능을 행사하지 못하였고, 당시의 정국운영과 관련되어 의정부서사제에 의해서라기보다는 『경국대전』에 규정된 기능에 따라 신축적으로 기능을 발휘하였기에 의정부서사제는 그 의의를 상실한 것으로 추측된다. 아마 이점에서 『조선왕조실록』에 의정부서사제가 혁파된 명확한 시기가 언급되지 않았다고 하겠고, 그 혁파시기를 두고 '중종 28년 이전'이나 '선조 25년 이전'이 제기되었다고 하겠다. 본고에서는 일단 '중종 28년 이전'에 혁거된 것으로 파악하여 고찰한다.

16) 조선초기 의정 육조직계제와 의정부서사제 실시 때의 국영운영 체계와 육조·의정부의 기능발휘는 졸고, 위 논문, 1980, 121~128, 133~139쪽 참조.

1. 議政府와 六曹

육조직계제가 실시된 연산군 1년~중종 10년, 중종 29년~선조 24년에는 국정운영체계상으로는 육조가 직접으로 국왕에게 보고하고 지시를 받으면서 국정운영을 주도하게 되었다. 실제로도 이 시기 육조의 정치활동을 보면 다음의 표와 같이 육조는 모든 시기에 걸쳐 가장 적극적인 정치활동인 계문활동이 50%(중종 29~인종 1)~43%(연산군대)로서 중심이 되었고, 계문 활동에 못지않은 의의활동 즉, 왕명을 받고서 6조 단독으로나 의정부와 함께 정사를 논의하는 의의가 39%(중종 1~10)~28%(연산군대, 그 활동건수와 관련하여 명종 20~선조 24년 제외)를 점하여 양자를 합할 경우에는 전체 6조활동의 84%~71%를 점하였다.

반면에 의정부서사제가 실시된 시기의 6조 활동은 계문이 43%, 수명이 33%, 의의가 24%다. 이러한 경향을 6조직계제 실시기와 비교해 보면 계문·의의활동은 수가 가장 적을 때와 같고, 수명활동은 수가 가장 많은 때와 같다.

이에서 6조직계제가 실시된 시기의 6조는 6조가 중심이 된 국정운영체계를 토대로 계문활동과 의의활동을 중심으로 서정을 명확히 분장하면서 국정운영을 주도하였고, 의정부서사제가 실시되었을 때는 의정부의 지시를 받아 서정을 분장하였기 때문에 육조직계제 실시기에 비해 기능이 약화되었을 것이라고 추측된다.

〈표 16-3〉 연산군 즉위~선조 24년 육조 정치활동 수 대비(단위 건)[17]

		육조직계제운영기						비고
		연산군즉~12	중종1~10	중종29~인종1	명종1~19	명종20~선조24	소계	(중종11~28, 의정부서사기)
수명	수	226	110	158	154	97	745	512
	%	34	16	19	21	29	22	33
계문	수	322	312	419	353	165	1,571	674
	%	43	45	50	49	49	47	43
의	수	209	266	258	218	73	1,024	378

의	%	28	39	31	30	22	31	24
합	수	757	688	835	725	335	3,340	1,564
계	%	100						

* 연산군즉위~1년 11월, 중종즉위~3년 5월, 인종즉위~1년 1월, 명종즉위~3년 5월, 선조즉위~즉위년 11월(계문·의의 동).

그런데 이러한 6조의 정치활동을 의정부의 정치활동과 비교하여 보면 의정부서사제가 실시된 중종 11~28년경은 다음의 표와 같이 의정부가 1,744건 57%이고 육조가 1,303건 43%로 의정부가 육조활동을 능가하였다. 6조직계제가 실시된 시기에 있어서도 의정부활동이 59~50%를 점하여 육조활동 50~41%를 능가하였다. 활동건수를 보면 의정부와 육조활동이 연산군 즉위~12년에는 911건 55%〉 757건 45%, 중종 1~10년에는 885건 56%〉 688건 44%, 중종 29년~인종 1년에는 1,054건 59%〉 725건 41%, 명종대에는 979건 55%〉 812건 45%였고, 선조대에는 245건 49.7% 〈248건 50.3%였다. 여기에서 사료의 제약으로 기록이 미비한 선조대를 고려하면 의정부는 의정부서사제가 실시된 시기는 물론 육조직계제가 실시된 시기에 있어서도 육조활동을 압도하거나 능가하였다고 하겠다.

〈표 16-4〉 연산군 즉위~선조 24년 의정부·육조 정치활동 수 대비[18]

		연산군즉 ~12	중종1 ~10	중종11 ~28	중종29~ 인종1	명종1 ~22	선조1 ~24	합계
의정부	건수	911	885	1,744	1,054	979	245	5,818
	%	55	56	57	59	55	49.7	56
육조	건수	757	688	1,303	725	812	248	4,533
	%	45	44	43	41	45	50.3	44
합계	건수	1,668	1,573	3,047	1,779	1,791	413	10,351
	%	100						100

또 육조직계제가 실시된 시기의 의정부 활동을 유형별로 볼 때도 앞의

17) 뒤 〈표 16-12〉에서 종합.

18) 앞 〈표 16-1, 4〉에서 종합.

적극적인 정치활동인 계문·의의활동이 전체 의정부활동에서 점하는 비중을 보면 〈표 16-1〉과 같이 연산군 1~12년에는 145건 27%와 596건 65%로 741건 92%, 중종 1~10년에는 271건 31%와 587건 66%로 858건 97%, 중종 29년~인종 1년에는 225건 21%와 809건 77%로 1,034건 98%, 명종대에는 427건 44%와 516건 53%로 943건 97%였고, 선조대에도 115건 47%와 119건 49%로 243건 96%였다.

한편 중종 11년 이후의 『조선왕조실록』을 보면 조선초기(태종 5~13년·세종 18년~단종 3년)에 의정부가 육조를 지휘하면서 국정을 총관한 것(한충희, 「朝鮮初期 議政府硏究」 상, 121~128·133~139쪽 참조)과는 달리 의정부는 署事權의 행사와 人事糾覈이 미미하였고, 국왕의 요청에 따라 육조정사·현안사의 논의에 참여하면서 영향력을 발휘하는 경향이 현저하였다. 또 의정부서사제가 실시된 중종 11년 이후의 의정부·육조의 정치활동을 보면 의정부는 조선초기 의정부서사제가 실시되었을 때에는 육조의 정치활동을 압도하고 계문활동이 중심이 되면서 의의활동도 활발하였음과는 달리 연산군 1년~중종 10년의 활동경향과 차이가 없었고, 육조활동을 능가하기는 하나 의의활동이 중심이 되었고 계문활동은 육조보다 미약하였다.[19]

이에서 중종 11년에 복구된 의정부서사제하의 의정부는 조선초기와는 달리 육조의 지휘·인사권에 대해 강력한 기능을 행사하지 못하였고, 당시의 정국운영과 관련되어 의정부서사제에 의해서라기보다는 『경국대전』에 규정된 기능에 따라 신축적으로 기능을 발휘하였고, 이에 따라 의정부서사제는 그 의의를 상실한 것으로 추측된다.

이를 볼 때 의정부는 조선중기의 전시기, 즉 의정부서사제가 실시된 시기는 물론 육조직계제가 실시된 시기에 걸쳐 비록 조선초기 의정부 기능과는 다소의 차이가 있지만 적극적인 정치형태인 계문·의의활동을 중심으로 육조

19) 한충희, 위 「조선전기의 권력구조연구」, 42쪽 〈표 1〉, 앞 〈표 16-5〉 참조.

활동을 능가하면서 국정운영을 주도하였다고 하겠다.

2. 議政府와 院相

조선중기(연산군~선조)에는 모든 시기에 신왕이 즉위하면 國喪과 관련하여 원상이 임명되어 승정원에 숙직하면서 승지를 지휘하여 국정을 총령하게 하였다(원상 운영기간은 뒤 〈표 16-5〉 참조).

원상운영기의 정치활동을 보면 뒤 〈표 16-11〉과 같이 연산군대에는 수명활동이 5건이고 계문활동이 19건이며 의의활동이 27건으로 총 51건이다. 인종대는 수명활동은 없고 계문이 1건이고 의의가 5건으로 총 6건이다. 명종대는 수명활동이 4건이고 계문이 27건이며 의의가 34건으로 총 65건이다. 중종대와 선조대는 불명이다.

〈표 16-5〉 조선중기 원상 운영기간과 겸직자[20]

성명		겸직기간	본직	비고	성명		겸직기간	본직	비고
연산군	李克培	즉위.~1.6	영의정·부원군	즉위~1.11	명종	成世昌	즉.~3.5	우·좌의정, 판중	즉위~3.5
	盧思愼	즉.~1.11	좌·영의정			洪彦弼	〃	영중추(전의정)	
	愼承善	〃	우·좌·영의정			李彦迪	즉.~즉.9	좌찬성	
	尹弼商	〃	부원군(전의정)			權橃	즉.~즉. 10	우찬성	
	鄭佸	1.3~1.10	지중,우의정			李芑	즉.~3.5	우·좌의정	
	魚世謙	1.10~1.11	우의정			鄭順朋	즉.9~3.5	우의정	
중종	柳洵	즉.~3.5	영의정	즉위~3.5		許磁	〃	우·좌찬성, 판중	
	金壽童	〃	좌의정·부원군			林百齡	즉.11~1.9	우찬성	
	朴元宗	1.9~3.5	우·좌·영의정		선조	李浚慶	즉.~즉. 11	영의정	즉위~9.11
	柳順汀	1.10~3.5	우의정			李蓂	〃	좌의정	
인종	洪彦弼	즉.~1.1	좌의정	즉위~1.1		權轍	〃	우의정	
	尹仁鏡	〃	우의정			洪暹	〃	좌찬성	
명종	尹仁鏡	즉.~3.5	좌·영의정	즉위~3.5		吳謙	〃	우찬성	
	柳灌	즉.~즉.8	우의정			閔箕	〃	우참찬	

원상은 그 운영기간이 짧았고, 그 활동건수가 의정부활동과는 뒤의 〈표

20) 한충희, 위 「조선전기(태조~선조 24년)의 권력구조연구」, 87쪽 주348)에서 전재.

16-9〉에서와 같이 비교가 되지 못하였다.[21)]

또 원상겸대자의 본직을 보면 위의 표와 같이 연산군대는 원상 6명중 5명과 1명이 의정과 의정역임자였고, 중종대는 4명 모두가 의정이었고, 인종대는 2명 모두 의정이었고, 명종대는 10명 중 5명과 4명이 의정과 찬성이고 1명이 의정역임자였으며, 선조대는 6명 중 3명이 의정이고 2명이 찬성이며 1명이 참찬이었다.

이를 볼 때 원상은 그 재직기간이 짧고 그 대다수가 의정이 중심이 된 의정부 당상관이기도 하지만, 그 활동건수에서 의정부활동과는 비교가 되지 못하였다. 이에 의정부는 제도적으로 원상이 국정을 총령하게 되었음과는 달리 원상을 압도하면서 국정운영을 주도하였다고 하겠다.

3. 議政府와 備邊司·기타

조선중기에 운영된 備邊司는 남북방의 긴급한 변사를 처리하기 위하여 설치되어 "議政府의 지휘나 兵曹의 간섭을 받지 않고 남·북방 변사 등 군정을 전관하였다"[22)]고 하였음에서 변사 등 군정에서 강력한 기능을 행사하였을 것이라고 추측된다.

비변사가 상설 관아로 창설된 중종 12년부터 의정부를 제치고 최고의 정치·군사기관이 된 선조 25년까지 비변사가 수행한 정치활동-受命·啓聞·擬議活動을 비변사의 조직·기능 등과 관련된 중종 12~25년, 36~39년, 인종 1년, 명종 즉위~9년, 10~21년, 선조 6~8년, 16~24년의 시기별로 살펴본다.

수명 활동은 다음의 표에서와 같이 중종 5년~선조 24년에 확인된 비변사

---

21) 『중종실록』 권45, 17년 7월 신미.

22) 『중종실록』 권45, 17년 7월 신미·8월 신미, 권57, 21년 6월 신축, 권61, 23년 4월 경술 ; 『명종실록』 권16, 9년 2월 기묘·6월 정해, 권22, 12년 6월 갑진 외.

총 활동건수에서 점하는 비중이 미미(20/290)하기 때문에 큰 의미는 없지만, 명종대에는 15건으로 12%를 점하였다. 계문활동은 성립기의 전시기를 통하여 의의활동에는 미치지 못하지만 의의활동과 함께 비변사활동의 중심이 되었다. 중종대는 30건 27%, 명종대는 37건 29%, 선조대는 19건 40% 등 비변사의 운영과 함께 점진적으로 그 비중이 증가하였다. 의의활동은 중종대는 81건 72%, 명종대는 75건 59%, 선조대는 26건 54% 등 비변사가 운영된 모든 시기를 통하여 중심이 되었지만 계문활동의 경향과는 반대로 점진적으로 그 비중이 감소하였다.

〈표 16-6〉 중종 12년~선조 24년 비변사 정치활동[23]

		중종			인종	명종			선조			합계
		12~25	36~39	계	1	즉~9	10~22	계	6~8	16~24	계	
수명	수	2		2		3	12	15		3	3	20
	%	2		2		9	13	12		7	6	9
계문	수	27	3	30		7	30	37	3	16	19	86
	%	30	14	27		21	32	29	43	39	40	30
의의	수	62	19	81	2	23	52	75	4	22	26	184
	%	68	86	72	100	70	55	59	57	54	54	61
계	수	91	22	113	2	33	94	127	7	41	48	290
	%	100	100	100	100	100	100	100	100	100	100	100

또 비변사가 상설 정1품 아문이 된 명종 10년을 기준으로 한 중종 5년~명종 9년과 명종 10년~선조 24년의 시기로 구분하여 보면 수명·계문·의의활동의 빈도가 각각 5건 3%~15건 11%, 37건 25%~49건 35%, 106건 72%~78건 55%였다. 즉 비변사의 지위가 상승된 명종 10년 이후가 그 이전에 비하여 비록 의의활동이 압도하거나 중심이 되고는 있지만, 보다 적극적인 정사참여 형태인 계문활동의 비중이 크게 증가한 반면에 의의활동의 비중은 감소되고 있음을 알 수 있다.

수명·계문·의의활동, 특히 적극적이고 능동적인 정치참여 형태인 계문·의

23) 『조선왕조실록』 중종 12~선조 24년조에서 종합.

의활동의 위에서와 같은 비중과 활동경향은 의정부·육조의 경우에 "국정을 주도하면서 그 기능이 강력하였을 때에는 계문활동의 비중이 증가하면서 중심이 된 반면, 의의활동의 비중은 감소하고, 그 기능이 미약한 때에는 비록 계문활동이 중심이 되고는 있으나 그 비중이 감소한 반면에 의의활동의 비중이 증가하였다"[24]고 분석되었고, 비변사도 "성립초기에는 치·폐가 빈삭하고 그 아문의 지위가 미약하고 불안정하였으나 명종 10년 이후는 정1품 상설아문이 되는 등 그 지위가 크게 강화되었다"고 하였듯이 정치활동 경향은 그 관아의 기능과 직결되었다. 따라서 비변사의 기능은 시간의 경과와 함께 아문의 지위가 격상되고 지속적으로 운영되게 되면서 그 기능이 점진적으로 강화되었다고 하겠다.

또 비변사가 단독으로나 의정부·병조와 공동으로 전개한 활동분야를 보면 남·북의 변사와 관련된 ① 야인정벌,[25] ② 침구한 왜·야인 토벌,[26] ③ 築城·設鎭·移鎭 등을[27] 논의·지휘하였다. 왜·야인의 방어와 관련하여 ④ 관찰사·변방 수령의 제수와 개수,[28] 순찰사와 조방장의 파견,[29] 파직무신과 가용무재자의 제수,[30] ⑤ 승도의 부역,[31] 양곡의 비축,[32] 전망인 구휼,[33] ⑥ 왜·야인과의 수교,[34] 대몽외교,[35] 왜·야인 위무,[36] ⑦ 習戰,[37] 군기보수와 점고[38] 등을

---

24) 졸고, 1981, 「朝鮮初期 議政府硏究」 상, 『韓國史硏究』 31, 112~116쪽.
25) 『중종실록』 권63, 23년 10월 경신.
26) 『중종실록』 권60, 23년 2월 계묘 ; 『명종실록』 권18, 10년 5월 기유.
27) 『중종실록』 권103, 39년 5월 무오 ; 『명종실록』 권9, 4년 1월 갑술 ; 『중종실록』 권53, 23년 2월 신축.
28) 『명종실록』 권24, 13년 2월 경인 ; 『중종실록』 권45, 17년 6월 갑오.
29) 『명종실록』 권18, 10년 1월 병오 ; 『선조실록』 권7, 6년 6월 을축.
30) 『명종실록』 권27, 16년 12월 계유.
31) 『중종실록』 권50, 19년 2월 병신.
32) 『명종실록』 권20, 11년 2월 무오.
33) 『중종실록』 권104, 39년 9월 을사.
34) 『선조실록』 권23, 22년 8월 기묘.
35) 『명종실록』 권25, 14년 5월 기묘.

논의 감독하였으며, 왜·야인의 정벌·토벌과 관련된 ⑧ 논공행상을 행하였다.[39] 그 외에도 군정과 관련하여 ⑨ 왜·야인과 범법군사 치죄,[40] ⑩ 동철취련[41] 등을 수행하였다.

그리고 위에서 적기한 각 활동분야의 빈도를 보면 다음의 표와 같이 전체적으로는 備野人이 51건 18%로 가장 빈도가 높고 備倭(32건/11%), 討倭(29/10), 장수·무재자 등 인사(22/8), 왜·야인 수교(20/7), 왜·야인 치죄(19/7), 討野人(18/6), 감사·병사·수령인사(17/6), 변장·수령 등 치죄(15/5), 논공행상(13/4), 축성·설진 등(12/4)의 순서였다. 시기적으로는 그 빈도가 미미한 인종대·선조 6~8년을 제외하고 보면 중종대에는 12~25년에는 야인방어가 26건 25%로 가장 빈도가 높고 왜·야인 치죄(15건 17%), 장수 등 인사(8/9), 왜·야인 의교(7/8), 왜·야인 토벌(각 5/6)의 순서였고, 36~39년에는 축성 등(5/23), 야인방어·왜와 야인 외교(각 4/18)의 순서였다. 명종대에는 즉위~9년에는 논공행상이 11건 33%로 가장 높고 군기제작 등(7/21), 왜인 토벌(6/18), 야인토벌(5/15), 왜·야인 방어(각 4/12)의 순서였고, 10~22년에는 왜인 방어가 21건 22%로 가장 높고 왜인 토벌(15/16), 야인방어·감사 등 인사(각 5/5)의 순서였다. 선조 16~24년에는 야인방어가 10건 24%로 가장 높고 감사 등 인사(8/20), 변장 등 치죄(6/15), 장수 등 인사(5/12)의 순서였다.

---

36) 『중종실록』 권101, 38년 7월 임술.

37) 『명종실록』 권7, 3년 4월 을유.

38) 『명종실록』 권23, 12년 8월 갑오 ; 『중종실록』 권102, 39년 4월 정유 ; 권60, 23년 2월 갑진.

39) 『명종실록』 권10, 5년 8월 무인.

40) 『중종실록』 권56, 21년 3월 경술 ; 권60, 23년 2월 무진.

41) 『명종실록』 권30, 19년 10월 을해.

〈표 16-7〉 중종 12년~선조 24년 비변사 활동 분야[42]

	중종			인종	명종			선조			합계
	12~25	36~39	계	1	즉~9	10~22	계	6~8	16~24	계	
비왜	4	1	5		4	21	25		2	2	32
비야인	26	4	30		4	5	9	2	10	12	51
토왜	5	2	7		6	15	21	1		1	29
토야인	5	1	6		5	3	8	1	3	4	18
축성·설진 등	2	5	7		1	4	5				12
군기제작·보수·점고		2	2		7		7				9
감사·병사·수령인사	2	1	3		1	5	6		8	8	17
장수·무재 등 인사	8	1	9		2	5	7	1	5	6	22
논공행상					11		11	1		1	13
왜·야인 수교	7	4	11	2	2	3	5		2	2	20
왜·야인 치죄	15		15			2	2		2	2	19
변장·수령 등 치죄	5		5		2	2	3	1	6	7	15
기타*	10	1	11		3	15	18		3	3	33
합계	89	22	111		33	94	127	7	41	48	200

* 중종 12~15년-비변사관계 4건, 양계 군량비축·비변사혁파사·양계민 위무·전망인 구휼·사신호송·병판의망사·각1건, 중종 36~39-몽고서계 번역사 1건, 명종 즉위~9-중국인 환송·승도부역·조왜 피살인 휼전사 각1건, 명종 10~22-승도부역 4, 출사제 2, 유장양성·제도평사 감군·토적장병 위무·전망인휼전·제주복구·수군소복·중국인 구휼의례·6진인 진구사 각1건, 선조 16~24-서얼부방허통·토적장졸 위무·월경 중국인 처리사 각1건.

또 위에서의 이러한 활동경향을 전 시기를 통틀어 왜·야인과 직·간접으로 관련된 변사로 종합하면 왜·야인 방어, 왜·야인 토벌, 왜·야인 치죄, 변장 등 치죄 등(기타의 전망인 휼전·출사제·토적장병 위무·제주복구·수군소복 등 포함) 직접으로 변사와 관련된 활동이 186건 64%를 점하였다. 축성 등, 감사 등 인사, 군기제작, 왜·야인 외교 등(기타의 양계 군량비축·양계민 위무·승도부역·유장양성·평사감군·6진민 진구·서얼부방허통·월경 중국인사 등 포함) 간접적으로 변사와 관련된 활동이 93건 32% 등 96%인 279건이 직·간접으로 남북의 변사와 관련되었다. 그 외에 위에서 제외된 11건에

42) 『조선왕조실록』 중종 12~선조 24년조에서 종합.

있어서도 의례(왕비모 사망 때의 철조 여부)의 1건만이 변사와는 무관하였고, 그 외는 비변사관계(4건), 비변사혁파사·사신호송·병판의망·몽고서계 번역·중국인 환송·중국인 구휼(각1건)의 10건은 변사나 비변사의 운영과 관련되는 정사였다.

그런데 위에서와 같은 비변사활동의 대부분은 〈표 16-8〉과 같이 국왕, 의정부·6조대신, 대간 등이 참여하거나 公知하는 가운데 공개리에 수명·계문·의의활동의 방법으로 수행되었지만 극히 일부의 정사는 명종 21년에 司諫院이

> 臺諫耳目之官 凡國家大小之事 無不與之 以濟可否 而近日備邊司秘密公事 兩司皆不得預聞 其得失利害 貌然不審 其所以至爲未便 軍國大事 機關甚重 豈有臺諫不聞不之理乎 自今秘密公事 請令備邊司 一一通論于兩司 (答曰如啓)[43]

라고 상계하였음과 같이 비변사제조 등이 '秘密公事' 라고 칭하며 대간 등에게 비밀로 하면서 처리하였다. 이러한 비밀공사는 비록 그 빈도에서 선조 25년 이후의 그것과는 비교가 되지 못하지만 중요한 비변사공사를 소수의 당상이 주도하는 계기가 되는 것이었다.[44]

그런데 비록 비변사가 변사 등 군정을 의정부·병조의 지휘나 간섭을 받지 않고 전관하였다고 하지만 동기에 의정부가 수행한 군사분야 활동을 위에서 제시한 비변사의 활동과 대비시켜 보면 다음의 표와 같이 각각 중종 12~25년에는 159건 64%〉 89건 36%, 인종대에는 210건 65%〉 11건 35%, 명종대에는 102건 45% 〈127건 55%, 선조대는 7건 13% 〈48건 87%로서 達梁浦倭變이 발생하면서 비변사가 정1품 직계아문으로 정착된 명종 10년 이후(~22)와[45]

---

43) 『명종실록』 권32, 21년 1월 경술.

44) 선조 25년 이후의 비변사 비밀공사의 성행과 그 의의에 대해서는 오종록, 앞 「비변사의 정치적 기능」, 537~539쪽 참조. 씨는 비밀공사는 유사당상을 중심으로 진행되는 권력집단 내부의 절충과정이라고 하였다.

자료의 한계가 있는 선조대를 고려할 때 그 외의 모든 시기에서 의정부활동이 비변사활동을 압도하였다.

〈표 16-8〉 조선중기 비변사 활동 유형[46)]

		수명			계문				의의						합계					
		비	비·병	계	비	비·병	비·의	계	비	비·병	비·의	비·병·의	비·기타*	계	비	비·병	비·의	비·병·의	비·기타	계
중종	12~25	2		2	22	5		27	4	24	5	21	8	62	26	29	5	21	6	91
	36~39				3			3	4	1	1	5	8	19	7	1	1	5	8	22
	계	2		2	25	5		30	8	25	6	26	16	81	33	30	6	26	14	113
인종1													2	2		2			2	2
명종	즉~9	2	1	3	5			5	3	1	4	13	4	25	10	2	4	13	4	33
	10~22	10	2	12	25		5	30	5	1	14	6	26	52	40	3	19	6	26	94
	계	12	3	15	30		5	35	8	2	18	19	30	77	50	5	23	19	30	127
선조	6~8				3			3	1			2	1	4	4			2	1	7
	16~24	3		3	16			16	18		1	2	1	22	37		1	2	1	41
	계	3		3	19			19	19		1	4	2	26	41		1	4	2	48
합계		17	3	20	74	5	5	84	35	27	25	49	50	196	126	35	30	49	50	290

* 비변사·의정부(3의정)·육조, 비·3의정·영중추·병조당상, 비·의·영중·육조·한성부당상, 비·의·이, 비·3의정·병·지변사무신, 의·병·비당상·형판·호판, 의·비당·병판·예판 공동참여 포괄.

〈표 16-9〉 조선중기 비변사와 의정부 군사활동 수 대비

		중종			인종	명종			선조			합계
		12~25	36~39	계	1	즉~9	10~22	계	6~8	16~24	계	
비변사	활동수	89	22	111	2	33	94	127	7	41	48	286
	%	36	30	35	40	39	65	55	78	89	87	47
의정부	활동수	159	51	210	3	51	51	102	2	5	7	322
	%	64	70	65	60	61	35	45	22	11	13	53
합계	활동수	248	73	321	5	84	145	229	9	46	55	608
	%	100										

또 중종 12년 비변사 설치의 중요한 배경이 군정을 지휘해야 할 의정부 대신의 병사에 대한 미숙이었고, 중종 17년 의정(중신)을 선발하여 변사를

45) 10년 5월에 달량포왜변이 발생하고 동년 7월에 비변사가 상설 정1품 아문으로 정착되었다(『명종실록』 권20, 11년 4월 신묘).

46) 『조선왕조실록』 중종 12~선조 24년조에서 종합.

맡길 것이 요청되었을 때도 의정부 대신이 병사에 대한 미숙을 들어 회피하였다고는 하나[47] 비변사가 운영된 조선중기의 모든 시기의 의정부 대신이 병사에 미숙하였다고 보기 어렵다. 예컨대 중종 17년에 의정부 대신을 대신하여 비변사 당상에 제수되어 비변사를 총관한 領中樞府事 鄭光弼은 1510년(중종 5) 우참찬으로서 삼포왜란이 일어나자 전라도도순찰사로 파견되어 동난을 진압하였고, 1512(중종 7)~1513년 함길도관찰사를 거쳐 우의정에 발탁되었고, 이후 1519년까지 좌·영의정, 1527년(중종 22) 영의정에 제수되어 1533년(중종 28)에 파직되기까지 14년간 의정에 재직하였다.[48]

이상에서 중종 5년~선조 24년까지 치, 폐를 반복하면서 운영된 비변사가 남북방 변사와 관련된 군정을 전관하였다고는 하나 의정부는 국정총령기관으로서 군사분야에 관해 광범하게 활동을 전개하면서 직, 간접으로 변사를 주관한 비변사 활동을 지휘·간여하는 기능을 행사하였다고 하겠다.

그 외에도 조광조일파가 득세한 중종 11~14년에는 중종 12년에 사관이 "是時趙光祖之勢大熾 位雖卑 權傾三公"[49]이라고 하였음에서 의정과 의정부는 대간의 언론활동으로 인해 기능발휘가 제약되거나 위축되었다고 추측되었다. 그러나 이때도 의정부의 정치활동유형과 활동분야의 경향을 보면 그 전후시기와 별 차이가 없고, 오히려 인사활동은 중종대의 어느 시기보다도 활발하였으며, 의정부의 장관인 영의정인 정광필은 조광조일파가 지지하는 인물이었다. 이점에서 이 시기의 의정부는 대간과 충돌하기는 하나 국정총령기관으로서의 기능을 의연히 발휘하였다고 하겠다.

---

47) 『중종실록』 권57, 21년 6월 갑자 ; 권45, 17년 6월 갑오.

48) 『중종실록』 5~28년조에서 종합.

49) 『중종실록』 권30, 12년 11월 갑오.

제3절 議政府와 政治勢力

조선중기에는 의정부·육조 등 공적인 정치기구 이외에 국왕의 신임을 토대로 한 권신·척신, 정변을 주도한 훈신, 지연·학연으로 결집한 훈구·사림파와 당파가 등장하여 정치에 큰 영향력을 발휘하였다.50) 여기에서는 이와 관련하여 의정부가 이들 정치세력과 관련되면서 발휘한 기능을 의정부와 권신·척신·훈신, 훈구·사림파와 당파로 구분하여 살펴본다.

1. 議政府와 權臣·勳臣·戚臣

조선중기에 위세를 떨친 權臣은 成俊·任士洪·金安老·金自點·李芑·鄭順朋 등이고, 勳臣은 朴元宗·柳順汀·成希顔·南袞·沈貞 등이고, 척신은 愼守勤·尹元衡·沈通源·李樑 등이다.

①-ㄱ) 成俊은 연산군 4~10년에 우, 좌, 영의정을 역임하면서 정치에 큰 영향력을 행사하였다. 그는 연산군의 失政에 영합51) 및 그를 통한 연산군의 신임을 배경으로 그의 외손인 韓亨允의 위세를 두고 사신이 "외가 (성준)의 권세에 의탁하여 모든 아래 사람을 노복처럼 대하였다."고 평하였다. 양반과 사대부가 모두 그를 대하기를 어려워하여 구차하게 등용되고자 (그에게) 아부하지 않고 그 위세를 두려워하고 피하였다.52)

---

50) 권신은 권세를 부린 신하이고, 외척은 왕비·대비 존속이나 형제로 권세를 부린 신하이고, 훈신은 반정을 주도하고 권세를 부린 신하이다. 훈구파는 세조의 집권·즉위초에 공신에 책록되고 이후 세조말~성종초에 거듭 공신에 책봉되면서 연산군 9년까지 위세를 누린 재상이고, 사림파는 성종초 이후와 중종초에 삼사직을 역임한 신진관인이고, 당파는 선조중기에 등장한 동인과 서인이다(훈구파와 사림파는 李秉烋, 1984, 『朝鮮前期 畿湖士林派硏究』, 일조각 ; 최이돈, 위 『조선중기 사림정치구조연구』, 일조각 참조).

51) 『연산군일기』 권50, 9년 8월 계해.

52) 『연산군일기』 권38, 6년 8월 기미 倚外家權勢 奴視百執事 縉紳士大夫 咸難其爲人 不阿附

라고 한 데서 시사하는 바와 같이 국정을 주도하면서 육조기능을 제약하였다.

①-ㄴ) 任士洪은 1남 光載와 3남 崇載가 예종녀 貞顯公主와 성종녀 徽淑翁主의 부마인 왕실과의 인연, 연산군에 영합하면서 愼守勤과 함께 甲子士禍를 주도한 위세, 이를 토대로 한 연산군의 총애를 통하여 연산군 10~12년에 병판과 이판에 재직하면서 정치에 큰 영향력을 행사하였다.

①-ㄷ) 金安老는 子(禧. 2남)婦가 인종의 누이인 孝惠公主인 왕실과의 인연, 개인적인 자질, 이를 토대로 한 중종의 신임을 배경으로 우(중종 29.1~30.3), 좌의정(30.3~32.10)에 재직하면서 사신이 "권신으로서 用事하였다"[53] 라고 하였듯이 당시의 정치를 주도하였다.

①-ㄹ) 金自點은 인조 18년에 반청론 재상들에 회의를 느낀 인조에 의해 복권된[54] 후 인조 20~27년에 인조의 신임, 孫(世龍)婦가 孝明翁主(모 숙원조씨)인 왕실과의 인연, 親淸性向 등을 배경으로 병판(20), 우의정(21), 좌의정(24), 영의정(24~27)과 洛興府院君(22~23)에 재직하면서 昭顯世子(23), 소현세자빈 姜氏와 林慶業(24) 살해를 주도하고 申冕 등을 휘하에 두고 洛黨이라 불리면서[55] 정치를 주도하였다.

①-ㅁ) 李芑·鄭順朋은 명종 모후인 文定大妃의 동생인 尹元衡과 밀착하여 尹任일파를 제거한 위세, 이를 토대로 한 문정대비의 신임을 토대로 명종 1~6년에 우·좌·영의정(이기), 명종 1~3년에 우의정(정순붕)을 각각 역임하면서 국정을 전단하였다.[56]

이들은 의정부 기능을 강화시켰을 뿐만 아니라 이기는 判兵曹事를 겸대하고

苟用 則畏避其威.

53) 『중종실록』 권85, 32년 10월 을사, 『명종실록』 권16, 9년 6월 무인.

54) 1637년(인조 15) 전년 병자호란 패전의 원흉으로 논죄되면서 절도에 정배되었다가 2년 뒤에 해배되고, 1640년(인조 18)에 강화부윤에 제수되면서 복권되었다(『인조실록』 권35, 15년 10월 신해 ; 권40, 인조 18년 1월 기묘).

55) 『인조실록』 20~27년조.

56) 『명종실록』 권1, 즉위년 8월 임자 ; 권5, 2년 5월 병인조, 외.

이기는 처신함이 탐오하여 상계하여 절도사, 첨사, 만호와 군관까지 제수하기에 이르니 이병조가 마음데로 제수하지 못하였다.[57]

라고 한 바와 같이 무반과 군관인사를 천단하는 등 병조의 인사권을 제약하였다.

②-ㄱ) 朴元宗·柳順汀·成希顔은 중종반정을 주도한 공훈, 개인적인 자질, 이를 토대로 한 중종의 親信을 통하여 중종 즉위초에는 '3대장'으로서[58] 박원종이 우의정이 되는 중종 1년 9월로부터 8년 7월 성희안이 영의정 재직중에 졸하기까지[59] 의정으로서 국정을 전단하였기에 의정부 기능이 강화되고 육조 기능이 위축되었다. 이 3인 중에서도 박원종은 류순정·성희안을 압도하면서 인사를 전횡하였고,[60] 류순정과 성희안도 박원종에는 미치지 못하지만 判吏曹事와 判兵曹事를 겸대하면서[61] 이조와 병조를 지휘함은 물론 무반인사에 큰 영향력을 발휘하였다.

②-ㄴ) 南袞과 沈貞은 중종의 신임과 개인적인 자질, 조광조를 위시한 사림파 제거를 주도한 위세를 토대로 각각 장기간 의정(중종 14.12~18.4 좌·18.4~22.3 영〈남곤〉, 22.1~22.10 우·22.10~25.2 좌〈심정〉)에 재직하면서 사신이 "專權橫恣하였다"[62]고 하였듯이 당시의 정치를 주도하였다.

③-ㄱ) 愼守勤은 연산군의 처남으로서의 가계를 토대로 한 연산군의 총애를 배경으로 연산군 4~6년에 이조판서, 11~12년에 우, 좌의정을 역임하면서

---

57) 『명종실록』 권7, 3년 4월 갑자 芑之處身貪汚之事 啓之可差至使僉使萬戶軍官之數 政曹亦不得擅差.

58) 『중종실록』 권1, 1년 9월 계사.

59) 『연려실기술』 권9, 중종고사본말 상신조.

60) 『중종실록』 권4, 2년 12월 병자 ; 권6, 3년 7월 경신.

61) 判曹事는 국난시나 현안사가 발생할 때 임시로 설치되어 각조의 장관인 판서의 상위에서 각조의 정사를 지휘하는 관직이다. 류순정은 중종 2년 1월~5년 4월에 우의정과 좌의정으로서 판병조사를 겸하였고, 성희안은 1년 9월에 부원군으로서 판이조사, 5년 4월~7년 10월에 우의정으로서 판병조사를 각각 겸대하였다. 판조사의 기능에 대해서는 졸고, 1985, 「朝鮮初期 判吏·兵曹事硏究」, 『(계명대)韓國學論集』 11 참조.

62) 『중종실록』 권57, 21년 9월 병진 ; 권86, 32년 12월 을미 ; 권94, 36년 4월 무오.

用私弄權하면서 인사를 전단하였고,[63] 임사홍과 함께 연산군의 방종에 편승하면서 정치를 주도하였다.[64]

③-ㄴ) 尹元衡은 文定大妃의 동생인 신분과 문정대비의 총애를 토대로 명종 1~20년까지 판서(2년 4월~3년 1월 예판, 3.1~4.1 이판)와 의정(13.6~18.1 우, 18.1~20.8, 영) 등으로서 국정을 전단하였다.[65]

③-ㄷ) 沈通源은 종손녀가 명종비인[66] 가계로 명종의 신임을 받았고, 명종이 그를 통하여 윤원형의 독주를 견제하려는 의도에 따라 중용되어 우(15.6~19.4), 좌의정(19.4~21.4)으로 재직할 때 윤원형과 병립하면서 정치에 큰 영향력을 발휘하였다.[67]

③-ㄹ) 李樑은 명종비 仁順王后 沈氏의 외숙인 왕실과의 인연과 윤원형의 독주를 견제하려는 명종에 의해 명종 11년 홍문관응교에서 동부승지에 발탁되었고, 이후 명종의 신임을 배경으로 명종 18년까지 이조판서 이하의 관직을 두루 역임하면서 李戡·愼思獻·權信·尹百源과 결당한 후 世人이 그를 두고 "勢焰薰炙一時 嗜利之輩靡然騶附"[68]라고 하였듯이 위세를 부리면서 정치에 큰 영향력을 발휘하였다.

그런데 이들 권신·훈신·외척이 정치를 전단하거나 위세를 부릴 때의 관직

63) 『연산군일기』 권34, 5년 8월 계묘.

64) 申解淳, 1978, 「官僚間의 對立과 分裂」, 『한국사』 12, 174~176쪽.

65) 『명종실록』 권3, 1년 2월 경자.

66) 심통원의 가계는 다음과 같다(『청송심씨세보』).

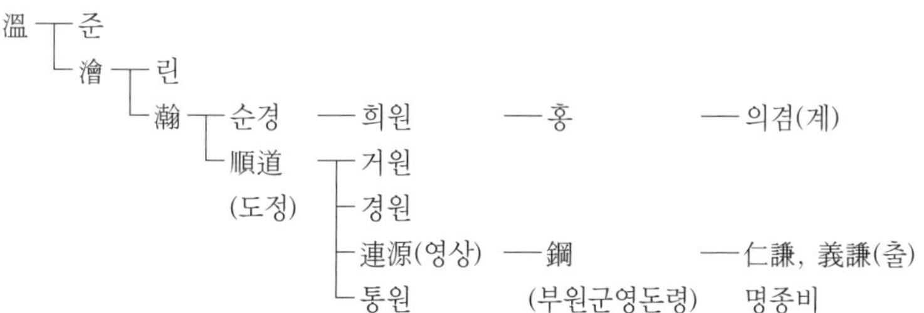

67) 『명종실록』 권26, 15년 6월 병오·9월 신유, 외.

68) 『연려실기술』 명종조고사본말 권11, 李樑竄逐(『東閣雜記』).

을 보면 대부분이 의정이었다.[69] 또 권신·훈신·언관·외척이 대두된 시기에 의정부 정치활동을 보면 다음의 표와 같이 연산군 10~12년과 중종 1~8·11~14·15~25·29~32년에는 의정부활동이 육조활동을 압도하거나 능가하였고, 명종 1~19년·20~21년에는 의정부활동과 육조활동이 비슷하였다. 그러나 명종 1~19년에 있어서는 의정부·육조의 총 활동수와 그 활동을 대비하면 의정부가 육조를 능가하였다(898건 55%)725건 45%). 이를 볼 때 의정부는 왕측근·공신·언관·권신·외척이 대두한 모든 시기를 통해 육조의 활동을 압도하거나 능가하였다고 하겠다.

〈표 16-10〉 조선중기 공신·권신·외척 등 대두기 의정부·육조 정치활동 대비[70]

척신 대두기		의정부		육조		비고(유세자)
		수	%	수	%	
왕 측근 대두기	연산군 10~12	14~141	46~64	8~117	36~54	임사홍·유자광 등
공신 대두기	중종 1~8	61~140	42~73	42~111	27~63	박원종·류순정·성희안
언관 대두기	중종 11~14	81~152	55~66	63~104	34~45	조광조·김식 등
권신 대두기	중종 15~25	57~154	39~71	48~193	29~56	남곤·심정 등
	중종 29~32	72~94	57~72	29~55	28~36	김안로 등
척신 대두기	명종 1~19	11~99	30~66	15~75	31~70	윤원형 등
	명종 20~21	22~45	36~59	31~40	41~64	심통원·이량

---

69) 이들의 정치주도기 관직을 종합하면 다음의 표와 같다(동기의 『조선왕조실록』에서 종합).

	우의정	좌의정	영의정	기타
신수근	연산 11~12	12~12.9		
임사홍				연산 10.5~12.9 병판, 이판, 우참찬, 좌참찬
박원종	중종1.9~2.1	2.1~4윤9	4~5.3	
유순정	중종2.1~3	3~12.윤9	12~12	
성희안	중종4.윤9~5	5~8	8~8.7	
남곤	중종14.12~15.1	15~18.4	18~22.3	
심정	중종22.1~22.10	22~25.11		
김안로	중종29.11~30.3	30~32		
김자점	중종38~41	41~41	41~45	
윤원형	명종13,5~13.11		18.4~20.8	
심통원	명종15.6~19.4	19.~21.4		
이량				명종17.2~18.10 예, 공판

2. 議政府와 士林派 및 黨派

1) 議政府와 士林派

사림파는 성종초부터 정계에 본격적으로 등장하였고, 언론 삼사인 홍문관·사헌부·사간원을 중심으로 정치적 영향력을 향상시켜 나가다가 연산군대 戊午士禍로 대다수의 인물이 피화되면서[71] 쇠퇴하였다. 그후 중종 즉위 후에 다시 정계에 진출한 사림파는 연산군의 실정에 대한 비판과 함께 언관우대 정책에 따라 세력을 확대시켜 중종 11~14년에는 趙光祖·金湜 등을 내세우고 훈구대신이 장악한 의정부·6조 대신을 공공연히 탄핵하는 위세를 떨치기도 하나 己卯士禍로 다시 몰락하였다.[72] 이후 사림파는 다시 정계진출을 시작하면서 세력을 확대시켜 명종 20년 윤원형과 그 일파가 몰락한 후에는 훈구파와 정치주도권을 다투었으며, 1573년(선조 6) 이후에는 정계의 주도권을 장악하여 사림정권을 수립하였다.[73]

---

70) 위 〈표 16-12〉, 『조선왕조실록』 연산군 10~명종 21년조에서 종합.

71) 무오사화시에 피화된 사림파 인물과 관직은 다음의 표와 같다(『연려실기술』 권6, 연산조고사본말 무오당적, *김종직문인).

성명	출사(급제)년	관직	비고	성명	출사년	관직	비고
김일손	성종17	이조정랑		정승조	성종25	사헌감찰	
권오복	성17	홍문관교리		이종준	성종16	사헌감찰	
권경유	성16	홍문교리		최부	성종13	사산원사간	
이목	연산군1	영안도평사		이원	성종20	좌랑	
許磐	연산4	승문부정자		이주	성종19	사간원정언	
강겸	성종11	성균직강		김굉필	성종25(유일)	형조좌랑	
표연말	성종3	동지성균관사		조위	성종5	호조참판	
홍한	성종16	이조참의		박한주	성종15	사간원헌납	
정여창	성종21	안음현감		임희재	연산4	승문정자	
이총		茂豊正	종친	강백진	성종8	사간원사간	
강경서	성종8			류정수	성종14	사헌장령	
이수공	성종19	홍문전한		이계맹	성종20		
정희량	연산1	예문봉교		강혼	성종17		

72) 기묘사화 전말은 『중종실록』 14년 11월~12월조 참조. 기묘사화 시에 피화된 사림파 인물과 관직은 다음 표와 같다(『己卯黨籍』(金正國), 『己卯錄補遺』(安璐) 등에서 발췌).

이와 관련한 정치운영을 보면 비록 선조 6년 이후에 사림정권이 성립되기는 하였으나 사림파의 영수인 朴淳과 盧守愼이 좌의정과 우의정이었고,[74] 의정

성명	출사(급제)년	관직	비고	성명	출사(급제)년	관직	비고
조광조	중종10	대사헌		성세창		승지	
김정	중종2	홍문부제학		안처순	중종9	현감	
김식	중종14(천)	성균대사성		허백기	중종14		*
김구	중종8	홍문부제학		권색	중종14	홍문박사	
윤자임	중종8	승지		최산두	중종8	사인	
박세희	중종9	승지		유성춘	중종9	좌랑	
박훈	중종14	승지		尹衢	중종11	예좌랑	
기준	중종9			조언경	중종10	이좌랑	
한충	중종8	충청수사		윤세호	연산9	형정랑	
박상	연산7	담양부사		정완	중종13(천)	사지	
구수복	중종11	이조좌랑		송호지	중종13(천)	홍문수찬	
김세필	연산2	전홍문응교		李構	중종14	검열	
신상	연산9			양팽손	중종11	홍문교리	
유용근	중종11	승지		성수종	중종14		
공서린	중종2	승지		윤광령	연산10(천)	형정랑	
이청	중종6	의정부사인		김대유	중종14		
이성동	연산1	대사간		경세인	중종14	홍문박사	
문근	연산2	대사간		정충량	중종1	승지	
신잠	중종14			鄭膺	중종9	홍문전한	
채세영	중종12	예문검열		이희민	중종11	이정랑	
이연경	중종14	사지		김광복	중종8	전라도사	
권벌		예조참의		장옥	중종10	검상	
유인숙		도승지		심달원	중종12	홍문수찬	
신광한		승지		이경		巴陵君	종친
정원		한림		李儼		長城守	종친
정순붕		이참의		李禛		江寧副正	종친
임권		홍문관박사		박수량			
윤개		이좌랑		이홍간	중종8	평안평사	
이약빙		이정랑					

73) 정만조, 1998, 「사림의 득세와 붕당의 출현」, 『한국사』 30, 국사편찬위원회, 27~49쪽.

74) 박순(1523~1589)은 1553년(명종 8) 문과에 장원으로 급제하고 출사하여 1565년(명종 20)에 대사간이 되었고, 이후 대사헌, 대제학, 이조판서를 역임하고 1572년(선조 5) 우의정에 올랐으며, 좌의정(7~10)과 영의정(11~17)을 역임하였다. 노수신(1515~1590)은 1543년(중종 38) 문과에 장원으로 급제하고 출사하여 1567년(선조 즉)에 홍문관교리가 되었고, 이후 대사간, 홍문관부제학, 대사헌, 이조판서를 역임하고 1573년(선조 6) 우의정에 올랐으며, 좌의정(선조 11~17)과 영의정(선조 18~21)을

부-6조체제가 지속되면서 의정부가 육조사에 관여하면서 정치를 주도하였기에[75] 사림파가 주도한 삼사의 언관활동으로 인해 의정부·육조가 다소 견제를 받기는 하나 의정부·육조를 중심한 정치가 계속되었다.

2) 議政府와 黨派

당파는 학연과 지연을 토대로 형성된 정치세력이다. 당파는 1575년(선조 8)에 인사권을 주도한 이조낭관의 선임을 계기로 沈義謙을 중심한 세력(서인)과 金孝元을 중심으로 한 세력(동인)이 결집하여 정치력을 발휘하면서 비롯되어[76] 후대로 계승되었다. 이중 당파가 성립된 선조 8년으로부터 선조 16년까지는 동인과 서인이 정권을 분점하였고, 선조 17~24년에는 동인이 정국을 주도하였다.[77]

이 시기 의정부는 6조의 정치활동을 압도하였고,[78] 동인과 서인 인사에 의정 이하 청요직자 다수가 두루 망라되어 있었지만[79] 의정은 그 관직적

거쳐 영중추부사(22) 재직 중 정여립을 천거한 일로 탄핵된 후 파직되었다(동기의 『조선왕조실록』에서 종합).

75) 이 시기 의정부의 정치활동유형과 활동분야는 앞 〈표 16-1, 2〉 참조.

76) 정만조, 앞 논문, 1998, 33~49쪽 ; 『연려실기술』 권13, 선조조고사본말 동서당론지분.

77) 선조 17년까지는 이이가 선조의 신임을 토대로 서인을 옹호하면서 동인과 서인의 분쟁을 중재하였기에 동인이 우세하였지만 서인이 동인과 병립할 수 있었다. 그러나 이이의 졸서와 함께 동인이 득세하였다(이이의 동서조정은 정만조, 앞 논문, 1998, 52쪽 ; 『연려실기술』 권13, 宣祖朝東西分黨之分 참조).

78) 앞 〈표 16-4〉 참조.

79) 동인과 서인 인사는 다음과 같다(관직순, 정만조, 위 논문, 1998, 49쪽, 주 35)에서 전재).

동인 : 박대립(형조판서), 유전(예판), 이식(대사헌), 박근원(이조참의), 허엽(대사간), 홍혼(대사간), 김효원(삼척부사), 홍적(홍문관응교), 이발(이조정랑), 홍진(홍문관교리), 정희적(지평), 우성전(정언), 윤성훈(정언), 이경중(이조좌랑), 허봉(이좌), 이성중(홍문관수찬), 김성일(수찬).

서인 : 박순(영의정), 이후백(이조판서), 김계휘(대사헌), 윤두수(대사헌), 심의겸(개성유수), 이해수(대사간), 구봉령(대사간), 신응시(예조참의), 홍성민(홍문관부제학), 정철(직제학), 윤근수(부사), 윤현(이조정랑), 이산보(이정), 조원(이

지위와 관련되어 관료가 당시의 정치 중심기구인 삼사·승정원·육조·의정부의 종1품관 이하를 두루 역임하고 국왕의 신임을 받는 인물이 최종적으로 제수되는 관직이었으며, 국왕면대와 대소 정무논의에[80] 가장 많이 참여하면서 그 결정에 영향력을 발휘하였다.

따라서 의정부는 사림이 득세한 시기는 물론 동·서인 분립기와 동인유세기에 있어서도 사림파의 언론활동과 동·서인의 정치주도로 다소 견제를 받기는 하였지만 최고 정치기구로서의 지위와 기능을 통하여 정치를 주도하였다.

제4절 議政府와 國政運營

조선중기 의정부가 국정운영에 발휘한 영향력은 의정부와 육조의 정치활동, 원상의 기능, 권신·훈신·외척 등 대두, 사림정권의 동인과 서인 분당 등과 관련되면서 전개되었다.

조선중기 국정운영은 원상제가 운영된 연산군 즉위~1년 11월·중종 즉위~3년 5월·인종 즉위년 11~11월·명종 즉위~3년 5월·선조 즉위년 6~11월에는 원상이 喪中인 국왕을 대신하여 육조·승정원을 지휘하면서 국정을 총관한 만큼 원상이 주도하였다고 하겠다.

의정부서사제가 운영된 중종 11~28년에는 의정부 활동이 육조활동을

좌).

80) 정무논의 모임·시기·참여 관직자를 보면 다음과 같다. 이들 모임에서의 의결은 대개 차대·인견은 합의, 상참·소견은 衆議에 의하였다(김운태, 1981, 『전정판 조선왕조행정사』 근세편, 박영사, 227~230쪽에서 종합).
조참 : 매월 5·11·21·25일, 백관.
상참 : 매일, 정1~정2품 아문 당상관, 사헌부·사간원 각1, 경연 당상·당하 각2(윤번).
차대 : 매월 3·13·23일, 빈청에서 국왕 임석과 의정·판서가 정사 논의.
召見 : 국왕의 요청, 차대·인견에 포함되지 못한 관료.
인견 : 필요시, 의정·판서 등.
독대 : 필요시, 의정·판서 들 중 1인.

능가하였고, 육조직계제가 운영된 연산군 1년 12월~12년·중종 3년 6월~39년·인종 즉위년 12월~1년·명종 3년 6월~22년·선조 즉위년 12월~24년에도 의정부활동이 육조활동을 능가하였다.[81] 이러한 의정부활동은 왕 측근(연산군 10~12년)·공신(중종 1~8)·언관(중종 11~14)·권신(중종 15~25, 29~32)·척신(명종 1~21) 등이 대두된 시기에도 변함 없었음을 보여준다고 하겠다. 즉, 의정부는 원상제가 운영된 신왕 즉위초를 제외한 모든 시기에 걸쳐 육조 중심의 국정운영체계, 공신·권신 등이 대두된 시기를 통하여 서정을 분장한 육조를 직·간접으로 지휘하면서 최고 정치기관으로서의 지위를 유지하고 국정운영을 주도하거나 당시의 정치에 큰 영향을 끼쳤다고 하겠다.

또 의정부의 활동유형을 보면 육조직계제가 실시된 연산군 1년~중종 10년·중종 29년~명종 22년은 의의활동을 중심으로 계문·수명활동을 전개되었다. 의정부서사제가 실시된 중종 11~28년에도 실제로는 조선초기와 같이 서사권을 행사하지 못하고 육조직계제가 실시되었을 때와 같이 의의활동이 중심이 되면서 계문·수명활동이 전개되었다.[82]

의정부의 정치활동분야를 보면 조선의 가장 중요한 국사였던 인사, 군사, 외교, 형정분야가 각각1,153건 21%, 601건 11%, 508건 9%, 1,219건 22%(합해서는 5,576건 중 3,481건 62%)를 점하면서 중심이 되는 등 모든 국정이 망라되었고,[83] 수시로 제기된 긴급하고도 중요한 정사인 옥사·왜인과 야인침입·대명외교 등의 정사는 의정부가 주관하거나 그 결정을 주도하였다.[84]

---

81) 앞 〈표 16-5〉 참조.

82) 조선중기 각 시기별 의정부 정치활동 유형은 다음의 표와 같다(앞 〈표 16-1〉에서 발췌). 조선초기 의정부서사제가 실시된 시기의 경우 태종 5~13년에는 계문활동이 343건 56%이고 의의와 수명활동이 205건 34%와 63건 10%였으며, 세종 18년~단종 3년에는 계문활동이 1,890건 60%이고 의의와 수명활동이 1,199건 38%와 79건 3%였다. 반면에 육조직계제가 실시된 태종 14년~세종 17년과 세조 1년~성종 25년에는 계문활동이 279건 23%와 659건 18%였고, 의의·수명활동이 894건 73%·60건 5%와 2,698건 73%·335건 9%였다(한충희, 「조선초기 국정운영체제와 국정운영」, 36쪽 〈표 1〉·39쪽 〈표 2〉·42쪽 〈표 3〉·46-47쪽 〈표 4〉·49-50쪽 〈표 5〉에서 종합).

의정부는 원상제운영, 정변으로 인한 공신의 대두, 유년의 국왕즉위, 의정부 기능, 척신·권신의 대두, 국왕의 자질과 통치스타일, 삼사의 과감한 언론활동 등과[85] 관련되어 왕권이 중종 1~8년·인종 1년·명종 즉위~19년·선조 즉위년

		연산군1~ 중종10	중종11~ 28	중종29~ 인종1	명종1~ 19	명종20~ 선조24	합계
수명	활동수	97	48	20	34	13	212
	연평균	5	3	2	2	1	2
	%	4	3	2	4	4	4
계문	활동수	416	502	225	387	156	1,785
	연평균	20	28	19	20	6	19
	%	18	29	21	43	48	31
의의	활동수	1,760	1,164	809	477	158	3,821
	연평균	83	65	67	25	6	40
	%	77	67	77	53	48	66
합계	활동수	2,273	1,714	1,054	898	327	5,818
	연평균	108	96	78	47	13	61
	%	100					

83) 각 시기별 인사, 군사, 형정분야 활동건수는 다음의 표와 같다(앞 〈표 16-2〉에서 발췌).

		연산군1~ 중종10	중종11~ 28	중종29~ 인종1	명종1~ 19	명종20~ 선조24	합계
인사	활동수	488	304	162	152	119	1,154
	연평균	23	17	14	8	5	12
	%	21	17	15	17	35	20
군사	활동수	215	182	102	96	13	601
	연평균	10	10	6	5	1	6
	%	9	10	10	11	4	10
외교	활동수	106	152	164	82	15	508
	연평균	5	8	14	4	1	5
	%	5	9	16	9	4	9
형정	활동수	418	413	200	158	31	1,209
	연평균	20	23	17	8	1	13
	%	5	24	19	18	1	21
합계 (총활동수)	활동수	1,227 (2,273)	1,051 (1,744)	628 (1,054)	488 (898)	178 (336)	3,472 (5,818)
	연평균	58	58	52	26	6	36
	%	54	60	60	54	53	60

84) 앞 386~394쪽 참조.

85) 원상제가 운영되고 공신 등이 대두된 시기는 뒤 〈표 16-12〉·앞 〈표 16-11〉 참조.

에는 미약하거나 강력하지 못하였고, 연산군 1~12년·중종 9~39년·명종 20~22년·선조 1년 이후에는 점차 신장되고 강화되었다.[86] 의정부는 왕권이 미약하거나 신장·강력한 시기 모두 육조활동을 능가하였다(55~58%〉 42~45%, 명종 20~22년은 48 〈52%)).[87] 이점에서 조선중기의 의정부는 최고정치기관이고 국정통령기관으로 규정된 기능을 토대로 조선중기의 전시기에 걸쳐 국왕의 지시에 따라 육조정사·현안사의 의의에 참여하고 독자적으로 국정전반에 대해 계문하였고, 이결과 육조를 압도하거나 능가하는 최고국정기관으로서의 기능을 유지하고 발휘하였다고 하겠다.

이를 볼 때 조선중기 의정부활동분야는 육조직계제가 실시된 연산군 1년~중종 10년·중종 29년~명종 22년에는 형정·인사분야를 중심으로 군사·외교·의례분야도 활발하였고, 의정부서사제가 실시된 중종 11~28년에는 형정·인사분야를 중심으로 군사·외교·의례 등·진제 등 분야도 활발하였다. 그런데 조선중기 의정부정치활동의 중심이 된 형정·인사와 군사, 외교, 의례, 진제 등은 당시의 가장 중요하고 현안이 된 국사였다.

이상에서 조선중기 의정부는 의정부나 육조가 중심이 된 국정운영체제, 권신대두 등에 구애되지 않고 가장 중요한 국사인 인사·군사·형정을 중심으로 모든 정치분야에 걸쳐 활동하였다. 의정부는 이러한 활동을 통해 국정운영체계, 공신·권신 등의 대두, 왕권의 신축에도 불구하고 육조를 압도하거나

86) 『조선왕조실록』 연산군 즉위~선조 24년조에서 종합.

87) 각 시기별로 의정부와 육조의 정치활동을 대비하면 다음의 표와 같다(위 〈표 16-12〉에서 종합).

	의정부		육조		비고
	수	%	수	%	
연산군1~12	911	55	757	45	
중종1~8	770	57	572	43	
중종9~39	2,818	58	2,031	42	
인종1	95	56	119	44	
명종1~19	898	55	725	45	
명종20~22	81	48	87	52	

능가하는 정치활동을 전개하면서 국정운영을 주도하거나 정치전반에 큰 영향력을 발휘하였고, 그 결과 최고 정치기관으로서의 지위와 기능을 유지하였다고 하겠다. 참고로 조선중기 의정부·육조·원상의 정치활동경향을 표로 정리하면 다음과 같다.

〈표 16-11〉 연산군 즉위~선조 24년 의정부와 육조·원상 정치활동 대비(단위 건)[88]

		연산군													
		즉위	1	2	3	4	5	6	7	8	9	10	11	12	계
수명	議政府		3	5	5	3	9	6	0	7	5	18	7	2	70
	六曹		8	12	21	6	18	25	5	64	28	19	18	2	226
	院相		5												5
계문	의		14	12	21	18	25	43	24	37	24	20	4	3	245
	육	2	23	33	59	13	14	18	7	68	22	48	13	2	322
	원		19												19
의의	의		24	77	67	22	59	50	16	88	59	103	22	9	596
	육		11	28	30	7	18	10	3	21	20	50	7	4	209
	원		27												27
합계	의정부		41	94	93	43	93	99	40	132	88	141	33	14	911
	육조	2	42	73	110	26	50	50	15	153	70	117	38	8	757
	원상		51												51

		중종														
		1	2	3	4	5	6	7	8	9	10	11	12	13	14	15
수명	議政府	2	7	3	1	3	2	3	3	3	0	13	9	2	6	0
	六曹	12	15	12	18	7	6	15	9	10	6	34	14	6	11	7
	院相	?	?	?												
계문	의	60	55	35	20	39	13	12	12	11	14	29	40	19	28	23
	육	17	35	22	55	31	27	43	32	17	33	43	35	36	26	22
	원	?	?	?												
의의	의	90	78	41	73	77	46	66	59	30	57	110	85	60	70	73
	육	17	20	8	30	31	27	53	30	23	27	27	19	25	26	20
	원															
합계	의정부	122	140	79	94	119	61	81	74	44	71	152	134	81	104	96
	육조	46	70	42	103	69	60	111	71	50	66	104	68	67	63	49
	원상															

88) 앞 〈표 16-1, 3〉, 『조선왕조실록』 연산군 즉위년~선조 24년조에서 종합.

		중종													
		16	17	18	19	20	21	22	23	24	25	26	27	28	29
수명	議政府	2	0	1	2	2	2	1	1	1	2	1	3	0	0
	六曹	6	14	8	13	34	11	3	43	11	11	6	8	11	10
	院相														
계문	의	28	29	37	27	49	7	28	42	15	36	19	12	34	25
	육	14	58	31	30	93	29	13	105	38	41	11	13	36	33
	원														
의의	의	68	89	116	67	100	48	32	81	42	57	28	21	47	47
	육	28	18	32	29	45	4	9	45	11	15	5	9	11	12
	원														
합계	의정부	98	118	154	96	151	57	61	124	58	95	48	36	81	72
	육조	48	90	71	72	172	44	25	193	60	67	22	30	58	55
	원상														

		중종											인종		
		30	31	32	33	34	35	36	37	38	39	계	즉	1	계
수명	議政府	1	0	1	5	6	1	2	0	0	3	94	0	1	1
	六曹	5	11	17	9	16	9	20	15	7	32	512	0	7	7
	院相											?	0	0	0
계문	의	21	16	21	14	22	3	10	5	6	28	944	6	48	54
	육	6	26	16	10	14	13	20	26	10	47	1207	3	75	78
	원											?	0	1	1
의의	의	54	59	72	50	113	64	67	89	60	94	2550	6	34	40
	육	18	5	18	16	17	17	24	43	20	44	878	4	30	34
	원											?	2	3	5
합계	의정부	76	75	94	69	141	68	79	94	66	125	3588	12	83	95
	육조	29	42	51	35	47	39	64	84	37	123	2597	7	112	119
	원상											?	2	4	6

		명종													
		즉	1	2	3	4	5	6	7	8	9	10	11	12	13
수명	議政府	5	6	3	1	2	3	1	0	1	1	4	2	0	1
	六曹	3	5	4	8	5	1	6	5	13	10	9	7	11	9
	院相	3	1	0											
계문	의	55	53	34	16	10	9	71	19	20	15	17	13	21	5
	육	52	37	14	23	6	9	18	24	10	15	19	18	36	11
	원	20	4	3											
의의	의	39	36	33	23	19	14	21	15	32	30	39	31	37	27
	육	20	14	13	7	5	5	23	5	14	16	15	14	18	6
	원	19	11	4											
합계	의정부	99	95	70	40	31	26	93	34	53	46	60	46	58	33
	육조	75	56	31	38	16	15	47	34	37	41	43	39	65	26
	원상	42	16	7											

		명종										선조			
		14	15	16	17	18	19	20	21	22	계	즉	1	2	3
수명	議政府	1	0	2	0	0	1	1	0	1	36	0	1	0	1
	六曹	10	7	7	7	14	13	8	18	5	185	0	4	1	1
	院相										4	?			
계문	의	9	4	5	2	6	3	28	8	4	427	7	6	1	7
	육	12	8	4	12	16	9	17	13	7	390	3	4	3	2
	원										27	?			
의의	의	23	11	13	9	15	10	16	14	9	516	2	5	1	4
	육	13	8	7	7	5	3	6	9	4	237	1	0	0	0
	원										34	?			
합계	의정부	33	15	20	11	21	14	45	22	14	979	9	12	2	12
	육조	35	23	18	26	35	25	31	40	16	812	4	8	4	3
	원상										65	?			

		선조													
		4	5	6	7	8	9	10	11	12	13	14	15	16	17
수명	議政府				1		2	1						4	
	六曹	3	4	6	8	1	1	0	1	0	7	2	0	1	0
	院相														
계문	의	1	1	5	9	31	3	3	2	1	2	4	0	2	1
	육	3	7	17	12	21	5	2	4	0	5	6	0	1	0
	원														
의의	의	3	3	14	11	13	3	8	3	1	3	7	0	5	4
	육	2	1	12	3	4	1	2	0	0	4	3	0	4	1
	원														
합계	의정부	4	4	19	21	44	8	12	5	2	5	11	0	11	5
	육조	8	12	35	23	26	7	4	5	0	16	11	0	6	1
	원상														

		선조								합계
		18	19	20	21	22	23	24	계	
수명	議政府						1		11	212
	六曹	3	0	3	4	2	3	7	66	512
	院相									9
계문	의	1	0	2	9	14	3	0	115	1,785
	육	2	3	3	7	14	1	3	128	1,207
	원									47
의의	의	1	1	2	7	10	3	5	119	3,821
	육	1	0	3	4	6	1	1	54	878
	원									68
합계	의정부	2	1	4	16	24	7	5	145	5,818
	육조	6	3	9	15	22	5	11	248	2,597
	원상									121

제17장 朝鮮後期 政治制度의 變遷 및 政治勢力의 擡頭와 政治運營

제1절 政治制度의 變遷과 國防·政治運營

1. 政治制度의 變遷과 國防

1) 鎭·堡의 變遷, 諸營의 運營과 國防

鎭은 남북방의 연변 요충지에 설치된 수군과 육군 중급 요새이고 堡는 진의 전방에 설치되어 진을 보조하는 초급 요새이며, 諸營은 남북방과 수도외곽의 방어를 강화하기 위해 설치된 상급 진영이다.

이들 진·보와 영 등은 다음의 표와 같이 조선중기부터 남북방의 변경과 수도 외곽 방어를 강화하기 위하여 많은 진이 승격·강격·설치·혁거되고, 다수의 보와 산성이 설치·수축되고 權管(堡)과 別將(산성 등)이 파견되어 진수하였다. 또 왜란과 호란을 겪으면서 8도에 도와 군현의 중간에 다수의 水軍統禦使·統制使와 兵馬防禦使 및 衛將營이 설치되어 관할지역을 방어하였고, 수십의 營將營이 설치되어 束伍軍[1]을 조련함으로써 지방 군사력을 강화하였다.

---

1) 1594년(선조 27) 지방군사력을 강화하기 위해 군현별로 군역을 지는 15세 이상의 양인과 사족들로 구성된 군사이고, 곧 공사천인으로 구성된 천예군으로 전락되면서 조선후기로 계승되었다. 평시에는 군포를 내고 생업에 종사하다가 조련시나 변란이 있을 때에 上番하여 군사임무를 수행하였다(속오군제에 관해서는 차문섭, 1973, 「속오군제연구」, 『조선시대군제사연구』, 단국대학교출판부 참조).

〈표 17-1〉 조선 중·후기 영·보·산성 관직 변천[2)]

	성종16 경국대전	성종17~영조23 (속대전)				영조24~고종2 (대전회통)				비고
	정3~종4	종2~정3당상	정3~종4	정5~종9	계	종2~정3 당상	정3~종4	정5~종9	계	
변진	82		114		114		103		103	*종3, 종4
통어사 등		10			10	7			7	*종2(녹, 겸)
영장		40			40	43			43	*정3(녹, 겸)
위장			10		10		10		10	*정3(수령겸)
권관				35	35			34	34	*종9
별장				35	35			27	27	*종9
합계	82	50	124	70	70	50	113	61	224	

그런데 변진 등과 제영의 설치지역과 변란을 보면 지형상 남·북방에 집중적으로 설치될 것이 예상되었다. 실제로도 변진·보 등은 경상(27/164), 전라(32/164), 함경(29/164), 평안도(41/164)에 집중되었고, 제영은 경기(3/20), 함경(11/20), 평안도(4/20)에 집중되었다.[3)] 또 동기에 야기된 변사에 있어서도 남·북방의 연변지역인 경상·전라도와 함경·평안도에 집중되었다.[4)]

---

2) 앞 〈표 12-1, 2, 6, 8, 9〉에서 종합.

3) 『대전회통』(권4, 병전 외관)에 명기된 변진 등의 설치지역과 수는 다음의 표와 같다.

도	진	보	기타[*1]	계	제영[*2]	합계	도	진	보	기타	계	제영	합계
경기	11		3	14	3	17	강원	2			2		2
충청	5		1	6		6	함경	13	14	2	29	11	40
경상	21	2	4	27	1	28	평안	16	18	7	41	4	45
전라	25		7	32	1	33	합계	113	51		164	20	184
황해	10		3	13		13							

*1 별장 진수 산성, 포, 보.

*2 병마통어사, 수군통어사, 수군통제사, 방어사, 위장영.

4) 조선 중·후기(성종17~인조14)에 왜인과 야인이 야기한 대표적인 남북방의 변사는 다음과 같다(병자호란 이후는 특기할 만한 변사가 없다. 동기의 『조선왕조실록』, 『비변사등록』, 『승정원일기』 등에서 종합).

경상도 : 삼포왜란(중종 5.4)

전라도 : 흥양입구(선조 20.2)

함경도 : 조산보침구(성종 22.1), 산양회작변(25.1), 삼수군침구(연산 5.7), 갑산·창성침구(7.3), 만포진침구(23.1), 경원부작변(선조 16.1), 경성·동관진 공위(16.5~8), 운룡·혜산진·녹둔도등지 침구(20.8~21.4), 동관진입구(38.4).

이를 볼 때 조선 중·후기에는 남·북방의 방어를 강화하기 위하여 다수의 진이 증치되고 다수의 보와 방어사·위장영 등이 설치되어 1587년(선조 20) 이순신이 造山堡萬戶兼鹿屯島屯田事宜로서 녹둔도에 침입한 여진에 대처한[5] 등과 같이 남북방의 변사에 대처하고 방어를 함으로서 남북방의 변경을 안정시키고 왜란과 호란 이후에 정치를 안정시키고 평화를 지속시키는 토대가 되었다고 하겠다.

2) 備邊司·軍營衙門·留守府의 運營과 國防

비변사는 그 기능과 관련되어 경외의 군사를 총관하였고, 군영아문은 왕경과 도성외곽을 수어하고 유수부는 도성외곽의 연해와 내륙을 방어하도록 각각 규정되었다.

비변사는 왜란과 호란 때에는 적군의 대대적이고도 신속한 진군으로 제때에 대처하지 못하였지만, 1811년(순조 11) 洪景來가 난을 일으켜 삽시간에 嘉山郡 이서의 8군을 공격하여 함락시키는 위세를 떨쳤지만 신속하면서도 효과적으로 대처하여 반란군을 定州城으로 몰아넣고 단기간에 진압한[6] 예와 같이 최고 정치·군사기관으로서의 기능을 발휘하였다. 군영아문도 훈련도감은 왜군에 대응할 군사의 양성을 위해 설립되었던 만큼 왜란의 극복에 크게 기여하였고,[7] 그 이후에 창설된 금위영·어영청 등과 함께 비록 호란 때에는

평안도 : 야인 강계침구(연산 5.7), 명군 가도점령(광해군 13.7~인조9.6), 명군 의주와 인접군현 침구(인조 6.10), 명군 의주성 점거(인조 6~8.3)

기타 : 나주토호작란(명종 15.7)

5) 『선조실록』 권21, 20년 10월 기미·을축.

6) 난의 보고를 접한 3일후에 이요훈을 황해·평안도순무사에 임명하고, 병사 이하 선참후사권 등 토벌사를 위임할 것과 토벌군 징발과 출병일 등을 결정하였다. 이후 토벌군은 신속히 진군하여 현지 수령들과 함께 난군을 공격하여 12년 1월 임오에 곽산을 수복한 후 정주성에 웅거한 난군을 포위하였으며, 2일후에 출병한 홍경래군을 대파하였다. 12년 4월 계해에 정주성을 수복하여 종식시켰다(홍경래는 접전중에 전사, 『순조실록』 11년 12월 갑자~12년 4월 계해조).

청군의 대대적이고 신속한 진격으로 제때에 대처하지 못하였지만, 그 후는 왕성과 도성의 방어를 분담하였다.[8] 강화·수원·개성·광주유수부도 5군영과 유기적으로 연관되면서 수도외곽의 연변과 내륙을 방어하였다.[9]

이에서 남북방의 연변에 집중적으로 설치되어 방어를 전담한 진·보와 방어사영 등, 중앙에서 내외의 변사를 총관한 비변사, 도성의 방어를 분담한 훈련도감 등, 도성외곽의 연변과 내륙을 방어한 유수부 등은 시기적으로 다소의 신축은 있지만 그 본연의 기능을 수행하였고 하겠다. 조선왕조는 이러한 군사기관의 수도와 수도외곽, 남북방의 방어를 통하여 국경과 정치가 안정되면서 지속적인 평화를 누리고 왕조를 존속시켜 나갔다고 하겠다. 또 집권당파와 세도가문도 이러한 경외 군사기구에 의한 변경과 민심의 안정, 지속된 평화를 토대로 장기간 정권을 유지하고 정치를 주도하였다고 하겠다.

2. 政治制度의 變遷과 政治運營

1) 官衙·官衙機能의 變遷과 政治運營

조선후기에는 정치, 군사, 사회, 경제의 급격한 변화에 따라 이전까지 육조의 지휘를 받으면서 국정운영을 분담하였던 육조 속아문은 그 기능의 약화에 따라 1865년(고종 2)까지 정3품 아문 29아문 중 11아문이 강격·혁거되고 18아문만이 존속되고 5아문이 신치·7아문이 승격되는 등 6 종2품 아문·1 정3당상 아문·28 정3품 아문·1 종3품 아문·5 정4품 아문·2 종4품 아문·10 종5품 아문·2 정6품 아문·19 종6품 아문의 75아문이 26 정3품 아문·2 정4품

7) 김종수, 2003, 『조선후기 중앙군제연구-훈련도감의 설립과 사회변동』, 혜안, 74~79쪽.
8) 이근호, 2012, 「숙종대 도성수비체제의 성립과 방위시설 정비」, 『한국군사사』 권7 조선후기 1, 경인문화사, 454~461쪽.
9) 이존희, 1984, 「조선왕조의 유수부 경영」, 『한국사연구』 47, 52~57쪽.

아문·3 종4품 아문·13 종5품 아문·20 종6품 아문의 20아문으로 변천되었다.[10] 그에 대신하여 새로이 정1~종2품 직계아문인 비변사·선혜청과 훈련도감 등 20여 아문이 설치되어 운영되었다.

이 중 육조 속아문의 변천은 정치운영에 큰 영향을 끼치지 못하였다. 그러나 신치된 비변사 등 20여 아문은 관아의 지위가 높을 뿐만 아니라 다음의 표에 제시되었음과 같이 備邊司는 국내와 국외의 군국기무를 총령하였고, 그 외의 宣惠廳·堤堰司·濬川司, 4留守府와 訓練都監·禁衛營·御營廳 등 10여 군영아문도 국가운영의 토대가 되는 경제·공역과 왕성·도성과 도성외곽을 방어하는 추요의 기능을 수행하도록 규정되었다.

---

10) 구체적인 변천내용은 다음의 표와 같다(앞 〈표 11-2〉에서 종합, *은 신치아문).

	조선중기(성종16~선조24)	조선후기(선조25~고종2)	『대전회통』
종2아문	충익부		0
정3당상	장예원, 5위		0
정3	홍문관·예문관·성균관·상서원·춘추관·승문원·통례원·봉상시·사옹원·내의원·상의원·사복시·군자감·장악원·관상감·전의감·사역원·훈련원, 선공감·군기시·사도시·사재감·내자시·내섬시·예빈시, 종부시·교서관·사섬시	홍문관~훈련원, 세자시강원, 세손강서원*, 5위, 선전관청*	26
종3	세자시강원	선공감	1
정4	전설사·광흥창, 종학·수성금화사·풍저창	전설사·광흥창	2
종4	전함사·전연사	군기시·사도시·사재감	3
종5	내수사·종묘서·사직서·평시서·세자익위사, 의영고·장흥고·빙고, 소격서·사온서	내수사~세자익위사, 재용감, 전생서·5부, 경모궁*	13
정6	장원서·사포서		0
종6	양현고·조지서·혜민서·도화서·전옥서·활인서·와서·귀후서·4학, 전생서·5부	양현고~4학, 내자시·내섬시·예빈시·의영고·장흥고·빙고, 세손위종사*·수문장청*	20
합계	75(종2 1, 정3상 6, 정3 29, 종3 1, 정4 5, 종4 2, 종5 10, 정6 2, 종6 19)	65	65

〈표 17-2〉 조선 중·후기 신치아문 운영기간과 기능[11]

	운영기간	기능		운영기간	기능
備邊司	명종10~고종2	摠領中外軍國機務	守禦廳	인조4~정조10	掌南漢山城
宣惠廳	광해군즉위~	掌出納大同米·布·錢	摠戎廳	인조2~정조17	句管水原城事務
堤堰司	현종3~고종2	句管修飭各道堤堰修理	經理廳	숙종38~영조23	句管北漢山城事務
濬川司	영조36~	掌疎濬都城內川渠	扈衛廳	인조1~	掌扈衛
江華留守府	인조5~	掌治江都	左右捕盜廳	중종17~	掌緝捕盜賊奸細分更夜巡
水原留守府	정조17~	掌治華城	管理營	숙종37~	掌大興山城
廣州留守府	인조1~	掌治南(漢山)城	鎭撫營	숙종26~	掌江華城
奎章閣	정조즉위~	掌奉列朝御製御筆璿譜世譜誥命當宁御眞御製御筆	龍虎營	영조31~	掌陪扈入直
訓練都監	선조26~	掌軍士試才練藝武經習讀之事	壯勇營	정조9~순조2	(掌禁衛及華城)
禁衛營	숙종8	掌守御宮城	總理營	순조2~	(掌守衛華城及禿城)
御營廳	인조2~	掌守御都城	계(21아문)	중종17~	

실제로도 조선후기의 備邊司는 이전까지 최고 국정기관인 의정부를 무력화하고 확고하게 서정을 분장한 육조를 약화시키며 군영아문과 8도를 지휘하면서 정치·군사·경제·외교·사회·문화·형법·공역 등 모든 국정을[12] 총관하였다. 또 宣惠廳은 大同米·布·錢을 총관함으로써 호조를 제치고 최고의 재정기관으로 기능하였고,[13] 堤堰司와 濬川司는 제도의 제언과 도성내의 하천 준설을 총관하였다. 訓練都監 등 군영과 留守府는 중앙군과 왕도 외곽군의 중추로서 왕성·도성과 도성외곽을 수호하였다.

즉 조선후기에 신설된 비변사 등 10여 아문은 그 모두가 아문의 지위가 높을 뿐만 아니라 최고의 정치, 경제, 공역, 군사기구로 규정된 기능을 토대로 조선전기까지 국정을 주도한 의정부를 무력화시키고, 육조를 약화시키면서

11) 『증보문헌비고』 직관고, 『만기요람』 군정편, 『속대전』·『대전통편』·『대전회통』 권1·권4, 경관직조에서 종합.

12) 비변사가 수행한 구체적인 정사는 앞 330쪽 참조.

13) 최주희, 앞 논문, 140~145쪽.

정치, 군사, 경제, 사회 등 모든 국정을 주도하면서 당시의 동요하는 정치, 경제, 사회와 민심을 안정시켰다. 또 이에 따라 국정운영체계도 조선후기에는 그 이전의 '의정부-6조, 8도, 5위도총부체제'에서 '비변사-선혜청 등, 6조, 8도, 5군영체제'로 변천되었다.

2) 官職의 變遷과 政治運營

조선후기에는 이전까지 육조의 지휘를 받으면서 국정운영을 분담하였던 육조 속아문 관직은 관아의 기능약화·재정난·관제정비 등에 따라 관직(정직)이 크게 삭감되고 왕실과 관련된 제묘·전·능관직이 크게 증가되었으며,[14] 급격한 정치·군사·경제 등의 변화에 대응하기 위하여 새로이 정1~종2품 직계아문으로 설치된 비변사·선혜청과 훈련도감 등 20여 아문은 그 모두에 당상관 겸직이 설치되어 아문을 지휘·운영하였다.

이 중 육조 속아문 관직의 변천은 정치운영에 큰 영향을 끼치지 못하였다. 그러나 비변사·선혜청·훈련도감 등에 설치된 당상관 겸직은 소속 관아가 당시의 최고 정치·경제·군사기구였고(관아기능은 앞 〈표 17-1〉 참조), 그 겸직이 다음의 표와 같이 그 수가 다수이면서 이를 겸대한 본직이 당시의 의정부·육조 등의 최고위 관직자였다.

〈표 17-3〉 조선 중·후기 주요 신설관아 당상관 겸직[15]

	관직(정1~정3당상관겸)		정1~정3당상관
備邊司	都提調(정1, 전·현직 의정겸), 例兼提調(종2이상, 이·호·예·형·병판, 양도유수, 대제학 등[16] 겸), 啓差提調 10~20여(종1~종2겸), 부제조1(정3겸)	訓練都監	도제조1(정1, 겸), 제조2(정2, 호·병판겸), 大將1·중군1(종2)
宣惠廳	도제조3(정1, 3의정겸), 제조2(2품이상겸, 1 호판)	禁衛營	도제조1(정1겸), 대장1(병판겸)
堤堰司	도제조3(정1, 3의정겸), 제조2(비변사당상겸)	御營廳	도제조1(정1겸), 제조1(정2, 병판겸), 대장1·中軍1(종2)

14) 앞 〈표 2-1·2〉, 〈표 6-6〉, 〈표 7-1〉 〈표 8-1·2〉 참조.

濬川司	도제조3(정1, 3의정겸), 제조6(종2이상, 병판, 한성판윤, 훈련·금위·어영대장, 비국당상1겸), 都廳1(정3당상, 어영청천총겸)	經理廳	도제조1(정1, 영의정겸), 제조1(종2, 비변사당상겸)
開城留守府	유수2(종2, 1경기관겸)	扈衛廳	대장3(정1, 전·현직의정, 국구겸)
江華留守府	留守2(종2, 1경기관겸)	管理營	사1(종2, 개성유수겸)
水原留守府	유수2(정2, 1경기관겸)	鎭撫營	사1(종2, 강화유수겸)
廣州留守府	유수2(정2, 1경기관겸)	龍虎營	將7(정3, 겸사복장2·내금위장3·우림위장2겸)
奎章閣	提學2(종1~종2겸), 直提學2(종2~정3당상겸)	합계	50여(정1, 종1~종2, 정2, 종2~정3당상, 정3당상, 계차직 10~20 제외)

그 겸직의 본직자를 구체적으로 보면 예겸직 47~50직은 3의정은 비변사 도제조 등 5~10직의 20~22직, 이·호·예·병·형판은 1~4직의 11~12직, 경기관·개성유수·강화유수는 2~3직의 7직, 훈련·금위·어영대장은 각2직의 6직, 비변사 당상이 3직이었다.[17] 즉 비변사 등 당시 정치, 군사, 경제, 공역의 핵심이 된 예겸직 50직 중 3의정·5판서가 34직이나 되었으니, 조선후기의 정치를 주도한 예겸당상관직은 의정·판서가 중심이 되었다고 하겠다.

이에 따라 정치를 주도하고 지속시키려는 당파는 정치·재정·군사를 주도한 비변사·선혜청·군영아문을 장악하기 위하여 그 아문의 겸직을 예겸한 본직(3의정·5판서)을 장악하기에 고심하였다. 실제로도 비변사 등의 정1~종2품직을 겸대한 관직자를 보면 그 대부분은 정치를 주도한 당파의 元老와 重進들이었다.[18]

그런데 최고의 정치·군사기구인 비변사의 관아 운영을 보면 정사논의에 참여하여야 할 인원이 예겸의 도제조·제조와 계차제조를 합해 50~60여명의 다수인 관계로[19] 인사권 행사의 중추가 된 議薦時에는 모든 당상이 참가하여

---

15) 『증보문헌비고』 직관고, 『만기요람』 군정편, 『속대전』·『대전통편』·『대전회통』 권1·권4 경관직조에서 종합.

16) 『대전통편』에는 이 관직에 훈련·금위·어영대장이 추가되었다.

17) 의정과 판서 등의 비변사 등과 군영아문의 겸직은 다음의 표와 같다(『속대전』·『대전통편』·『대전회통』에서 종합.

논의하였다.[20] 그러나 긴급사나 그 외 대부분의 정사는 그 겸직자 수와 관련되어 매 정사 때마다 모두가 모여서 논의하기가 어려우므로 정치를 주도한 당파(당파분립기, 노론 독주기)나 세도정치가문을 주축으로 한 유력

	직계아문	군영아문	비고(계)		직계아문	군영아문	비고(계)
領議政	都提調(備邊司,宣惠廳, 堤堰司,, 濬川司)	經理廳都提調	10	兵曹判書	비변사당상, 준천사제조	훈련도감제조, 금위·어영대장	4
左議政	도제조(비, 선, 제, 준)		5~6	刑曹判書	비변사당상		1
右議政	도제조(비, 선, 제, 준)		5~6	京畿觀	留守(江華, 水原, 廣州)		3
前職 議政	비변사도제조		1	開城留守	비변사당상	管理營使	2
전·현직 議政		扈衛3廳大將(각1)	1	江華留守	비변사당상	鎭撫營使	2
정1품		訓練都監·禁衛營·御營廳都提調(각1)	12	備邊司堂上	제언사·준천사제조(각1)	經理廳提調(1)	3
종1~종2	奎章閣提學(2), 宣惠廳提調(1), 五衛都摠管·副摠管(합10)		74	訓練大將	비변사당상, 준천사제조		2
吏曹判書	備邊司堂上		1	禁衛大將	비변사당상, 준천사제조		2
戶曹判書	비변사당상, 선혜청제조, 훈련도감제조	훈련도감제조	3~4	御營大將	비변사당상, 준천사제조		2
禮曹判書	비변사당상		2	합계*			

18) 1800년(순조 즉위1)~1863년(철종 14)의 64년간에 걸쳐 노론의 집권을 뒷받침한 안동 김씨·풍양조씨 등 15가문이 점유하였던 관직이 각각 당상관은 202/675명(30%), 비변사 당상은 285/114(40%), 비변사 운영당상 이상 의정은 94/201(47%)였다(홍순민, 1990, 「정치집단의 성격」, 『조선정치사 1800~1863』 상, 청년사, 241쪽 〈표 1〉). 이에 미루어 1800년 이전에도 당파의 속성이 권력독점인 등에서 크게 다를 바가 없다고 본다.

19) 『비변사등록』 당상좌목.

20) 실제의 참가자는 의천에 참여한 당상의 좌목을 볼 때 영조 45~철종 14년의 경우 예겸제조와 계차제조를 합해 20~50여명이었으니 대략 반 수 정도가 참여한 셈이다(『비변사등록』 영조 45~철종 14년 당상좌목 참조).

가문을 대표하는 4명의 유사당상(각각 2도의 구관당상을 예겸)이 초안을 작성하여 예겸도제조인 의정 등 중신을 방문하여 의견을 듣고 성안하여 세도가와 왕에게 보고하여 처리하거나 독자적으로 처리하였다.[21] 즉 비변사 논의·운영과 8도의 지휘가 4명의 운영당상을 포함한 소수의 인원을 중심으로 운영되었다.

또 비변사는 의천과[22] 겸직 등 인사권행사, 최고 정치·군사기구로서의 기능, 유사당상의 8도 句管(4인 각2도)을 통해 중앙군을 지휘하는 훈련도감 등 군영아문과 수도 외곽을 방어한 개성·강화·수원·광주유수부와 도의 행정과 군사를 총관한 관찰사·절도사를 지휘하면서 도의 행정과 군정운영을 주도하였다.

이상에서 조선후기 비변사·선혜청·훈련도감 등의 당상관 겸직은 국정운영의 주도 관직을 그 이전까지 의정부·육조의 본직자에서 비변사·선혜청·훈련도감 등의 당상관 겸직자로 변천시켰고, 최고위 관직인 의정·판서 등 당상관은 본직으로서 보다는 겸직을 통하여 소속 관아와 관직적 지위를 유지하고 정치기능을 발휘하였다고 하겠다.

---

21) 반윤홍, 앞 책, 2003, 163~169쪽 ; 오종록, 앞 논문, 1990, 522~524쪽. 뒤 423쪽에 제시된 박제형의 『조선정감』 기사에 미루어 세도가문의 인물이 중심이 된 유사당상이 세도가와 비변사(정사)의 매개 역할을 한 것으로 보인다. 유사당상제는 선조 25년 비변사가 최고 정치·정치군사기구가 될 때 제조가 겸하는 3직이 설치되면서 비롯되어 인조 2년 1직이 증치되면서 확립되었고, 숙종 39년에 설치된 8도 구관당상(각 2도)을 예겸하면서 기능이 확대되어 비변사가 혁거될 때까지 지속되었다(앞 159쪽 주 207). 이 중 순조 4~철종 14년 안동김씨 인물의 유사당상과 겸대기간은 뒤 주 50) 참조).

22) 의천한 관직은 유수, 군영대장, 방어요지 관찰사·병사·수사·변장, 수군통제사, 사행·어사·순무사·토포사, 각종 겸대직이다(반윤홍, 위 책, 2003, 141~143쪽).

제2절 政治勢力의 擡頭와 政治運營

1. 黨派分立期(선조 8, 1575~영조 37, 1761)

당파는 정치적 이해를 같이하는 집단들의 결집체인데, 명종 말 이후에 勳舊派를 제치고 정권을 장악한 士林派가 1575년(선조 8)에 기성세력을 대표하는 沈義謙과 신진세력을 대표하는 金孝元이 문반의 인사권에 큰 영향력을 끼치는 吏曹銓郎의 천거를 두고 대립하여 西人과 東人으로 분열하면서 비롯되었다.[23] 이후 동인은 다시 南人·北人, 서인은 老論·少論으로 분기하면서 정권을 다투었고, 국내외 정치정세와 관련되면서 양당이 분립되거나 일당이 독주하면서 조선후기까지 지속되면서 정치를 주도하였다.[24]

이후 당파의 운영은 다소간 차이는 있지만 동인과 서인, 노론과 소론을 중심으로 분립되면서 1762년(영조 38) 辟派가 중심이 된 노론이 사도세자의 사사를 주도하면서[25] 정권을 독점하기까지 계속되었다.

이 시기에 분립된 당파와 당파의 집권배경을 보면 다음의 표와 같이 선조 8~16년에는 동인과 서인이 정권을 분점하였고, 선조 17년~광해군 14년에는

---

23) 『연려실기술』 권13, 선조조고사본말, 東西黨論之分.

24) 이은순, 1988, 『조선후기 당쟁사연구』, 일조각 ; 홍순민, 1998, 「붕당정치의 동요와 환국의 빈발」, 『한국사』 30, 국사편찬위원회 ; 오수창, 1997, 「세도정치의 전개」, 『한국사』 31, 국사편찬위원회 참조.

25) 사도세자 사사전말은 『영조실록』 38년 5월~윤5월조 참조. 그러나 노론의 일당전제는 1755년(영조 31)에 1727년 정미환국이후 당시까지 전개된 영조즉위와 관련되어 전개된 '노소론충역론' 논쟁이 영조즉위의 정통성을 천명한 『闡義昭鑑』이 중외에 반포되고 이와 함께 노론의 정당성이 확립됨에 따라 소론 100여명이 그간의 논쟁이 잘못되었다고 연명이나 自訟疏를 올리면서 정착되었고, 1761년에 우의정 閔百祥과 좌의정인 李𥌾가 졸하고, 1762년(영조 38)에 노론인 洪鳳漢과 尹東度가 좌의정과 우의정이 되면서 확립되었다고 하겠다(영조즉위의 정통성과 관련된 충역논쟁, 자송소를 올린 인물의 성명과 관직은 이은순, 1988, 「18세기 老論 一黨專制의 成立過程」, 『조선후기 당쟁사연구』, 87~100쪽 및 102쪽 주55) 참조).

선조의 신임을 받으면서 '和平論'을 제시하여 당파의 분쟁을 조정하던 李珥의 졸서를 계기로 동인이 정치를 주도하였다.[26] 인조 1~효종대에는 인조반정으로 서인이 집권한 후 서인정권이 지속되었고, 숙종 즉위~5년에는 갑인환국으로 남인, 숙종 6~14년에는 경신환국으로 서인, 숙종 15~19년에는 기사환국으로 남인, 숙종 20~26년에는 갑술환국으로 노론과 소론, 경종 1~4년에는 임신사화로 소론, 영조 즉위~30년에는 영조의 탕평책을 계기로 노론과 소론이 각각 분립하면서 정국을 운영하였다(숙종대 이후 당파의 집권배경이 된 사건의 구체적인 내용은 뒤 주 28)~38) 참조).

〈표 17-4〉 선조 8년~철종 14년 당파와 정치 주도세력[27]

시기	정치주도 당파	비고	시기	정치주도 당파	비고
선조8*~16년	동·서인 분립	*김효원지지자와 심의겸지지자의 대립	경종1*~4	소론	*辛壬士禍(1)[28]
선조17*~광해군14	동인	*이이 사망	영조즉위*~37	노·소론 분립	*蕩平策(즉)[29]
인조1*~현종15	서인	*인조반정	영조38*~52	노론(벽파)	*思悼世子賜死[30]
숙종즉*~5	남인	*甲寅換局[31]	정조1~24	노론(시파*[32])	*정조즉위
숙종6~14	서인	*庚申換局[33]	순조1*~3	노론(벽파)	*辛酉邪獄[34]
숙종15~19	남인	*己巳換局[35]	순조4*~34	노론(안동김씨*)	*세도정치[36]
숙종20~26	노·소론 분립	*甲戌換局[37]	헌종1*~15	노론(풍양조씨*)	*세도정치
숙종27~47	노론	*張禧嬪獄事[38]	철종1*~14	노론(안동김씨*)	*세도정치

26) 화평론(보합조제설)은 이이가 1578년(선조 11) 동인인 김성일이 서인의 중진인 尹斗壽·尹根壽·尹晛이 외관으로부터 뇌물을 받았다고 공박한 일로 당쟁이 격화될 조짐이 일자 동인과 서인 모두 옳기도 그르기도 하다는 의견(兩是兩非 辨別淑慝論)에 토대하여 동인과 서인의 분열을 타파하고 사류를 이전과 같이 재결속시키자(타파동서 보합사류)는 내용이다. 이 화평론은 당시의 의정인 박순·노수신과 사류에게 명망이 높던 동인 김우옹·유성룡·정인홍과 서인인 성혼의 지지를 받으면서 당쟁을 완화시켰다(정만조, 앞 논문, 2003, 51~53쪽 ; 禹性傳, 「癸甲日錄」(『大東野乘』 권76 소재) 계미 9월 17일 을미 和平論).

27) 李銀順, 1990, 『朝鮮後期黨爭史硏究』, 일조각, 67~124쪽 ; 홍순민, 1998, 「붕당정치의 동요와 환국의 빈발」, 『한국사』 30, 국사편찬위원회, 153~176쪽 ; 우인수, 2015, 「영남 남인의 형성」, 『조선후기 영남 남인 연구』, 경인문화사, 4~11쪽 ; 이희환, 2015, 『조선정치사』, 도서출판혜안, 66~387쪽 등에서 종합.

28) 경종 1년 집정대신의 왕제 昑의 왕세제책봉에 이어 대리청정 주장을 계기로 노론이

당파분립기에 정권을 주도한 당파와 그 주도기간을 보면 위의 표와 같이 1623(인조 1)~1761년(영조 37)의 139년간에 서인과 서인에서 분파한 노론·소론이나 노론이 130년(서인 51, 노·소론 44, 노론 33)이고 동인에서 분파한 남인이 9년에 불과하였다. 이것은 인조반정으로 동인의 주축이던 북인이 거의 제거되기도 하였지만 근본적으로는 서인의 지연과 학연이 동인을 압도하였고,[39] 조선후기에 중앙군의 중추가 된 군영아문을 서인(노론)이 장악하

실각하고 소론이 집권한 사건이다.

29) 영조가 朋黨을 불식시키고 인사를 고루 등용하여 정치를 안정시키고 왕권을 강화하려는 정책으로 소론이 등용되면서 노론과 소론이 균형을 이루게 된 정책이다.

30) 사도제자 愃이 정신착란으로 인한 난행으로 사사된 사건을 계기로 권력을 분점한 소론이 몰락하고 노론이 정치를 주도하게 된 사건이다.

31) 효종이 승하하자 모후인 인조계비 莊烈王后의 상복을 둘러싼 논쟁에서 남인의 주장이 관철되면서 서인이 실각하고 남인이 집권한 사건이다.

32) 시파는 정조즉위 이후에 영조의 '사도세자사사'를 두고 사도세자의 사사가 부당하였다는 정조의 입장을 옹호하는 노론당파이다. 반면에 벽파는 영조의 처사가 온당하였다는 노론당파이다.

33) 숙종이 남인(濁南)의 권력편중을 견제하면서 왕권을 강화하기 위하여 福善君 柟과 영의정 許積의 서자 許堅 등의 역모고발을 계기로 남인이 실각하고 서인이 집권한 사건이다.

34) 영의정 심환지 등이 중심이 된 벽파가 천주교도를 대대적으로 박해하고, 정조대에 신임을 받으면서 천주교를 신앙하거나 옹호하던 남인계 인사를 대대적으로 축출한 사건이다.

35) 淑媛 張氏가 낳은 왕자 昀의 원자책립을 두고 이를 반대한 서인이 실각하고 남인이 집권한 사건이다.

36) 세도정치는 왕의 외척이 선대 국왕의 유촉을 받아 어린 국왕의 위임을 받아 국정을 총관한 정치형태이다. 순조대에는 순조의 국구인 김조순이 정조의 유촉에 따라 집권하였고, 노론 유력가문과 연합하여 정치를 주도하였다.

37) 閔黯·張希載 등의 불법사로 仁顯王后 閔氏가 복위되고 왕비 장씨가 禧嬪으로 강봉되면서 남인이 실각하고 서인이 집권한 사건이다.

38) 희빈장씨가 인현왕후를 저주하여 죽게 하였다는 혐의로 사사되면서 소론이 실각하고 노론이 집권한 사건이다.

39) 서인(노론)은 이이의 학맥을 계승하였고, 지역적으로는 한성부·경기·충청·전라·황해·강원도가 포괄되었고, 동인(남인)은 경상도가 중심이 되었다. 노론의 기반지역인 경기도 등 5도와 남인의 기반이 된 경상도의 영조대 이후의 문과급제자를 보면

였기 때문이다. 특히 정치주도의 군사적 토대가 된 군영아문은 서인이 인조반정으로 정권을 잡으면서 왜란 중에 창설된 훈련도감을 장악하였고, 인조초에 국왕호위부대로 설치되고 도성을 방어하기 위하여 설치되어 군영아문의 중추가 된 호위청과 어영·총융청·수어청은 반정의 元勳인 李貴와 金瑬 등의 私募人과 護衛軍官을 주축으로 설립되고 이귀·김류 등이 대장이 되어 지휘하고[40] 그 영향력이 후대로 계승되었다.[41] 또 숙종대에 창설된 금위영·경리영·진무영·관리영·용호영 등도 정조대의 장용영을 제외한 모두가 정권 주도 당파에 의해 주도되고 영향력이 계승되었다.[42] 이러한 집권 당파의 학맥과

다음의 표와 같이 경기도 등과 경상도가 각각 영조대는 62.5%(463/741)와 13.9%(103), 정조대는 68.1%(522/767)와 12.4%(95), 순조대는 67.9%(700/1031)와 14.5%(149), 헌종대는 63.7%(298/468)와 16.3%(74), 철종대는 66%(309/468)와 16.8%(79)였고, 영조~철종대를 합해서는 66.2%(2,292/3,460)와 14.5%(500)였다(차장섭, 1995, 「조선후기 문과급제자의 성분」, 『대구사학』 47, 147쪽 주30) 표와 148쪽 〈표 16〉에서 종합).

	범서인(노론)지역							기타지역		합계
	한성부	경기	충청	전라	황해	강원	계	경상	함경·평안	
영조대	60	117	142	102	13	29	463	103	175	741
정조대	258	114	64	57	6	23	522	95	150	767
순조대	398	93	99	71	9	30	700	149	182	1031
헌종대	171	44	44	28	4	7	298	74	81	453
철종대	185	40	32	42	6	4	309	79	80	468
계	1072	408	381	300	38	93	2292	500	668	3460

40) 차문섭, 1997, 「중앙 군영제도의 발달」, 『한국사』 30, 국사편찬위원회, 281~282쪽.

41) 남인은 집권한 숙종 1~5년에 서인이 주도하고 있는 군권을 장악하기 위해 大興山城을 축조하면서 심혈을 기하였으나 훈련도감·어영청만 그 영향하에 두었을 뿐 수어·총융청은 여전히 서인의 주도하에 있었다(차문섭, 위 논문, 285쪽). 또 정조도 즉위와 함께 군권을 장악하기 위해 노력하였으나 왕 17년에야 장용영의 설치와 함께 5군영의 군권을 장악할 수 있었고, 그나마 홍서와 함께 장용영이 총리영으로 축소·개편되면서 좌절되었다(박범, 앞 논문, 2019, 147~155쪽 ; 박광용, 앞 논문, 1997, 73쪽).

42) 군영아문의 장관과 군관의 제수는 효율적인 군사지휘와 관련되어 종사관 일부를 제외하고 중군이하 초관에 이르는 임명권을 대장이 가졌다. 이러한 인사관행에서 집권당파는 군영대장직을 통하여 군영의 군사력을 공고하게 장악하였기에 비록 소론이나 남인이 집권하면서 군영아문의 장악을 도모하였지만 그 집권기간이 짧았기에 성공하지 못하였다(군영아문의 대장이 중심이 된 인사운영은 오종록, 1990, 「중앙

군권 장악은 그후 노론 독주기나 세도정권기에도 그대로 계승되면서 집권당파와 세도가의 인적·군사적 기반이 되었다.

2. 老論獨走期(영조 38~정조 24)

영조 38년~정조 24년에는 위의 표에서와 같이 영조 38~52년에는 사도세자의 사사를 주도한 노론(벽파), 정조 1~24년에는 노론(시파)가 정국운영을 주도하였다.

3. 勢道政治期(순조 즉위~철종 14)

순조 즉위~3년에는 노론벽파가 수렴청정한 영조계비 貞純王后의 후원을 받으면서 영의정 沈煥之를 중심으로 辛酉邪獄을 주도하고 정국을 주도하였으며,[43] 순조 4년~철종 14년에는 국왕의 유촉에 따라 유년으로 즉위한 국왕을 보필한 외척이 국왕의 위임을 받아 세도정치를 행하면서 국정을 총람하고 국정운영을 주도하거나 천단하였다.

조선후기에 대두하여 정치주도권을 다투거나 정치를 주도 또는 전단한 당파는 정치·군사·경제를 주도한 비변사·선혜청·5군영 등을 장악하기 위해서는 직접적으로는 이들 아문의 운영을 주도한 도제조·제조 등 겸직과 대장이 되어야 하였고, 간접적으로는 이들 관직을 겸대할 수 있는 의정부·육조·군영 아문의 장관이 되어야 하였다. 실제로도 모든 당파와 세도가는 정치를 주도하는 토대가 된 비변사 등 겸직과 의정부·육조 등 장관직을 차지하기 위하여 수단과 방법을 가리지 않았고, 이를 실현하였다.

군영의 변동과 정치적 기능」, 『조선정치사』 하, 455쪽(『만기요람』 군정편 2 훈련도감) 참조).

43) 오종록, 위 논문 참조.

순조 4년~38년에는 정조의 유촉을 받고 순조의 장인이 된 金祖淳이 세도가가 되어 자신의 본가인 안동김씨와 풍양조씨 등[44] 노론벽파의 지지를 받으면서 다음의 〈표 17-5, 6〉과 같이 의정·판서 등의 다수를 차지한 후 군영대장, 비변사 도제조·예겸당상·유사당상, 군영대장의 다수를 점유하고 정치를 주도하였다.

〈표 17-5〉 1777(정조 1)~1864년(고종 1) 유력 대성 가문별 요직 점유[45]

		정조대		순조대				헌종대				철종대			
		문과	도당록	문	도	당상관	비당상	문	도	당	비	문	도	당	비
대성15가문	달성서씨	10	7	28	19	16	10	7	6	8	2	11	10	9	4
	풍양조	16	6	23	20	14	7	13	12	6	6	13	8	10	3
	풍산홍	14	7	13	10	9	3	3	6	3	1	7	6	3	4
	반남박	11	3	28	17	18	7	7	4	3	1	13	4	4	1
	안동김	17	7	29	15	23	15	14	14	7	4	22	7	20	12
	남양홍	14	3	29	13	8	0	11	7	6	4	13	6	7	3
	전주이	56	8	66	27	22	6	29	11	8	6	24	17	13	3
	파평윤	16	3	26	10	8	0	7	4	4	1	10	5	3	1
	소계	1544	44	241	131	118	48	91	64	45	25	113	63	69	31
	기타*	83	34	95	51	54	32	54	36	22	5	48	44	26	18
합계		237	78	336	182	172	70	145	100	67	30	161	107	95	49
		100%													

		합계				승진율				비고(저자 보)
		문	도	당	비	문%	도%	당%	비%	
대성15가문	달성서씨	56	42	33	16	100	75	57	29	
	풍양조	65	46	30	16	100	72	47	25	
	풍산홍	37	29	15	8	100	78	41	22	
	반남박	59	28	25	9	100	48	42	15	
	안동김	82	44	50	31	100	54	61	38	
	남양홍	67	29	21	7	100	43	31	10	
	전주이	175	63	43	15	100	36	25	9	
	파평윤	59	22	15	2	100	37	25	3	
	소계	600	305	232	104	100				
	기타*	279	162	102	45	100				* 연안이, 한산이, 경주이, 청송심, 해평윤, 동래정, 평산신씨
합계		879	467	334	149	100	53	38	17	

44) 그 외의 유력가문은 달성서씨(영조계비 정성왕후 가문), 풍양조씨(익종비 신정왕후 가문), 전주이씨, 반남박씨(정조후궁 수빈 가문) 등이다.

〈표 17-6〉 1777(정조 1)~1863년(철종 14) 주요 성관 비변사 당상, 중신 수[46)]

		당상관	비변사 당상관	중신(군영·예겸당상 이상)					
				군영 대장	예겸 당상	유사·전임당상	경제 당상	도제조	계*
유력가문	안동김씨	50	31	8	5	35	11	5	40
	전주이	43	15	8	6	17	3	4	27
	대구서	33	16	6	1	17	4	2	23
	연안이	22	13	0	4	13	7	2	17
	풍양조	30	16	3	1	16	7	1	17
	풍산홍	15	8	0	4	9	0	1	13
	반남박	25	9	2	1	10	2	2	12
	경주김	8	6	2	0	8	2	2	9
	연안김	11	4	0	1	4	1	0	5
	계	194	103						
		58%	69%						
그 외 가문		140	46						
합계		334	149						

헌종 즉위~15년에는 순조의 유촉을 받은 헌종의 외조부인 趙萬永이 세도가가 되어 본가와 안동김씨 등[47)] 노론벽파의 지지를 받으면서 위의 〈표 17-5, 6〉과 같이 의정·판서 등의 다수를 차지한 후 군영대장, 비변사 도제조·예겸당상·유사당상, 군영대장의 다수를 점유하고 정치를 주도하였다.[48)]

철종 즉위~14년에는 철종이 19세의 청년이기는 하나 강화의 농민으로서 옹립되었기에 정무처결의 능력이 없었기에 국구인 金汶根과 金祖淳의 아들인 金左根이 중심이 된 안동김씨가 대거 정1~종2품에 오르고 의정부·육조의 재상직을 차지한 후 위의 〈표 17-5, 6〉과 같이 당시의 정치·경제·군사를 주도한 비변사·선혜청·훈련도감·어영청 등의 도제조·제조·대장직의 다수를 점유하고 달성서씨, 풍양조씨, 풍산홍씨, 남양홍씨 등 유력가문과 연대하

---

45) 한국역사연구회, 1990, 『조선정치사(1800~1863)』 하, 청년사, 314~315쪽.

46) 앞 책, 324~325쪽.

47) 그 외의 유력가문은 안동김씨, 전주이씨, 남양홍씨 등이다(앞 〈표 17-5, 6〉 참조).

48) 풍양조씨로서 헌종대에 비변사 당상겸대자는 다음과 같다(『비변사등록』 헌종 즉위~15년 당상좌목에서 종합).

면서 왕권을 무력화시키고 국정을 주도하였다.[49]

위의 세도정치가 전개된 순조 4년~철종 14년에 있어서 그 모두가 세도가가 중심이 된 안동김씨나 풍양조씨가 소수의 유력 가문과 협조하여 정치를 주도하였지만, 그 중에서도 철종 즉위~14년에 있어서는 세도정치를 행한 안동김씨가 극성하면서[50] 왕권을 무력화시키고 국정을 천단하였다.

	계차제조	예겸제조	유사당상	도제조
조만영				즉위~9.1(영돈령, 영돈겸훈련대장)
조인영		즉위~5.10	2.1~3.3	5.10~15(우, 영의정, 영중추)
조병구	2~6(이참판, 규장각제학), 9(호군), 11(호군)	7~11.5(금위·총융·훈련대장, 예, 이판)	9.5~13.11	
조기영	10.4~6, 10.11~11.1, 11.9~12.9, 15(한성판윤)	10.6~10.11, 11.8~11.9, 12.9~~14(예, 형, 이판)	12.12~13.11	
조병준	12.10~14.1	14.1~12		
조병헌	5.5~10, 9.2~10.1	3.9~4.2(형판), 4.7~5.5, 5.10~9.2	4.11~13.9	
조병현				
조용화	11.3~11.7	9.5~11.3		
조학년	11.4~6, 11.9~11, 12.1~3. 14.5~8	11.6~9, 11.11~12.1, 12.3~9, 14.8~15	12.1~4	

49) 박제형, 『조선정감』 상, 4~5쪽.

50) 철종대 안동김씨의 주요 인물이 겸대한 비변사직과 기간은 다음의 표와 같다(『비변사등록』 철종 즉위~14년 당상좌목에서 발췌).

	계차제조	예겸제조	유사당상	도제조
김좌근		즉.10~3.9(좌참찬, 총융사, 금위대장, 훈련대장, 호판)	1.4~3.2	3.9~14(우, 영의정, 판중)
김홍근	1.2~2.2(한판윤, 상호군, 지중)	즉.8~1.2(수원유수), 2.2~2.3(이판)		2.3~14.3(좌, 영의정, 판중)
김보근	즉.10~1.6(이참, 호군, 도도승지), 1.7~1.12(대호군)	1.6~7(형판))		
김난순		즉.10~2.59수원유수)		
김수근	1.6~3.1(공판, 우참찬), 4.6~5.12 (한판윤)	3.1~4.6(이판)	3.11~5.12	
김병기	2.2~3.7(도승지, 동중, 호군, 도승, 호참), 11.윤3~4(지중), 12.12~13.8(판중, 판돈), 14.2~3(지중), 14.10~12 (판중)	5.11~9.3(호판, 총융사, 훈련대장, 호판), 11.4~12.12(호판), 13.윤8~14.2(어영대장, 총융사), 14.3~10(호판)	3.2~3.7	

김문근		2.10~14.12(금위대장, 영돈령)		
김대근	5.11~9.1(대호군, 대사헌, 대호군, 공판, 대호, 지중, 10.2~39상호), 10.5~11.1 (상호)	10.3~5(예판)		
김병교	5.12~7.1(호군, 형참, 대사성, 병참, 호군),, 8.4~5(대호), 8.8~10.7(한판윤, 대호, 우, 좌참찬, 판윤, 상호, 지돈), 10.8~11.2(상호), 12.12~13. 29상호), 13.6~14.12(좌참, 공판, 상호)	8.2~4(형판), 8.5~6(예판), 10.7~8(형판), 11.2~12.2 (예판, 수유수, 예판), 13.2~6(이판)		
김한순		6.11~7.12(강화유수)		
김영근		7.12~8.5(강유), 8.9~10 (형판), 10.6~12.1(광주 유수), 12.11~14.6(수유)		
김병국	8.3~4(호군), 8.5~7(우참, 판윤), 10.1~11.1(상호, 판돈, 판중, 판돈, 공판, 지중)11.2~8(호군), 12.1~14.2(지중)	8.4~5(예판), 8.7~10.1(병, 호판), 11.1~2(예판), 11. 8~12.1(이판)	8.4~14.12	
김병학	8.5~9.29동지돈령, 공, 이참, 도승지, 호참, 호군)), 9.4~7(지중, 우참), 11. 1~2(공판), 13.8~14.1(공판, 지중)	9.2~4(수유), 9.7~11.1(이, 병판), 11.2~7(병판), 14. 1~12(병판)		
김병덕	9.7~14.12(호군, 동중, 동돈, 도승, 호군, 한좌윤, 도승, 호군, 공판, 대 호, 우참, 대호, 지중)	9.3~4(호판), 14.12(예판)	9.3~14.12	
김병주	10.8~11.4(호군, 형참, 대호, 대사성, 호, 대호), 12.5~9(공참, 호군), 12.10~13.6(대호, 판윤, 공판, 대호), 13.10~14.12(대호)	12.9~10(형판), 13.6~10(형, 예판)	13.6~14.12	
김병운	11.8~12.4(대호)	11.5~6(형판)		
김병필	12.4~13.6(동돈, 형참, 호군, 이, 공, 예참), 13.7~14.4 (호군), 14.8~12 (부호, 호군)	13.6~7(예판), 14.4~8(개유수)	14.10~12	
김병지	14.6~12(이참, 대사헌, 대호)	13.3~12(개유수)		
김응근	13.윤8~12(호군)	13.2(형판), 13.12~14.12(개유)		
김응균	14.4~12(대호군)			
김익진		14.1~12(광유, 개유수),		

제3절 政治制度와 政治運營의 特徵

1. 備邊司·宣惠廳과 軍營衙門의 擡頭

조선후기에는 왜란을 기해 정1품 직계아문인 비변사가 의정부를 제치고 최고의 정치·군사기구가 되면서 정치·군사는 물론 인사·외교·형정 등 모든 국정에 간여하면서 국정을 통령하였다.51)

또 왜란의 극복을 위해 훈련도감이 설치되고 연이어 사회·경제적인 급변과 호란을 겪으면서 국왕호위·도성내외의 방어를 강화하기 위한 금위영·어영청·총융청·수어청 등의 군영아문이 설치되어 중추적인 군사기구가 되었으며, 선혜청이 설치되어 대동미·포를 관장하는 등 호조를 제치고 최고의 재정기구가 되었다.52)

2. 黨派의 등장과 老論·勢道家의 정치주도

당파가 시작된 선조 8년으로부터 영조 38년 사도세자 사사를 주도한 노론(벽파)의 일당독주가 있기까지는 위의 〈표 17-4〉에서와 같이 동·서인(선조 8~16), 동인(선조 8~광해군 14), 서인(인조 1~현종 15), 남인(숙종 즉위~3), 서인(숙종 6~14), 남인(숙종 15~19), 노·소론(숙종 20~26), 노론(숙종 27~46), 소론(경종 즉위~4), 노·소론(영조 즉위 37)이 차례로 집권하였다.

영조 38년으로부터 순조 3년에는 정조의 유촉을 받은 金祖淳이 세도정치를 시작하기까지는 노론벽파(영조 38~52), 노론시파(정조 즉위~24), 노론벽파(순조 즉위~3)가 차례로 집권하였다.

---

51) 반윤홍, 앞 책, 2003, 120~147쪽 ; 이재철, 앞 책, 2001, 127~212쪽.
52) 이들 관아의 기능과 정치운영에서의 위상은 앞 331~332쪽, 338~341쪽 참조.

김조순이 세도정치를 행한 순조 4년으로부터 지속적으로 안동김씨(순조·철종대)와 풍양조씨(헌종대)의 세도정치가 행해진 철종 14년까지는 세도가문인 안동김씨(순조 4~34, 철종 즉위~14)와 풍양조씨(헌종 즉위~15)가 소수의 노론 유력가문의 협조를 토대로[53] 공적인 비변사·육조·군영아문 등 정치기구와 '비변사-6조·군영아문' 체제에 가탁하면서 朴齊炯이 『朝鮮政鑑』上에서 野史氏를 칭하면서

> 조선 속담에 정권(잡은 것)을 世道(勢道)라고 한다. (이를 두고)일컫기를 어떤 사람이 세도를 잡았다고 하고, 어떤 집이 세도를 잃었다고 한다. 대저 예로부터 강성한 종족과 고귀한 척속, 혹은 간사한 신하와 아첨하는 환관이 임금을 조종하면서 정사를 자기 마음대로 한 자가 대대로 없지 않았다. 그러나 임금이 처음부터 국정의 권병을 공공연하게 신하에게 주지는 않았다. (그러나) 심하게 총애하여 정사를 모두 맡겨서 국가를 혼탁하게 하고 어지럽히기에 조정과 朝野에서 마음속으로 비방하고 분함을 견디지 못하였다. 오직 조선에서 세도가(世道者)라고 이르는 것은 그 사람의 관직과 관계가 낮을지라도 만약 왕명으로 세도의 직임을 맡기면 冢宰(3의정[54]) 이하가 이 사람의 명을 받는다. 무릇 軍國機務와 백관의 狀奏도 모두 세도가에게 의논한 다음에 임금에게 아뢰고, 또한 (모든 정사를)세도가에게 먼저 묻고 결정한다. 위엄과 복이 그 손에 있고, (벼슬을) 주고 빼앗는 것을 마음대로 한다. (이러하니) 온 나라 (사람들이) 세도가를 받들고 섬기기를 神明(섬기는 것과) 같이 한다. 한 번 세도가의 뜻을 거스르면 재앙과 환난(禍患)이 곧 이른다. 비록 고명한 덕이 있는 탁월한 인재도 세도가가 알아주지 않으면 草野에 묻힐 뿐이다. 그러므로 (세도가에게 가는)뇌물이 길에 잇달았고,

---

53) 그 가문은 달성서씨(영조비 정성왕후 가문), 반남박씨(정조후궁 수빈박씨 가문), 전주이씨, 남양홍씨(현종계비 효정왕후 가문), 풍산홍씨, 풍양조씨(순조대, 익종비 신정왕후 가문), 안동김씨(헌종대, 순조비 순원왕후, 헌종비 효정왕후 가문) 등이다(이들 가문 인사의 비변사 등 추요직 겸대는 위 〈표 17-5, 6〉 참조).

54) 총재는 주관에 의하면 天官으로 6경의 수좌인 이조판서이다. 그러나 이 경우는 백관의 장을 지칭하니 영의정을 포함한 3의정이다.

> (세도가를 찾아가는) 빈객이 문간에 운집한다. (그리하여) 3公(의정)과 6卿(판서)은 그 자리만 채우고 있는 셈이다.[( )는필자 보][55)]

라고 하였듯이 공식 정치기구와 국정운영체계의 상위에서나 사적인 협의를 통해 국정을 주도하고 전단하였다.[56)] 즉 공식 최고의 정치·군사기구인 비변사, 서정을 분장한 육조, 군사를 지휘한 군영아문의 상위에서 자신을 중심한 '왕-세도-비변사-6조·군영아문'의 정치제계와 '왕-세도-집권당파'의 권력체계를 구축하고 국정을 총람하거나 전단하였다.

이렇게 볼 때 명종 15년 비변사가 상설의 정1품 아문이 된 이후 순조대까지 운영된 20여 직계·군영아문은 당시의 급변하는 정치·군사·사회·경제에 대응하면서 조선왕조를 안정·지속시키는 토대가 되었다. 그러면서도 그 대다수 아문의 최고위 관직이 겸직이고 겸직의 대부분이 정치를 주도한 당파의 원로·중신에 의하여 점유되면서 집권당파의 정치·경제·군사적 토대가 되었다고 하겠다.

3. 公道·王權의 失墜

조선중기에는 권신, 공신, 척족이 발흥하기도 하였으나 왕권이 정상적으로 발휘되는 가운데 전랑·언관제가 정착되고 제 기능을 발휘하였기에 공도가

---

55) 朝鮮俗語 以政權爲世道 云某人爲世道 某家失世道 夫自古强宗貴戚 或佞臣嬖宦 能操縱人主專擅政事者 無代無之 然人主初未嘗以太阿之柄 公然授人臣 而往往偏寵傾任 以至濁亂國家則朝野腹誹 憤憤不平 唯朝鮮之謂世道者 其人雖在卑官散職 若王命以世道之任 則冢宰以下聽命於此人 凡軍國機務 百官章奏 皆先咨於世道 以後奏於王 亦先詢於世道 而後決 威福在手與奪惟意 擧國奉事世道如神明 一忤其旨 禍患立至 雖宿德大才 不爲世道所知 則湮沒草野故苞苴絡繹於道 賓客輻輳於門 三公六卿 充其位而已.

56) 실제로 순조대의 세도가 김조순이 "왕실의 가까운 친척으로서 안으로는 국가의 기밀업무를 돕고 밖으로는 백관을 총찰하여 충성을 다하면서 한 몸에 국가의 안위를 책임졌던 것이 30년이었다(『순조실록』 권32, 4년 3월 기묘)"고 한 것이 그 예이다(박현모, 2011, 앞 책, 118쪽).

표방되면서 의정부·6조가 국왕을 받들고 백사·백관을 지휘하면서 국정을 운영하였다.

조선후기에도 1592년(선조 25)~1800년(정조 24)까지는 비록 일당 독주와 비변사기능의 강화, 국왕의 대신을 중심한 국정운영도모 등으로 왕권과 언론이 위축되기는 하나 公道政治가 표방되었다.

그런데 비변사 등의 설치는 北虜南倭(비변사), 전세개혁(선혜청), 왜란극복(훈련도감), 국왕의 호위강화(호위청·금위영·어영청), 호란을 기한 도성내·외 방어강화(강화유수부), 정조의 정치개혁·왕권강화(규장각·수원유수부) 등에 기인되었다. 그러나 이 경우에 있어서도 숙종은 換局,[57] 영조는 蕩平策,[58] 정조는 규장각을 통해 측근세력을 강화하고 장용영을 설치하여 모든 군영아문을 지배하는[59] 등으로 왕권의 강화를 도모하였다. 그러나 숙종, 영조, 정조의 이러한 정책은 단기적으로는 효과를 보기도 하나 정권을 주도한 당파의 세력이 강고하고 또 이들이 군왕에 대한 충성이나 공익보다도 당파의 이익을 우선시하였기에[60] 큰 효과를 보지 못하였다. 그나마 정조가 훙서한 이후에는 연이어 유약한 순조·헌종·철종이 계위함에[61] 따라 외척(국구)이 중심이 된 세도정치가 행해지면서 왕권이 더욱 약화되었다.

이런 와중에 숙종, 영조, 정조, 순조 등은 환국,[62] 탕평책,[63] 군권장악도모[64]

---

57) 숙종대의 환국은 앞 주 31), 33), 35), 37), 38) 참조.

58) 영조대의 탕평책은 탕평타파를 긍정하는 緩論과, 사림의 정치원칙인 각 붕당의 원칙자체가 탕평타파보다도 더 중요하다는 峻論 중에서 완론탕평이었다. 구체적인 냉용은 박광용, 1997, 「정조대 탕평정책과 왕정체제의 강화」, 『한국사』 32, 73~98쪽.

59) 규장각과 장용영의 정치·군사적 의의는 박범, 앞 논문, 147~156쪽 참조.

60) 오종록, 앞 논문, 1990, 425~449쪽.

61) 그 재위시의 연령을 보면 순조는 11세, 헌종은 9세, 철종은 19세였는데 특히 철종은 몰락한 왕족으로 교육을 받지 못한 까닭에 정무판단 능력이 전혀 없었다.

62) 앞 주 31)~38) 참조.

63) 앞 주 29) 참조.

64) 군권장악을 도모한 국왕과 내용은 다음과 같다(동기의 『조선왕조실록』에서 종합).

등을 통해 강성한 신권을 약화시키면서 왕권을 신장시키고자 하였지만, 당파의 세력결집과 군영아문의 장악이 공고하였기에[65] 큰 효과를 거두지 못하였다. 정조의 경우 즉위와 함께 규장각을 설치하고 국왕 중심의 정치를 지속적으로 도모하여 왕권을 신장시켜 나갔지만 왕 9년에야 군권을 장악한 훈련대장 具善福의 협조를 얻고서야 壯勇衛를 설치할 수 있었고,[66] 왕 10년 구선복을 역모로 제거하는[67] 등 군권장악을 강화하여 왕 17년에야 장용영을 설치하고 장용영을 중심으로 군영아문을 지휘할 수 있었다.[68] 그러면서도 정적인 벽파의 영수 沈煥之를 영의정에 제수하여[69] 협조를 얻어야만 하였다.

더욱 순조, 헌종, 철종대에 있어서는 유약한 국왕즉위, 무식한 국왕보필 등에서 선대왕의 유탁으로 외척이 정권을 전단하는 세도정치가 시행되면서 왕권이 크게 약화되었고, 철종대에는 세도정치가 극성하면서 안동김씨가 왕권을 무력화시키고 국정운영을 천단하고 농단하였다. 유약한 순조가 즉위한 3년 뒤인 1804년(순조 4) 이후에는[70] 정조의 유촉을 받아 집권한 순조의

---

65) 앞 주 39)~41) 참조.

66) 박범, 앞 논문, 2019, 133쪽(『일성록』 정조 9년 7월 2일).

67) 구선복은 누대에 걸친 명문 무가가문 출신으로 병사, 군영대장, 병판을 역임하고 장기간 훈련대장으로 재직하면서 군권을 장악하고 있었다. 그의 가계는 다음과 같다(『능성구씨족보』에서 종합). 구선복역모사건의 전말은 『정조실록』 10년(권22, 10년 12월 무신)조 참조.

宏 ── 仁垕 ── 鎰 ──┬─ 守禎 ── 聖弼(참판) ── 善復 ── 以謙(평안병사)
병판　부원군　무, 총융사 └─ 尙禎 ─┬─ 聖任(訓將) ── 善行(병판, 훈장)
　　　　　　　　　　　　　　　　　└─ 聖益(통제사) ─ 善長 ── 鳴謙(통제사, 포장)

68) 박범, 위 논문, 147~153쪽.

69) 심환지는 1771년(영조 47) 문과를 거쳐 사관하였고, 1792년(정조 16)까지 역임하였다. 1793년 이조참판이 되고 이후 규장각제학, 병판, 형판을 역임하면서 벽파의 선봉에서서 蔡濟恭, 李家煥, 李昇薰을 성토하였다. 1798년(정조 22) 우의정이 되었고, 1800년(순조 즉위) 영의정이 되고 이후 사망하는 1802년(순조 2)까지 원상을 겸하면서 수렴청정하는 대비의 전폭적 지지를 받으면서 신유사옥과 정조가 유촉한 김조순 딸의 왕비책봉을 저지하면서 정치를 주도하였다.

국구 金祖淳이 국왕의 위임을 받아 부원군이나 군영대장 등으로서 비변사 도제조 등을 예겸하고[71] 유력한 노론가문의 협조를 받으면서[72] 박제형이 적기(위 423쪽 『조선정감』 상)하였듯이 국왕과 정사를 총관하는 비변사(백관)의 중간에서 각종 정사를 정치를 보고받아 검토하고 결정하는 세도가가 중심이 된 국정운영, 세도정치가 시작되었고, 이러한 형태의 세도정치가 이후 1863년(철종 14)까지 지속되었다. 즉 세도가는 직위에 구애되지 않고 백사·백관과 공식 정치운영체제인 '비변사-5조, 5군영, 8도체제'의 상위에서 나 사적으로 국정을 주도하고 전단하였다.

이처럼 1804년(순조 4)~1863년(철종 14), 소위 세도정치기에는 그 출현이 유약한 왕권의 보필에서 비롯되었기에 세도가의 국정천단이 가능하였고, 실제로도 세도가와 세도정치를 뒷받침한 유력가문이 '備邊司議薦權'[73]과 '中批(特旨)除授'[74]를 통하여 고위직 진출과 추요직의 대부분을 점유하고, 그를 통하여 비변사·선혜청·훈련도감 등 추요의 정치·군사기구를 지배하면서 국정을 주도하거나 천단하였다.

---

70) 순조 즉위~3년 12월에는 영조계비인 대왕대비 貞純王后 김씨가 벽파 영수인 영의정 심환지 등과 친가인 경주김씨 가문의 협조를 받으면서 수렴청정하였다(『순조실록』 즉위~3년조).

71) 김조순은 집정하기 전에 이미 총융사(순조 즉위년 6월), 장용영대장(즉.7), 총융사(1.2~9), 어영대장(2.9)을 거쳐 훈련대장(2.10)이 되었고, 순조 4년 1월 영조계비 貞純王后의 환정과 함께 집정한 뒤에도 순조 9년 4월까지 領敦寧府事永安府院君으로서 계속 훈련대장을 겸대하였고, 순조 11년 7월~12년 6월에는 금위대장을 겸대한 것은 그 단적인 예라고 하겠다(앞 『조선정치사』, 771쪽 〈부록 21〉 군영대장에서 발췌).

72) 앞 〈표 17-5, 6〉 참조.

73) 의천은 비변사가 합의를 통해 관직의망자를 천거하는 제도이다. 의천한 관직은 4도유수, 군영대장, 변방도의 관찰사·병사·수사·변장 등이 망라되었다(반윤홍, 앞 책, 2003, 141~147쪽). 이 중 4유수와 5군영대장은 비변사당상 예겸직이었다. 의천시에는 도제조 이하 계차제조가 20~50여명이 참여하였다. 그 참여자를 보면 철종대의 경우 다음의 표와 같이 세도가문인 안동김씨가 등 10명 내외였다(『비변사등록』 철종 1~14년조 당상좌목에서 종합). 이점은 철종대 안동김씨의 위세와 정치주도를 단적으로 보여준다고 하겠다.

또 공도정치를 뒷받침해야 할 언론기관인 司憲府·司諫院·弘文館 관원은 그 다수가 세도정치를 주도한 가문출신이기도 하였지만, 집정자와 정치 주도층의 언론탄압으로 제 기능을 발휘할 수 없었다.[75] 관리의 기강을 확립하고 선정을 보장하는 언관활동의 핵심이 된 탄핵활동의 경우에 다음의 표에서 제시되었음과 같이 탄핵이 수락(부분수락 포함)된 비율과 연평균 건수의 고위직, 하위직, 합계가 각각 영조대는 20%(202/988건)·3.9건, 50%(250/459)·4.4건, 30%(432/1447)·8.3건(전체 27.8건)이다. 정조대는 29%·2.9건, 32%·1.5건, 30%·4.4건(전체 14.6건)이고, 순조대는 34%·3.7건, 37%·4.4건, 34%·5.3건(전체 15.6건)이다.

이러한 탄핵활동의 경향은 특징적인 몇 시기로 나누어 보아도 큰 차이가 없다.[76] 이를 볼 때 노론이 정치를 주도하기는 하나 왕권이 안정되면서 공적인 정치기구를 통하여 정치가 수행되던 영조대와 정조대는 물론 안동김

의천시기	참여자 총수	안동김씨 참여자(*세도가)	
		수	겸직(성명)
철종 8.9	51	10	도제조2/8(홍근, 좌근*), 제조 8/43(문근, 병기, 보근, 대근, 병교, 영은, 병국, 병학)
9.7	49	8	도제조2/7(홍근, 좌근*), 제조 6/42(문근, 보근, 병교, 병학, 병덕, 병국)
10.9	49	11	도제조2/6(홍근, 좌근*), 제조9/43(문근, 병국, 병학, 보근, 대근, 영은, 병교, 병주, 병덕)
13.3	49	12	도제조2/5(홍근, 좌근*), 제조10/44(문근, 병기, 병국, 영은, 보근, 병교, 병덕, 병주, 병필, 병지)
13.7			상위좌목자7/11(위 홍근~보근)

74) 중비(특지)제수는 국왕이 인사절차에 구애되지 않고 관인을 제수하는 특별 인사제도이다. 왕권이 강력하거나 정상적으로 발휘될 때에는 국왕이 이 제도를 통하여 신임의 인사를 제수하고 왕권을 행사하지만, 세도정치기, 특히 철종대에는 정치를 전횡한 안동김씨가 이 제도에 가탁하여 자파의 인사나 협조가문의 인사를 제수하면서 권력기반을 강화하는 주요 수단이 되었다. 철종대 중비로 제수된 인물은 안동김씨 13명 22회를 비롯하여 10성관 18명 23회이고, 그 관직은 판서 9직을 비롯하여 군영대장 4, 참판 6, 관찰사 6, 유수 1 등 비변사 당상겸대가 가능한 관직이 30여직이었다. 제수자와 제수관직은 다음의 표와 같다(오수원, 2013, 「조선후기 세도정치 연구-안동김씨가문을 중심으로-」, 연세대학교 정경대학원 석사학위논문, 29쪽 〈철종대 중비로 임명된 관료 현황〉에서 전재(본관은 필자보)).

씨 세도정치가 행해지면서 영·정조대에 비해 왕권이 약화되고 공적인 정치기구 보다는 세도가를 중심한 사적인 정치기구를 통해 정치가 수행되던 순조대 모두 탄핵 총 건수가 연평균 27.8건과 14.6건 및 15.6건, 탄핵이 허락된

성명(회수)	관직(임명년)	본관	성명(회수)	관직(임명년)	본관
강계우(1)	이조참의(4)		심의면(1)	도총관(10)	
김병국(6)*	강화유수(5), 호조참 판(5), 병(8)·예(8)·호조판서(9)	안동	유치선(1)	도총관(10)	
김병기(4)*	예조참판(1), 평안관 (3), 호조참판(4), 어 영대장(13)	안동	윤중선(1)	이참의(8)	
김병연(1)	이조참의(12)	안동	윤치수(1)	이판(12)	
김병주(2)	평안(11)·경상관(14)	안동	윤치정(1)	평안관(10)	
김병지(2)	전라관(11), 개성유 수(13)	안동	이민(1)	대사성(10)	
김병필(1)	호조참판(11)	안동	이병문(1)	이참의(6)	
김병학(1)	한성우윤(8)	안동	이원명(1)	도총관(11)	
김보근(1)	이판(7)	안동	이학수(1)	병판(3)	
김수근(1)	이판(3)		이휘녕(1)	부총관(12)	
김연근(1)	황해관(7)		임태영(1)	총융사(13)	
김영균(1)	이참의(13)		정기세(1)	병판(11)	
김재경(1)	형참의(10)		조병기(4)	이참판(4), 도총관(7), 병판(7), 총융사(9)	
김재전(1)	봉산군수(3)		조병준(1)	병판(2)	
남병길(1)	이참판(11)		합계(31명, 45회)	45직(판서9, 도총관6, 군영대장4, 참판6, 관찰 사6, 참의4, 기타9)	
남병철(2)	오위도총관(7), 병판(9)				
신석희(1)	도총관(12)				

75) 박현모, 앞 책, 2011, 125~137쪽.

76) 그 활동을 영조 즉위~3·26~33·50~52년, 정조 즉위~3·4~16·17~24년, 순조 즉위~3·4~26·27~29·30~34년으로 구분하여 보면 다음의 표와 같다(위 표에서 종합).

		상위직		하위직		계	
		수락비율	연평균건수	비율	건수	비율	건수
영조	즉위~3	14	22	38	35	23	57
	26~33	40	33	42	12	41	8
	50~52	92	4	100	3	95	7
정조	즉위~3	35	7	61	5	42	12
	4~16	24	2	26	2	25	4
	17~24	39	2	18	3	35	2
순조	즉위~3	37	11	54	6	42	18
	4~26	29	3	32	1	30	4
	27~29	39	4	30	3	37	6
	30~34	50	1	33	1	40	3

비율도 상위직과 하위직을 합해 30~34%에 불과하였다. 또 이를 구체적으로 보면 그 모두의 경우 대부분이 반대파에 대한 활동과 수락이었다.77) 이점은 영조, 정조, 순조대의 언론활동이 극히 부진하였고, 그 본래의 기능을 제대로 발휘하지 못하였음을 잘 입증하는 것이라고 하겠다.

〈표 17-7〉 영조~순조대 대간 탄핵활동과 결과(연평균)78)

		고위직 탄핵				하위직 탄핵				합계				비고
		탄핵수	수락	부분수락	불허	탄핵수	수락	부분수락	불허	탄핵수	수락	부분수락	불허	
영조	즉위~3*	487	44	23	420	273	78	26	169	760	122	49	589	
	26~33	62	20	5	24	83	22	13	19	145	42	18	43	
	50~52	13	11	1	1	8	7	1	0	21	18	2	1	
	그 외*	426	77	21	341	267	61	22	101	521	138	43	382	*4~25, 34~49년
	계(연평균)	988 (19)	152 (2.9)	50 (1)	786 (15)	459 (8.8)	168 (3.2)	62 (1.2)	229 (4.4)	1447 (27.8)	320 (6.2)	112 (2.2)	1015 (19.5)	
정조	즉위~3	60	13	8	39	23	5	9	9	83	18	17	48	홍국영집정기
	4~16	130	22	9	89	82	17	4	61	212	39	13	150	
	17~24	44	11	6	27	11	1	1	9	55	12	7	36	장용영운영기
	계(연평균)	234 (9.8)	46 (1.9)	23 (1)	165 (6.9)	116 (4.8)	23 (1)	14 (1)	79 (3.3)	350 (14.6)	69 (2.9)	37 (1.5)	244 (10.2)	
순조	즉위~3	91	2	32	57	35	11	8	16	126	13	40	73	영조계비 수렴청정기
	4~26	254	29	45	210	73	17	6	50	327	46	51	260	김조순집정
	27~29	31	1	11	19	10	0	3	7	41	1	14	26	세자대리청정기
	30~34	14	1	6	7	21	1	6	14	35	2	12	21	
	계(연평균)	390 (11.5)	33 (1)	94 (2.8)	263 (7.7)	139 (4.1)	29 (1)	23 (1)	87 (2.6)	529(15.6)	62 (1.8)	117 (3.4)	350 (10.3)	

이러한 언론기관의 기능상실과 권력이 집중된 비변사의 장악을 통한 세도가의 국정주도-전단에서 공도정치가 실종되고 약화된 왕권을 고착시키면서 집정자와 정치주도층의 私黨政治와 國政弄斷이 가능하게 하였다.

이상에서 왜란과 호란 이후에 급변하는 정치, 경제, 사회에 대처하기 위하여 신설된 비변사·선혜청·제언사·5군영·3유수부와 그에 편제된 도제조

77) 박현모, 앞 책, 2011, 137~143쪽.

78) 위 책, 58쪽 제2장 〈표1〉, 99쪽 〈표1〉, 138쪽 제5장 〈표1〉에서 종합.

이하 겸직은 조선전기까지 정치·군사·경제 등을 주도하던 의정부와 5위를 허설화시키고 육조·육조 속아문과 그에 편제된 관직의 기능을 약화시키면서 정치·경제·사회 등 모든 국정을 주도하였다. 선조초에 집권한 사림파가 정치주도권을 장악하기 위하여 학연·지연을 토대로 결집하면서 성립된 당파가 이후 후대로 계승되고 각축하면서 정권을 잡기위하여 권력이 집중된 비변사·5군영의 장악을 도모하고 실현하였다. 이 토대 위에서 당파분립기에는 분립된 당파가 정권을 분담하였고, 일당독주기에는 정권을 잡은 당파가 정치를 주도하였다. 세도정치가 행해진 순조~철종대, 특히 철종대에는 세도가가 중심이 된 세도가문이 국왕의 보필에 그치지 않고 그들을 중심한 사적 국정운영체계를 구축하고 왕권과 언관을 무력화시키면서 국정을 농단하였다.

지금까지 검토한 조선 중·후기 국정운영 중심 관아·관직과 정치주도세력을 정리하여 제시하면 다음의 표와 같다.

〈표 17-8〉 조선 중·후기 국정운영 주도 관아, 관직과 정치주도세력

		국정운영 중심관아	국정운영 중심관직	정치세력 (당쟁·세도정치기)	비고(국정 운영체계)
조선중기	명종20[*1]~선조7	의정부, 6조, 삼사	의정, 판서, 전랑, 언관	사림파	의정부-6조
	선조8~선조 16	의정부, 6조, 삼사	의정, 판서, 전랑, 언관	동인·서인	의정부-6조
	선조17[*2]~24	의정부, 6조, 삼사	의정, 판서, 전랑, 언관	동인	의정부-6조
조선후기	선조25~광해군15	비변사, 6조	의정, 판서, 비변사도제조, 제조	북인(소북, 대북)	비변사-6조
	인조1~현종15	비변사, 6조, 선혜청, 5군영(이하동)	의정, 판서, 비변사·선혜청등 도제조·제조, 군영대장(이하동)	서인	비변사-6조, 군영아문(이하동)
	숙종1~5			남인	
	숙종6~14			서인	
	숙종15~19			남인	
	숙종20~26			노·소론	
	숙종27~46			노론	
	경종1~4			소론	
	영조1~37			노론	
	영조38~정조24			노론(벽파→시파)	
	순조1~34			노론(시파, 안동김씨)	

	헌종1~15			노론(풍양조씨)	
	철종1~14			노론(안동김씨)	

*1 문정왕후 홍서, 윤원형 실각.
*2 이이 사망.

결론 : 朝鮮 中·後期 政治制度 運營의 特徵

지금까지 1485년(성종 16)에 반포된 『경국대전』을 기점으로 1865년(고종 2)의 『대전회통』에 이르기까지, 즉 조선 중·후기의 관계, 관직, 관아, 관아기능의 변천, 의정부와 정치운영, 정치제도의 변천·정치세력과 정치운영을 구체적이고도 통괄적으로 고찰하였다. 이를 요약하면서 조선 중·후기 정치제도의 운영과 특징을 결론지으면 다음과 같다.

① 조선의 관계, 관아, 관직, 국정운영체계 등 모든 정치제도는 개국과 함께 고려 말의 제도를 계승하면서 성립되었다. 개국초의 정치제도는 이후 정치제도의 정비, 왕권, 의정부·6조체제의 정비, 『경국대전』 편찬 등과 관련되어 태종, 세종, 세조대에 걸쳐 점진적으로 개정되면서 정비되었다.

관계는 무산계가 세종대와 세조대에 정·종9품계가 신치되고 정3품 果毅將軍 등 13계가 개정되며, 의빈계와 종친계가 세종대에 정1품 현록·흥록대부~정6품 집순·충순랑의 22계와 정1품 수록·성록대부~종3품 명신·돈신대부의 12계가 제정되면서 문·무산계 30계, 의빈계 22계, 종친계 12계로 정비된 후 『경국대전』에 법제화되었다.

관직은 태종대에 도평의사사가 개편되면서 성립된 의정부 관직명이 도평의사사적인 관직에서 의정부 관직으로 개칭되고 6조가 정2품 아문으로 승격됨에 따라 판서 각1직이 정2품직으로 신치되었으며, 시·감의 장관과 차관인 정3품 判事와 종3품 正이 모두 2직에서 1직으로 삭감되었다. 또 10위 정3품 상장군 이하의 직명이 상호군 등으로 개칭되었고, 부사~감무의 외관직이 도호부사~현감으로 개칭되었다. 세종대에는 개국 이래로 개변되면서 계승된

10사 정3품 상호군~종9품 정 4,000여직의 녹직이던 군직을 소수의 정품직을 녹직, 다수의 종품직을 체아직으로 구분하면서 체아직 중심으로 개편되었고, 남방 6도와 북방 2도의 상이하였던 장관명이 개정되면서 관찰사로 통일되었다. 세조대에 『경국대전』의 편찬과 함께 관제가 육조 속아문의 관직이 대대적으로 삭감·신치되고 관각을 제외한 육조 속아문의 잡다하던 정3품 이하 관직명이 정(정3)~참봉(종9)으로 통일되었고, 병마도절제사와 수군도절제사가 병마절도사와 수군절도사로 개칭되는 등 경관직은 정1품 영·좌·우의정~종9품 참봉 3,827직, 외관직은 종2품 관찰사~종6품 병마평사 498직으로 정비된 후 『경국대전』에 법제화되었다.

중앙관아는 태종초에 도평의사사를 개편하면서 성립되었던 의정부가 기능·관직명의 개정과 함께 조선의 최고 국정기관으로 정착되고, 6조가 정2품 아문으로 승격되고 정비된 속사·속아문을 거느리면서 국정을 분장하는 정책·서정기관으로 정착되었다. 이어 태종 중반~성종 15년까지 종친 등과 무임소 당상관의 예우기관으로 종친·의빈·돈령·충훈·중추부, 조옥기관인 의금부, 군사기구인 5위도총부와 5위 등이 설치·정착되고 왕실예우기관인 공안부 등이 혁거되고 문한기구인 홍문관 등이 설치되면서 의정부·중추부 등 20여 직계아문과 종부시 등 70여 속아문으로 정비되어 『경국대전』에 법제화되었다.

지방관아는 도와 군현은 태종대에 고려 말의 관제를 계승하여 운영되던 7도2면을 경기 등 8도, 297부윤부·대도호부·목·지군·현령현·감무현을 명칭을 개칭하고 통폐합 및 屬縣을 主縣으로 승격하면서 4부윤부·2대도호부·18목·34도호부·85知郡·36현령현·147현감현의 326군현으로 정비되었다. 이 도제와 군현제가 이후 성종대까지 지군이 군으로 개칭되고 군현이 조정되면서 4부윤부·4대도호부·20목·44도호부·82군·34현령현·141현감현의 329군현으로 정립된 후 『경국대전』에 법제화되었다.

邊鎭은 태조~태종대에 연변을 방어하기 위하여 육해 요지에 병마첨절제사·병마만호와 수군도만호·수군만호를 설치하면서 비롯되어 세종대에 17병마첨절제사·4수군첨절제사·6수군도만호·18병마만호·47수군만호의 92진으로 정비되었으며, 문종~성종대에 병마첨절제사와 수군도만호가 혁거되고 수군진이 대폭 증가되면서 11수군첨절제사·18병마만호·55수군만호의 84진으로 정립되어 『경국대전』에 법제화되었다.

국정운영체계는 태종대에 개국초의 도평의사사가 의정부로 개편되고 6조가 정3품 아문에서 정2품 아문으로 승격되고 육조 속아문·속사제의 정착과 함께 서무를 분장하게 되면서 '의정부-6조체제'로 정비된 후 『경국대전』에 법제화되었다.

② 조선 중·후기 官階는 『경국대전』에 규정된 관계 중 문·무산계 종2품 상계인 嘉靖大夫가 嘉義大夫로 개정되면서 후대로 계승되었고, 고종 2년에 문·무산계 정1품 상계와 하계의 중간에 上輔國崇祿大夫가 설치 및 문·무산계와 독립적으로 운영되던 종친·의빈계가 문·무산계로 통일되면서 『대전회통』에 법제화되었다.

③ 조선 중·후기에 경외 관직이 변천하게 된 배경은 관아의 설치·혁거·강격, 재정난, 邑號의 昇·降 등이었고, 관아·관아기능이 변천하게 된 배경은 급변하는 정치·군사·경제·사회에 대처하기 위한 관제개편, 반역·강상범죄 등으로 인한 군현강역, 왕비 출신 군현 등 왕실관련 군현의 승격 등이었다.

④ 조선 중·후기 京官職은 文班職은 『경국대전』에 규정된 祿職 510직·遞兒職 96직·無祿職 95직·兼職 162직이 왜란 이후에 기능이 약화된 六曹屬衙門의 정3품 이하 수십여 녹직이 삭감·혁거되고 廟·殿·陵·園의 조성에 따라 종5품 令 이하 능관 등 50여 직이 증치되었으며, 신설된 備邊司·宣惠廳·奎章閣 등 10여 직계아문의 운영과 관련되어 都提調·提調·提學·副提調 등 50직 이상의 당상 겸직이 설치되는 등 녹직 483직·체아직 75직·무록직 52직·겸직 195직(『속대전』)~녹직 468직·체아직 56직·무록직 34직·겸직 176직으로 변천되면서 운영되다가 『대전회통』에 법제화되었다.

武班職은 직계아문과 병조 속아문 관직은 『경국대전』에 규정된 792녹직,

2,464체아직, 30겸직이 왜란 이후에 5위제가 5군영제로 개편됨에 따라 5위 녹직이 체아직으로 전환되고 체아직이 크게 삭감되면서 74녹직, 1,511체아직, 74겸직(『속대전』)~116녹직, 1,388체아직, 77겸직으로 운영되다가 『대전회통』에 법제화되었다.

군영아문 관직은 중종 17년 이전에 정비된 포도청과 왜란 중인 선조 26년에 창설된 訓練都監에 설치된 겸직 2직(도감당상)과 정직 39직(종2 4, 정3 1, 종6 6, 종9 28)이상이 영조 22년 이전까지 어영청 등 9아문, 영조 23년 이후에 용호영(금군청후신)·총리영(장용영후신)이 설치되고 대장·사·중군(종2), 별장·천총·기사장 등(정3), 파총·백총 등(종4), 낭청·종사관(종6), 초관·교련관·기패관·각종 군관 등(종9)의 체제로 정비되고 관직 수가 변천되면서 겸직 23직(정1-도제조4·대장3, 종1~종2-제조4, 정2-대장1, 종2-사2·수성장1, 정3-영장1, 종6-낭청1·종사관2)과 정직 3,490직(종2 13, 정3 43, 종4 29, 종6 18, 종9 2,287, 『속대전』)으로 정비되었다. 이것이 다시 이후 고종 2년까지 겸직 56직(정1-도제조1·대장1, 종1~종2-제조4, 종2-사4, 정3-영장11·별장2·천총1, 종4-파총22, 종6-판관1·척후장1)과 정직 3,074직(종2 11, 정3 52, 종4 53, 종6 19, 종9 2,942)으로 변천되면서 운영되다가 『대전회통』에 등재되었다.

⑤ 조선 중·후기 外官 文班職은 군현의 강격·복구, 승격 등과 관련된 읍호의 변천에 따라 『경국대전』에 규정된 관찰사 8직·부윤 이하 각급 수령 338직·도사 8직·서윤 2직·판관 36·심약 16직·검율 9직·교수 72직·훈도 249직·찰방23·역승18직이 학관인 교수·훈도가 혁거되면서 관찰사 8직·부윤 이하 각급 수령 329직·도사 8직·서윤 2직·판관 8직·평사 1직·심약 17직·검률 9직·역학훈도 6직, 찰방 40직(속대전)~관찰사 8직·부윤 이하 각급 수령 330직·도사 8직·서윤 2직·판관 8직·평사 1직·심약 17직·검율 9직·역학훈도 18직, 찰방 40직으로 개변되면서 운영되다가 『대전회통』에 법제화되었다.

무반 녹직은 변방과 내륙의 방어강화와 관련되어 『경국대전』에 규정된 병마절도사 15·수군절도사 17, 수군첨절제사 12·병마만호 18·수군만호 55·병마평사 2·병마우후 6·수군우후 5직 등 130직이 새로이 수군동첨절제사·순영중군·영장·방어사·수군통제사·수군통어사·위장·권관·별장·감목관 등이 설치되면서 병사 16·수사 17·수군첨절제사 19·수군동첨절제사 17·병마만호 41·수군만호 37·병마평사 1·병마우후 7·수군우후 4, 수군통제사 1·수군통어사 1·영장 46·방어사 7·위장 10·통제영우후 1·권관 455·별장 35·감목관 21직의 581직(속대전)~병사 16·수사 16·수군첨절제사 21·수군동첨절제사 16·병마만호 40·수군만호 35·병마평사 1·병마우후 7·수군우후 4, 수군통제사 1·수군통어사 1·위장 10·영장 42·방어사 7·순영중군 8·통어영중군 1·권관 31·별장 34·감목관 21직으로 운영되다가 『대전회통』에 법제화되었다.

⑦ 조선 중·후기 직계아문은 『경국대전』에 규정된 의정부 등 23아문이 명종 10년에 상설아문이 된 備邊司를 시작으로 이후 고종 2년까지 堤堰司, 宣惠廳, 濬川司, 江華·廣州留守府, 奎章閣, 水原留守府가 차례로 설치되고 兼司僕·內禁衛·羽林衛와 비변사·제언사가 혁거(금군청과 의정부에 합속)되는 등으로 변천되면서 의정부·비변사 등 24아문(『속대전』)~의정부·비변사·규장각 등 25아문으로 운영되다가 『대전회통』에 정부·선혜청 등 26아문으로 법제화되었다.

조선 중·후기 군영아문은 명종 15년과 선조 26년에 捕盜廳과 訓練都監을 설치하면서 비롯되었고, 이후 고종 2년까지 14아문이 설치, 4아문이 혁거, 1아문이 강격, 3아문이 개칭되었다가 『대전회통』에 訓練都監·禁衛營·御營廳·摠戎廳·扈衛廳·龍虎營·捕盜廳·總理營·守禦廳·管理營·鎭撫營의 11아문으로 법제화되었다.

조선 중·후기 六曹屬司는 『경국대전』에 규정된 19속사가 정치·군사·경제·사회의 급변, 비변사 등의 운영과 관련되어 업무가 분화되면서 호조 經費司와 병조 武選·乘輿司가 別例房과 政色·馬色으로 개칭되고 호조에 前例房·辨別房·別營色·別庫色·歲幣色·應辯色·銀色, 병조에 一軍色·二軍色·有廳色·都案色·結

束色이 설치되면서 16속사·4방·12색으로 개정되어 『대전회통』에 법제화되었다.

조선 중·후기 六曹 屬衙門은 『경국대전』에 규정된 忠翊府 등 66아문이 관아기능의 조정에 따른 관아혁거, 세손책봉에 따른 관아설치 등에 따라 충익부 등 16아문이 혁거되고 세손강서원·위종사가 설치되면서 50아문(속대전)~52아문으로 운영되다가 『대전회통』에 홍문관 등 52아문으로 법제화되었다. 또 장관의 강격·승격, 관직의 혁거에 따라 정3품 아문이 대거 종4품 이하 아문으로 강격되면서 『경국대전』에 종2품 아문 2·정3당상 2·정3 27·종3 1·정4 5·종4 2·정5 2·종5 8·정6 3·종6 12아문에서 종2품 아문 2·정3당상 1·정3 20·종3 2·정4 1·종4 2·정5 2·종5 7·정6 1·종6 18아문의 56아문(정조 8)~종2 1·정3당상 1·정3 19·종3 2·정4 2·정5 2·종5 7·정6 1·종6품 17아문으로 운영되다가 『대전회통』에 법제화되었다.

⑧ 조선 중·후기 道의 수와 아문의 지위는 『경국대전』에 규정된 그것이 변동 없이 후대로 계승되었다. 그러나 도명은 경기·경상·함경·평안도는 그대로 계승되었지만 충청·전라·강원·황해도는 읍호의 강격과 관련된 계수관의 변경에 따라 청공·청홍·충청·충홍·공홍·공청, 전남·전광, 원양·강양·원춘, 황연 등으로 개칭되다가 순조말에 경기·충청·경상·전라·강원·황해·평안·함경도로 개정되어 『대전회통』에 법제화되었다.

郡縣은 군현명은 『경국대전』에 규정된 그것이 변동 없이 후대로 계승되었다. 그러나 군현의 수와 읍격은 조선 중·후기를 통하여 8개 군현이 설치되고 55개 군현이 혁거 및 50개 군현이 복치되었으며, 97개 군현이 강격되고 65개 군현이 승격되었다. 그 변천시기를 보면 왜란·호란후의 외침에 대한 방어강화 등과 관련되어 대부분이 선조 25년~영조 22년이었고, 그 중 읍격이 승격된 군현은 경기·경상·전라도·평안도에 집중되었다. 『경국대전』에 규정된 4부윤부·4대도호부·20목·44도호부·82군·34현령현·141현감현이 6부윤부·4대도호부·20목·74도호부·65군·26현령현·128현감현(속대전)~5부윤부·5대도호부·20목·71도호부·71군·23현령현·124현감현으로 운영되다가 『대전회통』에 법제화되었다.

⑨ 조선 중·후기 營과 鎭은 영은 왜란중에 경상·전라·충청도의 수군을 총령하기 위하여 3도수군통제영을 두면서 비롯되었고, 이후 군사조련과 연변·내륙의 방어를 강화하기 위하여 영장영·방어사영·위장영이 설치되면서 정착되었다. 영장영은 1627년(인조 5)에 충청·경상·전라도에 16영이 설치되었고, 이후 혁거·복치되면서 8도에 3~9영의 46~42영으로 운영되다가 『대전회통』에 법제화되었다. 방어사영은 1691년(숙종 17)에 평안도 강계에 1영을 설치하면서 비롯되었고 이후 평안·경기·강원·함경도에 1~3영의 7~5직으로 운영되다가 『대전회통』에 법제화되었다. 그 외에도 1746년(영조 22) 이전에 함경도에 설치된 10위장영, 1592년(선조 25)에 설치된 3도수군통제영, 1633년(인조 11)에 설치된 수군통어영이 후대로 계승되다가 『대전회통』에 법제화되었다.

진은 변경과 내륙 요충지에 설치된 군사요새인데 병마진에는 만호진이 있고, 수군진은 첨절제사·동첨절제사·만호진이 있었다. 병마진은 『경국대전』에 규정된 18진이 36진(속대전)~40~31진으로 운영되다가 『대전회통』에 31진으로 법제화되었다. 수군진은 『경국대전』에 규정된 12첨절제사·58만호진이 동첨절제사가 신치되면서 17첨절제사·15동첨절제사·44만호진(속대전)~첨절제사 21~27진, 수군동첨절제사 16~11진, 수군만호 35진으로 운영되다가 『대전회통』에 첨절제사 27·동첨절제사 11·만호 35진으로 법제화되었다.

또 진의 전방에 堡를 설치하고 權管(종9)을 두어 북변방어를 보조하였고, 내륙 山城에 別將(종9)을 두고 관리하여 유사시에 대비하였다. 보는 평안·함경도 등지에 46~31소, 산성은 경기·경상·전라·황해 평안도에 15~17소로 운영되다가 『대전회통』에서 각각 31소와 17소로 법제화되었다.

⑩ 조선 중·후기 관아기능이 변천된 배경은 급변하는 정치·군사·경제·사회정세, 이와 관련된 비변사·선혜청·훈련도감 등 군영아문의 설치, 비변사·

훈련도감 등이 중심이 된 정치·군사의 운영, 당파가 중심이 된 정치세력의 등장과 당파의 사익우선의 정치운영이었다.

⑪ 조선 중·후기 직계아문 기능은 조선중기에는『경국대전』체제가 준행되면서 비록 단기적으로는 권신·훈신·척신·사림대두 등의 대두로 의정부·육조·삼사 등의 기능이 위축되기도 하나 設官分職이 준행되면서 법제적으로 규정된 기능을 발휘하면서 국정운영을 주관하였다. 그러나 조선후기에는 신설된 비변사와 선혜청이 최고의 정치·군사기구와 경제기구가 되었고, 정권을 다투거나 주도한 당파가 이들 기구를 분점하거나 장악하면서 국정운영을 주도하였다. 이에 따라 의정부는 최고 정치기구라는 명목만 유지하게 되었고 육조 특히 이·병·호조는 기능이 위축되고 약화되었으며, 사헌부·사간원·홍문관은 점차로 기능이 위축되고 특히 영조대 후반기 이후에는 국정을 주도·전단한 노론·외척의 언론탄압에 따라 크게 약화되었다.

軍營衙門은 왜란 중에 창설된 訓鍊都監을 위시하여 순조초까지 5군영이 중심이 된 10여 아문이 연이어 설치되면서 조선중기에 점진적으로 허설화된 5위에 대신하여 국왕·궁궐호위, 도성 내·외의 방어를 관장하는 주력부대로 규정되었고, 실제로도 그 기능을 발휘하였다.

六曹 屬衙門 기능은 조선중기에는『경국대전』체제가 계승되면서 육조의 지휘를 받으면서 각 관아에 분장된 사무를 집행하였다. 그러나 조선후기에는 신설된 비변사·선혜청·5군영 등의 정치·경제·군사주도, 재정난과 관련된 육조 속아문 정비·호조와 병조속사 확대 등과 관련되어 다수의 아문이 강격·혁거됨은 물론 존속된 아문도 그 기능이 크게 약화되었다.

六曹 屬司는 조선중기에는『경국대전』체제가 계승되면서 각사에 규정된 기능을 담당하였다. 그러나 조선후기에는 최고의 정치·경제·군사기구로 대두된 비변사·선혜청·5군영 등의 기능발휘에 수반된 문·무반, 재정, 군사분야 활동으로 인해 이조, 병조, 호조 기능의 위축과 함께 당시까지 이와 관련된 정사를 담당한 속사도 위축되었다. 반면에 급변하는 경제, 군사문제와

관련되어 새로이 설치된 병조, 호조 등이 속사의 중심이 되었다.

⑫ 조선 중·후기 外衙門인 도·군현과 병영·수영·진의 법제적인 기능은 모두 조선초기의 기능이 그대로 준행되었다. 그러나 군현과 진에 있어서는 왜란과 호란 이후에 내륙과 연변 방어를 위해 감·병영과 군현·진의 중간기구로 신설된 영장영·방어사영·위장영의 군사훈련·지휘 등과 관련하여 단기적으로 군정기능의 발휘가 제약되고 위축되었다.

⑬ 조선중기 의정부는 『경국대전』에 규정된 "百官을 거느리고 庶政을 고르게 하고 陰陽을 다스리며 나라를 경륜한다"는 기능을 계승하여 최고 정치기관으로 존속되었다. 의정부는 이 기능을 토대로 적극적인 정치참여 형태인 啓聞·擬議를 중심으로 가장 중요한 국사인 인사, 군사, 형정, 외교, 법제, 의례 등을 중심으로 모든 국정에 걸쳐 활동하였다.

이러한 의정부 활동은 의정부가 국정운영의 중심이 된 중종 11~28년은 물론 육조가 국정운영의 중심이 된 연산군 1년~중종 10년·중종 29년~선조 24년의 모든 시기에 걸쳐 큰 차이가 없었다. 또 원상제가 실시된 연산군·중종·인종·명종·선조 즉위초, 비변사가 변사를 주관한 중종 5년~선조 24년, 권신이 대두된, 훈신이 대두된, 언관이 대두된 중종 11~14년, 외척이 대두된 등의 시기에도 전후의 시기와 차이가 없었다.

즉, 조선중기 의정부는 육조서사제 운영 때에는 육조를 지휘하면서 국정운영을 주도하였고, 육조직계제 운영 때에는 최고국정기관으로서의 기능과 지위를 토대로 모든 정사를 직접으로 계문하거나 육조가 상계한 정사·현안사를 국왕의 명을 받고 단독으로나 육조와 함께 논의하여 그 결정에 참여함으로써 국정을 통령하였다.

⑭ 조선 중·후기 정치제도는 중기에는 큰 변화가 없었지만 후기에는 급변하는 정치·경제·군사·사회 정세에 대처하기 위해 비변사·선혜청·훈련도감이 중심이 된 10여 군영아문·강화유수부 등을 설치하여 급변하는 정세에 대처하고 도성 내외의 방어를 강화하였다. 또 통제사영·통어사영과 다수의 위장영·

방어사영·영장영을 설치하고 첨절제사·동첨절제사·만호진을 설치·혁거하고 그 격을 승강하며 변진의 전방에 다수의 보를 설치하여 변방의 방어를 강화하였다.

이러한 제도개편에 따른 경외 정치·정치군사기구는 국내외를 안정시키면서 평화를 지속시켰기에 왜란과 호란의 혼란을 겪은 왕조를 지속하기도 하나 집권 당파의 존속과 영향력을 확대시켜 나가는 토대가 되었다.

⑮ 조선 후기에는 학연과 지연에 토대한 정치세력인 당파가 등장하고 이 당파가 분립되어 정권을 분점하거나 1당이 독주하면서 정치를 주도·전단하였다. 당파분립기나 1당전제기의 정치주도 세력은 모두 조선후기에 설치되어 정치와 군사를 주도한 비변사와 5군영 등을 토대로 하였다. 비변사는 의정부 3의정·5조판서 등과 정1~종2품 관직(관계)자가 겸대한 도제조·제조·유사당상이 관장하였고, 훈련도감 등 군영아문은 의정·병조판서가 겸한 도제조 등이나 비변사가 천거한 대장·사가 관장하였기에 이 두 기관에 최고의 정치·군사권-권력의 핵심이 집중된 셈이었다. 즉 정치를 주도한 당파는 정치·군사의 권력이 집중된 비변사와 군영아문을 장악하면 바로 정치·군사를 주도하면서 집권함은 물론 국정전반을 주도할 수 있었다.

실제로도 정치를 분점하거나 독점한 선조대의 동인과 서인, 광해군대의 북인, 인조~효종대의 서인, 숙종대의 남인·서인, 영조~정조대의 노론·소론, 순조~철종대에 세도정치를 행한 안동김씨·풍양조씨 모두 먼저 비변사·군영아문의 운영을 주도한 도제조와 제조를 예겸한 영·좌·우의정(도제조)과 이·호·예·병·형판. 개성·강화·광주·수원유수, 훈련대장·금위대장·어영대장·총융사·수어사(제조)의 다수를 차지하였고, 이 위에서 비변사·군영아문을 장악하고 국정을 주도하거나 전단하였다. 특히 세도정치가 행해진 순조~철종대에는 그 모든 시기에 세도가가 중심이 되어 국정을 주도하였지만 철종대에는 안동김씨의 인물이 대거 의정·판서·군영대장을 점하고 언관과 철종을 무력화시키면서 정치·군사를 천단하였다.

이상에서 조선후기에 행해진 중앙과 지방정치제도의 변천은 당시의 급변하는 국내외 정치, 경제, 사회, 군사에 대처하면서 국방과 민생을 안정시키고 평화를 지속시켰으며, 왜란 이후에 동요된 왕조를 안정·지속시키는 토대가 되었다. 그러나 보다 근본적으로는 최고의 정치·군사기구인 비변사가 소수의 당상겸직에 의해 운영되도록 짜여졌기에 정치를 주도하거나 전단한 당파가 비변사의 장악을 통해 용이하게 정권을 장악하고 행사할 수 있었고, 그 결과 언론과 왕권을 약화시키고 장기간 노론 일당독재나 안동김씨·풍양조씨 외척정치를 유지·강화하고 지속시켜 나가는 토대가 되었다고 하겠다.

요컨대 조선 중·후기에는 다수의 直啓·軍營衙門이 설치되어 국정운영을 주도한 반면에 六曹屬衙門은 수·질적으로 크게 감소되면서 그 기능발휘가 약화되었으며, 신설된 직계·군영아문은 최고위직의 대부분이 정치를 주도한 당파에 의해 점유되면서 당파와 세도가의 영향력을 지속·강화시켜 나가는 중요한 토대가 되었다고 하겠다. 참고로 조선 중·후기 정치·군사를 주도한 직계·군영아문과 육조 속아문의 관아 변천, 정치동향을 정리하여 제시하면 다음의 표와 같다.

〈표 18-1〉 조선 중·후기 직계·군영아문, 중요 속아문의 관직·관아 변천과 정치동향 (/ 이후는 속아문)[1)]

	주요증치관직	주요삭감관직	예겸 주요관직	주요신치아문	주요승격아문
성종16~선조24	羽林衛, 左·右 捕盜廳		備邊司·宣惠廳·濬川司·都提調 외	羽林衛, 左·右 捕盜廳	
선조25~영조22	備邊司, 訓練都監, 宣惠廳, 御營廳, 摠戎廳, 濬川司, 扈衛廳, 禁軍廳, 禁衛營, 守禦廳, 經理營, 鎭撫營, 管理營/宣傳官廳, 守門將廳	刑曹正郎·佐郎 각1직, 司憲府 監察 11.	備邊司·宣惠廳·濬川司·都提調 외, 訓練都監 등 都提調	備邊司, 訓練都監, 宣惠廳, 御營廳, 摠戎廳, 濬川司, 扈衛廳, 禁軍廳, 禁衛營, 守禦廳, 經理營, 鎭撫營, 管理營/宣傳官廳, 守門將廳	/世子侍講院
영조23~정조9	奎章閣 提學 외, 世孫講書院 師·傅 외, 世孫衛從司 左·右長史 외	吏曹正郎·佐郎 각1. 掌隷院判決事.	奎章閣 提調	奎章閣/世孫講書院, 世孫衛從司	宣惠廳, 堤堰司, 濬川司

정조10~고종1	壯勇營(정조17) 大將 외, 總理營 使 외, 水原·廣州府 留守 외		壯勇營 大將, 經理營 使.	壯勇營(정조17), 總理營	華城留守府, 廣州留守府
계	관직(겸직, 정직)	관직(겸직, 정직)	관직(겸직, 정직)	22아문	6~

	강격아문	혁거아문	중요사건	국정중추관아 및 정치주도세력
성종16~선조24	忠翊司, 典設司	定虜衛	中宗反正	議政府, 6曹
선조25~영조22	內資寺(숙종대?), 內贍寺, 司䆃寺, 濟用監, 司宰監, 禮賓寺, 膳工監	兼司僕, 內禁衛, 羽林衛, 忠翊司, 司贍寺, 豊儲倉, 宗學, 修城禁火司	倭亂, 胡亂 仁祖反正, 甲寅·庚申·己巳·甲戌·辛巳辛壬換局, 蕩平策(英祖)	備邊司, 6曹·宣惠廳·訓練都監 등 軍營衙門(堂上官)
영조23~정조9		經理營, 典艦司, 校書館, 掌隷院	蕩平策(正祖)	위 官衙·奎章閣 堂上官
정조10~고종1		守禦廳, 壯勇營, 宗簿寺	勢道政治(순조1년 이후, 安東金·豊壤趙氏)	위 관아·규장각 당상관
계	9~	15~		

1) 앞 〈표 17-1, 2, 4, 6〉에서 종합.

부록

〈별표 1〉 조선 중·후기 경관 문반직 변천 종합[1]

(◐:체아직, ○:무록직, *:무정수)

		『경국대전』	『속대전』(『대전통편』)	『대전회통』 (*정조10~고종1 설치)[2]	비고
	宗親府	大君·君(무품), 君(정1~종2), 都正(정3당상), 正(정3), 副正(종3), 守(정4)副守(종4), 令(정5), 副令(종5), 監(정6, 이상 宗親, 무정수), 典籤1(정4)·典簿1(정5, 이상 朝官)→	→	*領宗正卿(대군·왕자군)·判宗正卿(정1)·知宗正卿(종1~정2)·宗正卿(종2)→ 대군, 왕자군, 영종정경, 군(정1~종2), 판종정경, 지종정경, 종정경, 도정, 정, 부정, 수, 부수, 영, 부령, 감(이상 종친, 무정수), 전첨·주부·직장 각1(조관)	
	議政府	領·左·右議政 각1(정1), 左·右贊成 각1(종1), 左·右參贊 각1(정2), 舍人 2(정4), 檢詳 1(정5), 司祿 2(정8)→	감 사록 1→	영·좌·우의정 각1, 좌·우찬성 각1, 좌·우참찬 각1, 사인 2, 검상 1, 公事官11(종6, 문관 2 侍從啓差, 무관 9 참상 5,·참외 4), 사록 1	
직계아문	備邊司		都提調 *(정1, 시·원임의정), 例兼提調 14(종1~종2, 吏·戶·禮·兵·刑判·大提學, 刑判, 訓練·御營·禁衛大將, 摠戎·守禦使, 開城·江華〈증水原·廣州留守〉), 副提調 1(정3당상겸), 郞廳 12(1, 兵曹 武備司正郞), 有司堂上 4(제조), 8道句管堂上 8(유사당상겸 각2도)→	혁(속 의정부)	
	宣惠廳		도제조 3(정1, 의정), 제조 3(정2, 1 호판), 낭청 3(종6)→	이속 서반	
	堤堰司		도제조 3(의정), 제조 3(비국당상), 낭청 1(5~6품, 비변사낭청)→	혁(속 의정부)	
	濬川司		도제조 3(의정), 제조 6(비변사제조, 병판, 한성판윤, 3군문대장), 都廳 1(정3당상, 御營廳千摠), 낭청 3(5~6품, 3道參軍)→	이속 서반	
	忠勳府	君*(정1~종2), 經歷 1(종4), 都事 1(종5)	혁 경력→	군*(정1~종2), 도사 1	

직계아문		儀賓府	尉(정1~종2) 副尉(정3당상), 僉尉(정3~종3)(이상 무정수), 경력 1(종4), 도사 1(종5)	혁 경력→	위(정1~종2) 부위(정3당상), 첨위(정3~종3)(이상 무정수), 도사 1	
		敦寧府	領事 1(정1), 判事 1(종1), 知事 1(정2), 同知事 1(종2), 都正 1(정3당상), 正 1(정3), 副正 1(종3), 僉正 2(종4), 判官(종5, 2), 主簿(종6, 2), 直長(종7, 2), 奉事(종8, 2), 參奉(종9, 2)	혁정·부정·첨정·봉사, 감 첨정·판관·주부·직장·참봉 각1〈혁 정〉→	영사 1, 판사 1, 지사 1, 동지사 1, 도정 1, 판관 1, 주부 1, 참봉 1	
		義禁府	判事(종1)·知事(정2)·同知事(종2) 4원(겸직), 經歷(종4)·都事(종5) 10	혁 경력·도사, 置 녹관 종6·종9 도사 각5→	판사(종1)·지사(정2)·동지사(종2) 4(겸관), 도사 10(종6-5, 종9-5)·	종 1품 아문
	6曹	吏曹	判書(정2, 1), 參判(종2, 1), 參議(정3당상, 1), 正郎(정5, 3), 佐郎(정6, 3)→	감 정랑·좌랑 각1→	판서·참판·참의 각1, 정랑·좌랑 각2	정 2품 아문
		戶曹	판서(정2, 1), 참판(종2, 1), 참의(정3당상, 1), 정랑(정5, 3), 좌랑(정6, 3), 算學敎授(종6 1), 別提(종6, 2), 算士(종7, 1), 計士(종8, 2), 算學訓導(정9, 1), 會士(종9, 2)→	감 별제·계사·회사 각1→	판서·참판·참의 각1, 정랑·좌랑 각3(회계사 정랑·좌랑 구임), 산학교수·별제·산사·계사·산학훈도·회사 각1	
		禮曹	이조와 동	→	이조와 동	
		兵曹	판서(정2, 1), 참판(종2, 1), 참의(정3당상, 1), 參知(정3당상, 1), 정랑(정5, 4), 좌랑(정6, 4)	→	판서·참판·참의·참지 각1, 정랑·좌랑 각4	
		刑曹	판서(정2, 1), 참판(종2, 1), 참의(정3당상, 1), 정랑(정5, 4), 좌랑(정6, 4), 律學敎授(종6, 1), 別提(종6, 2), 明律(종7, 1), 審律(종8, 1), 律學訓導(정9, 1), 檢律(종9, 2)	감 정랑·좌랑·별제 각1→	판서·참판·참의 각1, 정랑·좌랑 각3, 율학교수·별제·명률·심률·율학훈도·검률 각1	
		工曹	이조와 동	→	이조와 동	
		漢城府	判尹(정2, 1), 左·右尹(종2, 각1), 庶尹(종4, 1), 判官(종5, 2), 參軍(정7, 3, 1은 通禮院引儀 겸)	감 판관 1·참군 2, 치 주부 1→증주부 1 혁 참군→	판윤 1, 좌·우윤 각1, 서윤 1, 판관 1, 주부 1	
		水原留守府			정조17 留守 2(정2, 1 경기관), 判官 1(종5), 檢律 1(종9)→	

직계아문	廣州留守府			정조19 留守 2(정2, 1 경기관), 判官 1(종5), 檢律 1(종9)→	
	奎章閣		*提學 2(종1~종2겸), 直提學 2(종2~정3상겸), 直閣 1(정3~종6), 待敎 1(정7~정9) 본각), 判校 1(정3겸), 校理 1(종5), 博士 2(정7), 著作 2(정8), 正字 2(정9), 副正字 2(종9)(외각)→	제학 2, 직제학 2, 직각 1, 대교 1(본각), 판교 1, 교리 1, 박사 2, 저작 2, 정자 2, 부정자 2(외각)	
	司憲府	大司憲(종2, 1), 執義(종3, 1), 掌令(정4, 2), 地平(정5, 2), 監察(정6, 24)→	감 감찰11→	대사헌 1, 집의 1, 장령 2, 지평 2, 감찰 13	종2품아문
	開城府	留守(종2, 1〈경기관찰사〉), 經歷 1(종4), 都事 1(종5), 敎授 1(종6)→	혁 도사→	*치 분교관·검률 각1(종9) → 유수 2(1 경기관찰사), 경력 1, 교수 1, 분교관 1, 검률 1	
	江華留守府		유수 2(종2, 1, 경기관찰사), 경력 1(종4)→	*치 분교관·검률 각1(종9) → 유수 2(1 경기관찰사), 경력 1, 분교관 1, 검률 1	
	承政院	都·左·右·左副·右副·同副承旨 각1(정3당상), 注書 2(정7)	치 事變假注書 1(정7)→	도·좌·우·좌부·우부·동부승지 각1), 주서 2), 사변가주서 1	정3품아문
	司諫院	大司諫 1(정3당상), 司諫1(종3), 獻納 1(정5), 正言2(정6)→	→	대사간 1, 사간 1, 헌납 1, 정언 2	
	經筵	領事 3(정1, 의정겸), 知事 3(정2겸), 同知事3(종2겸), 參贊官 7(정3당상, 7〈 6승지, 홍문관부제학〉), 侍講官(정4겸)·侍讀官(정5겸)·檢討官(정6겸)·司經(정7겸)·說經(정8겸)·典經(정9겸)(이상 무정수)	→	영사 3, 지사 3, 동지사 3, 참찬관 7, 시강관·시독관·검토관·사경·설경·전경(이상 무정수)	
	합계[1]	본직(녹직 161, 체아직 12, 무록직 4), 겸직 24	본직(녹직 153, 체아직 8, 무록직 3), 겸직 52	본직(녹직 162, 체아직 10, 무록직 3), 겸직 22	
이조속아문	忠翊府	都事 2(종5)	연산12 혁 도사→ 중종1 복 → 명종1 혁→ 광해군8 복→ ? 혁→ 숙종6 복→ 숙종27 혁(속 충훈부)		종2품아문
	內侍府	尙膳 2(종2), 尙醞·尙茶 각1(정3), 尙藥 2(종3), 尙傳 2	→	→	

이조속아문		(정4), 尙冊 3(종4, 1 鷹坊遞兒, 2 大殿薛里), 尙弧 4(정5), 尙帑 4(종5), 尙洗(정6), 尙燭 4(종6) 尙烜 4(정7), 尙設 6(종7), 尙除 6(정8), 尙門 5(종8), 尙更 6(정9) 尙苑 5(종9)			
	尙瑞院	正 1(정3, 도승지겸), 判官 1(종5), 直長 1(종7), 副直長 2(정8)	감 판관·부직장 각1→	정 1(정3, 도승지겸), 판관 1, 직장 1, 부직장 2	정3
	宗簿寺	도제조 2(존속종친), 제조 2, 正 1(정3), 僉正 1(종4), 主簿 1(종6), 直長 1(종7)	혁 첨정→	혁(속 종친부)	
	司饔院	정 1(정3), 첨정 1(종4), 판관 1(종5), 주부 1(종6), 직장 2(종7), 봉사 3(종8), 참봉 2(종9)	가 주부 1·봉사 1, 혁 판관, 혁 참봉 2→	가 주부 1→정 1, 제거·제검 4, 첨정 1, 주부 3, 직장 2, 봉사 3	
	內需司	典需 1(정5), 별좌(5품)·별제(6품) 2○, 副典需 1(종6), 典會 1(종7), 典穀 1(종8), 典貨 2(종9)	→	전수 1, 별좌 2, 별제 2, 부전수 1, 전회 1, 전곡 1, 전화 2	정5
호조	內資寺	提調 1, 正 1(정3), 副正 1(종3), 僉正 1(종4), 判官 1(종5), 主簿 1(종6), 直長 1(종7), 奉事 1(종8)	혁 정·부정·첨정·판관→	제조 1, 주부·직장·봉사 각1	정3
	內贍寺	內資寺와 같음	혁 정, 부정, 첨정, 판관→	제조 1, 주부·직장·봉사 각1	
	司稟寺	제조 1, 정 1(정3), 부정 1(종3), 첨정 1(종4), 주부 1(종6), 직장 1(종7)	혁 정·부정→	˚혁 직장, 치 봉사 1→제조 1, 첨정·주부·직장·봉사 각1	
	司贍寺	司稟寺와 같음	혁 부정, 치 봉사·참봉 각1 →˚혁 관아		
	軍資監	都提調 1, 제조 1, 정 1(정3), 부정 1(종3), 첨정 2(종4), 판관 3(종5), 주부 3(종6), 직장 1(종7), 奉事 1(종8), 副奉事 1(종9), 參奉 1(종9)	혁 부정·첨정·부봉사·참봉 각1, 감 판관 1·주부 2→	도제조 1, 제조 1, 정·판관·주부·직장·봉사 각1	
	濟用監	제조 1, 정 1, 부정 1, 첨정 1, 판관 1, 주부 1, 직장 1, 봉사 1, 부봉사 1, 참봉 1(생략된 관품은 앞 관아 참조, 이하도 같다)	혁 정·부정·첨정·참봉, 치 판관 1→	가 주부 1, 혁 직장→제조 1, 판관·주부·직장·봉사·부봉사 각1	

호조	司宰監	제조 1, 정 1, 부정 1, 첨정 1, 주부 1, 직장 1, 참봉 1	혁 정, 치 봉사 1→	첨정·주부·직장·봉사 각 1	
	豊儲倉	守 1(정4), 주부 1, 직장 1, 봉사 1, 부봉사 1	혁(속 장흥고)		정4
	廣興倉	수 1, 주부 1, 봉사 1, 부봉사 1	혁 주부·부봉사→	*치 영 1(종5)·직장 1→수·영·직장·봉사 각1	
	典艦司	도제조 1, 제조 1, 提檢(종4)·別坐(5품)·別提(6품) 5, 水運判官 2(종5)	혁(속 水運判官)		종4
	平市署	제조 1, 令 1(종5), 직장 1, 봉사 1	→*치 主簿 1, 혁 봉사→	제조 1, 영·주부·직장 각1	종6
	司醞署	영 1, 주부 1, 직장 1, 봉사 1	혁		
	義盈庫	영 1, 주부 1, 직장 1, 봉사 1	혁 영→	주부·직장·봉사 각1	
	長興庫	義盈庫와 같음	혁 영→	가 주부 1, 혁 직장→ 제조 1, 주부 2, 봉사 1	
	司圃署	司圃 1(정6), 別提(6품)·別檢(8품) 7	혁 사포·별검, 치 직장1→ *별제 2(종6)	제조 1, 별제 2, 직장 1	정6
	養賢庫	주부 1(성균관전적 겸), 직장 1(성균관박사 겸), 봉사1(성균관학정 겸)	→	주부·직장·봉사 각1(성균관관 겸)	종6
	五部(東·西·南·北·中部)	주부 각1, 참봉 각2	치 都事 각1(종6)·奉事(종8) 각1, 혁 참봉→	*영 각1, 도사 각1→ 영·도사 각1	
예조	弘文館	領事 1(정1, 의정겸), 大提學 1(정), 提學 1(종2),(이상 겸관), 副提學 1(정3당상), 直提學 1(정3), 典翰1(종3), 應敎 1(정4), 副應敎 1(종4), 校理 2(정5), 副校理 2(종5), 修撰 2(정6), 副修撰 2(종6), 博士 1(정7), 著作 1(정8), 正字 2(정9)	→	영사 1(영의정겸), 대제학 1, 제학 1, 부제학 1, 직제학 1(도승지겸), 전한 1, 응교 1, 부응교 1, 교리 2, 부교리 2, 수찬 2, 부수찬 2, 박사 1, 저작 1, 정자 2	정3
	藝文館	영사 1(정1, 의정), 대제학 1 (정2), 제학 1(종2)(이상 겸관), 직제학 1(정3, 도승지), 應敎 1(정4, 홍문관교리~직제학 중 겸), 奉敎 2(정7), 待敎 2(정8), 檢閱 4(정9)	〈혁 직제학〉→	영사 1(의정), 대제학 1(정2겸), 제학 1(종2겸), 응교 1(홍문직제학 이하), 봉교 2, 대교 2, 검열 4	
	成均館	지사 1(정2), 동지사 2(종2)(이상 겸관), 大司成 1(정3당상), 司成 2(종3), 司藝 3(정4), 直講 4(정5), 典籍 13(정6),	치 兼司成 1(종3)→	지사 1·동지사 2(겸), 대사성 1, 제주 1, 사성 2, 겸사성 1, 사예 3, 사업 1, 직강 4, 전적 13, 박사·학	

		博士 3(정7), 學正 3(정8), 學錄 3(정9), 學諭 3(종9)		정·학록·학유 각3	
	春秋館	영사 1(정1, 영의정겸), 감사 2(정1, 좌·우의정겸), 지사 2(정2), 동지사 2(종2)(이상 겸직), 修撰官(정3)·編修官(정3~종4)·記注官(정·종5)·記事官(정6~정9)*	→	→	
	承文院	도제조 3(의정), 제조*, 부제조*, 判校 1(정3), 參校 2(종3), 校勘 1(종4), 校理1(종5), 校檢 1(정6), 博士 2(정7), 著作 2(정8), 正字2(정9), 副正字 2(종9)	→	도제조 3, 제조·부제조*, 판교 1, 교검 1, 박사·저작·정자·부정자 각2	
	通禮院	左·右通禮 각1(정3), 相禮 1(종3), 奉禮 1(정4), 贊儀 1(정5), 引儀 8(종6, 6 겸관)	가 인의 2, 치 겸인의 6→ 〈가 가인의 6〉→	좌·우통례 각1, 상례 1, 익례 1, 찬의 1, 인의 8, 겸인의 8, 가인의 6	
예조	奉常寺	정 1, 부정 1, 첨정2, 판관 2, 주부 2, 직장 1, 봉사 1, 부봉사 1, 참봉 1(주부 이상 6원 구임)	→	정·첨정·판관 각1, 주부 2, 직장(승문참외)·봉사(성균참외)·부봉사(성균참외)·참봉(교서참외) 각1	
	校書館	제조 2, 判校 1(정3)◎, 校理 1(종5), 별좌·별제 4,○ 博士 2(정7), 著作 2(정8), 正字 2(정9), 副正字 2(종9)	혁 판교·별좌·별제·치 兼校理3(종5) (〈이속 奎章閣(外閣)〉)		
	內醫院	도제조·제조·부제조(승지겸) 각1, 정 1, 첨정 1, 판관 1, 주부 1, 직장 3, 봉사 2, 부봉사 2, 참봉 1(모두 체아직)	→	도제조·제조·부제조(승지겸) 각1, 정·첨정·판관·주부·직장 각1◐, 봉사·부봉사 각2◐, 참봉 1◐	
	禮賓寺	제조 1, 정 1, 부정 1, 提檢(정4)·별좌·별제 6○, 첨정 1, 판관 1, 주부 1, 직장 1, 봉사 1, 참봉 1	제조 1(호판), 혁 정·겸정·부정·첨정·판관, 가 참봉 1 →	제조 1, 주부 2, 직장 1, 참봉 2	
	掌樂院	제조 2, 정 1, 첨정 1, 주부 1, 직장 1	제조 2(1 의정)→	제조 2(1 의정), 정 1, 첨정 1, 주부 2(첨정 이하 2원 겸)	
	觀象監	영사 1(영의정), 제조 2, 정 1, 부정 1, 첨정 1, 판관 2, 주부 2, 天文·地理學教授 각1(종6), 직장 2, 봉사 2,	혁 부정, 감 판관·주부·명과학훈도·참봉 각1, 치 天文學(2)·지리학(1)·명과학(1) 겸교수→	영사(1, 영의정), 제조 2, 정·첨정·판관 각1(◐, 1 녹직), 주부 1◐, 천문·지리학교수 각1, 천문학교	

		부봉사 3, 天文·地理學訓導 각1(정9), 命科學訓導 2(정9), 참봉 3		수 3, 명과학겸교수 1, 직장·봉사 각2◐, 부봉사 1◐, 천문·지리학훈도 각1, 명과학훈도 1, 참봉 2◐	
	典醫監	제조 2, 정 1, 부정 1, 첨정 1, 판관 1, 주부 1, 醫學敎授 2(종6), 직장 2, 봉사 2, 부봉사 4, 醫學訓導 1(정9), 참봉 5(교수·훈도 외 체아)	영조 22 이전 혁 부정, 감 의학교수·봉사 각1, 부봉사 2, 참봉 3, 치 馬醫 2(종9)◐→	제조 2, 정·첨정·판관·주부 각1◐, 의학교수 1, 직장 2·봉사 1·부봉사 2◐, 의학훈도 1, 참봉 2·마의 각2◐	
	司譯院	도제조 1, 제조 1, 정 1, 부정 1, 첨정 1, 판관 2, 주부 1, 한학교수 4(종6, 2 문신 겸), 직장 2, 봉사 3, 부봉사 2, 漢學訓導 4(정9), 蒙學·女眞學訓導 각2(정9), 참봉 2	혁 부정, 감 판관·직장·봉사 각1→	도제조 1, 제조 2, 정·첨정·판관·주부 각1◐, 한학교수 4·직장 1·봉사 2·부봉사 2·한학훈도 4·몽학·왜학훈도·참봉 각2◐	
예조	世子侍講院	師 1(정1, 영의정겸), 傅 1(정1, 의정겸), 貳師 1(종1, 찬성겸), 左·右賓客 각1(정2), 左右副賓客각1 (종2)(이상겸직), 輔德 1(종3), 弼善 1(정4), 文學 1(정5), 司書 1(정6), 說書 1(정7)	치 兼輔德(종3)·兼弼善(정4)·兼文學(정5)·兼司書(정6)·兼說書(정7) 각1→	사 1(영의정), 부 1(의정), 이사 1(찬성), 좌·우빈객 각1, 좌우부빈객 각1(이상겸직), 찬선·보덕·겸보덕·진선·필선·겸필선·문학·겸문학·사서·겸사서·설서·자의 각1	종3
	世孫講書院		師·傅 각1(종1), 左·右諭善 각1(종2~정3), 左·右翊善 각1(종4), 左·右勸讀 각1(종5), 左·右贊讀 각1(종6)→	사·부 각1(겸), 좌·우유선·좌·우익선·좌·우권독·좌·우찬독 각1	종4
	宗學	導善 1(정4)·典訓 1(정5)·司誨 2(정6)(성균관 사성~전적 겸)	혁		정4
	昭格署	제조 1, 令 1(종5), 별제 2(文官)○, 참봉 2	혁		종5
	宗廟署	도제조 1, 제조 1, 영 1, 직장 1, 봉사 1, 부봉사 1(직장 이하 1원 구임)	가 영 1, 혁 봉사→˚가 영 1→	도제조 1, 제조 1, 영 2, 직장 1, 부봉사 1,	
	社稷署	도제조 1, 제조 1, 영 1, 참봉2	가 영 1(문신), 치 직장 1	˚가 영 1(음관), 혁 직장·참봉→ 도제조 1, 제조 1, 영 3	
	景慕宮		〈 도제조 1, 제조 1, 영 1(문관)→˚치 직장 1, 봉사 1〉→	˚가 영 2(음관), 혁 직장·봉사→도제조 1, 제조 1, 영 3	
	氷庫	제조 1, 별좌·별제·별검 4○	혁 별좌→˚감 별제(종6), 별검(종8)	제조 1, 별제·별검 각2○	

예조	典牲署	제조 1, 주부 1, 직장 1, 봉사 1, 참봉 2	혁 주부·참봉→	*치 판관 1·부봉사 1, 혁 봉사→제조 1, 판관·직장·부봉사 각1	종6
	司畜署	제조 1, 司畜 1(종6), 별제 2○	혁 사축, 제조 호판 예겸→혁 아문		
	惠民署	제조 2, 주부 1, 의학교수 2(1 문관 겸), 직장 1, 봉사 1, 의학훈도 1, 참봉 4	감 제조 1, 의학교수 1, *가 제조 1→	제조 2, 주부·의학교수·직장·봉사·의학훈도 각1◐(직장 이상 1 녹직), 참봉 4	
	圖書署	제조 1, 별제 2○	→혁 별제→*제조(예판), 혁 별제→	*치 兼教授 1(종6)→제조 1, 겸교수 1	
	活人署	제조 1, 별제 4○, 참봉 2 (의원체아직)	감 별제 2→	제조 1, 별제 2, 참봉 2	
	歸厚署	제조 1, 별제 6○	감 별제 4, *혁 아문(속선공감)		
	四學(東·西·南·北·中學)	교수 각2(종6)·훈도(정9) 각2(성균관전적 이하 겸)	감 교수·훈도 8→	교수 4(1 시종겸), 훈도 4	
	諸殿	도제조 2(문소전, 존속종친), 제조 2(문소전), 참봉 2(문소전)	令 1(종5), 別檢 2(종8)○, 參奉 7(종7) 〈치 도제조 1(영의정), 제조 3(호·예·공판), 낭청 3(호·예·공 낭관), 영 2, 별검 2, 참봉 3)→	1묘 7전 도제조 2, 제조 5, 영 8, 별검 2, 참봉 2, 낭청 3[3]	
	諸陵	參奉(종9) 12릉 각2[4]	영 8, 직장 5, 별검 8, 참봉 57→	47릉 영 29, 직장 9, 봉사 3, 별검 2, 참봉 47[5]	
	諸園			5원 영 2, 참봉 2, 수봉관 4○	
병조	五衛(義興·龍驤·虎賁·忠佐·忠武衛)	將 12(종2겸), 上護軍 9(정3), 大護軍 14(종3), 護軍 12(정4), 副護軍 54(종4), 司直 14(정5), 副司直 123(종5), 司果15(정6), 部長 25(종6), 副司果 176(종6), 司正 5(정7), 副司正 309(종7), 司猛 16(정8), 副司猛 483(종8), 司勇 42(정9), 副司勇1,939(종9)(대호군, 부호군, 부사직, 부사과, 부사정, 부사맹, 부사용은 체아직)	降 將 정3당상, 감 상호군 1·대호군 2·호군 8·사직 3·부사직 23·부장 5,·부사정 60·사맹 1·부사맹 27·사용 18·부사맹 1,358, 가 부호군 22·사과 6,·부사과 1·사정 15→	장 15(정3겸), 상호군 8, 대호군 12, 호군 4◐, 부호군 69, 사직 11◐, 부사직 102, 사과 21◐, 부장 25, 부사과 183, 사정 20◐, 부사정 250, 사맹 15◐, 부사맹 208, 사용 24◐, 부사용 460	정3(무관)
	訓鍊院	知事 1(정2겸), 都正 2(정3당상, 1 겸직), 正 1), 副正 2, 僉正 2, 判官 2, 主簿 2, 參軍 2(정7), 奉事 2	가 첨정 2, 판관 6, 주부 16→	*가 판관 10·주부 20→지사 1(겸), 도정 2(1 겸), 정 1, 부정 2, 첨정 12, 판관 18, 주부 38, 참군 2, 봉사 2	무관

병조	司僕寺	제조 2, 정 1, 부정 1, 첨정 1, 판관 1, 주부 2(판관이상 2 구임)	→혁 부정→	제조2(1, 의정), 정·첨정·판관 각1, 주부 2	문관
	軍器寺	도제조 1), 제조 2, 정 1, 부정 1, 첨정 2, 別坐·別提 2, 판관 1, 주부 2, 직장 1, 봉사 1, 부봉사 1, 참봉 1(주부 이상 2 구임)	혁 정·부정별좌·별제→	*복치 정·부정 각1→도제조 1, 제조 2(1 병판·병참판, 1 무장), 정·부정 각1, 첨정·판관·주부 각2, 직장·봉사·부봉사·참봉 각1	문관
	선전관청	宣傳官 8(정3·종3·종4·종5·종6·종7·종8·종9 각1)	선전관 21(정3당상 1·종6 3·종9 17), 겸선전관 55(종6 43-문신5·무신 38, 종9 12-무신), 문신겸선전관 2(종6), 무신겸선전관 50(종6 38, 종9 12)→*선전관 가 정3당상 3	*선전관 가 정3당상 1 → 선전관 25(정3 당상 5·참상3·종9 17), 겸선전관 52(문신 2 종6·무신 50-참상38, 종9 12)	무관
	典設司	제조 1, 守 1(정4), 提檢(4품)·別坐·別提 5	혁 수·제검·별좌, 치 제조 1, 別檢 1(종8)○→	제조 1, 별제 2·별검 1○	종6(문관)
	世子翊衛司	左·右翊衛(정5), 左·右司禦(종5), 左·右翊贊(정6), 左·右衛率(종6), 左·右副率(정7), 左·右侍直(정8), 左·右洗馬(정9) 각1	→	좌·우익위, 좌·우사어, 좌·우익찬,좌·우위솔, 좌·우부솔, 좌·우시직,좌·우세마 각1	정5(무관)
	世孫衛從司		左·右長史 각1(종6), 左·右從史 각1(종7)→	좌·우장사, 좌·우종사 각1	
	守門將廳	守門將(無定官, 서반 4품이하 輪次守闕門)	23(종6 5, 종9 18)→	*가 6(29-참상 15, 참하 14)→29(종6 15, 종9 14)	
형조	掌隷院	判決事 1(정3당상), 司議 3(정5), 司評 4(정6)	혁 사의, 감 사평 2→*혁 관아		
	典獄署	主簿 1, 奉事 1, 참봉 1	혁 봉사, 가 참봉 1→	주부 1, 참봉 2	
공조	尙衣院	제조 2, 부제조1(승지), 정 1, 첨정 1, 별좌·별제 2, 판관 1, 주부 1, 직장 2	혁 판관·별좌, 감 별제·직장 각1→	제조 2, 부제조 1(승지), 정·첨정·주부·별제○·직장 각1	정3
	繕工監	제조 2, 정 1, 부정 1, 첨정 1, 판관 1, 주부 1, 직장 1, 봉사 1, 부봉사 1, 참봉 1(판관 이상 1 구임)	혁 정·첨정·판관·직장·참봉, 가 監役官·假監役官 각3○→	제조 2, 부정 1, 주부 1, 봉사 2, 부봉사 1, 감역관·가감역관 각3○	종3
	修城禁火司	도제조 1, 제조 2, 提檢 4(3 사복시·군기시·선공감정겸), 별좌 6○(4 의금부경력·병·형·공조정랑 각1겸), 별제 3○(1 한성부판관 겸)	혁(관아)		정4
	典涓司	제조 1(선공감제조 겸),	혁(관아)		

공조		별검·별제 5○, 직장 2, 봉사 2, 참봉 6			
	掌苑署	제조 1, 掌苑 1(종6), 별제 1○	혁 장원, 치 봉사 1→	제조 1, 별제 2○, 봉사 1	종6
	造紙署	제조 2, 司紙 1(종6), 별제 4(종6)○	혁 사지, 감 제조 1·별제 2, 제조·부제조 각1→증 제조 1(총융사겸)→	제조 2, 별제 3○	
	瓦署	제조 1, 별제 3○	감 별제 1→	제조 1, 별제 2○	
합계[*1]		본직 524(녹직 349, 체아직 84, 무록직 91), 겸직 138	본직 446(녹직 330, 체아직 67, 무록직 49), 겸직 143	본직 396(녹직 310, 체아직 46, 무록직 40), 겸직 121	

*1 각 시기의 녹직, 체아직, 무록직의 직질별 관직수는 앞 〈표 2-3〉 합계 참조.

---

1) 앞 〈표 2-3〉에서 종합.

2) 관직명과 직질은 『경국대전』과 같은 것은 한글로 제시하거나 생략함.

3) 도제조 2(영희·장생전), 제조 3(영희·장생·화령전), 영 7(조경묘·경기전·장령전 각1, 선원·영희전 각2), 별검 2(조경묘·장영전 각1), 참봉 2(경기·영희전 각1)

4) 12릉은 건원릉(태조), 제릉(태조비 한씨), 정릉(태조계비 강씨), 후릉(정종, 정종비 김씨), 헌릉(태종, 태종비 민씨), 영릉(세종, 세종비 심씨), 현릉(문종, 문종비 권씨), 광릉(세조, 세조비 윤씨), 경릉(덕종), 창릉(예종, 예종비 한씨), 공릉(예종비 한씨), 순릉(성종비 한씨)이다.

5) 능별 능관의 직명과 직질은 앞 〈표 8-2〉 참조.

〈별표 2〉 조선 중·후기 경관 무반직 변천 종합

관아	『경국대전』	성종16~고종2*『속대전』	『대전회통』	비고
中樞府	領事(정1, 1), 判事(종2, 2), 知事(정2, 6), 同知事(종2, 7), 僉知事(정3당상, 8), 經歷(종4, 1), 都事(종5, 1)	*가 동지사 1(위장체아), 첨지사 3(위장체아)→고종2 이전 가 도사 2→	영사(정1, 1), 판사(종2, 2), 지사(정2, 6), 동지사(종2, 8), 첨지사(정3당상, 11), 경력(종4, 1), 도사(종5, 3)	직계아문, 정1품아문
宣惠廳		고종2년 이전 동반에서 이속 都提調(정1, 3, 의정), 提調(정2, 3, 호판, 중신2), 郎廳(종6, 3)→	도제조(정1, 3, 의정), 제조(정2, 3, 호판, 중신2), 낭청(종6, 3)→	
濬川司		고종2 이전 동반에서 이속 도제조3(정1, 3의정), 제조 6(종2~종1, 비변사제조, 병판, 한성판윤, 3군문대장), 都廳 1(정3상, 어영천총), 낭청 3(정7, 3도참군)→	도제조 3(3의정), 제조 6(비변사제조, 병판, 한성판윤, 3군문대장), 도청 1(어영천총), 낭청 3(3도참군)	
五衛都摠府	都摠管(정2겸, 副摠管과 합해 10), 부총관(종2겸), 經歷(종4, 4), 都事(종5, 4)	감 도총관·부총관 6(연산11),-감 경력·도사 각1(연산12)→복구(중종1)→*가 경력·도사 각2→	도총관(정2겸, 부총관과 합해 10), 부총관(종2겸), 경력(종4, 6), 도사(종5, 6)	정2품
兼司僕	將(종2겸, 3), 종3-3, 종3-1, 종4-5, 종5-6, 종6-9, 종7-6, 종8-9, 종9-14(종3품 이하 군직 체아)→	현종7혁(속금군청)		종2
內禁衛	장(종2겸, 3), 정3-1, 종3-4, 종3-1, 종4-7, 종5-18, 종6-28, 종7-49, 종8-39, 종9-41(정3품 이하 군직 체아)→	연산2이전 정3~종9 200(연산2)→혁(개 철충위)→복구(중종1)→300(중종23)→현종1 203→ 7혁(속금군청)		
羽林衛		성종23 장2(정3) 이하외→현종7 혁(속금군청)		
五衛(義興·龍驤·虎賁·忠佐·忠武衛)	將(종2겸, 12), 上護軍(정3, 9), 大護軍(종3, 14), 護軍(정4, 12), 副護軍(종4, 54), 司直(정5, 14), 副司直(종5, 123), 司果(정6, 15), 部長(종6, 25), 副司果(종6, 176), 司正(정7, 5), 副司正(종7, 309), 司猛(정8, 16), 副司猛(종8, 483), 司勇(정9, 42), 副司勇(종9, 1,939)(대호군, 부호군, 부사직,	감 부장 10(연산12)→ 복구(중종1)→가 부장 5(선조27)→강 장(정3당상), 감 상호군 1, 대호군 2, 호군 8, 사직 3, 부사직 23, 부장 5, 부사정 60, 사맹 1, 부사맹 27, 사용 18, 부사맹 1,358, 가 부호군 22, 사과 6, 부사과 1, 사정 15, 부호군 22, 감 부장 5(~영조22)→	장15, 상호군 8, 대호군 12, 부호군 69, 사직 11, 부사직 102, 사과 21, 부장 25, 부사과 183, 사정 28, 부사정 250, 사맹 15, 부사맹 208, 사용 24, 부사용 460,	병조속아문, 정3 당상

	부사과, 부사정, 부사맹, 부사용은 체아직)			
訓鍊院	知事(정2겸, 1), 都正(정3 당상, 2, 1겸직), 正(1), 副正(2), 僉正(2), 判官(2), 主簿(2), 參軍(정7, 2), 奉事(2)	감 부정·첨정 각1, 혁 참군·봉사(연산12)→복구(중종1)→가 습독관 10(중종5)→가 첨정2, 판관 6, 주부 16(~영조22)→고종2 이전 가 판관 10, 주부 20	지사 1(겸), 도정 2(1겸), 정1, 부정 2, 첨정4, 판관 18, 주부 38, 봉사 2, 참봉 2	정3 당상
司僕寺	제조(2)), 정(1), 부정(1), 첨정(1), 판관(1), 주부(2) (판관이상 2 구임)	치 직장·부직장 각1, 봉사·부봉사 각2, 참봉 4, 이마(정6, 4), 마의 (정7, 3),(첨정~부직장 각1, 참봉 4 군직겸)→복구(중종1)→혁 부정(명종10)→	제조2(1, 의정), 정,1, 첨정 1, 판관 1, 주부 2	정3
軍器寺	도제조(1), 제조(2), 정(1), 부정(1), 첨정(2), 別坐(別提와 합해 2), 판관(1), 별제, 주부(2), 직장(1), 봉사(1), 부봉사(1), 참봉(1) (주부 이상 2 구임)	가 판관·주부 각2, 부봉사·참봉 각1(연산12)→복구(중종1)→혁 정·부정별좌·별제(~영조22)→고종2 이전 복치 정·부정 각1	도제조 1, 제조 2(병판이나 병참판, 무장), 정·부정 각1, 첨정 2, 판관 2, 직장 1, 봉사 1, 부봉사 1, 참봉 1	정3
宣傳官廳	宣傳官8	*선전관 21(정3당상 1·종6 3·종9 17), 겸선전관 55(종6 43-문신5·무신 38, 종9 12-무신), 문신겸선전관 2(종6), 무신겸선전관 50(종6 38, 종9 12)→선전관 가 정3당상 3(대전통편)	고종2년 이전 선전관 가 정3당상 1→선전관 25(정3 당상 5·참상3·종9 17), 겸선전관 52(문신 2 종6·무신 50-참상 38	
典設司	守(정4, 1), 提檢(別坐, 別提와 합해 5), 별좌, 별제	혁 수, 가 무록관 1(연산12)→복구(중종1)→혁 수(선조6)→혁제검·별좌, 치 제조 1·별검 1(~영조22)→	제조 1, 별제(종6, 2), 별검 1	종6
世子翊衛司	左·右翊衛(정5, 각1), 左·右司禦(종5, 각1), 左·右翊贊(정6, 각1), 左·右衛率(종6, 각1), 左·右副率(정7, 각1), 左·右侍直(정8, 각1), 左·右洗馬(정9, 각1)	혁(연산11)→복구(중종15)→	左·右익위(정5, 각1), 左·右사어(종5, 각1), 左·右익찬(정6, 각1), 左·右위솔(종6, 각1), 左·右부솔(정7, 각1), 左·右시직(정8, 각1), 左·右세마(정9, 각1)	정5
世孫衛從司		左·右長史각1(종6), 左·右從史 각1(종7)→	좌·우장사각1(종6), 좌·우종사 각1(종7)	종6
守門將廳		성종16? →	수문장29(종6 15, 종9 14)	

〈별표 3〉 조선후기 군영아문의 관직 변천 종합[6)]

관아	창치기	성종16~정조8 (*은 겸직)	정조9~고종2 (*은 겸직)	대전회통 (*은 겸직)
訓練都監	선조 25	선조26 都提調(정1, 1), 提調(정2, 호, 병판), 大將·中軍(종2, 각1), 別將·千摠(정3, 각2), 局別將(정3, 3), 把摠·郎廳(종4, 각6), 哨官 34인 등 357직(종9)[7)]→	→ 고종2 이전 감 종사관 2, 가 군관 2→	도제조1, 제조2, 대장1, 중군1, 별장2, 천총2, 국별장3, 파총6, 종사관4, 초관 34직 등 359직[8)]
禁衛營		숙종8 제조(종2, 1 병판)→ 도제조 1, 대장(병판)·중군(종2, 각1), 별장(정3, 1), 천총(정3, 4), 파총(종4, 5), 외방겸파총(종4, 12), 낭청(종6, 6), 초관 45직 등 167직(종9)[9)]→	→ 고종 2 이전 신치 騎射將(정3, 3)·騎射(종9, 50)·別騎衛(종9, 32), 감 종사관(낭청) 4·초관 4·교련관 3.→	도제조1, 제조1, 대장1, 중군1, 별장1, 천총4, 기사장3, 파총5, 외방겸파총12, 종사관2, 초관41인 등 340직[10)]
御營廳		인조2 제조(정2, 1), 대장(종2, 1),→ 혁 제조(인조21)→ 치 제조(정2, 1, 병판), 대장·중군(종2, 각1), 파총(종4, 5), 천총(종4, 5), 외방겸파총(종4, 10), 낭청(종6, 2, 문, 무 각1), 초관 45인 등 239직(종9)[11)]→ 영조 22 이전치 별장(정3, 2)→ 정조 9 이전 감 별장 1, 신치 별후부천총(정3, 1)·기사장(정3, 3)→	→ 고종2 이전 가 기패관 1·별무사 8·가전별초 2·기사 150, 감 초관 4·군관2→	도제조1, 제조1, 대장1, 중군1, 별장1, 천총5, 파총5, 외방겸파총10, 종사관2, 초관41직 등 394직[12)]
守禦廳		인조4 使·中軍(종2, 각1), 南漢山城守城將(종2, 1, 광주유수), 별장·천총(정3, 각2), 남한별장·城機別將(정3, 각1), 파총·종사관(종4, 각1), 초관 16인 등 1,033직(종9)[13)]→ 정조 9 이전 감 천총 1·종사관 1·초관 4·교련관 3·군관 12, 혁 京憲量군관, 남한산성 -증 권무군관 50, 감 성기별장 1·초관 5·교련관 10·기패관 60·군관 43·이속군관 40 부료군관 309→	→ 정조19 혁(광주유수 겸영)	
摠戎廳		인조2 사·중군(종2, 각1), 천총(정3, 2), 파총(종4, 4), 초관 20인 등 348직(종9[14)]	순조9 신치 별부료군관 2, 가 파총 4,·초관 16·교련관 2·군관 3, 감 부료군관 2→	[본영] 사1, 중군1, 천총2, 진영장3, 파총2, 초관10인 등 193직[15)][북한산성]

摠戎廳		→영조25이전 신치 신치 종사관 1·부료군관 12, 가 초관 6·교련관 8, 감 군관 8·감관 4→ 정조9 이전 가 감관 1, 감 종사관 1·파총2·초관 16·군관 5→		관성장1, 파총1, 초관 6인 등 44직[16]
經理營		숙종38 도제조(정1, 1, 영의정), 제조 1(비변사당상), 北漢山城管城將(정3, 1), 파총·낭청, 비변사낭청, 종4, 각 1), 북한산성군관 5 등 37직(종9)[17]→	→고종2 이전 혁	
扈衛廳		인조1 대장(정1, 시·원임대신, 국구), 별장(정3, 3), 各軍官 1,050직 등 1,054직(종6~종9)[18]→ 영조22 이전 가 대장 2(시원임의정, 국구중겸)·군관 700·所任軍官 3→ 정조9 이전 감 대장 2·군관 700→	→	대장1, 별장3, 군관350, 소임군관3, 당상별부급 부료군관 1
禁軍廳		현종7 별장(종2, 1), 장(정3,7 -兼司僕將 2, 內禁衛將 3, 羽林衛將 2)→영조31 혁(개용호영)		
龍虎營		영조31 별장(종2, 1), 장(정3, 7 -겸사복장 2, 내금위장 3, 우림위장 2)→	정조9 이전 신치 별장 2·당상군관 16·교련관 14,·별부료군관 80직→ 고종2 이전 감 장 1, 증 별료군관 40→	별장2, 장6, 당상군관16, 교련관14, 별부료군관 120
左·右捕盜廳		성종 5년 이전 대장(종2, 각1)→ ? 장(각1)→성종12 장 5(5부 각1)→ 성종24, 종사관→성종24 장(종7, 각2), 부장(각4), 종사관(각3), 가설부장(각10)→영조22이전 신치 무료부장 각 26, 증 가설부장 각2→	→	대장 각1, 종사관 각3, 부장 각4, 각 부료부장26, 각 가설부장 12
管理營		숙종37 사(종2, 1, 개성유수), 중군(정3, 1, 大興山城留防將)		사1, 중군1, 종사관1, 별장2, 천총3, 백총4, 파총6, 초관32, 교련관8, 기패관36, 당상군관50, 군관250
鎭撫營		숙종26 사(종2, 1, 강화유수), 중군(정3, 1), 鎭營將(정3 - 5, 전·좌·중·좌·우진 각1)→		사1, 중군1, 진영장5, 종사관1, 천총4, 파총10, 초관63, 교련관10, 기패관71, 군관15

壯勇營			정조17 [내영], [외영] 외사1(정2, 수원유수겸), 중군1, 종사관1, 별효장2, 파총12, 척후장1, 초관25, 교련관8, 지각관10, 별군관100, 수첩군관12, 별효사 200→순조2 혁(개총리영)	
總理營			순조2 사1, 중군1, 종사관1, 별효장2, 파총12, 척후장1, 초관25, 교련관8, 지각관10, 별군관100, 수첩군관12, 별효사 200→	사1, 중군1, 종사관1, 별효장2, 파총12, 척후장1, 초관25, 교련관8, 지각관10, 별군관100, 수첩군관12, 별효사 200

6) 『고려사』 백관지, 『조선왕조실록』 태조 1년~성종 15년조.

7) 그 외 323직은 知穀官 10, 旗牌官 20, 別武士 68, 軍官 15, 別軍官 10, 勸武軍官 50, 局出身 150직이다(『속대전』 권4, 병전 군영아문 훈련도감).

8) 그 외의 122직은 敎鍊官 15, 기패관 12, 별무사 30, 군관 5, 별군관 10, 권무군관 50직이다(『속대전』 권4, 병전 군영아문 금위영).

9) 그 외의 122직은 교련관 15, 기패관 12, 별무사 30, 군관 5, 별군관 10, 권무군관 40직이다(『속대전』 권4, 병전 군영아문 금위영).

10) 그 외의 399직은 교련관 12, 기패관 10, 별무사 30, 군관 5, 별군관 10, 권무군관 50, 기사 150, 別騎衛 32직이다(『대전회통』 권4, 병전 군영아문 금위영).

11) 그 외의 194직은 교련관 12, 기패관 10, 별무사 22, 군관 40, 별군관 10, 권무군관 50, 駕前別抄 50직이다(『속대전』 권4, 병전 군영아문 어영청)

12) 그 외의 353직은 교련관 12, 기패관 11, 군관 38, 별군관 10, 권무군관 50, 가전별초 52, 기사 150직이다(『대전회통』 권4, 병전 군영아문 어영청).

13) 그 외의 1,017직은 군관 15, 京閑良軍官 283, 남한산성-초관 5, 교련관 10, 기패관 60, 군관 43, 移屬軍官 290, 付料軍官 316직이다(『속대전』 권4, 병전 군영아문 수어청).

14) 그 외의 328직은 교련관 12, 군관 10, 監官 5, 守門部將 1, 한량군관 300직이다(『속대전』 권4, 병전 군영아문 총융청)

15) 그 외의 183직은 기패관 2, 군관 10, 본청군관 3, 별부료군관 2, 감관 2, 수문부장 1, 한량군관 150직이다(『대전회통』 권4, 병전 군영아문 총융청).

16) 그 외의 38직은 기패관 5, 수첩군관 2, 군기감관 1, 소임군관 3, 부료군관 20, 성문부장 3직이다(『대전회통』 권4, 병전 군영아문 총융청).

17) 그 외의 32직은 기패관 5, 군관 11, 부료군관 20, 各色軍官 3, 성문부장 3직이다(『속대전』 권4, 병전 군영아문 경리영).

18) 그 외의 4직은 소임군관 3, 堂上별료軍官 1직이다(『속대전』 권4, 병전 군영아문 호위청).

〈별표 4〉『대전회통』(1865) 경관 문·무반직 일람표

		무품	정1품	종1	종1~종2	정2	종2	정3당상	정3당하
정무·예우아문	宗親府	대군, 군, 영종정경	군, 판종정경	군		군, 지종정경	군, 종정경	도정	정, 정1(조관)
	議政府		영·좌·우의정 각1	좌·우찬성 각1		좌·우참찬 각1			
	中樞府		영사1	판사2		지사6	동지사8	첨지사8	
	宣惠廳		도제조3		제조3				
	濬川司		도제조3		제조6			도청1	
	忠勳府		군	군		군	군		
	儀賓府		위	위		위	위		부위, 첨위(~종3)
	敦寧府		영사1	판사1		지사1	동지사1	도정1	
	義禁府			판사1		지사1	동지사2		
	吏曹					판서1	참판1	참의1	
	戶曹					판서1	참판1	참의1	
	禮曹					판서1	참판1	참의1	
	兵曹					판서1	참판1	참의1, 참지1	
	刑曹					판서1	참판1	참의1	
	工曹					판서1	참판1	참의1	
	漢城府					판윤1	좌·우윤 각1		
	5衛都摠府					도총관5	부총관5		
	水原留守府					유수2(1겸)			
	廣州留守府					유수291겸)			
	奎章閣				제학2			직제학2	직각1(~종6), 판교1
	司憲府						대사헌1		
	開城府						윤수2(1겸)		
	江華留守府						유수2(1겸)		
	承政院							도·좌·우·좌부·우부·동부승지 각1	
	司諫院							대사간1	
	經筵		영사3(의정)			지사3	동지사3	참찬관7(6승지·부제학)	

정무·예우아문	弘文館		영사1(영의정)			대제학1	제학2	부제학1	
	藝文館		영사1(영의정)			대제학1	제학1		직제학1(도승지)
	世子侍講院		사1(영의정), 부1(의정)	이사1(찬성)		좌·우빈객 각1		찬선1(~정3)	보덕1, 겸보덕1
	世孫講書院			사·부 각1			좌·우유선(~정3)		
	成均館					지사1(대제학)	동지사2	대사성1, 제주19~정3)	
	五衛(義興·龍驤·虎賁·忠佐·忠武衛)							將15	上護軍8
	訓練院					지사1		都正2(1겸)	정1
	宣傳官廳							선전관4	
	尙瑞院								정1(도승지)
	春秋館		영사1(영의정)	감사2(좌·우의정)		지사2	동지사2		수찬관*, 편수관*(~종4)
	承文院		도제조3(의정)		제조*			부제조*	판교1
	通禮院								좌·우통례 각1
	奉常寺		도제조1		제조1				정1
	宗簿寺(통편)		도제조2(존속종친)		제조2				정1
	司饔院		도제조1		제조4			부제조5(1 승지)	정1, 제거(~종3)
	內醫院		도제조1		제조1			부제조1(승지)	정1
	尙衣院				제조1			부제조1(승지)	정1
	司僕寺				제조2				정1
	軍器寺		도제조1		제조2				
	軍資監		도제조		제조1				정1
	掌樂院				제조2				정1
	觀象監		영사1(영의정)		제조2				정1

정무·예우아문	典醫監				제조2				정1
	司譯院		도제조1		제조1				정1
	繕工監				제조2				
	司䆃寺				제조1				
	司宰監				제조1				
	典涓司				제조1(선공감제조)				
	宗廟署		도제조1		제조1				
	社稷署		도제조1		제조1				
	景慕宮		도제조1		제조1				
	濟用監				제조1				
	平市署				제조1				
	典牲署				제조1				
	5部				제조1				
	內資寺				제조1				
	內贍寺				제조1				
	禮賓寺				제조1				
	典設司				제조1				
	氷庫				제조1				
	掌苑署				제조1				
	司圃署				제조1				
	造紙署				제조2				
	惠民署				제조2				
	圖畫署				제조1				
	典獄署							부제조1(승지)	
	活人署				제조1				
	瓦署				제조1				
	各殿		도제조2(영희·장생전 각1)		제조4(영희전1, 장생전3)				
	內侍府						상선2		상온1, 상차1

		종3	정4	종4	정5	종5	정6	종6	정7
정무·예우아문	宗親府	부정	수, 典籤1(조관)	부수	영, 典簿1(조관)	부령	감	主簿1(조관)	
	議政府		舍人2		檢詳1			公事官11	
	備邊司(통편)							낭청12	
	中樞府			경력1		도사3			
	宣惠廳							낭청5	
	堤堰司(통편)							낭청1	

	濬川司								낭청3
	忠勳府			경력1		도사1			
	儀賓府			경력1		도사1			
	敦寧府					판관1		주부1	
	義禁府							도사5	
	吏曹				정랑2		좌랑2		
	戶曹				정랑3		좌랑3	산학교수1, 겸교수1, 별제1	
	禮曹				정랑3		좌랑3		
	兵曹				정랑4		좌랑4		
	刑曹				정랑3		정랑3	율학교수1, 겸교수1. 별제2	
	工曹				정랑3		좌랑3		
	漢城府					판관1		주부2	
	5衛都摠府			경력6		도사6			
정무·예우아문		종3	정4	종4	정5	종5	정6	종6	정7
	水原留守府					판관1			
	廣州留守府					판관1			
	奎章閣					교리1, 겸교리1			박사2, 대교1(~정9
	司憲府	집의1	장령2		지평2		감찰13		
	開城府			경력1					
	江華留守府			경력1					
	承政院								주서2, 사변가주서1
	司諫院	사간1			헌납1		정언2		
	經筵		시강관*		시독관*		검토관*		사경*
	弘文館	전한1	응교1	부응교1	교리2	부교리2	수찬2	부수찬2	박사1
	藝文館		응교1(홍문관직제학~교리겸)						봉교2
	世子侍講院		진선1, 필선1, 겸필선1		문학1, 겸문학1		사서1, 겸사서1		설서1, 겸설서1, 자의1
	世孫講書院			좌·우익선 각1		좌·우권독 각1		좌·우찬독 각1	

	成均館	사성1	사예2, 사업1		직강4		전적13		박사3
	五衛(義興·龍驤·虎賁·忠佐·忠武衛)	대호군12	호군4	부호군69	사직11	부사직102	사과21	부장25, 부사과183	사정20
	訓鍊院	부정2		첨정12		판관18		주부38	찬군2
	宣傳官廳							선전관7(~종6), 겸선전관42(문신2, 무신 40)	선전관14(~종9), 겸선전관10(무신, ~종9)
	春秋館				기주관*(~종5)		기사관*(~종6)		
	承文院						교건1		박사2
	通禮院	상례1, 익례1			찬의1			인의8	
정무·예우아문	奉常寺			첨정1		판관1		주부1	
	宗簿寺(통편)			1				주부1	
	司饔院		제검(~종4)					주부3	
	內醫院			첨정1		판관1		주부1	
	尙衣院			첨정1				주부1	
	司僕寺			첨정1		판관2		주부2	
	軍器寺			첨정1		판관2		주부2	
	軍資監					판관1			
	掌樂院			첨정1				주부2	
	觀象監			첨정1		판관1		주부1, 천문학교수1, 명과학교수1	
		종3	정4	종4	정5	종5	정6	종6	정7
	典醫監			첨정1		판관1		주부1, 의학교수1	
	司譯院			첨정1		판관1		주부1, 한학교수4	
	繕工監	부정1						주부1	
	廣興倉		수1			영1			
	司導寺			첨정1				주부1	
	司宰監			첨정1				주부1	
	內需司				전수1, 별좌1(~종5)		부전수1, 별제1(~종6)		

정무·예우아문	世子翊衛司				좌·우익위 각1	좌·우사어 각1	좌·우익찬 각1	좌·우위솔 각1	좌·우부솔 각1
	宗廟署					영2			
	社稷署					영3			
	景慕宮					영3			
	濟用監					판관1		주부2	
	平市署					영1		주부1	
	典牲署					판관1			
	5部					영 각1			
	內資寺							주부1	
	內贍寺							주부1	
	禮賓寺							주부2	
	世孫衛從司							좌·우장사 각1	
	守門將廳							수문장 15	
	典設司						별제2(~종6)		
	義盈庫							주부1	
	長興庫							주부2	
	氷庫						별제2(~종6)		
	掌苑署						별제29~종6)		
	司圃署						별제2(~종6)		
	養賢庫							주부1	
	造紙署							별제3	
	惠民署							주부1, 의학교수1	
	圖畫署							겸교수1	
	典獄署							주부1	
	活人署							별제2	
	瓦署							별제2	
	4學							교수 각1	
	各廟·殿					영7	낭청3(호·예·공조 낭청겸		
	各陵							영	
	各園					영1		영2	
	내시부	상약2	상전2	상책3	상호4	상탕4	상세4	상촉4	상훤4
	액정서						사알1, 사약1	부사약1	사안2

		종7품	정8	종8	정9	종9	기타	계	비고
정무·예우아문	宗親府	直長1 (조관)				參奉1 (조관)		5(조관)	
	議政府		司祿1					22	
	中樞府							29	
	宣惠廳							11(겸6)	
	濬川司							13(겸1)	
	忠勳府							1(조관)	
	儀賓府							1(조관)	
	敦寧府	직장1				참봉1		9	
	義禁府			도사5				14(겸4)	
	吏曹							7	
	戶曹	산사1		계사1	산학훈도1	회사1		13(겸1)	
	禮曹							9	
	兵曹							12	
	刑曹	명률1		심률1	율학훈도1	검률1		17(겸1)	
	工曹							9	
	漢城府							7	
	5衛都摠府							22(겸10)	
	水原留守府					검률1		4(겸1)	
	廣州留守府					검률1		4(겸1)	
	奎章閣		저작2		정자2	부정자2		17(겸5)	
	司憲府							19	
	開城府					분교관1, 검률1		5(겸1)	
	江華留守府					분교관1, 검률1		5(겸1)	
	承政院							9	
	司諫院							5	
	經筵		설경*		전경*			16이상(겸)	
	弘文館		저작1		정자2			20(겸3)	
	藝文館		대교2		검열4			13(겸3)	
	世子侍講院							20(겸11)	
	世孫講書院							10(겸4)	
	成均館		학정3		학록3	학유3		34(겸3)	
	五衛(義興·龍驤	부사정 250	사맹15	부사맹 208	사용24	부사용 460		1,427 (겸15)	

정무·예우아문	·虎賁·忠佐·忠武衛)								
	訓練院							78(겸2)	
	宣傳官廳							77 (겸52)	
	尙瑞院	직장1	부직장1					3(겸1)	
	春秋館							7이상 (겸)	
	承文院		저작2		정자2	부정자2		13이상 (겸3)	
	通禮院					겸인의6, 가인의6		25(겸6)	
	奉常寺			봉사1	부봉사1	참봉1		11(겸2)	
	宗簿寺 (통편)	직장1							고종2 종친부에 합속
	司饔院	직장2		봉사3				15(겸5)	
	內醫院	직장1		봉사2	부봉사2	참봉1		12(겸2)	
	尙衣院	직장1						8(겸3)	
	司僕寺							7(겸2)	
	軍器寺	직장1		봉사1	부봉사1	참봉1		14(겸3)	
	軍資監			봉사1~2				4(겸2)	
	掌樂院							6(겸2)	
	觀象監	직장2		봉사2	부봉사1, 천문·지리·명과도 각1	참봉2		21(겸5)	
	典醫監	직장2		봉사1	부봉사2, 의학훈도1	참봉2		14(겸2)	
	司譯院	직장1		봉사2	부봉사2, 한학훈도4, 청학·몽학·왜학훈도 각2	참봉2		22(겸3)	
	繕工監			봉사2	부봉사1	감역관3, 가감역관3		13(겸2)	
	廣興倉			봉사1~2				2	
	司㯠寺			봉사1				4(겸1)	
	司宰監	직장1		봉사1				5(겸1)	
	內需司	전회1		전곡1		전화2		8	
	世子翊衛司		좌·우시직 각1		좌·우세마 각1			14	
	宗廟署	직장1			부봉사1			6(겸2)	
	社稷署							5(겸2)	

정무·예우아문	景慕宮							5(겸2)	
	濟用監			봉사1	부봉사1			6(겸1)	
	平市署	직장1						3(겸1)	
	典牲署	직장1						4(겸1)	
	5部					도사 각1		10	
	內資寺	직장1		봉사1				4(겸1)	
	內贍寺	직장1		봉사1				4(겸1)	
	禮賓寺	직장1				참봉2		6(겸1)	
	世孫衛從司	좌·우종사 각1						4	
	守門將廳					수문장 14		29	
	典設司			별검1				4(겸1)	
	義盈庫	직장1		봉사1				3	
	長興庫			봉사1				3	
	氷庫		별검2 (~종8)					4	
	掌苑署			봉사1				4(겸1)	
	司圃署	직장1						4(겸1)	
	養賢庫	직장1		봉사1				3(겸)	
	造紙署							5(겸2)	
	惠民署	직장1		봉사1	의학훈도1	참봉4		11(겸2)	
	圖畫署							2(겸)	
	典獄署					참봉2		4(겸1)	
	活人署					참봉2		5(겸1)	
	瓦署							2	
	4學				훈도 각1			8(겸2)	
	1묘 6전[19]			별검2		참봉2		20(겸6)	
	46陵	직장		봉사, 별검		참봉		82	
	各殿守門將					수문장5*		5	조경묘·경기전·선원전 각1, 화령전 2
	3園[20]					참봉1, 수봉관4		6	
	내시부	상설6	상제6	상문5	상경6	상원5		57	
	액정서	부사안3	사포2	부사포3	사소6	부사소9		28	

19) 조경묘, 경기·준원·영희·장령·화령·장생전

20) 순강·소령·휘경원.

〈별표 5〉『대전회통』(1865) 군영아문 관직 일람표

	정1품	정2	종2	정3당상	정3 당하	종4
訓練都監	도제조1	제조2 (호·병판)	大將1, 中軍1		別將2, 千摠2, 局別將3	파총6
禁衛營	도제조1	제조1(병판)	대장1		별장1, 천총4, 騎士將3	파총5, 외방겸파총12
御營廳	도제조1	제조1(병판)	대장1, 중군1		별장1, 천총5, 국후부천총1, 기사장3	파총5, 외방겸파총10
摠戎廳			사1, 중군1		천총2, 진영장3, 관성장1 (북한)	파총3(1 북한산성)
守禦廳 (통편)			사1 (수원유수겸)		중군1, 진영장3	파총2
經理廳 (속대전)	도제조1 (영의정)		제조1 (비국당상)	부료군관1	관성장1 (북한산성)	파총1
扈衛廳	대장1				별장3	
龍虎營			별장1	장6(겸사복·내금위·우림위장 각2), 군관16		
左·右 捕盜廳			대장 각1			
總理營		사1 (수원유수겸)			중군1, 별효장2, 파총12, 척후장1	
管理營			사1(유수겸)	군관50	중군1, 별장2, 천총3	3백총4, 파총6
鎭撫營			사1(유수겸)		중군1, 진영장5, 천총4	파총10

	종6	종9	계
訓練都監	종사관4	초관34, 지각관10, 기패관20, 별무사68, 군관17, 별군관10, 권무군관50, 국출신150	378
禁衛營	종사관2	초관41, 교련관12, 기패관10, 별무사30, 군관5, 별군관10, 권무군관50, 기사150, 별기위32	357
御營廳	종사관2	초관41, 교련관12, 기패관11, 별무사30, 군관38, 별군관10, 권무군관50, 가전별초52, 기사150	413
摠戎廳		초관50, 교련관15, 기패관2, 군관10, 본청군관3, 별부료군관2, 감관2, 수문부장1, 한량군관150, 북한 - 초관6, 교련관4, 기패관5, 수첩군관2, 군기감관1, 소임군관3, 부료군관20, 성문부장3	247
守禦廳 (통편)		초관26, 교련관17, 기패관19, 별군관9, 수첩군관61	135

經理廳	낭청1(비국낭청겸)	초관5, 군관4(북한), 기패관5, 군관11, 요사군관20, 각색군관3, 성문부장3	53
扈衛廳		군관350, 소임군관3	357
龍虎營		교련관14, 별부료군관120,	157
捕盜廳	종사관3	부장 각4, 무료부장 각26, 가설부장 각12	92
總理營	종사관1	초관25, 교련관 8, 지각관10, 별군관100, 수첩군관12, 별효사200	372
管理營	종사관1(경력겸)	초관32, 교련관8, 기패관36, 군관250	392
鎭撫營	종사관1(경력겸)	초관63, 교련관10, 기패관71, 군관15	174

〈별표 6〉 조선 중·후기 중앙관아 변천 종합

	경국대전	성종16~선조24	선조25~정조8	정조9~고종1	『대전회통』	비고
직계아문	宗親府	→	→	→	宗親府	정1품아문
	議政府	→	→	→	議政府	
	忠勳府	→	→	→	忠勳府	
	儀賓府	→	→	→	儀賓府	
	敦寧府	→	→	→	敦寧府	
		중종5 치 備邊司 (임시아문)~7, 12 ~15, 17~25경, 38→	명종10, 備邊司(상설, 정1품아문)→	→	고종2 혁 (속 議政府)	
			광해군즉 宣惠廳→ 영조36 정1품아문→	→	宣惠廳	
		성종16년 이후 치 堤堰司(임시아문)→ 중종18 이후 혁	현종3 堤堰司→	→	고종2 혁 (속議政府)	
			영조36, 濬川司 (동반아문)→	→	濬川司 (서반아문)	
	中樞府	→	→	→	中樞府	
	義禁府	→ 연산10 密威廳 → 중종1 義禁府→	→	→	義禁府	종1품아문
	六曹(吏·戶·禮·兵·刑··工曹)	→	→	→	六曹(이·호·예·병·형·공조)	정2품아문
	漢城府	→	→	→	漢城府	
	水原都護府(외관)	→	→	정조17 華城留守府→	華城留守府	
	廣州牧(외관)	→	선조10 府尹府(외관) → 인조1 留守府→ 8부윤부→ 영조26 유수부 → 35 부윤부→	정조19 留守府 →	廣州留守府	
	五衛都摠府	→	→	→	五衛都摠府	
			정조즉, 奎章閣→	→	奎章閣	종2품아문
	司憲府	→	→	→	司憲府	
	開城府	→	→	→	開城府	
	江華都護府(외관)	→	광해군10, 府尹府(외관)→ 인조5 留守府→	→	江華留守府	
	承政院	→	→	→	承政院	정3품(당상)아문
	司諫院	연산10 혁→ 중종 1 복→	→	→	司諫院	
	經筵	→	→	→	經筵	
	兼司僕	→	현7 禁軍廳(군영아문)→ 영조31 龍虎營→	→	龍虎營 (軍營衙門)	

직계아문	內禁衛	연산11 衝鐵衛→ 중종1 內禁衛→	현7 禁軍廳(군영아문)→ 영조31 龍虎營→			
		성종23 치 羽林衛(직계아문)→	현7 禁軍廳(군영아문)→ 영조31 龍虎營→			
	계	28	31	27	27	
	경국대전	성종16~선조24	선조25~정조8	정조9~고종1	대전회통	비고
육조속아문	忠翊府	연산12 忠翊司 (정4아문)→				이조속아문, 정3품아문
	內侍府	→	→	→	내시부	
	尙瑞院	→	→	→	상서원	
	宗簿寺	→	→	→	고종1 혁 (속 종친부)	
	司饔院	→	→	→	사옹원	
		연산12 忠翊司→	명종18 혁(속충훈부) → 광해군8 복→ 혁(숙종4, 속병조[21]))			정4
	內需司	→	→	→	내수사	정5
	掖庭署	→	→	→	액정서	잡직아문
	內資寺	→	인조15 혁→ 곧 복(현종4 이전)→ ? 종6품아문			호조속아문, 정3품아문
	內贍寺	→	인조15 종6품아문			
	司䆃寺	→	숙종28 종4품아문			
	司贍寺	→	? 혁→ 인조13복→15 혁(속濟用監)			
	軍資監	→	→	→	군자감	
	濟用監	→	숙종1 종5품아문			
	司宰監	→	영조22이전 종4품 아문			
	豊儲倉	→	인조15 혁(속장흥 고)			정4
	廣興倉	→	→	→	광흥창	
	典艦司[22)]	→	중종31~정조9이전 혁(속공조)			
			司䆃寺→	→	사도시	종4
			司宰監→	→	사재감	
			濟用監→	→	제용감	종5
	平市署	→	→	→	평시서	
	司醞署	→	→	→	사온서	
			五部(東·西·南·北·中部)→	→	오부(동·서·남·북·중부)	
	義盈庫	→	선조7 이후 혁→ 광해군 즉위 복→ 영조22이전 종6품아문			
	長興庫	→	인조15~영조22이전 종6품아문			

육조속아문	司圃署	연산12 혁→숙종30 이전 복→	영조22이전 종6품아문			
	養賢庫	→	선조26 혁→ 영조22이전 복→	→	양현고	
			內資寺→	→	내자시	종6
			內贍寺→	→정조24 혁(속의영고)		
			義盈庫→	→	의영고	
			長興庫→	→	장흥고	
			司圃署→	→	사포서	
	五部(東·西·南·北·中部)	→	영조22이전 종5품아문			
	弘文館	연산11 혁→ 중종1 복→	→	→	홍문관	예조속아문, 정3품아문
			世子侍講院→	→	세자시강원	
			인조26 世孫講書院→	→	세손강서원	
	藝文館	→	정조9년이전 종3품아문			
	成均館	→	→	→	성균관	
	春秋館	→	→	→	춘추관	
	承文院	→	→	→	승문원	
	通禮院	→	→	→	통례원	
	奉常寺	→	→ -	→	봉상시	
	校書館	→	광해2 서적교인도감→? 校書館→? 종5품아문→ 정조 6혁(규장각)			
	內醫院	→	→	→	내의원	
	禮賓寺	→	경종1 종6품 아문			
	掌樂院	연산11 聯芳院→ 중종1 掌樂院→	→	→	장악원	
	觀象監	연산2 사력서(종5아문)→ 중종1 觀象監→	→	→	관상감	
	典醫監	→	→	→	전의감	
	司譯院	→	→	→	사역원	
	世子侍講院	→	인조24 정3품아문			종3
				藝文館→	예문관	
	宗學	연산11 혁→ 중종1 복→6 혁→ 11 복→	영조22이전 혁			정4
	昭格署	연산12 혁→중종1 복→ 13 혁→16 복→	영조22이전 혁			종5
	宗廟署	중종11 혁→ 20 복→	→	→	종묘서	
	社稷署	→	→	→	사직서	
			校書館→ 정조6 혁(속규장각)			

육조속아문	氷庫	→	영조22이전 종6품아문			
			禮賓寺→	→	예빈시	종6
			氷庫→	→	빙고	
	典牲署	→	→	→	전생서	
	司畜署	연산12 혁→ 중종1 복→ 인조15 혁(속 전생서)	? 복→ 선조28 혁(속전생서)→ ? 복→ 영조43 혁(속 호조)			
	惠民署	인조15 혁(속전의감)→ 곧 복→	→	→	혜민서	
	圖書署	→	정조9이전 혁			
	活人署	→	선조26 혁→ 영조22이전 복→	→	활인서	
	歸厚署	→	선조26 혁(속 예조)→ 영조22이전 복→ 정조1 혁(속 호조)			
	四學(東·西·南·北·中學)	연산10 東·西·南학 혁→ 중종1 복→	현종2 5학(치 북학), 곧 4학(혁북학)→	→	4학(동·남·북·중학)	
	諸殿·陵	→	→	→	제전	
	五衛(義興·龍驤·虎賁·忠佐·忠武衛)	→	→	→	5위(의흥·용양·호분·충좌·충무위)	병조속아문, 정3품아문
	訓練院	→	→	→	훈련원	
	司僕寺	→	→	→	사복시	
	軍器寺	→	→	→	군기시	
			宣傳官廳→	→	선전관청	
	典設司	선조6 혁→?복→선조16 종6품아문				정4
	世子翊衛司	→	→	→	세자익위사	정5
		典設司→	→	→	전설사	종6
			인조26 世孫衛從司→	→	세손위종사	
		성종16 이전 守門將	守門將廳→	→	수문장청	
	掌隷院	→	영조40 혁(속형조)			형조속아문, 정3
	典獄署	→	→	→	전옥서	종6
	尙衣院	→	→	→	상의원	공조속아문, 정3품아문
	膳工監	→	숙종1 이전 종3품아문			
			膳工監→	→	선공감	종3
	修城禁火司	→	인조15 혁	→		정4
	典涓司	→	영조22 이전 혁			종4
	掌苑署	연산군12 종6품아문→ 중종1 정6품아문→	영조22이전 종6품아문			정6

육조속아문	造紙署	연산군12 혁→ ?(중종1)복→ 선조16 혁→	선조27이전 복→	→	조지서	
			掌苑署→	→	장원서	
	瓦署	→	선조28 혁(속 공조)→ ? 복→ 36이전 혁→ 영조22이전 복→	→	와서	
	계*	66~63	66~58	58~56	56	*제전·능 제외
군영아문			선조26 訓練都監(종2)→	→	訓練都監	종2품 아문
			숙종8 禁衛營(종2)→	→	禁衛營	
			인조2 御營廳(종2)→	→	御營廳	
			인조2 摠戎廳(종2)→	현종12 개 總衛營→15 (철종즉) 複稱	摠戎廳	정3품아문
			숙종36 經理廳→ 38 經理營(정3상)→ 영조23 혁(속 摠戎廳)			
			인조1 扈衛廳[23]→	→	扈衛廳	정3
			현종7 禁軍廳→영조31 龍虎營→	→	龍虎營	종2
		중종이전 左, 右捕盜廳→명종15 상설·직계아문→	→	→	左, 右捕盜廳	종2
				정조17 壯勇外營→순조2 總理營→13 정3 아문	總理營	정3
			인조4 守禦廳→	정조19 혁		
			숙종26 鎭撫營→	→	鎭撫營	정3
			숙종37 管理營→	→	管理營	정3
		성종23 羽林衛→ 연산10 혁→ 중종1 복→	현종7 혁(속 禁軍廳)			
		중종7 定虜衛→	광해군시 혁	總理營→	總理營	
	계	3	11	7	9	
합계		89	101	94	95	

21) 숙종 6 속충훈부, 숙종 15 속병조, 숙종 27년 이후 속충훈부(『숙종실록』 6~27년조, 『속대전』·『대전통편』 권1, 이전 충훈부조).

22) 전함사의 속조에 있어서 태종 5년 3월 6조 속아문제 성립 때에는 호조 속아문이었다. 그런데 『경국대전』 호전과 병전 모두에 전설사가 기재된 반면에 전함사는 누락되어

있고, 이전 경관직조에는 전설사와 전함사가 각기 정4품 아문에 기재되어있다. 또 『속대전』·『대전통편』·『대전회통』에는 이 내용이 그대로 전재되어 있다. 이를 볼 때 호전과 병전에 기재된 전설사 중 하나는 전함사가 되어야 맞겠고, 양 사의 기능과 육조 속아문 성립 때의 속아문 분류에 미루어 『경국대전』 등에 기재된 전설사는 전함사가 오기되었다고 생각된다. 이에 따라 호조 속아문으로 기재된 전설사는 전함사로 고쳐 파악한다.

23) 관아의 격은 의례히 최고 정직의 관품에 의하여 결정된다. 호위청의 관직을 보면 3청에 각각 時·原任議政이나 國舅가 겸하는 정1품 大將 1명, 정3품 別將 1명 이하가 있기에 관직을 볼 때는 정3품 관아이다. 그러나 『속대전』 등에는 관아의 위치가 종2품 아문인 경리청과 금군청 사이에 기재되어 있다. 이점에서 종2품 아문으로 간주하여 파악한다.

〈별표 7〉 조선 중·후기 군현 변천 종합[24)]

경국대전		성종17~선조24	선조25~정조9			정조10~고종1	고종2 대전회통
			선조25~인조27	효종1~영조22	영조23~정조9		
경기도	廣州牧	연산군11 혁, 중종6 복, 선조10 부윤부	인조1 유수부, 8부윤부,	영조26 유수부(경관)			
	驪州	→	→	→	→	→	여주목
	坡州	연산군 1 혁, 중종 1 복.	→	→	→	→	파주
	楊州	연8? 혁, 중 6 목	→	→	→	→	양주
	水原都護府	중21 군, 30 부	→	→	→	정조 17 유수부	
	江華	→	광해군10 부윤부, 인조5 유수부(경관)				
	富平	→	→	→	→	→	부평도호부
	南陽	→	→	→	→	→	남양
	利川	→	광5 현, 인1 부, 22 현	효종4 부	정즉 현, 9 복	→	이천
	仁川	→	→	숙종14 현, 현종9 부	→	순12 현, 21? 복	인천
	長湍	→	→	→	→	→	장단
				숙20 통진도호부	→	→	통진
			인7 교동부	→	정조1현, 3부	→	교동
		중38 죽산부, 선17 현	인7 죽산부	→	→	→	죽산
				효1 풍덕도호부	→	순28 혁	
	陽根郡	→	→	효10 혁?, 현9 복	정즉 혁, 9 복	→	양근군
	豊德	→	→	효1 부			
	安山	→	→	→	→	→	안산
	朔寧	→	→	→	→	→	삭령
	安城	→	→	→	→	→	안성
	麻田	→	→	→	→	→	마전
	高陽	연10 혁, 중1 복	→	→	→	→	고양
			인10 김포군	→	→	→	김포
				영7 교하군	→	→	교하
		중2 가평군	→	숙23 현, 33 군	→	→	가평

			인1 영평군	→	→	→	영평
	龍仁縣令官	→	인6 현감, 관15 현령관	→	→	→	용인현령관
	振威	→	→	→	→	→	진위
	永平	→	광10 대도호부, 인1 군				
	陽川	→	→	→	→	→	양천
	金浦	→	인10 군				
						정19 시흥현령관	시흥
	砥平縣監官	→	→	숙6 혁, 15 복	→	→	지평현감관
경기도	苞川	→	선26 혁, 28 복, 광10 혁(영평부), 인1 복	→	→	→	포천
	積城	→	→	→	→	→	적성
	果川	→	→	→	→	→	과천
	衿川	→	선26 혁, 28 복	→	→	정19 개시흥현령관	
	喬桐	→	→	숙종20 도호부			
	通津	→	→	숙20 도호부			
	交河	→	→	숙13 혁, 16 현, 영7 군			
	漣川	→	→	현3 혁, 숙10 복	→	→	연천
	陰竹	→	선26 혁, 28 복	→	→	→	음죽
	陽城	→	→	→	→	→	양성
	陽智	→	→	→	→	→	양지
	加平	중2 군	→	숙23 현, 33 군			
	竹山	중38 부					
	忠州牧	중35 芮城郡, 36 복, 명5 維新縣, 22 목	광5 忠原縣, 14? 목, 인6 현, 15목, 23 현	효4 목, 숙6 현, 15 목	영31 현, 40? 목	순7 현, 16? 목	충주목
충청도	清州	연11 혁, 중? 복	→	효종7 서원현, 8 목, 숙종6 현, 15 목, 영조4 현, 16 목	정조1 현→	순조12 목, 26 현, 헌종1 목, 철종13 현, 고종2 목	청주
	公州	→	인24 공산현	효1 공주목,	→	→	공주
	洪州	→	→	현2 洪陽縣, 11? 목	→	순12 현, 21? 목	홍주
				현1 청풍부	→	→	청풍도호부
	林川郡	→	→	→	→	→	임천군
	丹陽	→	→	→	→	→	단양

	淸風	→	→	현1 부			
	泰安	→	→	→	→	→	태안
	韓山	→	→	→	→	→	한산
	瑞川	→	→	→	→	→	서천
	沔川	→	→	→	→	→	면천
	天安	→	→	→	→	→	천안
	瑞山	→	→	숙21 현, 39 군, 영9 현, 18 군	정즉 현, 9 군 →	→	서산
	槐山	→	→	→	→	→	괴산
	沃川	→	→	→	→	→	옥천
	溫陽	→	→	→	→	→	온양
						철종12 대흥군	대흥
						순조12 보은군	보은
						고종1 덕산군	덕산
	文義縣令官	→	→	→	→	→	문의현령관
	鴻山縣監官	→	→	→	→	→	홍산현감관
	堤川	→	→	→	→	→	제천
	德山	→	→	→	→	고종1 군	
충	平澤	→	선29 혁, 광2 복	→	→	→	평택
청	稷山	→	→	→	→	→	직산
도	懷仁	→	→	→	→	→	회인
	定山	→	→	→	→	→	청산
	靑陽	→	→	현9 혁, 15 복→	→	→	청양
	延風	→	→	→	→	→	연풍
	陰城	→	선25 혁, 광10 복	현3 혁, 4 복→	→	→	음성
	淸安	→	→	→	→	→	청안
	恩津	→	인24 혁(은산, 은진+이성+연산)	효7 복 (은진, 이성, 연산현) →	→	→	은진
	懷德	→	→	→	→	→	회덕
	鎭岑	→	→	→	→	→	진잠
	連山	→	인24 혁	효7 복→	→	→	연산
	利城	→	인24 혁	효7 복→	영52 노성	→	노성
	大興	→	→	→	→	철종12 군	
	扶餘	→	→	→	→	→	부여
	石城	→	→	→	→	→	석성
	庇仁	→	→	→	→	→	비인
	藍浦	→	→	→	→	→	남포
	鎭川	→	→	→	→	→	진천
	結城	→	? 혁, ? 복	→	→	→	결성

충청도	保寧	→	→	현3 부, 6 현→	→	→	보령
	海美	→	→	→	→	→	해미
	唐津	→	→	→	→	→	당진
	新昌	→	→	→	→	→	신창
	禮山	→	→	→	→	→	예산
	木川	→	→	→	→	→	옥천
	全義	→	→	→	→	→	전의
	燕岐	→	→	숙6 혁, 11 복→	→	→	연기
	迎春	→	→	→	→	→	영춘
	報恩	→	→	→	→	순조12 군	
	永同	→	→	→	→	→	영동
	黃澗	→	선26 혁, 광13 복	→	→	→	황간
	靑山	→	→	→	→	→	청산
	牙山	→	→	→	→	→	아산
경상도	慶州府尹府	→	→	효1 목, 현즉 부윤부, 6 도호부, 숙즉 부윤부→	→	→	경주부윤부
	安東 大都護府	→	→	→	→	→	안동대도호부
			선34 창원대도호부	현2 현, 11대도호부→	→	→	창원
	尙州牧	→	광7 혁, ? 복	→	→	→	상주목
	晉州	→	→	→	→	→	진주
	星州	→	선37 新安縣, 광7 星山縣, 인1 목, 9 현, 18 목→	영12 현, 21 목→	→	→	성주
	昌原 都護府	→	선34 대도호부				
	金海	→	→	→	→	→	김해
	寧海	→	→	→	→	→	영해
	密陽	중13 현, 17 부→	→	→	→	→	밀양
	善山	→	→	→	→	→	선산
	靑松	→	→	→	→	→	청송
			선31 울산도호부	→	→	→	울산
		명2 동래도 호부	→	→	→	→	동래
		성종20 거제도호부, ? 현→	→	숙37 부→	→	→	거제

경상도				영5 거창도호부→	→	정12 현, 23 부	거창
				숙30 하동도호부→	→	→	하동
			선37 인동도호부	→	→	→	인동
	大丘	→	→	→	→	→	대구
	(順興, 혁)	→	→	숙9 도호부	→	→	순흥
			인18 칠곡도호부	→	→	→	칠곡
	陜川郡	→	→	→	→	→	합천군
	咸陽	→	인7 현	영5 부	→	정12 군	함양
	草溪	→	→	→	→	→	초계
	淸道	→	→	→	→	→	청도
	永川	→	→	→	→	→	영천
	醴泉	→	→	영5 현, 14 군	→	→	예천
	榮川 (榮州)	→	→	→	→	→	영천
	興海	→	→	→	→	→	흥해
	蔚山	→	선31 도호부				
	梁山	→	선27? 혁, 36 복	→	→	→	양산
	咸安	연11 부, 중1 군	→	→	→	→	함안
	金山	→	인7 현, 19 군	→	→	→	김산
	豊基	→	→	→	→	→	풍기
	昆陽	→	→	→	→	→	곤양
	盈德 縣令官	→	→	→	→	→	영덕현령관
	慶山	→	선34 혁, 41 복	→	→	→	경산
	東萊	명2 도호부					
	固城	→	→	→	→	→	고성
	巨濟	성20 부					
	義城	→	→	→	→	→	의성
	南海	→	→	→	→	→	남해
	開寧 縣監官	→	선34 혁, 광2 복	→	→	→	개령현감관
	居昌	→	→	효9 혁, 현1 복, 영5 부			
	삼가	→	→	→	→	→	삼가
	宜寧	→	→	→	→	→	의령
	河陽	→	→	→	→	→	하양
	龍宮	→	→	→	→	→	용궁

	奉化	→	→	→	→	→	봉화
	淸河	→	→	→	→	→	청하
	彦陽	→	선32 혁, 광4 복	→	→	→	언양
	漆原	→	선25 혁, 광9 복	→	→	→	칠원
	鎭海	→	→	→	→	→	진해
	河東	→	→	숙30 부			
	仁同	→	선27 혁, 37 도호부				
	珍寶	→	→	→	→	→	진보
	聞慶	→	→	→	→	→	문경
	咸昌	→	선27 혁, 36 복	→	→	→	함창
	知禮	→	→	→	→	→	지례
	安陰	→	→	영5 혁, 12 복, 43 개 安義	→	→	안의
	高靈	→	선25 혁, ? 복	→	→	→	고령
경상도	玄風	→	→	→	→	→	현풍
	山陰	→	→	영43 개 山淸	→	→	산청
	丹城	→	→	→	→	→	단성
	軍威	→	→	→	→	→	군위
	比安	→	선27 혁, ? 복	→	→	→	비안
	義興	→	→	→	→	→	의흥
	新寧	중3 혁, 9 복	→	→	→	→	신녕
	禮安	→	→	→	→	→	예안
	延日	→	→	→	→	→	연일
	장기	→	→	→	→	→	장기
	靈山	→	인9 혁, 15 복	→	→	→	영산
	昌寧	→	인8 혁, 15 복	→	→	→	창녕
	泗川	→	→	→	→	→	사천
	기장	→	선32 혁, 광9 복	→	→	→	기장
	熊川	중5 부, 16 현	→	→	→	→	웅천
			인15 자인현	→	→	→	자인
				숙1 영양현, 2 혁, 8 복	→	→	영양
	全州 府尹府	→	→	→	→	→	전주부윤부
	羅州牧	→	인23 금성현,	효5 목, 영4 현, 13 목	→	→	나주목
전라도	濟州	→	→	→	→	→	제주
	光州	성12 광산현, 연7 목	인2 현, 12 목	숙27 현, 33 목	→	→	광주
			인10 능주목	→	→	→	능주
	南原 都護府	→	→	영16 현, 17 부	→	→	남원도호부

전라도	長興	→	→	효3 현, 10 부	→	→	장흥
	順天	→	→	→	→	정10 현, 11 부	순천
	潭陽	→	→	영4 현, 14 군, 38 현, 40 도호부	→	→	담양
				숙25 여산도호부	→	→	여산
				효6 장성도호부	→	→	장성
			인11 무주도호부	→	→	→	무주
	寶城郡	→	→	→	→	→	보성군
	益山	→	→	→	→	→	익산
	古阜	→	→	→	→	→	고부
	靈巖	→	→	→	→	→	영암
	靈光	→	인7 현, 16 군	→	영31 현, 40 군	→	영광
	珍島	→	→	현3 현, 12 군	→	→	진도
	樂安	→	→	→	→	→	낙안
	淳昌	→	→	→	→	→	순창
	錦山	→	인24 현	효1 군	→		금산
	珍山	→	→	→	→	→	진산
	金堤	→	→	→	→	→	김제
	礪山	→	→	숙25 도호부			
						고1 대정군	대정
						고1 정의군	정의
	昌平縣令官	→	→	→	→	→	창평현령관
	龍潭	→	→	→	→	→	용담
	臨陂	→	인35 현감관	효6 현령관	→	→	임피
	萬頃	→	광12 혁, 인7? 복	→	→	→	만경
	金溝	→	→	→	→	→	금구
	綾城	→	선27 혁, 광3 복, 인3 능주목				
	光陽縣監官	→	선31 혁, ? 복	현1 혁, 10? 복	→	→	광양현감관
	용안	→	→	→	→	→	용안
	咸悅	→	→	→	→	→	함열
	扶安	→	→	→	→	→	부안
	咸平	→	→	→	→	→	함평
	康津	→	→	→	→	→	강진
	玉果	→	→	→	→	→	옥과
	高山	→	→	→	→	→	고산

전라도	泰仁	→	→	→	→	→	태인
	沃溝	→	→	→	→	→	옥구
	南平	→	→	→	→	→	남평
	興德	→	→	→	→	→	흥덕
	井邑	→	→	→	→	→	정읍
	高敞	→	→	→	→	→	고창
	茂長	→	→	현2 군, ? 현	→	→	무장
	務安	→	→	→	→	→	무안
	求禮	→	→	→	→	→	구례
	谷城	→	선32 혁, 광1 복	→	→	→	곡성
	長城	→	→	효6 도호부			
	珍原	→	선33 혁				
	雲峯	→	선33 혁, 광3 복	→	→	→	운봉
	任實	→	→	→	→	→	임실
	長水	→	→	→	→	→	장수
	鎭安	→	→	→	→	→	진안
	茂朱	→	인11 도호부				
	同福	→	→	효6 혁, 현5 복	→	→	동복
	和順	→	선27 혁, 광5 복	→	→	→	화순
	興陽	→	→	→	→	→	흥양
	海南	→	→	-? 혁	? 복	→	해남
	大靜	→	→	→	→	고1 군	
	旌義	→	→	→	→	고1 군	
황해도	黃州牧	→	→	→	→	순24 黃岡縣, 33 황주목	황주목
	海州	→	광8 현, 인1 목	→	→	→	해주
	延安都護府使	→	→	→	→	→	연안도호부
	平山	→	인6 현, 15 부	→	→	→	평산
	瑞興	→	→	현12 현	영38 군	→	서흥
	豊川	→	→	→	→	→	풍천
	谷山郡	→	→	현10 도호부	→	→	곡산
				숙45 옹진도호부	→	→	옹진
	鳳山	→	→	→	→	→	봉산군
	安岳	선22 현	41 군	→	→	순4 현, 13 군	안악
	載寧	→	→	→	→	→	재령
	遂安	→	→	효4 현, 현3 군	→	→	수안
	白川	→	→	→	→	→	배천
	信川	→	→	→	→	→	신천
				효2 금천군(우봉+강음)	→	→	금천

황해도	新溪縣令官	→	→	→	→	→	신계현령관
	瓮津	→	→	숙45 도호부			
	文化	명종16 이전 혁	→	영조 23년 이후 복	→	→	문화
	牛峯	→	→	효2 혁(금천군, 우봉+강음현)			
	長淵縣監官	→	인1 부	→	영40 현, 49 부	순4 현	장연현감관
	松禾	→	→	→	→	→	송화
	綱領	→	→	→	→	→	강령
	殷栗	→	→	현4 혁, 11 복, 숙14 혁, 16 복	→	→	은율
	江陰	→	→	효2 혁			
	兎山	→	→	→	→	→	토산
강원도	江陵 大都護府	중37 부, 명6? 복, 16 부, 선3? 복	→	현7 현, 숙1 대도호부	정6 현	정14 대도호부	강릉대도호부
	原州牧	중37 부, 명6? 복	→	숙9 현, 18 목, 영4 현, 13 목	→	→	원주목
	淮陽都護府	→	→	→	→	→	회양도호부
	襄陽	→	광10 현, 인1 부	→	→	→	양양
	春川	→	→	→	영31 현, 40? 복	→	춘천
	鐵原	→	→	→	→	→	철원
	三陟	→	→	→	→	→	삼척
				숙24 영월도호부	→	→	영월
			광즉 이천도호부, 인1 현	숙13 부	→	→	이천
	平海郡	→	→	→	→	→	평해군
	通川	→	→	→	영38 현, 47 군	→	통천
	旌善	→	→	→	→	→	정선
	固城	→	인7 현, 16 군	→	→	→	고성
	간성	→	→	→	→	→	간성
	寧越	→	→	숙24 부			
	平昌	→	→	→	→	→	평창
	金城縣令官	→	→	→	→	→	금성현령관
	蔚珍	→	→	→	→	→	울진
	翕谷	→	선29 혁, ? 복	→	→	→	흡곡
	利川	→	광즉 부				

	縣監官						
강원도	平康	→	→	→	→	→	평강현감관
	金化	→	→	→	→	→	김화
	狼川	→	→	→	→	→	낭천
	洪川	→	→	→	→	→	홍천
	楊口	→	→	→	→	→	양구
	인제	→	→	→	→	→	인제
	橫城	→	→	→	→	→	횡성
	安峽	→	→	→	→	→	안협
영안도		중4 함흥부윤부	→	→	→	→	함흥부윤부
	永興 府尹府	중4 대도호부	→	→	→	→	영흥대도호부
		중4 길주목(길성+명천현)	→	→	→	→	길주목
	安邊 大都護府	중4 도호부	→	→	→	→	안변도호부
	鏡城 都護府	→	→	→	→	→	경성
	慶源	→	→	→	→	→	경원
	會寧	→	→	→	→	→	회령
	種城	→		→	→	→	종성
	穩城	→	인8 현, 11 부	→	→	→	온성
	慶興	→	→	→	→	→	경흥
	富寧	→	→	→	→	→	부령
	北靑	→	→	→	→	→	북청
	德源	→	→	→	→	→	덕원
	定平	→	→	→	→	→	정평
	甲山	→	→	→	→	→	갑산
	三水郡	→	→	숙22 현, 36 부	→	→	삼수
		중17이전 단천도호부	→	→	→	→	단천
			선38 명천도호부	→	→	→	명천
				숙12 무산부	→	→	무산
						정11 장진부	장진
						순22 후주부	후주
	文川	→	→	→	→	→	문천군
	高原	→	→	→	→	→	고원
	端川	중17이전 부					
	咸興	중4 부윤부					
	洪原 縣監官	→	→	→	→	→	홍원현감관

영안도	利城	→	→	→	정? 개 利原	→	이원
	吉城	중7 길주목					
	明川	중7 혁, 8 복	선38 부				
평안도	平壤府尹府	→	→	→	→	→	평양부윤부
			선26 의주부윤부	→	→	→	의주
	寧邊 大都護府	→	→	→	→	→	영변대도호부
	安州牧	→	→	→	→	순12 현, 22 목	안주목
	定州	→	→	숙6? 定原縣, 15 복	→	순12 정원현, ? 목	정주
	義州	→	선26 부윤부				
	江界都護府	→	→	→	→	→	강계도호부
	昌城	→	→	→	→	→	창성
	成川	→	→	→	→	→	성천
	朔州	→	→	→	→	→	삭주
	肅川	→	→	현11 현, 숙4 부	→	→	숙천
	龜城	→	→	→	→	→	구성
	中和郡	→	선26 부	→	→	→	중화
				숙28 자산도호부	→	→	자산
		명18 선천도호부, 19군	인1 부	→	→	→	선천
			광14철산부, 인2 현, 11부	→	→	순12 현, ? 부	철산
			광12 용천부,	→	→	순12 현, ? 부	용천
				경4 초산도호부	→	→	초산
				숙12 삼화도호부	→	→	삼화
				경? 함종도호부	→	→	함종
	祥原	→	→	→	→	→	상원군
	德川	→	→	→	→	→	덕천
	開川	→	→	→	→	순12 현, 21 군	개천
	慈山	연11 혁, 중1 복	→	숙28 부			
	嘉山	→	→	효4? 현. 현3 복	→	→	가산
	宣川	명18 부					
	郭山	→	→	→	→	순12 현, 21 군	곽산
	鐵山	→	광14 부				

	龍川	→	광12 부				
	順川	→	→	→	→	→	순천
	熙川	연11 혁, 중1 복	→	숙3 현, 13 군	→	→	희천
	理山	→	→	경4 초산도호부			
	碧潼	→	→	→	→	→	벽당
	雲山	→	→	→	→	→	운산
	博川	→	→	→	→	→	박천
	渭原	→	→	→	→	→	위원
	寧原	→	→	→	→	→	영원
	龍岡縣令官	→	→	→	→	순12 현, 21 군	용강현령관
평안도	三和	→	→	숙12 도호부			
	咸從	→	→	경? 도호부			
	영유	→	→	→	→	→	영유
	甑山	→	→	→	→	→	증산
	三登	→	→	→	→	→	삼등
	順安	→	→	→	→	→	순안
	江西	→	→	→	→	→	강서
	陽德縣監官	→	→	→	→	→	양덕현감관
	孟山	→	→	→	→	→	맹산
	泰川	→	→	→	→	→	태천
	江東	→	→	→	→	→	강동
	殷山	명21 부	→	숙39 이전 현	→	→	은산
	府尹府4	5(4)	5	5	5	5	5
	大都護府4	3(4)	5	5	4	5	5
	牧20	20(20)	17	20	19	20	20
합계	都護府55	47(44)	63	65	65	64	54
	郡74	79(82)	78	73	73	79	79
	縣令官34	33(33)	31	27	27	28	28
	縣監官141	139(141)	129	128	127	121	121
	계 336	329(329)	327	322	319	321	321

24) 『고려사』 백관지, 『조선왕조실록』 태조 1년~성종 15년조(『세종실록』 지리지 포함), 『신증동국여지승람』, 『경상도읍지』 등에서 종합.

〈별표 8〉 조선 중·후기 변진(진·포) 변천 종합

경국대전		성종17~영조22	영조23~정조9	정조10~고종1	고종2 대전회통
경기도	月串鎭水軍僉節制使	(현종6) 병마첨절제사	→	→	월곶진병마첨절제사
			(영23) 여현진 (영23) 백치진 (영23) 장곶진	→ → 철종4수군첨절제사	여현진 백치진
		숙종7 영종진수군첨절제사	→	→	영종진수군첨절제사
		영조15 덕적진	→	→	덕적진
		(숙종8) 덕포진	→	→ 철종4 장곶진 ~(고종2)혁	덕포진
		인조7 화량수군동첨절제사	영조29 초지량병마동첨절제사→	→ →	초지량병마동첨절제사, 화량수군동첨절제사
		숙종34 주문도동첨절제사	→	→	주문도
	英宗浦水軍萬戶	숙종7 첨절제사			
	草芝梁	(현종6) 병마만호	영조39 병마동첨절제사		
	濟물량	숙종42 병마만호	→	→	제물량병마만호
	井浦	(숙종40) 혁	영조23 이후 복~(정조9) 혁	(고종2) 병마만호	정포
	喬桐梁	숙종20 교동도호부			
		숙종5 인화보병마만호	→	→	인화보
		현종6 용진	→	→	용진
		숙종30 덕진	→	→	덕진
			(정조9) 승천보	→	승천보
		숙종34 장봉도수군만호	→	→	장봉도수군만호
		숙종42 용진수군만호~현종6 병마만호			
		?주문도수군만호~숙종34 동첨사			
충청도	所근포진수군첨절제사	→	→	→	소근포진수군첨절제사
	마량진	→	→	→	마량진
		숙종37 평신진수군첨절제사	→	→	평신진
		(효종4) 안흥진	(정조9) 수영	(고종2) 첨절제사	안흥진

충청도	당진포수군만호	(영조22) 혁			
	파지도	(영조22) 혁			
	서천포	→	→	→	서천포수군만호
경상도	부산포진수군첨절제사	→	→	→	부산포진수군첨절제사
			(정조9) 다대포	→	다대포진
	제포진	중종5 혁(실함왜군) (영조22) 만호			
		중종5 영등포첨절제사~(중종36) 만호			
		명종3 가덕진	→	→	가덕진
		성종25 미조정~선조25 폐, 중종7 복	→	→	미조정진
		선조30 서생포수군동첨절제사	→	→	서생포수군동첨절제사
		(영조22) 구산포	→	→	구산포
		숙종14 적량	→	(고종2) 혁	
		(선조25) 다대포	(정조10) 첨절제사		
	두모포수군만호	→	→	→	두모포수군만호
	감포	선조25 혁(실함왜군) (영조27) 복	(정조10) 혁		
	해운포	중종33 이후 개운포수군만호	→	→	개운포
	칠포	선조25 혁(실함), (영조27) 복~효종9 혁(이)	(정조10) 혁		
	포이포	→	→	→	포이포
		(선조26) 서평포	→	→	서평포
		명종3경 천성포	→	→	천성포
	안골포	(중종10) 안골포~효종3 혁, (영조22) 복	→	→	안골포
		(영조22) 제포	→	→	제포
		연산군11 조라포~(영조22) 혁	(영조27) 복	→	조라포
	오포	(현종10) 혁			
	서생포	선조25 폐(실함) ? 복~선조30 동첨절제사			
	다대포	(선조25) 동첨절제사			
	염포	(영조22) 혁			
	축산포	(현종10) 혁, ? 복	(정조9) 혁		
	옥포	→	→	→	옥포

	평산포	→	→	→	평산포
	지세포	선조25 폐(실함) 효종2 복	→	→	지세포
		(성종19) 가배량	→	→	가배량
	영등포	중종5 첨절제사 (중종36) 만호	영조26 혁,(정조9) 복	→	영등포
	사량	중종39 파(왜변) 선조25이후 복	→	→	사량
경상도	당포	→	→	→	당포
	조라포	(영조22) 혁			
	적량	숙종14 동첨절제사			
			(영조27) 청천~(정조9) 혁		
			(영조27) 신문~(정조9) 혁		
			(영조27) 장목~(정조9) 혁		
			(영조27) 율포~?		
			(영조27) 소비~?		
	사도진수군첨절제사	→	→	→	사도진수군첨절제사
	임치도진	(숙종9) 만호 (영조22) 첨절제사	→	→	임치도진
		중종16 가리포진	→	→	가리포진
		숙종8 위도진	(정조9) 동첨절제사	(고종2) 첨절제사	위도진
		숙종45 격포~(경종3) 동첨절제사			
			(정조9) 고군산첨절제사	→	고군산진
		현종5 이후 법성포~(숙종9) 만호, ? 복	→	→	법성포진
전라도		(영조22) 군산포	→	→	군산포진
		중종18 방답진수군동첨절제사	→	→	방답수군동첨절제사
		숙종7 임자도	→	→	임자도
		(숙종9) 고금도	→	→	고금도
		(영조22) 고군산동첨절제사	(정조9) 첨절제사		
		(경종3) 격포~경종3 파			
	회령포수군만호	→	→	→	회령포수군만호
	달량	중종16 혁(왜변)			

전라도	여도	→	→	→	여도
	마도	→	→	→	마도
	녹도	→	→	→	녹도
	발포	→	→	→	발포
	돌산포	중종초 혁			
	검모포	→	→	→	검모포
	법성포	현종5 이후 첨절제사 (숙종9) 만호~?			
	다경포	→	→	→	다경포
	목포	→	→	→	목포
		숙종8 지도	→	→	지도
	어란포	(영조22) 혁	(정조 9) 복	→	어란포
	군산포	(영조22) 동첨절제사			
	남도포	→	→	→	남도포
		(숙종9) 신지도	→	→	신지도
	금갑도	→	→	→	금갑도
		(숙종9) 이진	→	→	이진
			(정조9) 명월포	→	명월포
		(중종17) 가리포~?			
		숙종9 방원~?			
황해도	소강진수군첨절제사	숙종44 수군절도사			
			(영조23) 산산진 병마첨절제사	(정조11) 병마동첨절제사	
			(영조23) 문성	→	문성병마동첨절제사
			(영조23) 선적	→	선적
			(영조23) 백치	(고종2) 개성부	
			(영조23) 동리	→	동리
	장연현감관	(광해군8) 백령진 수군첨절제사	→	→	백령진수군첨절제사
		숙종28 초도진수군동첨절제사	→	(고종2) 첨절제사	초도진
				(정조11) 산산진 병마동첨절제사	산산진병마동첨절제사
			(영조23) 금천병마동첨절제사	→	금천
		숙종31 등산곶수군동첨절제사	→	→	→등산곶수군동첨절제사
		중종18 허사포	→	→	허사포
		(중종23) 오우포	→	→	오우포
		(효종6) 용매량	→	→	용매량

황해도		(숙종32) 문산병마만호	→	→	문산병마만호
		숙종6 소기	→	→	소기
		숙종6 위라	→	→	위락
	광암량수군만호	(영조22) 혁			
	아랑포	(영조22) 혁			
	오우포	(중종23) 동첨절제사			
	허사포	중종18 동첨절제사			
	가을포	(영조22) 혁			
	용매량	(효종6) 동첨절제사			
		영조6년 이후 조니포수군만호	→	→	조니포수군만호
강원도	삼척포진수군첨절제사	→	→	→	삼척포진수군첨절제사
	안인포수군만호	성종21 혁(이 대포)			
	고성포	선조25 이후 혁			
	울진포	선조25 이후 혁			
	월송포	→	→	→	월송포수군만호
		성종21 대포~(영조22) 혁			
함경도	혜산진병마첨절제사(경직겸)	→	→	(정조10) 혁	
	훈융진(경직겸)	→	→	(정조10) 혁	
	동관진(경직겸)	→	→	(정조10) 혁	
	고령진(경직겸)	→	→	(정조10) 혁	
	유원진(경직겸)	→	→	(정조10) 혁	
	이원진(경직겸)	→	→	(정조10) 혁	
		광해군7 성진진병마첨절제사	→	→	성진병마첨절제사
			(영조23) 별해진	(정조11) 혁	
			(영23) 보하진		
			(영23) 어유간		
				(정조11) 장진책병마첨절제사	
				(정조11) 무산진	무산
				(고종2) 후주진	후주진
			(영23) 가파치병마동첨절제사	→	가파치병마동첨절제사
		현종14 서북	→	→	서북
	무이병마만호	→	→	→	무이병마만호
	아산	→	→	→	아산
	아오지	→	→	→	아오지

함경도	서북	현종14 동첨절제사			
	斜个洞	선조37 혁(이재덕)		정조23 복→? 혁	
	사하북	(영조22) 혁			
	주을온	→	→	→	주을온
	어유간	(영조22) 첨절제사			
	풍산	숙종10 혁		(고종2) 복	풍산
	방원	→	→	→	방원
	영건	→	(정조9) 개 영달	→	영달
	무산	숙종10 도호부			
	옥련	숙종36 혁(이설)			
	운롱	→	→		
	사하동	선조37 혁(이재덕)		정조23 복→(고종2) 혁	
	사하토	?혁			
	옥련	숙종36 혁(이설)			
		성종19 이후 인차외병마만호	→	(고종2) 혁	
		중종19 신방구비	→	순조8 개 신방→(순조13) 혁	
		(영조22) 羅暖	→	(고종2) 혁	
		(영조22) 어면	→	(고종2) 혁	
		(영조22) 진동	→	(고종2) 혁	
		?오을족보~영조22 혁(이설 이동)			
		?삼삼파~(중종19) 혁, 중종19 복	→	→	삼삼파
		선조37 재덕	→	→	재덕
		숙종36 고풍산	→	→	고풍산
		숙종36 폐무산	→	→	폐무산
		(영조22) 이동	→	→	이동
		?豪打~(영조22) 혁			
	조산포수군만호	→	→	→	조산포수군만호
	낭성포	중종4 혁			
	도안포	(영조22) 혁			
평안도	만포진병마첨절제사(경직겸)				
	인산진(경직겸)				
	방산진(경직겸)	(중종15)만호			
	벽단진(경직겸)				
	창주진(경직겸)				
	고산리진(경직겸)				
		(선조28) 아이진			
			(영조23) 미곶진		

			(영조23) 청성진		
			(영조23) 위곡진		
		숙종2 신광진			
			(영조23) 영성진		
		숙종2 우현진			
	선사포진수군첨절제사				
	노강진	→	→	→	노강진
	광량진	→	→	→	관량진
	삼화현	→	→	(정조10) 삼화진수군첨절제사	삼화진
				(정조10) 선천진	선천진
				(정조10) 신도진	신도진
		(명종8) 상토병마동첨절제사	→	→	상토병마동첨절제사
			(영조23) 고성병마동첨절제사	→	고성
			(영23) 인의	→	안의
			(영23) 청강	→	서림
			(영23) 유원	→	유원
평안도			(영23) 천마	→	천마
			(영23) 차령	→	차령
		숙종2 시채	→	→	시채
			(영23) 천수	(정조10) 혁	
			(영23) 토성	→	(고종2) 혁
	선천진수군동첨절제사	→	(정조10) 첨절제사	→	선천진
	신도진병마첨절제사	→	(정조10) 수군첨절제사	→	신도진
	아이병마만호	(선조28) 첨절제사			
	추파	→	→	(고종2) 혁	
	상토	명종8 첨절제사			
	구령	→	→	→	구령병마만호
		숙종1 벌등	→	→	벌등
		숙종1 막령	→	→	막령
		연산군6 이후 옥강	→	→	옥강
	방산첨절제사	(중종19) 방산	→	→	방산
		성종24 이후 청수	→	→	청수
		성종24 이후 수구	(정조10) 혁,	(고종2) 복	수구
		(영조22) 산양회	→	→	산양회
		숙종1 오로량	→	→	오로량
		(영조22) 식송	→	→	식송

평안도		숙종6 양하	→	(정조17) 혁	
		(성종19) 조산보~(영조22) 혁		(순조14) 복~(고종2) 혁	
		(영조22) 질괴	→	(고종2) 혁[25]	
		(영조22) 종포	→	(고종2) 혁	
		(영조22) 평남	→	(고종2) 혁	
합계	수군첨절제사 12	16	21	27	27
	수군동첨절제사 0	15	16	11	11
	수군만호 58	35	35	35	35
	병마만호 18	40	40	31	31
	계 88	106	112	104	104

25) 『속대전』에 처음으로 등재되고 이어 『대전통편』에도 확인되나 『대전회통』에는 전혀 언급이 없이 삭제되어 있다. 『대전회통』에 평안도 병마만호가 10직이라고 명기되고 구령 등 10직이 확인된다. 이에서 정조 10년~고종 2년에 혁파된 것으로 파악한다. 종포와 평남도 같다.

〈별표 9〉 조선 중·후기 역·도 변천 종합

		『경국대전』	『속대전』	『대전통편』	『대전회통』	비고(속역, 『대전회통』)
경기도	道驛	영서(찰방도)	→	→	영서	
		양재(찰방도)	→	→	영화	
		평구(찰방도)	→	→	평구	
		중림(역승도)	찰방도	→	중림	
		도원(역승도)	찰방도	→	도원	
		경안(역승도	찰방도	→	경안	
	驛	벽제	→	→	벽제	속영서도
		마산	→	→	마산	
		동파	→	→	동파	
		청교	→	→	청교	
		준예	→	→	준예	
		중련	→	→	중련	
		樂生	→	→	악생	속영화도
		구흥	→	→	그흥	
		金嶺	→	→	금령	
		좌찬	→	→	좌찬	
		분행	→	→	분행	
		무극	→	→	무극	
		강복	→	→	강복	
		가천	→	→	가천	
		청호	→	→	혁	
		장족	→	→	혁	
		동화	→	→	혁	
		해문	→	→	해문	
		해문	→	→	치 양재	
		녹양	→	→	녹양	속평구도
		안기	→	→	안기	
		梁文	→	→	양문	
		봉안	→	→	봉안	
		오빈	→	→	오민	
		雙樹	→	→	쌍수	
		전곡	→	→	전곡	
		백동	→	→	백동	
		구곡	→	→	구곡	
		감천	→	→	감천	
		연동	→	→	연동	
		경긴	→	→	경신	속중림도
		반유	→	→	반유	
		석곡	→	→	석곡	
		금수	→	→	금수	

경기도	驛	종생	→	→	종생	
		남산	→	→	남산	
		구지	→	→	구지	속도원도
		백령	→	→	백령	
		옥예	→	→	옥예	
		단조	→	→	단조	
		생수	→	→	생수	
		덕풍	→	→	덕풍	속경안도
		양화	→	→	양화	
		신진	→	→	신진	
		안평	→	→	안평	
		아천	→	→	아천	
		오천	→	→	오천	
		유춘	→	→	유춘	
	渡	벽란(도승)	도별장, 이속 병조	혁		
		한강(도승)	동상	→	한강	
		임진(도승)	동상	→	임진	
		노량(도승)	동상	→	노량	
		낙하(도승)	동상	혁		
		삼전(도승)	동상	→	삼전	
		양화(도승)	동상	→	양화	
	계	도역 6, 역 48, 도 7	도역 6, 역 48, 도 5	→	도역 6, 역 48, 도 5	
충청도	도역	연원(찰방)	→	→	연원	
		성환(찰방)	→	→	성환	
		이인(역승)	찰방도	→	이인	
		금정(역승)	찰방도	→	금정	
		율봉(찰방)	→	→	율봉	
	역	장양	→	→	장양	속율봉도
		태랑	→	→	태랑	
		雙樹	→	→	쌍수	
		저산	→	→	저산	
		시화	→	→	시화	
		德驛	→	→	덕역	
		증약	→	→	증약	
		가화	→	→	가화	
		토파	→	→	토파	
		순양	→	→	순양	
		화인	→	→	화인	
		회동	→	→	회동	
		신흥	→	→	신흥	
		원암	→	→	원암	
		含林	→	→	함림	

충청도	역	전민	→	→	전민	
		단월	→	→	단월	속연원도
		인산	→	→	인산	
		坎原	→	→	감원	
		신풍	→	→	신풍	
		안부	→	→	안부	
		가흥	→	→	가흥	
		용안	→	→	용안	
		황강	→	→	황강	
		수산	→	→	수산	
		장림	→	→	장림	
		令泉	→	→	영천	
		오사	→	→	오사	
		천남	→	→	천남	
		안음	→	→	안음	
		신은	→	→	신은	속성환도
		金蹄	→	→	김제	
		광정	→	→	광정	
		일신	→	→	일신	
		경천	→	→	경천	
		평천	→	→	평천	
		단평	→	→	단평	
		惟鳩	→	→	유구	
		金沙	→	→	금사	
		장명	→	→	장명	
		연춘	→	→	연춘	
		용전	→	→	용전	속이인도
		은산	→	→	은산	
		유양	→	→	유양	
		숙홍	→	→	숙홍	
		남전	→	→	남전	
		청화	→	→	청화	
		두곡	→	→	두곡	
		신곡	→	→	신곡	
		영유	→	→	영유	
		광시	→	→	광시	屬金井道
		해문	→	→	해문	
		청연	→	→	청연	
		세용	→	→	세용	
		용곡	→	→	용곡	
		몽룡	→	→	몽룡	
		하천	→	→	하천	

충청도	역	풍전	→	→	풍전	
		창덕	→	이 金井道	창덕	
		일홍	→	〃	일홍	
		급천	→	〃	급천	
		순성	→	〃	순성	
		홍세	→	〃	홍세	
		장시	→	〃	장시	
		화천	→	〃	화천	
	계	도역5, 역 65	→	→	도역 5, 역 65	
경상도	도역	유곡(찰방)	→	→	유곡	
		안기(찰방)	→	→	안기	
		장수(찰방)	→	→	장수	
		송라(역승)	찰방도	→	송라	
		창락(역승)	찰방도	→	창락	
		사근(역승)	찰방도	→	사근	
		소촌(역승)	찰방도	→	소촌	
		황산(역승)	찰방도	→	황산	
		김천(찰방)	→	→	김천	
		성현(찰방)	→	→	성현	
		자여(역승)	찰방도	→	자여	
	역	聊城	→	→	요성	속유곡도
		덕통	→	→	덕통	
		수산	→	→	수산	
		낙양	→	→	낙양	
		낙동	→	→	낙동	
		구미	→	→	구미	
		쌍계	→	→	쌍계	
		안계	→	→	안계	
		대은	→	→	대은	
		지보	→	→	지보	
		소계	→	→	소계	
		연향	→	→	연향	
		낙원	→	→	낙원	
		상림	→	→	상림	
		낙서	→	→	낙서	
		장림	→	→	장림	
		낙평	→	→	낙평	
		안곡	→	→	안곡	
		추풍	→	→	추풍	속김천도
		답계	→	→	답계	
		안언	→	→	안언	
		무계	→	→	무계	
		안림			안림	

경상도	역	안림	→	→	안림	
		金陽	→	→	금양	
		부쌍	→	→	부쌍	
		동안	→	→	동안	
		팔진	→	→	팔진	
		무림	→	→	무림	
		고평	→	→	고평	
		양원	→	→	양원	
		권빈	→	→	권빈	
		성기	→	→	성기	
		양천	→	→	양천	
		금천	→	→	이속 성현도	
		문산	→	→	문산	
		작내	→	→	작내	
		장곡	→	→	장곡	
		성초	→	→	성초	
		철파	→	→	철파	속안기도
		청로	→	→	청로	
		운산	→	→	운산	
		금소	→	→	금소	
		송제	→	→	송제	
		청운	→	→	청운	
		문거	→	→	문거	
		화목	→	→	화목	
		각산	→	→	각산	
		寧陽	→	→	영양	
			치 이전평	→	이전평	
		청통	→	→	청통	속장수도
		아화	→	→	아화	
		모량	→	→	모량	
		사리	→	→	사리	
		부쌍	→	→	부쌍	
		押梁	→	→	이속 성현도	
		우곡	→	→	우곡	
		부평	→	→	부평	
		청경	→	→	청경	
		구어	→	→	구어	
		화양	→	→	화양	
		의곡	→	→	의곡	
		인비	→	→	인비	
		鏡驛	→	→	경역	
		朝驛	→	→	조역	
					치 산역	

경상도	역	병곡	→	→	병곡	속송라도
		대송	→	→	대송	
		망창	→	→	망창	
		주등	→	→	주등	
		봉산	→	→	봉산	
		육역	→	→	陸驛	
		남역	→	→	南驛	
		평은	→	→	평은	속창락도
		창보	→	→	창보	
		옹천	→	→	옹천	
		유동	→	→	유동	
		동명	→	→	통명	
		안교	→	→	안교	
		도심	→	→	도심	
		죽동	→	→	죽동	
		선안	→	→	선안	
		유린	→	→	有麟	속사근도
		안간	→	→	안간	
		임수	→	→	임수	
		제한	→	→	제한	
		정곡	→	→	정곡	
		신안	→	→	신안	
		신흥	→	→	신흥	
		정수	→	→	정수	
		횡포	→	→	횡포	
		마전	→	→	마전	
		율원	→	→	율원	
		벽계	→	→	벽계	
		소남	→	→	소남	
		평사	→	→	평사	
		常令	→	→	상령	속소촌도
		평거	→	→	평거	
		부다	→	→	부다	
		지남	→	→	지남	
		배둔	→	→	배둔	
		송도	→	→	송도	
		구허	→	→	구허	
		관율	→	→	관율	
		문화	→	→	문화	
		영창	→	→	영창	
		동계	→	→	동계	
		양포	→	→	양포	
		완사	→	→	완사	

경상도	역	오양	→	→	오양	
		덕산	→	→	덕신	
		잉포	→	→	잉포	속황산도
		노곡	→	→	노곡	
		윤산	→	→	윤산	
		위천	→	→	위천	
		덕천	→	→	덕천	
		굴화	→	→	굴화	
		간곡	→	→	肝谷	
		아월	→	→	아월	
		소산	→	→	소산	
		휴산	→	→	휴산	
		신명	→	→	신명	
		덕산	→	→	덕산	
		용가	→	→	용가	
		金洞	→	→	금동	
		수안	→	→	수안	
		無訖	→	→	이황산도	
		용가	→	→	이황산도	
		쌍산	→	→	쌍산	속성현도
		내야	→	→	내야	
		일문	→	→	일문	
		범어	→	→	범어	
		유천	→	→	유천	
		설화	→	→	설화	
		압량	→	→	압량	
		금천	→	→	금천	
		금동	→	→	이황산도	
		양동	→	→	이자여도	
		수안	→	→	이황산도	
		온정	→	→	온정	
		어서	→	→	어서	
		유산	→	→	유산	
		매전	→	→	매전	
		서지	→	→	서지	
		근주	→	→	근주	속자여도
		창인	→	→	창인	
		대산	→	→	대산	
		신풍	→	→	신풍	
		파수	→	→	파수	
		춘곡	→	→	춘곡	
		영포	→	→	영포	

경상도	역	금곡	→	→	금곡	
		덕산	→	→	이황산도	
		성법	→	→	성법	
		적정	→	→	적정	
		안민	→	→	안민	
		보평	→	→	보평	
		南驛	→	→	남역	
					치 양동	
	계	도역 11, 역 155	도역 11, 역 156	→	도역 11, 역 158	
전라도	도역	삼례(찰방)	→	→	삼례	
		청암(찰방)	→	→	청암	
		벽사(역승)	찰방도	→	벽사	
		제원(역승)	찰방도	→	제원	
		오수(찰방)	→	→	오수	
		경양(역승)	찰방도	→	경양	
	역	반석	→	→	반석	속삼례도
		오원	→	→	오원	
		葛覃	→	→	갈담	
		소안	→	→	소안	
		임곡	→	→	임곡	
		양재	→	→	양재	
		앵곡	→	→	앵곡	
		거산	→	→	거산	
		천원	→	→	천원	
		영원	→	→	영원	
		부흥	→	→	부흥	
		내재	→	→	내재	
		창활	→	→	창활	속오수도
		동도	→	→	동도	
		응령	→	→	응령	
		인월	→	→	인월	
		부수	→	→	부수	
		지신	→	→	지신	
		양율	→	→	양율	
		낙수	→	→	낙수	
		덕양	→	→	덕양	
		익신	→	→	익신	
		섬거	→	→	섬거	
		단암	→	→	단암	속청암도
		영신	→	→	영신	
		선암	→	→	선암	
		신안	→	→	신안	
		녹사	→	→	녹사	

전라도	역	녹사	→	→	녹사	
		가리	→	→	가리	
		영보	→	→	영보	
		경신	→	→	경신	
		광리	→	→	광리	
		오림	→	→	오림	
		청송	→	→	청송	
		가신	→	→	가신	속벽사도
		파청	→	→	파청	
		양강	→	→	양강	
		낙승	→	→	낙승	
		철원	→	→	철원	
		통로	→	→	통로	
		녹산	→	→	녹산	
		별진	→	→	별진	
		남리	→	→	남리	
		소천	→	→	소천	속제원도
		달계	→	→	달계	
		단령	→	→	단령	
		옥포	→	→	옥포	
		덕기	→	→	덕기	속경양도
		가림	→	→	가림	
		인물	→	→	인물	
		검부	→	→	검부	
		창신	→	→	창신	
		대부	→	→	대부	
	계	도역6, 역 53	→	→	도역 5, 역 53	
황해도	도역	금교(찰방)	→	→	금교	
		청단(찰방)	→	→	청단	
		기린(역승)	찰방도	→	기린	
	역	흥의	→	→	흥의	속금교도
		金巖	→	→	금암	
		보산	→	→	보산	
		안성	→	→	안성	
		용천	→	→	용천	
		검수	→	→	검수	
		동선	→	→	동선	
		소곶	→	→	혁	
		경천	→	→	경천	
		단림	→	→	혁	
		金谷	→	→	금곡	속청단도
		심동	→	→	심동	
		망정	→	→	망정	

황해도	역	金剛	→	→	금강	
		문라	→	→	문라	
		金洞	→	→	금동	
		신행	→	→	신행	
		유안	→	→	유안	
		남산	→	→	혁	
		다만	→	→	다만	속기린도
		원산	→	→	원산	
		연양	→	→	연양	
		진목	→	→	진목	
		박산	→	→	박산	
		문라	→	→	문라	
		안산	→	→	안산	
		위라	→	→	위라	
		소곶	→	→	소곶	
		소평	→	→	소평	
		신흥	→	→	신흥	
	계	도역3, 역30	→	→	도역3, 역27	
강원도	도역	은계(찰방)	→	→	은계	
		평릉(역승)	→	→	평릉	
		상운(역승)	→	→	상운	
		보안(찰방)	→	→	보안	
	역	풍전	→	→	풍전	속은계도
		생창	→	→	생창	
		직목	→	→	직목	
		창도	→	→	창도	
		신안	→	→	신안	
		용담	→	→	용담	
		임단	→	→	혁	
		옥동	→	→	옥동	
		건천	→	→	건천	
		서운	→	→	서운	
		산양	→	→	산양	
		원천	→	→	원천	
		방천	→	→	방천	
		함춘	→	→	함춘	
		수인	→	→	수인	
		마노	→	→	마노	
		부림	→	→	혁	
		풍교	→	→	풍교	
		임천	→	→	혁	
					치 문산	
					치 원통	

강원도	역	안보	→	→	안보	속보안도
		천감	→	→	천감	
		인풍	→	→	임풍	
		원창	→	→	원창	
		부창	→	→	부창	
		연봉	→	→	연봉	
		창봉	→	→	창봉	
		갈풍	→	→	갈풍	
		오원	→	→	오원	
		안흥	→	→	안흥	
		단구	→	→	단구	
		유원	→	→	유원	
		안창	→	→	안창	
		신림	→	→	신림	
		신흥	→	→	신흥	
		양연	→	→	양연	
		연평	→	→	연평	
		약수	→	→	약수	
		평안	→	→	평안	
		벽탄	→	→	벽탄	
		호선	→	→	호선	
		여량	→	→	여량	
		임계	→	→	임계	
		고단	→	→	고단	
		횡계	→	→	횡계	
		진부	→	→	진부	
		대화	→	→	대화	
		방림	→	→	방림	
		운교	→	→	운교	
		동덕	→	→	동덕	속평릉도
		대창	→	→	대창	
		구산	→	→	구산	
		목계	→	→	목계	
		안인	→	→	안인	
		악풍	→	→	악풍	
		신흥	→	→	신흥	
		사직	→	→	사직	
		교가	→	→	교가	
		용화	→	→	용화	
		옥원	→	→	옥원	
		흥부	→	→	흥부	
		수산	→	→	수산	
		덕신	→	→	덕신	

강원도	역		치 달효	→	혁	
		신립	→	→	신립	
		연창	→	→	연창	속상운도
			치 오색	혁	혁	
		강선	→	→	강선	
		인구	→	→	인구	
		죽포	→	→	죽포	
		청간	→	→	청간	
		운근	→	→	운근	
		명파	→	→	명파	
		대강	→	→	대강	
		고잠	→	→	고잠	
		망진	→	→	망진	
		군진	→	→	군진	
		등로	→	→	등로	
		거풍	→	→	거풍	
		정덕	→	→	정덕	
					치 원암	
	계	도역4, 역77	도역4, 역79	도역4, 역79	도역4, 역77	
함경도	도역	고산(찰방)	→	→	고산	
		거산(찰방)	→	→	거산	
		수성(찰방)	→	→	수성	
	역	남산	→	→	남산	속고산도
		삭안	→	→	삭안	
		화등	→	→	화등	
		봉룡	→	→	봉룡	
		철관	→	→	철관	
		양기	→	→	양기	
		통달	→	→	통달	
		隘守	→	→	애수	
		화원	→	→	화원	
		주천	→	→	혁	
		봉대	→	→	봉대	
		평원	→	→	평원	
		덕산	→	→	덕산	
					치 초원	
		함원	→	→	함원	속거산도
		신은	→	→	신은	
		평포	→	→	평포	
		오천	→	→	오천	
		제인	→	→	제인	
		시리	→	→	시리	
		곡구	→	→	곡구	

함경도	역	기원	→	→	기원	
		마곡	→	→	마곡	
		영동	→	→	영동	
		임명	→	→	임명	
		웅평	→	→	웅평	
		명원	→	→	명원	
		고참	→	→	고참	
		종포	→	→	종포	
		웅이	→	→	웅이	
		허천	→	→	허천	
		적생	→	→	적생	
			치 자항	→	자항	
			치 황수	→	황수	
			치 호린	→	호린	
			치 허린	→	허린	
			치 혜산	→	혜산	
		오촌	→	→	오촌	속수성도
		주촌	→	→	주촌	
		요참	→	→	혁	
		석보	→	→	석보	
		회수	→	→	회수	
		영안	→	→	영안	
		풍산	→	→	풍산	
		약산	→	→	악산	
		종경	→	→	종경	
		무안	→	→	무안	
		녹야	→	→	녹야	
		撫寧	→	→	무령	
		덕명	→	→	덕명	
		마유	→	→	마유	
		연기	→	→	연기	
		아산	→	→	아산	
		강양	→	→	강양	
		웅무	→	→	웅무	
			치 무산	→	무산	
			치 신풍	→	신풍	
			치 마전	→	마전	
			치 영강	→	영강	
	계	도역3, 역49	도역3, 역54	→	도역3, 역53	
평안도	도역	대동(찰방)	→	→	대동	
		어천(찰방)	→	→	어천	
	역	생양	→	→	생양	속대동도
		안정	→	→	안정	

평안도	역	肅寧	→	→	숙녕	
		안흥	→	→	안흥	
		가평	→	→	가평	
		신안	→	→	신안	
		운흥	→	→	운흥	
		임반	→	→	임반	
		양책	→	→	양책	
		소곶	→	→	소곶	
		의순	→	→	의순	
			치 車輦	→	차련	
		소고	→	→	소고	속어천도
		개평	→	→	개평	
		장동	→	→	장동	
		평전	혁			
		가막	혁			
		적여	→	→	적여	
		입석	→	→	입석	
		성간	→	→	성간	
		종포	→	→	종포	
		만포	혁			
		북동	→	→	북동	
		앙토	→	→	앙토	
		고리	→	→	고리	
		우장	→	→	우장	
		고연	→	→	고연	
		벽단	혁			
		창주	→	→	창주	
		대삭	→	→	대삭	
		소삭	혁			
		방산	→	→	혁	
		초주	→	→	초주	
			치 수영	→	수영	
			치 군팔	→	군팔	
			치 하북동	→	하북동	
			치 팔관	→	팔관	
			치 龜州	→	구주	
	계	도역2, 역32	도역2, 역31	→	도역2, 역30	
계	도역	40	→	→	40	
	역	509	516	→	511	
	도	7	5	→	5	

〈별표 10〉 조선시대(태조1~고종2) 주요 정치제도 연표[26)]

연대		기사
서기	왕력	
1392	태조1	문무관제 반포(7)
	태조2	삼군총제부 의흥삼군부로 개칭(9), 각도 계수관 상정(12)
	태조3	10사 상장군 등을 도지휘사 등으로 개칭(2), 문하시중을 문하정승으로 개칭(10)
	태조4	예문춘추관 설치(2), 서반관제 개정(2), 한양부를 한성부로 개칭(6), 양광도를 충청도, 강릉교주도를 강원도, 서해도를 풍해도로 개칭(6), 경기좌·우도 군현 분정
	태조6	각도 병마도절제사 혁거, 각진 첨절제사 설치(5), 내명부 관제 상정
	태조7	수군관제 제정(윤5)
1400	정종2	상왕 태조부로 인수부 설치(22), 도평의사사 의정부와 삼군부로 개편, 중추원 당후관 승정원으로 독립(4), 세자 정안군의 부로 승령부 설치(6), 별시위 설치(12)
	태종즉	갑사 설치(8)
1401	태종1	문하부를 의정부에 합병, 예문춘추관 예문관과 춘추관으로 분립, 승정원 승추부에 합병(7), 10사 도지휘사 등을 상장군 등으로 개칭(7)
	태종3	사평부 혁거, 6조·시·감 장관 2직에서 1직으로 조정(6), 중·좌·우군 3군도총제부로 개편
	태종4	의용순금사 설치(~14), 응방 설치(3)
	태종5	의정부서무 육조에 귀속, 중앙 관아를 직계아문과 육조속아문으로 구분 (1), 육조 장관인 전서가 혁거되고 판서가 설치됨에 따라 3품아문에서 정2품아문으로 승격되고 서무를 분장, 사평·승추부 혁파, 승추부 대언 승정원으로 독립(1), 육조속아문·속사제 상정(3), 승녕부 설치(~5), 개성부 개성유후사로 개칭(~세종 12)
	태종7	10사 겸총제 폐지, 겸상호군 설치(12)
	태종8	영삼군사처 설치(~9), 10사 겸상호군 폐지, 삼군장군총제 설치(11)
	태종9	내시위 설치(5~세종6.5), 삼군진무소 의흥부로 개칭(8)~18.3, 11도에 도절제사 각1직 설치(10), 겸사복 설치
	태종12	의흥부를 혁거하고 군정권을 병조에 이속(7)
	태종13	수군만호·천호 명호 상정(7), 서북면을 평안도, 동북면을 영길도로 개칭, 군현 명호와 관직명 개정(10)
	태종14	시·감 등 영·정과 부령·부정 등, 윤·소윤 등과 감·소감 등이 정·부정 등으로 개정, 돈령부 설치(1), 돈령부 설치(2), 의정부서사제를 폐지하고 육조직계제 실시(4), 내금위 설치(7), 의금부 설치(8), 경기좌·우도 경기도로 통합
	태종15	관제개정(1)
	태종16	여연군 설치(7), 영길도 함길도로 개칭(9)
	태종17	경원부 복설(8), 풍해도를 황해도, 영길도를 함길도로 개칭(12)
1418	태종18	의흥부 의건부로 개칭(8), 의건부 삼군부에 병합, 종친처 봉작 정비(9)
	세종즉	상왕 태종부로 인수부와 상왕 정종부로 경창부 설치(8), 삼군부 설치(9~14.5), 충의위 설치(11)
1419	세종1	군현에 훈도·교도 설치(11)
	세종2	집현전 설치(3), 수군도절제사 도안무처치사로 개칭(10)

	세종5	제조제 정비(3), 6도·2면의 장관명을 관찰사로 상정(6), 개성유후사·인수부·통례원 등 20여 관아 70여직 삭감(12)
	세종6	내시위 내금위에 합병(5)
	세종8	화주 영흥대도호부로 승격(2)
	세종10	내명부 관제 정비(3), 종학 설치(7), 영변대도호부 설치(12)
	세종11	승령부 전농시에 병합(6)
	세종12	개성유후사 개성유수부로 개칭(~세조12), 형조 상복사 가치, 돈령부 영사 혁거(12)
	세종14	삼군도총제부 중추원으로 개편(3), 삼군진무소 설치(3~세조3.4)
	세종15	자성군 설치(6)
	세종16	토관제 상정(4), 회령군 도호부로 승격(10), 대읍에 교수 설치
	세종18	경성군 도호부로 승격(2), 육조직계제를 의정부서사제로 변경(4)
	세종19	孔城縣 경흥군으로 승격(4)
	세종22	온성군 설치(11)
	세종23	온성·종성군 도호부로 승격(5)
	세종24	세자섭정부 첨사원 설치(9~32)
	세종25	경흥군 도호부로 승격(6), 위원·우예군 설치(8), 종친·의빈계 상정, 문·무관처봉작 상정(12)
	세종26	이성제군부 의빈부로 개칭·승격(7), 잡직계 상정(윤7)
	세종27	충순위 설치(7)
	세종28	삼수군 설치(4)
	세종29	양계·8도 연변군현 등분(9)
1450	문종즉	평안도 좌·우 분도(7)
1451	문종1	3군-12사제를 3군-5사제로 개편(6)
1454	단종2	충훈사 충훈부로 개칭·승격(1), 충찬위 설치(12)
	단종3	선전관 설치93), 우예·여연·무창군 혁파, 구성군 복치(4)
1455	세조1	의정부서사제를 육조직계제로 변경(8)
	세조2	집현전 혁파(6)
	세조3	5위진무소 설치(4~12.1), 역제 상정(9), 장악원 악학도감에 병합(11)
	세조5	자성군 혁파(1), 호익위 설치(3), 5위진무소 설치(4~12.1), 장용대 설치(9), 군제개정(11)
	세조6	사간원 사간·선공감 부정 등 20여 관아 40여직 삭감, 경창부 혁파, 도관서 등 사선서 등에 합병, 전농시 등 사섬시 등으로 개칭(5), 역제 정비
	세조8	역제 개정(8)
	세조9	훈도·교도를 훈도로 통일(3)
	세조12	중추원 중추부로 승격, 훈련관 훈련원으로 개칭, 개성유수부 개성부로 개칭, 한성부 등 20여 아문 소윤 등 50여 직 삭감, 장예원 등 20여 아문 사평 등 60여직 설치, 제시·감·창·고·서 관직명을 정(정3품)·부정9종3)·첨정9종4)·판관(종5)·주부(종6), 직장(종7)·부직장(정8)·봉사(종8)·부봉사(정9)·참봉(종9)으로 통일,·토관제 개정, 오위진무소 오위도총부로 개칭, 병영과 수영의 장관명을 병마절도사와 수군절도사로 상정, 내명부 관제 개정(1), 영원군 설치(2), 재내제군부 종친부로 개칭·승격(11)

	세조13	변정원 장예원으로 개칭(1)
	세조14	평안도 상·중·하도 분도(1)
1469	예종1	관제개정(6)
1470	성종1	돈령부 영사 등 복치, 예문관 부제학 등 증치, 사간원 정언 1직 가치(4)
	성종4	경기수군절도사 1직 설치(6)
	성종5	갑오 『경국대전』반포(1), 갑사제 정비(6)
	성종6	장용대 장용위로 개편(12)
	성종9	홍문관 설치(3), 예문관 참외관 설치(3)
	성종15	전교서 교서관으로 개칭·승격(2)
	성종16	을사 『경국대전』 반포, 경기수군절도사 혁거(11)
	성종17	경연특진관제 실시
	성종21	제언사 복치
	성종23	우림위 설치
	성종25	한성부 5부 포도장 각1직 설치
1499	연산군4	영안도 함경도로 개칭
	연산군6	비융사 설치
	연산군10	경연폐지, 우림위 혁거, 비융사 혁거
	연산군11	홍문·예문관 혁파(7), 경연관 진독관으로 개칭, 당직청 밀위로 개칭
	연산군12	사간원 혁파(5), 관상감 사력서로 개칭·강격
1506	중종1	연산조 개정 관제 복구
	중종5	축성사 비변사로 개칭, 방어청 설치
	중종11	의정부서사제 복구
	중종12	축성사 비변사로 개칭(6)
	중종13	소격사 혁파(9)
	중종17	문·무산계 종2품 가정대부 가의대부로 개칭(1), 비변사 설치(6), 소격서 복설(12), 5부 포도장 각1 좌·우 포도장 각1직으로 개정
	중종20	상평창 설치(9)
	중종30	역승 찰방으로 승격(6), 종학 복설(7)
	중종37	충청도 공청도로 개칭
1554	명종9	각도 병마평사 복설(6), 비변사 변사 주관(6), 포도청 종2품아문으로 승격(8)
	명종10	비변사 상설 정1품아문으로 상정
	명종11	경기수군절도영 설치(1)
	명종13	양계외 병마평사 혁거(8)
	명종15	포도청 종2품아문으로 승격(8)
1569	선조2	정공도감 설치(11)
	선조8	사림파 동인과 서인으로 분당(7)
	선조19	향교제독관 서리(1)
	선조25	임진왜란(4~31.11), 문소·연은전 소실(5)
	선조26	삼도수군통제영 설치(8), 분비변사 무군사로 개칭(11), 훈련도감 설치(8)
	선조32	사변가주서 1직 설치(5)
	선조33	왜란중 파훼 역 복설(10)
	선조41	상평창 혁파, 대동청 설치(~효종3)

1608	광해군즉	선혜청 설치(5)
	광해군2	교서관 서적교인도감으로 개칭(11)
	광해군3	등산곶 진 설치(10)
	광해군8	충익부 충익위로 개칭(4), 황해도 황연도로 개칭
1624	인조1	호위청 설치(7), 3도 대동청 설치(9), 광주부윤 유수부로 승격, 황연도 황해도로 개칭
	인조2	총융청 설치(7), 어영청 설치(10)
	인조4	수어청 설치(11)
	인조5	강화무윤 유수부로 승격, 중청·경상·전라 영장 설치(4~15.2))
	인조7	정묘호란(1), 능마아청 설치(1), 승인전 감 복치(1), 교동현 도호부로 승격(2)
	인조8	광주유수부 부윤부로 강격
	인조11	상평청 설치(11)
	인조14	청군 침입(12, 병자호란)
	인조15	강화유수부 도호부로 강격(2)
	인조17	진휼청 선혜청에 합병(2), 황주에 판관 복설(2)
	인조23	내자시 내섬시에 병합, 사섬시 제용감에 병합, 풍저창 장흥고에 합병(3), 전라도 전남도로 개칭
	인조24	시강원에 찬선·익선·자의 신설(3)
	인조26	진휼청 상평청으로 개칭(5), 세손강서원 설치(9)
	인조27	세손위종사 설치
1652	효종3	어영청 설치(6), 별기대 설치(8), 대동청 선혜청에 합병
	효종4	안흥진 설치(3), 홍청도 충청도로 개칭(4)
	효종5	영장제 복치
	효종6	강화도해변에 진보 설치(1), 능마아청 설치(8)
	효종7	수어청 경청, 속영체제로 정비
	효종9	성균관에 제주 신치
1662	현종3	제언사 상설 정1품아문으로 상정
	현종4	호남대동청 설치(3)
	현종5	균역청 혁파(1), 겸사복·내금위·우림위 정비(8)
	현종7	겸사복·내금위·우림위 금군청에 통합강원도 원양도로 개칭
	현종9	정초청 설치(12~16.4)
	현종10	훈련별대 설치(2)
	현종12	북평사 혁거(2), 총융청 충위영으로 개칭
	현종14	충위영 총융청으로 개칭
1681	숙종7	정초청 복설(7)
	숙종8	훈련별대와 정초청을 통합해 금위영 설치(3)
	숙종12	삼화현 도호부로 승격(6)
	숙종13	금위영 혁파(8)
	숙종17	방어사 복치
	숙종20	통진현 도호부로 승격(9)
	숙종25	영월군 도호부로 승격(2)
	숙종26	진무영 설치

	숙종28	사도시 정 혁거
	숙종29	금위영 혁파(1), 금위영 복치(2), 군정이정청 설치(9~30.12)
	숙종30	5군영 군제 개정(1), 8도구관당상 설치(유사당상 각겸 2도, 3), 경리청 설치(5)
	숙종33	건원릉 등 참봉 1직 직장, 봉사로 승격
	숙종37	관리영 설치
	숙종38	경리청 설치
	숙종39	팔도구관당상 설치(비변사 유사당상 각2도 겸, 4)
	숙종42	친기위 설치(6)
	숙종45	군기시 정·부정 혁거
1727	영조3	준천사 설치
	영조4	능마아청 혁파
	영조7	비변사당상 제언사제조겸(5)
	영조11	건원릉 직장 등 영으로 승격
	영조14	경리청 총융청에 합병
	영조15	남원부 一新縣으로 강격
	영조18	한성부 5부 관제개정(10)
	영조20	속대전 완성(11, 22. 4 반포)
	영조23	경리청 총융청에 합속(5), 제용감 정·부정·첨정 혁거
	영조25	균역청 설치(~29)
	영조26	광주도호부 유수부로 승격(5)
	영조29	균역청 선혜청에 합병
	영조31	금군청 용호영으로 개편
	영조40	장예원 형조에 합병
	영조47	조경묘 건립(10)
1776	정조즉	규장각 설치(9)
	정조1	금위·어영청 대장 사로 개칭(2), 귀후소 혁파(9), 숙위소 설치(11), 교서관 규정외각으로 개편(12)
	정조2	호위3청 1청으로 축소(2)
	정조3	통어영 강화부에 합설(3), 내각검서관 설치(3), 경모궁 준공(8)
	정조6	교서관 규장각에 합병
	정조7	사재감 복설(2)
	정조9	무예청 장용위로 개칭(7), 『대전통편』 완성(9)
	정조11	장진현 도호부로 승격(8)
	정조12	전국 군현수령과 조정(문관 90, 음관 179, 문관 43, 기타 문·무교차, 1), 장용영제조 1직 설치(선혜청 당상 겸, 8)
	정조13	3도통어사 복설(3), 영우원 현륭원으로 개칭(7)
	정조14	원춘도 강원도로 개칭
	정조16	총융청 5영제 개정(12)
	정조17	호위청 장용영에 이속, 장용영 내외영제로 개편(1), 수원도호부 유수부로 승격
	정조19	장용내용 5사25초로 정비(5), 광주부 유수부로 승격
	정조20	원주에 방어사영 설치(11)
1801	순조1	화령전 건립(3)

	순조2	장용영 혁파(1), 총리영 설치(1)
	순조12	순무영 혁파(4)
	순조13	삼수부 이서 5진 혁파(4), 총리영 정3품아문으로 강격
	순조23	풍덕부 개성부에 합병(7)
	순조32	호위대장 훈척인 대신·장신 제수 상정(4)
1846	헌종12	총융청 총위영으로 개편(8)
1849	철종즉	총위영 총융청으로 개칭(6)
1853	철종4	4영 파총과 포도청 종사관 실직으로 전환(4)
	철종10	군자감·광흥창 판관 가설(3)
	철종11	북평사 복설(6)
	철종12	무예별감 60명 증설(12)
	철종13	삼정이정청 설치(5~윤8)
1864	고종1	문·무산계 정1품 중계 상보국숭록대부 설치, 종친·의빈계 문산계로 통일(1), 비변사와 의정부 사무분장(2)
	고종2	통제영 중군 설치(1), 비변사·준천사 의정부에 병합(3), 종친부 도정 1직 증설(10), 『대전회통』 완성(11)

26) 졸고, 2006, 『조선초기의 정치제도와 정치』, 계명대학교출판부 ; 『조선왕조실록』 태조 1년~철종 14년조 ; 한국정신문화연구원, 2004, 『한국사연표』, 동방미디어 ; 한국역사연구회 19세기 정치사연구반, 1990, 『조선정치사 1800~1863』 상, 청년사, 부록 〈19세기 연표〉 ; 『증보문헌비고』 직관고 ; 『연려실기술』 별집 상 직관전고 등에서 종합.

ABSTRACT

Political System and Politics of Middle and Late *Joseon* Dynasty

This book is the sequel to '*Political System and Politics of Early Joseon Dynasty*'(published in 2006, Keimyung University Press). It examines the political system of middle and late *Joseon* Dynasty(1485～1865/16th year of King *Seongjong* ～2nd year of King *Gojong*) and it is a comprehensive collection of all political systems including government management, public offices and public posts. Also examines how this political system was related to political management.

During the reign of King *Jungjong*, the government office position system was composed of *Munsangye*(文散階), *Musangye*(武散階) and *Gayuidabu*(嘉義大夫). After that, *Munsangye*, *Musangye*, *Jongchingye*(宗親階), *Yuibingye*(儀賓階) *and Sangboguksungrokdabu*(上輔國崇祿大夫) were the position system of King *Gojong* period.

In the mid-*Joseon* period, government offices and political structures were slightly revised and operated in relation to changes in the political, military, social, and economic situations, On the other hand, in late *Joseon* Dynasty, they were rapidly changed, reorganized and finally enacted in 1747(23rd year of King *Yeongjo*). After that, the political system underwent minor revisions, and it was legislated through *Daejeon Tongpyeon*(大典通編) and *Daejeon Haetong*(大典會通), passed down to the future generations.

In late *Joseon* Dynasty, government office *Bibyeonsa*(備邊司) became the best political and military organization which replaced *Uijeongbu*(議政府). Also

Ogunyung (five military camps, 五軍營) including *Hunryundogam*(訓練都監), were established to neutralize *Oyui*, became the center of the army. Also *SunHyecheong*(宣惠廳) was established to play a central role in economy. *Uijeongbu*, however, was reduced to a nominal government office, *Yukjo*'s function was weakened, too. *Yukjosokamun*(六曹屬衙門), which was in charge of the small offices under the command of *Yukjo*, went down in rank or disappeared in many of them. Due to these changes in government offices, the national management structure changed from *Uijeongbu-Yukjo-Owe* in the early *Joseon* Dynasty to *ByBeonsa-Yukjo-Seonhyecheong-Ogunyung* (five military camps) system.

In late *Joseon* Dynasty, government posts in *BiByeonsa*, *SeonHyecheong*, and *Hunryundogam* led politics, military, and economy(They held the positions in *Uijeongbu* and *Yukjo* at the same time). In addition, *DangSang-gwan*(堂上官) of *Uijeongbu* and *Yukjo* exhibited more powerful function in the concurrent position than the main position, and the official position below the 3rd rank of *Yukjosokamun* was greatly reduced or disappeared.

In mid *Joseon* period, the political management was carried out by public systems such as *Uijeongbu*, *Yukjo*, *Saheonbu*(司憲府), *Hongmungwan*(弘文館) and *Saganwon*(司諫院) generally. However king's subjects of power, distinguished services to the country or some maternal relatives temporarily had strong functions. In the late *Joseon* Dynasty, the government management was led by political parties called *Dangpa*(黨派) based on academic, legional ties, *Dongin*(東人) and *Seoin*(西人) (from mid *Seonjo* reign to beginning of *Sukjong*) did the same role, too. After the mid *Yeongjo* reign, *Noron* took over the majority of *Uijeongbu*, *Yukjo*, etc, and led the government.

As shown above, the newly established government offices such as *ByBeonsa*, *Seonhyecheong*, *Ogunyung*, etc. which led politics and military affairs, gradually became stronger and weakened the royal authority. King *Sukjong*, King *Yeongjo*, and King *Jeongjo* tried to weaken them and find a way to expand the royal authority, but they did not achieve much. Since then, the reign of *the Kim family of Andong*(安東) and *the Jo family of Pungyang*(豊壤) carried out government administration due to king's early enthronement, incompetence, and political sponsorship. However, the changed political system and its operation in the late *Joseon* Dynasty eventually strengthened the defense of the royal castle, capital city, *Gyeonggi*(京畿) region and north-south coast, and relieved the burden of tribute payments and military service of the people. The new system also stabilized and sustained the weakened royal authority after the Japanese Invasion and the Manchu War.

To summarize the above, the political system of the late *Joseon* Dynasty was changed from *Uijeongbu-Yukjo-Owe, DangSang-gwan* and *Samsa*(三司) officiers from *Uijeongbu, Yukjo* to *ByBeonsa-Yukjo-Seonhyecheong-Ogunyung* with rapidly changing social situations. In addition, the newly emerging political parties and families with strong power led the management of state affairs by jumping on the changed political system. However, the newly changed political system and the operation of it were focused on strengthening the defense of the royal castle, capital city, etc. Also helped stabilize the people's livelihood and provided the foundation for the stability and continuation of the declining royal power.

참고문헌

1. 자료

『明史』
『高麗史』(백관지)
『朝鮮王朝實錄』 성종 14~철종 14년조.
『高宗實錄』 고종 1~2년조.
『備邊司謄錄』
『承政院日記』
『日省錄』
『正宗記事』
『邑誌』(江華府·水原府·廣州府, 외)
『增補文獻備考』 職官考
『萬機要覽』 軍政編
『國朝人物考』(閔霽碑銘, 외)
『新增東國輿地勝覽』
『錦溪集』(黃俊良行狀)
『德溪集』(吳健年譜)
『象村集』(申欽年譜)
『愚得錄』(鄭介淸行狀)
『重峯集』(趙憲行狀)
『癸甲日錄』(禹性傳)
『朝鮮政鑑』(上)(朴齊炯)

『經國大典』
『經國大典註解』
『典錄通考』
『大典續錄』
『大典後續錄』
『各司受教』
『受教輯錄』
『新補受教輯錄』
『續大典』
『大典通編』
『大典會通』

2. 논저

고영진, 1995, 「조선사회의 정치·사상적 변화와 시기구분」, 『역사와 현실』 15, 한국역사연구회.

김갑주, 1973, 「원상제의 성립과 기능」, 『동국사학』 12.

김병우, 2006, 「대원군의 통치정책」, 혜안.

김송희, 1987, 「조선초기 [제조]제에 관한 연구」, 『(한양대)한국학논집』 12.

김우기, 1986, 「조선전기 사림의 전랑직 진출과 그 역할」, 『대구사학』 29.

김우기, 1990, 「전랑과 삼사의 관계에서 본 16세기 권력구조」, 『역사교육논집』 13·14.

마호영, 2012, 「동정제독 이천 마귀 조선구원실기」, 도서출판 태양.

金鍾洙, 2003, 『조선후기 중앙군제연구-훈련도감의 설립과 사회변동-』, 혜안.

민현구, 1983, 『조선초기 군사제도와 정치』, 한국연구원.

朴光用, 1997, 「영조대 탕평정국과 왕정체제의 정비」, 『한국사』 32.

박광용, 1997, 「정조대 탕평정책과 왕정체체의 강화」, 『한국사』 32.

朴　範, 2019, 「정조중반 장용영의 군영화과정」, 『사림』 70, 수선사학회.

박병호, 1995, 「『경국대전』의 편찬과 계승」, 『한국사』 22.

반윤홍, 2003, 『조선시대 비변사연구』, 경인문화사.

방범석, 2016, 「장용영의 편제와 재정운영」, 『한국사론』 62, 서울대 국사학과.

방상현, 1991, 『조선초기의 수군제도』, 민족문화사.

서태원, 1999, 『조선후기 지방군제연구-영장제를 중심으로-』, 혜안.

송기중, 2010, 「17세기 수군방어체제의 개편」, 『조선시대사학보』 53.

신해순, 1978, 「관료간의 대립과 분열」, 『한국사』 12.

吳洙彰, 1997, 「세도정치의 전개」, 『한국사』 31, 국사편찬위원회.

오종록, 1985, 「조선초기 병마절도사의 성립과 운용」, 『진단학보』 59.
오종록, 1990, 「비변사의 정치적 기능」, 『조선정치사(1800~1863)』 하, 청년사.
吳宗祿, 1990, 「중앙군영의 변동과 정치적 기능」, 『조선정치사(1800~1863)』 하, 청년사.
禹仁秀, 1989, 「조선 효종대 북벌정책과 山林」, 『역사교육논집』 15.
禹仁秀, 2003, 「영남 남인의 형성」, 『조선후기 영남 남인 연구』, 경인문화사.
李謙周, 1976, 「임진왜란과 군사제도의 개편」, 『한국군제사』 근세조선후기편』 육군본부.
이근호, 2012, 「숙종대 도성수비체제의 성립과 방어시설의 정비」, 『한국군사사』 7, 경인문화사.
이병휴, 1984, 「조선전기 기호사림파연구」, 일조각.
李相殷 감수, 1993, 『漢韓大字典』, 民衆書館.
李迎春, 1998, 「붕당정치의 전개」, 『한국사』 30, 국사편찬위원회.
李銀順, 1988, 『조선후기장쟁사연구』, 일조각.
이재룡, 1966, 「조선초기의 토관에 대하여」, 『진단학보』 29·30합호, 진단학회.
李在喆, 2001, 『조선후기 비변사연구』, 집문당.
李存熙, 1984, 「조선왕조의 유수부 경영」, 『한국사연구』 47, 한국사연구회.
이존희, 1990, 『조선초기 지방행정제도 연구』, 일조각.
李泰鎭, 1977, 「중앙오군영제의 성립과정」, 『한국군제사』 근세조선후기편, 육군본부.
이태진, 2003, 「상평창·진휼청의 설치·운영과 구휼문제 」, 『한국사』 30, 국사편찬위원회.
이희환, 2015, 『조선정치사』, 혜안.
장병인, 1978, 「조선초기의 관찰사」, 『한국사론』 4, 서울대학교 국사학과.
장병인, 1984, 「조선초기의 병마절도사」, 『한국사론』 34.
정만조, 2003, 「사족의 향촌지배와 서원의 발달」, 『한국사』 31, 국사편찬위원회.
車文燮, 1973, 「宣祖朝의 訓練都監」, 『朝鮮時代軍制史』. 단국대학교출판부.
차문섭, 1973, 「금위영연구」, 『朝鮮時代軍制史』. 단국대학교출판부.
차문섭, 1976, 1979, 「守禦廳硏究」 상·하, 『동양학연구』 6, 9, 단국대동양학연구소.
차문섭, 1981, 「조선후기 중앙군제의 개편」, 『한국사론』 9, 국사편찬위원회.
차문섭, 1998, 「중앙 군영제도의 발달」, 『한국사』 30, 국사편찬위원회.
차장섭, 1995, 「조선후기 문과급제자의 성분」, 『대구사학』 47.
최승희, 1967, 「집현전연구」 하, 『역사학보』 33, 역사학회.
최승희, 1970, 「조선후기 원종공신녹훈과 신분제 동요」, 『한국문화』 22.
최승희, 1973, 「홍문관의 성립경위」, 『한국사연구』 5, 한국사연구회.
최이돈, 1989, 「16세기 낭관권의 성장과 붕당정치」, 『규장각』 12.
최이돈, 1994, 『조선중기 사림정치 구조 연구』, 일조각.
崔妵姬, 2014, 「조선후기 宣惠廳의 운영과 中央財政構造의 변화」, 고려대학교 박사학위논문.

崔孝軾, 1983, 「어영청연구」, 『한국사연구』 40.
최효식, 1985, 「총융청연구」, 『논문집』 4, 동국대 ; 1996, 『조선후기 군제사연구』, 新書苑.
한영국, 2003, 「대동법의 시행」, 『한국사』 30.
韓忠熙, 1981, 「조선초기 의정부연구」 상, 『한국사연구』 31.
한충희, 1985, 「조선초기 판이·병조사연구」, 『(계명대)한국학논집』 11.
한충희, 1991, 「조선전기(태조~선조 24년)의 권력구조연구-의정부·육조·승정원을 중심으로-」, 『국사관논총』 30, 국사편찬위원회.
한충희, 1992, 「조선 중종 5년~선조 24년(성립기)의 비변사에 대하여」, 『서암조항래교수화갑기념 한국사학논총』, 논총간행위원회.
한충희, 1994, 「중앙 정치구조」, 『한국사』 23, 국사편찬위원회.
한충희, 2001, 「중앙 정치 기구의 정비」, 『세종문화사대계』 3, 세종대왕기념사업회.
한충희, 2002, 「조선초기 도제와 군현제 변천연구」, 『계명사학』 15.
한충희, 2004, 「조선초기 관직구조연구」, 『대구사학』 75.
한충희, 2006, 『朝鮮初期의 政治制度와 政治』, 계명대학교출판부.
한충희, 2011, 「朝鮮 中·後期 議政府制의 變遷研究」, 『韓國學論集』 45, 계명대학교 한국학연구원.
한충희, 2011, 「조선 중·후기 군현의 변천과 국방·지방통치」, 『(계명대)인문학연구』 45.
한충희, 2011, 『朝鮮前期의 議政府와 政治』, 계명대학교출판부.
한충희, 2014, 『조선의 패왕 태종』, 계명대학교출판부.
한충희, 2018, 「조선 중·후기 변진연구」, 『조선사연구』, 조선사연구회.
한충희, 2020, 「조선시대(1392, 태조 1~1785, 정종 9) 능관제연구」, 『동서인문학』 59, 계명대학교 동서인문학연구소.
한충희, 2021, 「조선 중·후기(성종 16~고종 2) 경관 문반직 변천연구」, 『조선사연구』 30.
허선도, 1991, 「조선시대 영장제」, 『한국학논총』 14.
洪順敏, 1990, 「정치집단의 성격」, 『조선정치사』 하, 청년사.
홍순민, 1998, 「붕당정치의 동요와 환국의 빈발」, 『한국사』 30, 국사편찬위원회.
홍순민, 2016, 「승정원의 직제와 공간규모」, 『규장각』 49, 서울대 규장각.

찾아보기

ㄴ

ㄷ

ㅁ

ㅂ

ㅅ

ㅇ

ㅈ

ㅊ

ㅌ

ㅍ

ㅎ

간행 후기

2020년 6월에 집필을 시작하여 3년이 경과한 오늘에서야 마무리 지었다. 시작할 때에는 대부분의 원고가 정리되었기에 늦어도 1년 정도면 정리가 될 것으로 생각하였다. 그런대 막상 작업을 시작하니 새로 찾아서 검토할 관련 연구와 확인할 사료가 의외로 많았고, 특히 군영아문에 있어서는 이해가 깊지 못하였기에 개별 군영은 물론 군영 전체의 유기적인 관계의 파악에 고심이 많았다. 더구나 나이 탓으로 시력이 많이 나빠져 작은 글씨는 정확히 읽기가 어려웠기에 그 모두를 확대하여 읽어야 하였고, 컴퓨터 작업에도 애로가 많았음은 물론 자료도 정년 시에 소장서적을 모두 기증한 까닭에 새로 구해야 하는 등 난관이 한 둘이 아니었다,

연구에 대한 열의는 여전하지만 나이로 인한 건강이 의욕을 뒷받침하지 못하니 고생도 고생이지만 어려움이 많다. 장기간 공을 들여 정리한 글이지만 주로 연구한 분야가 '조선초기'이다 보니 비록 최근 몇 년간에 조선 중·후기의 경관아, 도와 군현, 변진, 능관을 주제로 한 연구가 있기는 하였지만 '조선 중·후기의 분야'에 관한 관련연구의 이해에 어려움이 많았고, 사료까지 읽고 더더욱 숫자와 씨름하며 많은 표를 정리해야 하였으니 말이다.

그렇기는 하나 평생 연구의 대표저서로 생각하고 있는 『朝鮮初期 政治制度와 政治』(2006, 계명대학교출판부)[1]의 후속편을 이렇게 간행하게 되어 기쁘

1) 이 책의 목차는 다음과 같다.

기 한량없고, 이 책의 출판에 이르기까지 도움을 준 여러분에게 저절로 감사한 마음이 든다.

적지 않은 나이이고 건강도 좋지 않지만 오늘에 이르기까지 제가 제일 좋아하는 글을 읽고 쓸 수 있게 해 주신 하나님께 감사를 드립니다.

2023년 5월 30일
이곡동 명재실에서
明齋 韓忠熙

명재 한충희 明齋 韓忠熙

1947년 경북 김천시 아포읍 예리에서 출생
1968. 3~1992. 8 계명대학교 학사·석사, 고려대학교 박사
1983. 3~2013. 2 계명대학교 교수
2004. 7~2008. 6 계명대학교 인문대학장
2013. 2~2023 현재 계명대학교 사학과 명예교수

주요논저
1980·1981, 「朝鮮初期 議政府研究」(상·하), 『韓國史研究』 31·32
1994·1995, 『한국사』 권22·23(공저)(국사편찬위원회)
1998, 『朝鮮初期 六曹와 統治體系』(계명대학교출판부)
2006, 『조선초기의 정치제도와 정치』(계명대학교출판부)
2011, 『朝鮮前期 議政府와 政治』(계명대학교출판부)
2014, 『朝鮮의 覇王 太宗』(계명대학교출판부)
2020, 『조선초기 관인 이력(태조~성종대)』(도서출판 혜안)
2022, 『조선 중·후기 정치제도 연구』(도서출판 혜안)

조선 중·후기의 정치제도와 정치
한 충 희 지음

초판 1쇄 발행 2023년 9월 30일

펴낸이 오일주
펴낸곳 도서출판 혜안

등록번호 제22-471호
등록일자 1993년 7월 30일

주 소 ㊞04052 서울시 마포구 와우산로 35길 3(서교동) 102호
전 화 3141-3711~2
팩 스 3141-3710
이메일 hyeanpub@daum.net

ISBN 978-89-8494-703-0 93910
값 42,000 원